9.95

Xavières
Montréal

D1050598

LECTURE D'ÉVANGILES

DES MÊMES AUTEURS

GILLES BECQUET

DOCUMENTS CATÉCHÉTIQUES :
Série 1 (5 fascicules) : *Les étapes du dessein de Dieu* et *Les écrits de l'Ancien Testament*, Paris, Mame, 1963-1964.
Série 2 (6 fascicules) : *Les évangiles*, Paris, Mame, 1966-1968.

En collaboration

Vocabulaire de théologie biblique, Paris, Cerf, 1970.
Traduction œcuménique de la Bible, Alliance biblique universelle et Éd. du Cerf (en cours de publication).

ROGER VARRO

Église, signe de salut au milieu des hommes
(en collaboration avec Mgr R. Coffy)
Paris, Le Centurion, 1972

GILLES BECQUET

EN COLLABORATION AVEC
ROBERT BEAUVERY ET ROGER VARRO

LECTURE D'ÉVANGILES

POUR LES DIMANCHES ET FÊTES
DES TEMPS PRINCIPAUX DE L'ANNÉE B

ÉDITIONS DU SEUIL
27, rue Jacob, Paris VIᵉ

L'évangéliste représenté sur la page 1 de la couverture
est une miniature d'un évangéliaire découvert à Rossano
en Italie du Sud. Il s'agit d'un manuscrit grec des
VI-VIIe siècles, sur parchemin de couleur pourpre,
unique dans l'ancien art chrétien. (Photo Giraudon).

AVANT-PROPOS

Les chrétiens méconnaissent les évangiles. Ils le reconnaissent eux-mêmes, qu'ils soient catéchistes, membres de mouvements d'Action catholique ou sans engagement particulier. C'est à qui répétera « il faut vivre l'Évangile au cœur de la vie »; mais quand il s'agit de voir la référence de cette vie avec telle parole ou tel événement de l'Évangile, l'inspiration tarit vite. Les pages qui sont citées ne sont pas des moindres, mais elles ne sont guère nombreuses : les béatitudes, le jugement (en Mt 25), Zachée, parfois une parabole... encore faudrait-il voir comment elles sont présentées!

Une rapide observation montre en tout cas qu'elles sont quasi toutes révélatrices de la personne de Jésus dans son action. Peu ont trait à la révélation sur l'être profond qui est en lui source d'une telle action. Peut-être cette sélection est-elle due à un certain manque d'ouverture ou d'enracinement dans une communauté vivante. En effet, pour percevoir dans l'Écriture l'aventure à vivre aujourd'hui et, dans les événements vécus, ce qui est « selon les Écritures » trois facteurs sont nécessaires : l'ouverture à l'Esprit, le partage avec d'autres et un minimum de connaissances des textes. Or, sur ce dernier point, l'expérience m'a montré que les auditoires apparemment les moins enclins à accorder un intérêt à ces passages commençaient à se passionner pour eux lorsqu'ils leur sont déchiffrés. Il n'y a pas que le manque d'ouverture qui entraîne la désaffection, le manque de connaissance est aussi un ennemi redoutable.

Mais où trouver une initiation? Se tourne-t-on vers le prédicateur, il est souvent plus désemparé que les chrétiens eux-mêmes. Car

7

la liturgie lui a fait la surprise d'avoir à expliquer des textes qu'il n'a, souvent, jamais étudiés. En effet, depuis le temps où il s'est préparé à son ministère, les travaux effectués dans la recherche biblique ont renouvelé ce qu'il a appris si, encore, il a eu la chance d'avoir vu la Bible mise en bonne place dans l'enseignement qu'il a reçu à ce moment-là.

Cependant, face aux publications, voilà le chrétien à nouveau embarrassé. Des voies savantes, purement exégétiques ou théologiques, sous des formes développées ou succinctes, lui sont offertes. Il ne doute pas de leur valeur mais se trouve souvent démuni face à elles. Faute d'une passerelle entre son univers et ce qui lui est présenté, il s'éloigne découragé ou laisse à la poussière le bel ouvrage qu'il a acquis. Il peut lui arriver aussi de se tourner vers d'autres voies qui se présentent sous une forme plus chaleureuse. Mais il est alors comme l'habitant du pays en voie de développement que l'on fait subsister au moyen d'un produit de consommation sans lui avoir appris à progresser lui-même. Parfois même, les propos d'un spécialiste ou son goût d'homme moderne avide d'un minimum de savoir technique lui font douter de la valeur de ce produit. Il se retrouve alors découragé ou, le plus souvent, avec le désir d'apprendre, mais avec quel outil ?

Afin d'éviter le plus possible ce double écueil, les études qui suivent ont été expérimentées avec des auditoires avant d'être mises par écrit et elles répondent à des demandes précises :

« Donnez-nous, de manière simple, l'essentiel de ce que disent les exégètes. Mais ne vous contentez pas de leurs conclusions, montrez-nous un minimum de raisons qui les ont amenés à déduire le sens qu'ils livrent.

» Nous voudrions, en même temps, des études qui ne soient pas purement exégétiques, mais qui mettent en relief les lignes catéchétiques des auteurs des évangiles, compte tenu de la manière d'écrire de leur temps, de leur vocabulaire et des situations dans lesquelles ils étaient. Ainsi, nous pourrons plus facilement percevoir la présence de l'Évangile à notre vie d'aujourd'hui. »

C'est cette double requête qui a fait adopter une PRÉSENTATION

MÉTHODOLOGIQUE afin que les lecteurs apprennent, comme par osmose, à suivre une démarche valable non seulement pour les études présentées dans ce volume, mais pour tout texte d'Évangile, leur évitant ainsi de partir sur de fausses pistes ou de se fourvoyer dans des impasses, les aidant aussi à prendre leur lecture comme un message qui les interpelle.

Il s'agit avant tout d'une INITIATION A LA LECTURE DU TEXTE BI-BLIQUE LUI-MÊME. Pour conduire le lecteur le plus près possible des tournures des auteurs, dans leur langue grecque, la traduction choisie est celle de la Synopse Benoit-Boismard[1] dont le but est précisément de fournir cette fidélité et non les meilleures tournures littéraires pour le français d'aujourd'hui.

Quant aux passages étudiés, ils sont pris suivant le DÉCOUPAGE LITURGIQUE. Celui-ci a ses intentions propres. On peut critiquer les défauts ou voir le bien-fondé de certains choix : absence de tel ou tel verset, longues péricopes sectionnées en tronçons pour être lues à la même période de l'année, sur trois années, etc. Mais, aussi bien ceux qui entendent que ceux qui doivent présenter ces lectures dans le cadre liturgique, ne peuvent avoir présent à l'esprit le contexte d'où sont extraits ces petits passages ou les éléments particuliers qu'il faut en retenir, compte tenu de l'ensemble d'où ils proviennent. C'est pour aider à dépasser cette difficulté que le livre a voulu aborder de front ce choix.

Le projet a pris naissance dans le courant de 1968. Il a été dû, au départ, à une suggestion du Père X. Léon-Dufour. Roger Varro et moi-même avons mis au point le projet de méthode. De 1969 à 1971 des études ont paru dans la revue *Esprit et Vie*[2] relatives à des textes d'évangiles des dimanches sur trois années du cycle liturgique. Elles ont été, depuis, entièrement refondues et augmentées. Chemin faisant, Robert Beauvery s'est joint au tandem. Malgré son désir de s'ouvrir à d'autres collaborateurs l'équipe s'est maintenue à ce petit nombre. L'augmenter aurait en effet rendu le

1. Éd. du Cerf, deuxième édition (1972).
2. Revue des sciences ecclésiastiques, (anciennement *L'Ami du clergé*), B. P. 4, 52 200 LANGRES.

travail trop complexe pour des auteurs déjà éloignés géographiquement les uns des autres (Seine-et-Marne, Alpes-Maritimes, Rhône) et fort chargés de services.

L'ensemble a pu bénéficier des conseils du Père X. Léon-Dufour auquel j'exprime, ainsi que mes collaborateurs, toute ma gratitude.

S'il est assidu à suivre de près la méthode, le lecteur trouvera parfois que les auteurs veulent le faire travailler alors qu'il est pressé, dérangé, chargé d'activités. Qu'il se dise, alors, qu'eux-mêmes ont rédigé ces textes dans des difficultés semblables car, en même temps qu'ils sont exégètes, tous les trois ont également des charges pastorales diverses. Mais l'effort pour une matière à laquelle on a pris goût devient facile surtout lorsque celle-ci livre des richesses toujours nouvelles, profondes, et ne faisant que crier la Bonne Nouvelle de Jésus vivant pour tous les hommes.

Gilles Becquet
La Houssaye-en-Brie
Pâques 1972.

MÉTHODE

Les études qui suivent veulent amener les lecteurs à cheminer à travers les textes évangéliques au point de posséder peu à peu, comme à l'état de réflexe en eux, le « sens » de la lecture des évangiles. Une certaine marche d'approche leur est offerte, qui comporte méthodiquement les mêmes étapes pour chaque passage étudié.

1. Les premiers pas consistent à lire le texte assez rapidement et à relever certaines des remarques qui viennent à l'esprit au premier abord : c'est une *prise de contact*, un apprivoisement.

2. Vient ensuite une étude proprement dite suivant le double point de vue du *contexte* et de l'*organisation* du passage étudié.

a) Contexte.
Lire un texte sans le replacer dans l'ensemble d'où il provient conduit inévitablement à de fausses interprétations : qu'un épisode ou une parole soient mentionnés avant ou après tel ou tel autre, et leur éclairage en est entièrement modifié, tout comme une portée musicale s'interprète différemment suivant la clé qui la précède.
Le passage étudié est donc à comprendre en fonction de la trame dans laquelle il est tissé. Pour en percevoir le sens, il faut le replacer sur cette toile de fond que constituent la section et le livre d'où il est extrait. C'est l'étude des contextes, proche et lointain, comparés éventuellement avec ceux des autres évangiles, qui fournit ce regard.

Cette étape, qui pourrait paraître très éloignée du but est donc, en fait, déterminante.

b) *Organisation, genre du texte.*

Aucun texte évangélique n'a été rédigé sans comporter une organisation et un genre qui lui donnent à la fois comme un corps, avec ses différentes parties, et un vêtement révélateurs du sens à lui donner. La pédagogie de l'auteur, son projet de mettre en évidence tel point particulier, son souci de le dire en se coulant dans le langage reçu de la Bible, tout a contribué à ce que les éléments du texte soient livrés suivant une certaine structure, elle-même habillée d'un certain genre : une révélation intérieure n'est pas présentée de la même manière qu'une prédication ou un procès...

Sur ce point, les méthodes d'analyse structurale qui ont commencé à se répandre dans la dernière décennie sont appelées à voir leur part grandir parmi le nombre des autres méthodes déjà au service de l'exégèse. Elles sont encore trop peu avancées pour être utilisées largement. Aussi est-ce très modestement qu'ici ou là une amorce a été pratiquée dans ce sens, pour sensibiliser le lecteur à cet aspect nouveau que pourront comporter des études à venir.

Découvrir le genre propre du passage c'est, ainsi, rejoindre dans son intention l'auteur qui l'a écrit et entrer dans la connaissance du monde qu'il a voulu évoquer, pour mieux mettre en évidence la révélation à transmettre. D'une certaine manière, cette étape livre toutes les clés importantes de l'interprétation des éléments à voir, ensuite, en détail.

3. Lorsque l'architecture du texte a été mise en évidence, ainsi que l'ambiance dans laquelle elle introduit, il reste à observer les *principaux éléments* qui le constituent. Situés les uns par rapport aux autres, avec leur ordre d'importance respectif ils peuvent être vus alors chacun de près, sans craindre de donner aux détails une place démesurée ou faussée.

Chacun des éléments principaux contient des expressions chargées du sens qui s'y est accumulé au cours de l'histoire biblique et

auquel l'auteur de l'évangile apporte parfois sa note propre, déce-
lable par comparaison avec les autres emplois qu'il en fait dans
son livre. C'est ici qu'intervient essentiellement, dans les études
qui suivent, l'usage du Vocabulaire de Théologie Biblique[1]. C'est
une passerelle jetée entre les rives du fossé culturel qui sépare
le lecteur d'aujourd'hui de l'auteur du texte. Les mots essentiels
de la phrase, surtout lorsqu'ils ont un sens symbolique, utilisés par
celui-ci, n'ont pas le sens qu'y mettrait celui-là. C'est dire l'importance de cette étape dans l'étude.

Sur ce point du sens des mots, nous avons conscience des limites
du vocabulaire présenté. Là aussi, en effet, les progrès de la linguis-
tique et particulièrement de la sémantique, c'est-à-dire de l'étude du
mot non pas pris isolément mais replacé parmi tous les éléments de
la phrase dans laquelle il est inséré et comparé à d'autres relevant
de la même coupe historique que lui, apporteront du nouveau dans
les années qui viennent. Elles sont seulement encore trop peu
avancées pour qu'on ait pu les utiliser.

4. Jusque-là, la démarche a consisté essentiellement à accueillir
le texte dans l'état où il se trouve et à en chercher le sens. Cette
démarche a demandé au lecteur de ne pas prendre ce qu'il lit
comme un langage descriptif de l'événement ou de la parole rappor-
tés mais, d'abord et avant tout, comme ayant une signification pour
la foi. Or, cela est insuffisant et il convient, par-delà le sens du
texte de remonter à *l'histoire de la tradition* et à *l'historicité de
l'événement*.

En effet, la Révélation n'est pas seulement fait ou parole transmis
en vue de la foi, mais aussi fait et parole réels; cela est d'autant plus
insuffisant que l'homme moderne exige de ne pas s'en tenir à la
puissance symbolique du langage. Il veut le fouiller pour atteindre,
par-delà les mots, les réalités habituelles à son univers et sur lesquelles travaille sa raison. Ce souci n'était pas absent de la préoccupation des auteurs des évangiles, mais il l'était de manière beaucoup moins critique que chez l'homme moderne. Il est donc légitime

1. Éd. du Cerf, deuxième édition (1971).

et particulièrement important aujourd'hui de répondre à cette exigence normale. C'est la raison de l'étape consacrée à l'historicité : à quelle situation historique correspond le texte ? Quel fond historique contient-il ? D'autres faits ou textes de l'histoire biblique ou extra-biblique éclairent-ils ces questions ?

En ce qui concerne l'histoire de la formation des évangiles, les études qui suivent reposent sur des données qui pourraient se représenter schématiquement de la manière suivante : au départ un stade oral et palestinien, avec Jésus; puis, prédication par les apôtres à la lumière de l'Esprit et de la foi en la Résurrection, des souvenirs gardés depuis Jésus et adaptés aux auditoires de nouveaux chrétiens; ensuite : premières unités écrites, conservées tels des livrets catéchétiques, suivies bientôt par des embryons de récits évangéliques vers les années 50, avec passage de l'araméen au grec; enfin stade de rédaction finale : Marc à Rome vers 65-70; Luc, pour les Grecs, vers 70-80; Matthieu, pour les judéo-chrétiens du nord de la Galilée, vers 80-90; Jean, enfin, pour les chrétiens de langue grecque des régions de Turquie actuelle, vers 95[2].

Au stade de rédaction intermédiaire, diverses influences se sont exercées d'une source sur l'autre. De là viennent diverses ressemblances entre les Synoptiques d'une part, Jean et Luc d'autre part, bien que les quatre évangiles ne dépendent pas directement les uns des autres.

Chacun des auteurs, compte tenu de son tempérament, de sa culture ainsi que des questions et des besoins des communautés auxquelles il s'adresse, a composé, à partir de la tradition et des unités littéraires existantes, des récits orientés suivant des lignes directrices propres. C'est pourquoi l'on dit : « Évangile selon... »

---

2. Pour plus ample connaissance de ces questions, nous renvoyons à l'étude développée de X. Léon-Dufour : *Les Évangiles et l'histoire de Jésus* (Éditions du Seuil); ou encore, de manière plus succincte, du même auteur, l'introduction à *L'Évangile et les Évangiles* (Beauchesne).

Du point de vue « officiel », il faudrait se reporter à la Constitution sur la Révélation publiée par Vatican II *Dei Verbum*, n⁰ˢ 7, 12 et 19, et l'Instruction pontificale sur « La vérité historique des évangiles ». On peut trouver celle-ci, accompagnée de quelques extraits du commentaire qu'en a fait le Cardinal Béa, dans *Cahier Évangile* n⁰ 58, Évangile et Vie, C.N.E.R., 6 avenue Vavin, 75006 Paris.

C'est parce que les évangiles ont connu cette histoire dans leur formation que nous avons adopté la méthode ici proposée et qui suit la démarche inverse de cette formation. C'est la méthode positive du chercheur qui part de ce qu'il a sous les yeux, en son stade final, et qui remonte par-delà le texte jusqu'à l'événement ou la parole sur lesquels il repose. Un peu comme l'archéologue qui fouille sous une cathédrale pour atteindre au premier édifice qui est à l'origine de son histoire[3].

5. Pour un chrétien, la Parole de Dieu c'est Jésus lui-même, vivant aujourd'hui comme hier et demain. Lire l'Évangile ne revient donc pas seulement à lire un texte mais à s'ouvrir au mystère de Jésus, à en faire l'expérience, donc à voir quelles *invitations* il lance au lecteur d'aujourd'hui.

Ceci invite à découvrir dans les situations actuelles, fatalement toutes nouvelles par rapport à celles du temps de la Révélation évangélique, les correspondances qu'elles présentent avec ces dernières.

La Parole a été dite une fois pour toutes en un lieu et en un temps donnés. En ce sens elle est définitive. Mais, d'une part, la découverte des richesses qu'elle recèle ne sera jamais épuisée et ce que l'homme d'aujourd'hui est appelé à vivre peut lui faire apercevoir dans le texte des aspects non encore mis en relief. D'autre part, en ce qui concerne les apports de ce texte qui lui sont déjà connus, il doit, étant donné sa situation actuelle différente de ses prédécesseurs, découvrir comment les vivre d'une manière neuve.

C'est cela que veut susciter cette dernière étape de la lecture en proposant quelques «invitations».

3. Au moment où ce livre est sous presse paraît un petit ouvage qui suit une méthode analogue et auquel le lecteur aura profit de se reporter; J. Delorme, *Des évangiles à Jésus*, édition Fleurus.

PREMIÈRE PARTIE

TEMPS DE L'AVENT

Premier dimanche
Marc 13,33-37

ATTENTE DANS LA NUIT[1]

Matthieu	Marc 13,33-37	Marc	Luc
	[33]« Faites attention,		21 [34]« Prenez garde pour vous-mêmes... [36]Ne vous endormez pas,
	ne vous endormez pas, car vous ne savez pas quand est le moment		
25 [14]« Car (c'est) comme (un) homme (qui) partant pour l'étranger,	[34]Comme (un) homme parti pour l'étranger		à tout moment... » 19 [12]Il dit donc : « Un homme de haute naissance s'en alla dans un pays lointain recevoir la royauté et revenir.
	ayant laissé sa maison et donné		
appela			[13]Or, ayant appelé dix (de) ses serviteurs
ses serviteurs et leur remit ses biens, [15]à chacun selon ses capacités... »	à ses serviteurs le pouvoir, à chacun sa tâche;		il leur donna dix mines... »
			12 [36]« ... afin que, (ce maître) revenant

1. Synopse § 300.

19

Matthieu	Marc	Marc	Luc
			et frappant, ils lui ouvrent aussitôt. [37]Heureux ces serviteurs que le maître, en revenant, trouvera veillant.
	et au portier		
	il a commandé		
	de veiller.	14 [34]« Restez ici	
[13]Veillez donc,	[35]Veillez donc,	et veillez... »	
parce que vous ne savez pas le jour ni l'heure (voir aussi 24,42)	car vous ne savez pas quand le maître de la maison revient : ou le soir, ou à minuit, ou au chant du coq, ou le matin, [36]de peur que, revenant à l'improviste,		[38]...et si à la deuxième, et si à la troisième veille
		[37]Et il revient	il revient
il ne vous trouve	et il les trouve	et (les) trouve ainsi,	
	endormis.	endormis.	heureux sont ceux-là. » [41]Pierre dit : « Seigneur (est-ce) (que) tu dis
	[37]Ce que je dis à vous		cette parabole
	je le dis à tous : « Veillez. »		ou aussi à tous ? »

« Faites attention, veillez... veillez... » Les appels à la vigilance
se multiplient en cette fin du discours le plus long de l'évangile de
Marc. Achèvement dramatique d'une parole d'espérance, ces som-
bres images de nuit peuvent surprendre. Les raisons d'une pareille
insistance ne manquaient pas à la veille du drame. Cependant, pour
en percevoir la permanence, il faut d'abord noter que cette page ne
dit nullement comment veiller. Elle s'applique seulement à mettre
en valeur l'unique raison de la vigilance chrétienne: le Retour du
Maître. Mais comment parler aujourd'hui du Retour du Maître,
si l'on ne veut pas se contenter d'écrire sur les murs de la ville :
« Jésus revient » ?

Ce message s'adresse à « tous ». Mais qu'est-ce à dire ? Aux disciples qui n'étaient pas du cercle des Douze ? Aux lecteurs à qui Marc
destinait un écrit ? Aux chrétiens de tous les temps ? Même à ceux
qui n'appellent plus les heures de la nuit selon les quatre veilles
romaines ? Même à ceux qui savent que le Christ ressuscité est
lumière et non pas ténèbres, jour et non pas nuit ?

*

* *

a) Au fil du second évangile, la «nuit» pour Jésus n'est pas loin. Le
récit de la Passion suit immédiatement la conclusion du discours
dont on entend ici les derniers mots.

A cette lumière, la Passion apparaît aux yeux du croyant, lecteur
de Marc, comme un exemple typique du combat suprême dont
l'enjeu est l'avènement des temps nouveaux. Et il entendra retentir,
au cœur même de la nuit de Gethsémani, plus dramatique encore,
le même appel à la vigilance (14,34.37.38).

Pourquoi veiller ? La section que clôture le discours du chapitre XIII le dit nettement. Elle est consacrée au séjour de Jésus
à Jérusalem (l'unique séjour pour Marc et les Synoptiques; mais
on sait, par Jean, que Jésus fit à la Ville cinq à six voyages). Jérusalem n'a pas consenti à l'enthousiasme populaire manifesté lors
de l'entrée messianique de l'humble envoyé du Seigneur (11,1-11).
Aussitôt, le drame dans lequel Israël va se révéler stérile (11,12-14.
20-26) va prendre une intensité sans cesse accrue : discussion avec

toutes les catégories d'adversaires et paraboles des vignerons homicides. Tout se passe comme si le procès était commencé. Mais Jésus trouve encore le temps de regarder la veuve qui, dans son indigence, a donné tout ce qu'elle possédait... Veiller, les disciples de Jésus le doivent parce que ce combat du Maître sera un jour le leur.

Le discours, dont cette péricope est la conclusion, a pour but de suggérer le cadre et les dimensions réelles de ce combat. Le Maître ne répond pas à la question des disciples préoccupés du moment où il aura lieu. Ils n'auront pas d'autre réponse que les multiples appels à la vigilance de la finale du discours. Celle-ci ne reprend pas non plus le thème des signes qui tient une bonne place dans le corps du discours. Il n'est question de tribulation (vv. 6.8), de persécutions (v. 9), de bouleversement cosmique (vv. 24.25) que pour rendre plus urgente l'invitation finale.

b) Le verbe « veiller » revient trois fois dans ces derniers versets (vv. 34.35.37) et il en commande *l'organisation* comme le montre le schéma suivant :

LES MOTIFS D'UN UNIQUE IMPÉRATIF	COMPARAISON	DESTINATAIRES
— « Faites attention vous ne savez pas » (v. 34)	« Comme un maître » — départ avec responsabilité confiée	vous ⎱ serviteurs ⎰ portier
— « Veillez vous ne savez pas » (v. 35)		vous
— « Veillez » (v. 36)	— retour du maître	tous

Ainsi, les impératifs dominent, donnant au texte son caractère d'exhortation et déterminant son genre littéraire. De l'un à l'autre le mouvement de la pensée progresse à l'aide d'une comparaison.

Le motif de l'ignorance n'apparaît plus dans l'appel final : le souci de l'attitude de vigilance prend donc le pas sur la préoccupation du temps du Retour.

La comparaison met en relief deux situations : celle d'un départ et celle d'un retour.

Dans la perspective du départ, l'accent est mis sur la responsabilité à exercer (« à chacun sa tâche »); mais, au jour où déjà le portier veille, succède la nuit où sa tâche est primordiale.

Quoique primordiale, cette tâche n'est pas réservée à un seul : l'ordre de « veiller » que la comparaison adresse au portier est donné par les impératifs d'abord à « vous » les interlocuteurs de Jésus et, finalement, à « tous ».

*
* *

Ce texte présente des *éléments importants* de types différents.

1. Dans un premier registre, il renseigne sur la condition des disciples dont le sort est lié à une réalité qui dépasse leur connaissance (le « moment » : v. 33) et qui, pour cette raison, sont invités à vivre dans la vigilance, à toute heure de la nuit.

L'ignorance du moment du retour du maître n'est pas, on l'a vu, l'essentiel dans le texte. Si elle demeure présente, c'est donc pour rappeler qu'elle doit être un souci à dépasser[2].

Parmi les mystères concernant la fin des temps, le judaïsme rangeait celui de la connaissance du Jour et de l'Heure de la Venue de Dieu. Il la considérait comme un principe exclusif de la science divine, dont l'accès était impossible même aux anges, fussent-ils les plus proches du trône de Dieu, et même au Fils (13,32).

Mais l'homme supporte mal l'ignorance. Et, dès les premiers temps, certains disciples ont cherché à percer le mystère du Jour et de l'Heure de la Parousie, provoquant une effervescence qui n'a pas laissé Paul indifférent : l'apôtre a alors condamné surtout la fuite des

2. VTB, *Jour du Seigneur*, N. T., II 1.

engagements quotidiens et l'abandon du travail (2 Th 3,6-15). Curieux rapprochement avec le texte où Marc montre bien qu'une tâche a été confiée à chacun et qu'il ne faut pas s'en écarter, quelque avancée que soit la nuit.

A l'ignorance fait pendant non pas la connaissance mais l'appel à la vigilance, élément essentiel du texte.

Sous ce terme relativement simple de vigilance sont exprimées, en fait, plusieurs attitudes signifiées par des verbes sans doute différents, mais complémentaires.

« Soyez sur vos gardes » : l'usage de cet impératif se trouve ailleurs dans l'évangile de Marc dans des contextes non directement eschatologiques. Il appelle à une attention supérieure de l'esprit aux fins d'accueil ou de refus : attention à la Parole, accueil fructueux dans une bonne terre (4,13-20), attention aux levains — ici symboles de corruption — soit des pharisiens (l'hypocrisie), soit des Hérodiens (la ruse et l'ambition), soit des scribes (la vanité et la cupidité), et rejet par le disciple de toute contamination (8,15 ; 12,38). Dans le discours où se trouve le passage étudié, cet impératif s'accompagne d'une dimension eschatologique directe. Mais il porte aussi sur le présent. C'est maintenant qu'il faut résister aux charmes de ceux qui prétendent avoir percé le secret du Jour et de l'Heure (13,5.23).

« Veillez[3] » : cet impératif, à la différence du précédent, ne se rencontre pratiquement ailleurs dans l'évangile de Marc que dans des contextes directement eschatologiques. Pourtant, il implique l'obligation de « veillance » au présent immédiat. Ceci indique que les tribulations et les tentations du chrétien dans son « aujourd'hui », sont en relation avec celles de la Fin.

Veiller, au sens propre, c'est s'abstenir de sommeil; ici le mot est employé dans le sens symbolique : passer d'un état spirituel léthargique, « endormi » (v. 36), à une vie « pleine aux yeux de Dieu » (Ap 3,2-10).

Ce comportement implique une prudence consciente des dangers des derniers temps et de la force rusée des adversaires voire de l'Adversaire (1 Th 5,6-10 ; 1 P 5,8), prudence accompagnée de ses conditions : sobriété et prière (Col 4,2).

3. VTB, *Veiller*, I 1.

Cependant, il implique surtout une attitude positive : la vie de foi où l'union avec le Christ tient une place primordiale (1 Th 5,6-10; 1 Co 16,13) et permet d'être accueillant à la venue du Fils de l'homme dans les événements d'aujourd'hui.

Le motif de la vigilance prend ici d'autant plus d'importance que, de la façon dont il est construit, la « nuit » lui apparaît liée de manière intrinsèque. Il culmine sur cet élément : au jour et à ses activités succède la nuit, seul moment envisagé pour le retour.

C'est cette nuit qui, chez Marc plus que chez les autres, fait la charnière entre le ministère de Jésus et sa Passion. Alors que la tradition biblique assimile si souvent (Ps 17,15; 46,6...) matin et salut, Marc révèle que la nuit peut devenir le temps du salut. C'est peut-être que, pour lui, la nuit du retour n'est pas autre que la nuit pascale[4]. Ainsi, dans la parabole comme dans la vie du Maître, le temps de l'activité et le temps de la nuit se succèdent et s'appellent. Il en sera de la vie des disciples comme de celle du Maître.

2. Dans un deuxième registre, le texte montre que les raisons qui motivent ces appels à la vigilance tiennent au «temps» dans lequel s'inscrit la vie du disciple.

Dans la parabole, ce temps peut offrir deux faces : la période de l'absence du maître et le moment de son retour.

— Le temps de l'absence n'est pas envisagé comme un temps de malheur; il se caractérise au contraire par la charge de responsabilité active. De ce point de vue, le Maître ne reviendra pas pour sauver des hommes perdus : quand il reviendra, il compte bien mener à son plein achèvement l'activité de ses disciples.

— C'est le temps de son retour qui, paradoxalement, pourra révéler à certains qu'il n'en va pas ainsi et que tout est perdu pour eux, dans la mesure où ils auront mené ces activités sans avoir l'esprit de vigilance.

Comment se fait le passage ? Le texte ne présente de lui qu'une seule caractéristique : le Moment peut survenir à tout instant.

---

4. VTB, *Nuit*, N. T., 1.

3. Reste un dernier type d'élément : à qui s'adressent ces exhortations ?

Au cœur de la parabole, l'appel à « veiller » vise « le portier ». Mais les deux premiers impératifs s'adressent à « vous », les interlocuteurs de Jésus, tandis que le dernier s'adresse explicitement à « tous ». Que conclure de cette constatation ?

Marc a l'habitude de distinguer le groupe des disciples et celui de la foule; aux premiers, il réserve un enseignement à part — souvent le soir, à la maison — ainsi que des charges et des pouvoirs spéciaux; à la seconde, un enseignement général non assorti de missions particulières. De plus il distingue, à l'intérieur même du groupe des Douze, la personne de Pierre (16,7). On peut se demander si ce n'est pas cette même préoccupation qu'il révèle en distinguant le portier des autres serviteurs. Le « je le dis à tous » viserait donc tous les lecteurs de l'évangile mais sans annuler la manière propre dont chacun doit y répondre. On trouve un procédé analogue dans le testament spirituel de Paul : l'exhortation à la vigilance est adressée de manière « typique » aux pasteurs de l'église de Milet, et à travers eux, à tous les pasteurs de l'Église (Ac 20,31), comme s'ils étaient les premiers dépositaires de cet impératif essentiel à l'itinéraire du Peuple de Dieu en attente de la Parousie.

*

* *

A travers cette page, on peut découvrir bien des éléments connus par ailleurs dans le Nouveau Testament et percevoir *la vie qui a contribué à sa formation.*

La petite parabole (ou *mashal*) trouve probablement un point d'appui dans la tradition matthéenne (Mt 25,14-15), et peut-être encore dans la tradition lucanienne (Lc 19,12). En revanche, son application n'a qu'une relative correspondance avec Lc 12,37-38. De même, le thème de l'attente du retour se retrouve dans de multiples expressions, en particulier dans les grandes épîtres pauliniennes (Rm 13,11; 1 Co 11,26; 16,22... et surtout 1 et 2 Th). Si on replaçait ces éléments dans l'histoire de la formation du

Nouveau Testament on pourrait y déceler des éléments relatifs au temps de Jésus et au temps de Marc.

Se rapporteraient au temps de Jésus :
— l'appel à la vigilance, le fond de la parabole ;
— l'opposition : veiller — dormir ;
— l'expression « à l'improviste ».

Au temps de Marc, l'évangéliste reflète des éléments communs à certaines épîtres de Paul, tout en les traitant différemment : la nuit, veiller-dormir, le réalisme des tâches à accomplir, le fait de parler de retour et non de présence, comme il arrive, au terme, chez Jean.

Marc se distingue par sa netteté, sa brièveté, ses affirmations brutales.

Enfin, la finale de l'invitation « à tous » est peut-être sa marque propre : elle serait un signe de l'adaptation qu'il fait en s'adressant à sa communauté.

*
* *

Ce texte *invite le chrétien* à réfléchir sur l'essentiel de sa vie.

Comme toute vie humaine, elle connaît des périodes tour à tour agréables, troublées et inquiétantes. Les premières invitent à s'assoupir, au sens négatif du mot, c'est-à-dire à se laisser aller ou à se dévoyer, mais aussi, dans un sens plus positif, à exercer sa tâche humaine sans autre horizon cependant que ceux du monde des apparences matérielles et sensibles.

Ce sont souvent les périodes troublées qui font apparaître si, dans leur activité, les hommes sont « vigilants » ou pas. En effet, certains sont alors portés à craindre des catastrophes, à être tourmentés par la peur jusque dans leur comportement et dans leurs tâches humaines. D'autres aspireraient à voir éclater la puissance de Dieu qui pourrait bien, tel un magicien, intervenir de manière décisive.

Contre ces déviations, l'évangile dit qu'il est vain de se faire des représentations de la fin du monde ou d'annoncer sa venue pour une période donnée.

En revanche, de manière positive, le Christ lance un message réaliste et dynamique. Il invite les chrétiens à vivre « éveillés », c'est-à-dire à reconnaître que, quel que soit le monde bon ou à améliorer dans lequel ils travaillent, ce n'est cependant pas en lui qu'est leur fin. Celle-ci dépasse le monde visible. Quelque action qu'aient les chrétiens dans le monde, elle ne trouve sa pleine valeur que s'ils la mènent de manière « éveillée », c'est-à-dire en attitude d'accueil à la venue de leur Maître à tout moment, pour s'en remettre à lui comme à leur fin ultime et définitive. Cela revient à les provoquer à plus d'intériorité, de recherche de proximité et d'intimité avec lui ou, si l'on veut, de contemplation au cœur de toute leur action. C'est cela vivre la spiritualité de l'Avent.

Il convient, enfin, de relever que cet enseignement est donné tout d'abord et d'une manière particulière aux responsables dans l'Église, mais qu'il est étendu aussi à « tous » les chrétiens.

R.V.; G.B.; R.B.

Deuxième dimanche
Marc 1,1-8

L'ATTENTE DE CELUI QUI VIENT [1]

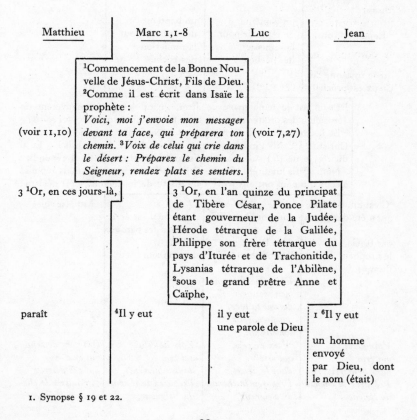

Matthieu	Marc 1,1-8	Luc	Jean
	¹Commencement de la Bonne Nouvelle de Jésus-Christ, Fils de Dieu. ²Comme il est écrit dans Isaïe le prophète :		
(voir 11,10)	*Voici, moi j'envoie mon messager devant ta face, qui préparera ton chemin.* ³*Voix de celui qui crie dans le désert : Préparez le chemin du Seigneur, rendez plats ses sentiers.*	(voir 7,27)	
3 ¹Or, en ces jours-là,		3 ¹Or, en l'an quinze du principat de Tibère César, Ponce Pilate étant gouverneur de la Judée, Hérode tétrarque de la Galilée, Philippe son frère tétrarque du pays d'Iturée et de Trachonitide, Lysanias tétrarque de l'Abilène, ²sous le grand prêtre Anne et Caïphe,	
paraît	⁴Il y eut	il y eut une parole de Dieu	1 ⁶Il y eut un homme envoyé par Dieu, dont le nom (était)

1. Synopse § 19 et 22.

29

Matthieu	Marc	Luc	Jean
Jean le Baptiste	Jean baptisant	sur Jean, le fils de Zacharie, dans le désert.	Jean.
	dans le désert,	³Et il vint	⁷Celui-ci vint pour un témoignage...
		dans tout le pays autour du Jourdain,	
proclamant dans le désert de la Judée, ²disant :	et proclamant	proclamant	
« Repentez-vous,	un baptême de repentir pour la rémission des péchés.	un baptême de repentir pour la rémission des péchés,	
car le royaume des Cieux est proche. »			

¹⁹Et tel est le témoignage de Jean, quand les Juifs envoyèrent de Jérusalem des prêtres et des lévites afin de l'interroger : « Qui es-tu ? » ²⁰Et il confessa, et il ne nia pas, et il confessa : « Je ne suis pas le Christ. » ²¹Et ils l'interrogèrent : « Quoi donc ? Es-tu Élie ? » Et il dit : « Je ne (le) suis pas. » « Es-tu le prophète ? » Et il répondit : « Non. » ²²Ils lui dirent alors : « Qui es-tu, que nous donnions réponse à ceux qui nous ont envoyés ? Que dis-tu de toi-même ? » ²³Il déclara :

Matthieu	Marc	Luc	Jean
³C'est lui, en effet, qui a été désigné	Ainsi qu'il est écrit	⁴comme il est écrit au livre des paroles d'Isaïe	« Moi, (je suis)
par Isaïe le prophète disant :	dans Isaïe le prophète :	le prophète :	
	Voici, moi j'envoie mon messager devant ta face, qui préparera ton chemin.		
Voix de celui qui crie dans le désert : Préparez le chemin du Seigneur,	*³Voix de celui qui crie dans le désert : Préparez le chemin du Seigneur,*	*Voix de celui qui crie dans le désert : Préparez le chemin du Seigneur,*	*(la) voix de celui qui crie dans le désert : Aplanissez le chemin du Seigneur,*

Matthieu	Marc	Luc	Jean
rendez plats ses sentiers.	*rendez plats ses sentiers*	*rendez plats ses sentiers ;*	
			comme a dit Isaïe le prophète. »

[5]tout ravin sera comblé, toute montagne et colline sera abaissée ; les passages tortueux deviendront droits et les chemins raboteux seront nivelés. [6]Et toute chair verra le salut de Dieu.

Matthieu	Marc	Luc	Jean
[4]Or lui, Jean, avait son vêtement de poils de chameau et un pagne de peau autour de ses reins ;	[6]Et Jean était vêtu d'une peau de chameau,		
sa nourriture était des sauterelles et du miel sauvage.	et il mangeait des sauterelles et du miel sauvage.		
[5]Alors sortaient vers lui Jérusalem et toute la Judée	[5]Et sortaient vers lui tout le pays de Judée et tous les Hiérosolymitains,		
et tout le pays autour du Jourdain, [6]et ils étaient baptisés dans le fleuve Jourdain par lui en confessant leurs péchés.	et ils étaient baptisés dans le fleuve Jourdain par lui en confessant leurs péchés. [6]Et Jean était vêtu d'une peau		

TEMPS DE L'AVENT

Matthieu	Marc	Luc	Jean
	de chameau et il mangeait des sauterelles et du miel sauvage		

§ 22

Matthieu	Marc	Luc	Jean
	Et il prêchait en disant :	16 Jean répondit en disant à tous :	26 Jean leur répondit en disant :
11 « Moi, je vous baptise dans l'eau en vue du repentir ;		« Moi, je vous baptise avec de l'eau,	« Moi, je baptise dans l'eau.
			Au milieu de vous se tient quelqu'un que vous ne connaissez pas,
mais celui qui vient derrière moi est plus fort que moi,	7 « Vient le plus fort que moi, derrière moi,	mais vient le plus fort que moi,	27 celui qui vient derrière moi
dont je ne suis pas digne	dont je ne suis pas digne, en me courbant,	dont je ne suis pas digne	dont moi, je ne suis pas digne
d'enlever	de délier la courroie de ses sandales.	de délier la courroie de ses sandales ;	de délier la courroie de sa sandale. »
les sandales ;	8 Moi, je vous ai baptisés avec de l'eau,		
lui vous baptisera dans l'Esprit Saint et le feu. »	mais lui vous baptisera avec l'Esprit Saint. »	lui vous baptisera dans l'Esprit Saint et le feu. »	

Le plus court des évangiles commence aussi par la plus brève des introductions. On pourrait presque dire : Marc n'introduit pas dans l'Évangile, il y plonge brusquement. Mais ce n'est pas parce qu'il commence au moyen d'une formule apparemment banale qu'il n'y met pas un contenu très important.

Bien qu'il s'agisse d'un passage narratif, on peut aussi remarquer que l'auteur fait tout commencer par une prédication. Sans doute ce procédé est-il intentionnel. Il semble même, ici, constituer la particularité par laquelle le second évangéliste se distingue le plus des autres Synoptiques. Il conviendra donc d'être attentif à rechercher ce qu'il veut ainsi exprimer.

*
* *

a) Si Matthieu et Luc ont un « commencement » qui s'exprime chez celui-là par une généalogie et chez celui-ci par une naissance, Marc, lui, en a également un (une *archè*) qui est la prédication de Jean-Baptiste. *L'étude du contexte* illustre ce propos.

Ce passage contient le premier des trois petits textes narratifs (Jean-Baptiste, Baptême de Jésus et Tentation) qui constituent l'introduction à tout l'évangile de Marc (1,1-13). Le premier verset, « Commencement de la Bonne Nouvelle de Jésus-Christ, Fils de Dieu », fait pendant, sous forme d'inclusion, à la proclamation finale (15,39). Il ouvre aussi en quelque sorte sur le premier volet du récit qui culmine dans la profession de Pierre : « Tu es le Messie » (8,29). Quand le texte poursuit en disant « Fils de Dieu », il annonce le deuxième volet qui culmine, lui, dans la confession du païen : « Vraiment cet homme était Fils de Dieu » (15,39).

Il sert, enfin, d'introduction au prologue du troisième évangile (1,1-13) qui est consacré au récit du ministère de Jean-Baptiste. Il est donc clair que ce ministère est annoncé comme étant le commencement de la Bonne Nouvelle. En cela, Marc est fidèle au schéma de la prédication primitive (voir Ac 10,37).

D'une manière plus proche, le lien de ce passage avec ce qui suit livre un éclairage sur lui. On peut, en effet, remarquer que la parution de Jean le Baptiste (v. 4) n'a d'autre but que d'annoncer celle de Jésus (1,14).

Mais, surtout, il faut relever le lien encore plus profond qui rattache ce passage aux deux épisodes avec lesquels il forme l'introduction, à savoir : le baptême et la tentation de Jésus. Ce rapport suggère qu'il doit y avoir une continuité entre la proclamation que fait Jean-Baptiste d' « un plus fort qui vient », le signe de « l'Esprit » et ce que révèlent les récits du Baptême et de la Tentation. Il y a là un tout qui fait ressortir l'enseignement suivant : le commencement de l'évangile est aussi le commencement d'une activité qui se révèle être celle du Fils de Dieu, investi par l'Esprit (Baptême) dont l'action est puissante, bien qu'elle ne soit pas toujours apparente, pour lutter contre les forces du mal (Tentation).

Plus précisément encore, on peut se demander si le sens dernier de ce passage n'est pas suggéré par le mot qui l'ouvre et détermine son contexte davantage encore que ce qui suit. Il s'agit de « commencement », mot très évocateur puisque, sous des formes diverses, il revient au début du premier évangile (« genèse » : Mt 1,18), du troisième (« depuis les origines » : Lc 1,13) et du quatrième (« Au commencement » : Jn 1,1). Mais ce terme renvoie généralement à la première page de la Bible tout entière (Gn 1,1). Ainsi, le sens de l'introduction de Marc est clair : avec les débuts de « la Bonne Nouvelle de Jésus-Christ Fils de Dieu », le Dessein de Dieu connaît un commencement nouveau.

b) L'étude de l'organisation du passage permet de relever, à première vue, la présence :

— d'un titre : v. 1;
— d'une parole prophétique : vv. 2-3;
— d'un élément narratif : vv. 4-8.

Le contenu et la place de la parole prophétique offrent une singularité. Marc, et lui seul, la débute par : « Voici, moi j'envoie mon messager devant ta face, qui préparera ton chemin. » De plus, dans le premier et le troisième évangile, elle suit la présentation du Baptiste et le vise clairement, alors qu'en Marc elle vient avant (comparer Marc 1,2; Mt 3,3; Lc 3,4). De ce fait, elle se rapporte davantage à ce qui précède (le « commencement de la Bonne Nouvelle ») qu'à ce qui suit (« il y eut Jean »). L'accent ne porte pas sur le message et donc, d'une certaine manière, sur le rôle du Baptiste, mais sur celui que Dieu « envoie » (v. 2) et qui est Jésus.

L'élément narratif est monté selon une technique que l'on pourrait rapprocher du zoom des caméras modernes : la situation est d'abord présentée de manière globale, puis on distingue un mouvement de foule de laquelle émerge, enfin et en gros plan, le personnage du Baptiste. Mais c'est pour que retentisse sa voix dans un message qui détourne l'attention de lui et invite à la tourner plutôt vers « celui qui vient ».

Le passage s'ouvre sur la proposition d'une bonne nouvelle qui est l'envoi de Jésus-Christ Fils de Dieu et il se clôt sur l'annonce de la venue de celui-ci. On pourrait en représenter le mouvement de la manière suivante :

COMMENCEMENT DE LA BONNE NOUVELLE
AU SUJET DE L'ENVOYÉ DE DIEU (V. 1)

Jean-Baptiste (vv. 2-3)

par ses actes (vv. 4-6) et ses paroles (vv. 7-8)
(vie au désert)   (baptême de repentir)

annonce :

IL VIENT

Cette construction évoque dans l'introduction tout le mystère de l'Évangile :

— le message de conversion proclamé aux foules;
— le ministère prophétique d'un annonceur;
— la personne même de Jésus en qui est contenue la Bonne Nouvelle.

c) *Le genre littéraire* apparaît nettement être du type « introduction » et « narration ».

Il s'agit d'une histoire au sujet de Jésus, accompagné d'un personnage important : Jean. Mais il importe de savoir que ce genre est toujours, dans la Bible, de type théologico-historique. Cela est nettement mis en évidence dans ce récit qui semble décrire un épisode, et vient à nous rempli de formules théologiques : « Commencement », « Bonne Nouvelle », « Christ », « Fils de Dieu ». Il importe donc, dans l'interprétation, de rejoindre la pensée de l'auteur utilisant un tel genre, c'est-à-dire d'être fidèle au primat de l'enseignement théologique, tout en relevant des données historiques solides.

*

* *

Les éléments principaux du texte sont tous centrés autour des deux personnages présentés dans le récit.

1. Très nettement, c'est la personne de Jésus que le texte met en valeur, particulièrement en lui attribuant un certain nombre de titres.

L'appeler « Jésus-Christ »[2] c'est déjà relever un aspect particulier de sa personne. Le nom de Jésus veut dire, en effet, « Dieu sauve » et traduit parfaitement la mission de Messie qu'il a remplie. Mais, dans le Nouveau Testament, il lui est attribué surtout pour désigner son caractère humain, historique, terrestre. En l'appelant « Jésus-Christ », Marc prévient ses lecteurs de ne pas s'étonner de la description, qui suivra dans son livre, d'un Sauveur à l'attitude et aux paroles surprenantes. Car le terme « Christ » veut dire « Messie »; il est également synonyme « d'envoyé »[3], c'est-à-dire celui qui comble l'attente des hommes, qui ouvre dans leur histoire une ère nouvelle. Le titre de « Christ »[4] est celui que les contemporains de Jésus lui attribuaient lorsqu'ils se posaient la question de son identité. Il est même celui pour lequel il a été crucifié.

2. VTB, *Mission.* N. T., I 1.
3. VTB, *Jésus*, I; voir également ce qui est dit de ce nom p. 125-126.
4. VTB, *Jésus-Christ*, Intr.; *Messie*, II 1.2.

En rigueur de termes, il traduit le mot hébreu *Meshiah*, « Oint du Seigneur », donc descendant davidique attendu. Dans l'évangile de Marc il revient moins fréquemment (7 fois) que le titre de « Fils de l'homme » utilisé de préférence par Jésus lorsqu'il voulait révéler lui-même sa propre identité. Mais, lorsque la communauté chrétienne — et donc Marc à l'époque où il écrit — utilise ce titre, c'est comme nom propre pour désigner le Sauveur ressuscité et glorieux. La réflexion sur la personne de Jésus a entraîné, en effet, un approfondissement du sens de la grandeur de son être. Parfois même, il est appelé « Jésus-Christ » (voir Jn 17,3) manière d'allier dans un nom composé l'affirmation du caractère humano-divin du Sauveur.

Jésus est encore désigné comme le « plus puissant »[5] et « celui qui vient »[6]. Selon la littérature apocalyptique (Dn 2,34 s), le Messie devait être plus puissant que les hommes en sa qualité d'envoyé de Dieu. De celui-ci il aurait assez de puissance pour être victorieux du royaume de Satan et établir à sa place le Royaume de Dieu. Cette intervention était si attendue que Dieu lui-même était fréquemment appelé du nom de « Celui qui vient » (Ps 96,12 s ; Jl 4,1 s ; Dn 7,13...). Appeler ainsi Jésus c'est donc reconnaître en lui le Messie...

Mais, pour des chrétiens vivant de la foi pascale, tous ces termes expriment bien plus : la divinité même de Jésus. En effet, s'il est « puissant », c'est par la présence de l'Esprit en lui, manifestée à son baptême et à la victoire sur Satan qui l'a suivi. Jésus est plus puissant que Jean-Baptiste par la plénitude de l'Esprit qui l'habite. Marc explicite pour les chrétiens le sens de cette force lorsqu'il donne à Jésus le titre de « Fils de Dieu »[7]. Dans la Bible, cette expression sert à désigner celui qui accomplit l'œuvre de Dieu en même temps qu'elle est synonyme d'être céleste (Jb 1,6; Gn 6...). Elle se retrouve au cœur du kérygme primitif, dans la bouche des apôtres, pour exprimer que Jésus de Nazareth, Messie, est un être glorifié. Marc l'utilise autant que « Messie » (7 fois) et toujours dans des passages où elle a une grande importance théologique

---

5. VTB, *Autorité*, N. T., I 1.
6. VTB, *Jésus-Christ*, II ld. 2a.
7. VTB, *Fils de Dieu*, N. T., I 1.

sur la nature de Jésus (1,11...; 9,7 ; 14,61). Il n'y a pas d'article devant « fils », mais ce mot est cependant défini par le génitif qui suit : il s'agit du Fils de Dieu. Si l'évangéliste emploie ce titre sous forme d'inclusion au début et à la fin de son livre (1,1; 15,39), c'est pour montrer que cette expression est un mot clé qui résume toute sa foi : ce Jésus qui s'est révélé Dieu surtout par sa Résurrection, en fait l'a toujours été, même si c'est de manière voilée, dans tout ce qu'il a fait et dit.

Cette divinité de Jésus apparaît également au mouvement qu'il entraîne, révélateur de la présence puissante de l'Esprit en lui. En effet, celui qui vient, sans qu'on le voie, est déjà quelqu'un qui agit. La manière dont le récit est bâti suggère qu'il est l'auteur du retrait de Jean au désert et du mouvement des foules. Cet aspect est développé par le quatrième évangéliste (1,26 b), mais il se trouve aussi chez Marc. De fait, ce que l'on voit de Jésus, ce n'est pas lui, mais l'effet de son action sur Jean et sur les foules : sa puissance invisible lui vient de ce que l'Esprit repose sur lui il « baptise avec l'Esprit Saint » (v. 8). Cela est vrai surtout depuis sa Résurrection et la Pentecôte, mais l'était déjà de son vivant, dès le début de son ministère.

Par cette manière d'être et d'agir, il entraîne un « commencement » radicalement nouveau dans l'histoire. Marc utilise ce mot, en début, avec une force explosive, un peu comme font les bangs des appareils supersoniques : rien n'annonce la présence d'un avion jusqu'à ce que le coup éclate et, quand on en prend conscience l'engin s'éloigne déjà, ayant laissé ses ondes dans le cosmos.

L'évangile débute par un « bang » dû à la rencontre du « monde nouveau » qui est celui du Christ, hors du temps, avec celui des hommes, qui est dans le temps; c'est cela le commencement des « derniers temps ». Quand Jésus intervient dans l'histoire des hommes, alors apparaît comme une onde-choc qui retentit dans toute leur vie. Car si le mot « Commencement » a le sens de nouveauté radicale, il évoque également une réalité appelée à se développer. L'Évangile est l'histoire d'un Jésus qui se révèle progressivement Fils de Dieu.

2. Jean pourrait paraître tenir, quantitativement, plus de place que Jésus. Mais son rôle est de montrer l'effet du « bang » en lui. Tout son personnage est à comprendre en fonction de Jésus qui est le plus important (c'est ce que met en relief le parallélisme des vv. 4 et 14). Comment est-il présenté ? Comme un porte-parole de Dieu qui agit (vv. 4-6) et qui dit (vv. 7-8). Il est donc, d'une certaine manière, un missionnaire. Et tout son rôle consiste à préparer la venue du Seigneur : c'est une mission d'Avent (c'est-à-dire « d'Ad- » ou « d'A-vènement »).

Jean prépare cette venue en se retirant au désert[8]. Étant donné ce qu'exprime bibliquement le « désert », dire de Jean qu'il y baptise, c'est signifier qu'il n'y accomplit pas un geste simplement rituel, mais qu'il requiert de ceux qui viennent une démarche de purification intérieure les disposant à la rencontre avec Dieu.

Lorsque l'évangéliste précise que tous les habitants sortaient (on peut remarquer l'usage de l'imparfait, indiquant la procession continuelle des gens) pour venir à lui, se rendant ainsi à leur tour au désert, il évoque de manière concrète la démarche intérieure de ces personnes : elles quittent un certain monde où elles vivent pour aller dans un autre; dans le dépouillement, elles vont à la rencontre d'un prophète.

Mais, plus que par son attitude pourtant déjà si attirante, Jean agit par sa parole : il « proclame ». Ce terme a toujours, chez Marc, un sens technique : celui d'annonce officielle de l'Évangile. Il est repris (1,14) pour indiquer l'inauguration du ministère de Jésus. Il convient de remarquer la place de cette « proclamation » dans le deuxième évangile pratiquement tout entier conçu dans la tension entre « garder le secret » (Jésus ne voulant se manifester pleinement qu'à sa mort) et « proclamer ». Cette tension est révélatrice du souci de mettre en évidence la situation réelle de tout missionnaire : préparer... dans le désert et, pourtant, parler.

Que « proclame » Jean-Baptiste ? « un baptême de repentir pour la rémission des péchés » (v. 4). Inviter au « repentir » c'est équivalemment inviter à la conversion[9], à un changement de conduite *(metanoia)*, qui est reconnaissance de ses limites à l'occa-

8. VTB, *Désert*, N.T., I 1.
9. VTB, *Pénitence-Conversion*, N.T., I; II 1.

sion d'une ouverture à un appel qui vient de plus haut. Pour ceux qui pratiquent le baptême dans ces dispositions, il est déclaré solennellement que leur péché est pardonné[10]. Enfin l'auteur précise que les gens « étaient baptisés », expression qu'il faudrait traduire plus exactement par « ils se faisaient baptiser ». Le salut n'est donc pas quelque chose que l'on se donne, mais que l'on se dispose à recevoir. Le mot de « rémission », synonyme de « pardon » (en hébreu : *nasa*, « lever », « emporter »; en grec : *aphiêmi*, « délier ») indique, dans la Bible, l'acte par lequel Dieu abolit une dette.

Pour Marc, cette action et cette prédication de Jean-Baptiste, avec leurs effets, sont la manifestation que l'Évangile est en marche dans l'histoire des hommes. C'est pourquoi il l'utilise d'entrée de jeu dans une phrase que l'on pourrait rendre ainsi : « La Bonne Nouvelle au sujet de Jésus-Christ, fils de Dieu, commença comme il est écrit dans... lorsque Jean parut, etc. »

Ce terme Évangile[11] est un mot clé de Marc; il l'utilise huit fois; Matthieu quatre fois; Luc jamais, bien qu'il emploie, il est vrai, dix fois le mot « évangéliser » qui lui est propre. On trouve le terme Évangile dans la langue grecque avec le sens de proclamation d'une victoire, ou de nomination d'un Empereur, dans l'Ancien Testament avec le sens de « bonne nouvelle » à propos du retour de l'exil (Is 40,3). Cette Bonne Nouvelle est l'annonce de l'instauration du Règne de Dieu, porteur de faveurs pour les pauvres (Ps 96,2-10 ; Ps 61,1); c'est encore la Bonne Nouvelle de l'intronisation de son représentant. Dans le Nouveau Testament il désigne non pas un livre, mais la Bonne Nouvelle du Royaume de Dieu apporté en Jésus-Christ par sa personne même. Pour les premiers chrétiens, il sera le message apostolique (la « Parole ») et son contenu, relatifs à la prédication et à la mission de Jésus, intronisé par sa Résurrection dans son Royaume de gloire. L'Évangile est force, événement, action d'évangéliser. Après l'avoir mis en tête, Marc n'utilise plus ce mot dans la première partie de son livre, car toute sa signification lui vient de l'événement pascal; il faut donc le réserver pour la période de la vie du Christ qui entoure cet événement.

10. VTB, *Pardon*, II 1.
11. VTB, *Évangile*, II 1.2.

*
* *

La portée théologique de ce passage apparaît ainsi avec netteté. Mais, avons-nous dit, il se présente aussi comme « narratif ». Peut-on donc déceler *la réalité historique* qu'il contient ? Il est possible de répondre affirmativement, au moins pour le cadre évoqué par le récit.

Le personnage de Jean-Baptiste et son activité s'insèrent bien dans ce que nous savons maintenant du judaïsme du premier siècle. Jean a sûrement été mis en éveil par l'existence et la pensée de la secte dont la maison mère se trouve au monastère de Qumrân. Il est curieux de constater qu'il la rejoint dans l'utilisation de la citation d'Isaïe (chap. 40), dans l'état où nous la trouvons en Matthieu, Marc et Jean.

Il la rejoint aussi, mais cette fois avec des divergences capitales, dans la pratique du Baptême. Alors qu'à Qumrân celui-ci est rite de purification, pour Jean-Baptiste il est signe de conversion. Sa prédication est toute nouvelle, et puisque le baptême qu'il pratique est un geste unique, non renouvelable, elle annonce donc la venue décisive du Règne de Dieu. Nous sommes ici sur un terrain historiquement solide et documenté.

A cela s'ajoutent encore d'autres détails colorés de véracité historique : ceux qui concernent le vêtement et la nourriture de Jean-Baptiste. Celui-ci n'était certainement pas à demi nu (comme le représente une certaine iconographie), mais vêtu d'une tunique longue et flottante, comme en portent encore aujourd'hui nombre de bédouins, et tissée en poils de chameau. Une ceinture de cuir, resserrant cette tunique, permettait de la retrousser pour courir et pouvait servir à porter toutes sortes d'objets : argent, provisions...

Les sauterelles sont d'énormes criquets dont se nourrissent encore aujourd'hui les populations des régions pauvres de ce pays. Il suffit de s'éloigner un peu du Jourdain pour être dans un décor où se trouvent toutes ces réalités, y compris les rochers où les abeilles déposent le miel butiné sur les fleurs de la vallée. Tout reflète le cadre historique de la scène évoquée par l'évangile.

*
* *

Ainsi, le personnage central de ce récit n'est pas à proprement Jean, mais « celui qui vient ». Plus exactement, *le lecteur est invité* à suivre le regard de Jean qui pressent que Quelqu'un vient.

L'accueil, par une personne, de la Bonne Nouvelle qu'est Jésus-Christ doit normalement marquer comme un commencement radicalement nouveau dans sa vie. Ce bouleversement, plus perceptible ou visible chez des convertis adultes, n'en doit pas moins avoir été vécu à un moment ou à un autre de leur vie par ceux qui se disent chrétiens. La foi repose sur une expérience initiale de ce genre, quel qu'en ait été le caractère, sous peine de ne pas être. Mais si cette rencontre marque une étape décisive dans la vie, elle n'en reste pas moins constamment à refaire, car Jésus est vivant et sans cesse à découvrir sous des jours nouveaux. Il est donc toujours à attendre.

Si l'Évangile est le commencement d'un chemin qui passera par des étapes, la personne de Jésus, elle, ne se divise pas. La raison qui la rend bouleversante tient à ce qu'il est à la fois homme et envoyé de Dieu : par ses actes étonnants il invite à chercher la source qui est à l'origine d'une telle condition, à savoir Dieu lui-même.

Tel Jean-Baptiste, les chrétiens, mêlés aux foules en recherche ont, toute leur vie, à remplir pour une part un rôle semblable à lui : se retirer dans le désert, c'est-à-dire ne vivre ni dans la facilité ni dans le conformisme, mais dans l'intériorité et la profondeur.

Appeler à la conversion c'est, par tout le comportement (gestes et paroles), rendre manifeste sa propre foi en la présence invisible mais puissante de Jésus, de telle sorte que la personne à laquelle on s'adresse découvre qu'il y a en elle quelque chose de plus grand que ce qu'elle pensait, et qu'elle éprouve du bonheur à s'éveiller à une nouvelle vie par l'intermédiaire d'un ami de Jésus-Christ. C'est finalement convier les hommes de son entourage à vivre authentiquement dans la vérité avec leur conscience : les amener, sans rien imposer, à découvrir ce qu'ils ont de plus vrai en eux et à y conformer leur vie.

Pour un baptisé vivant de Jésus ressuscité, s'en tenir à une mission du type de celle de Jean-Baptiste, est-ce déjà remplir sa mission de chrétien ? Marc, par la manière dont il a intégré le ministère du Précurseur dans la Bonne Nouvelle de Jésus Fils de Dieu, répond : « Oui. » Il dit en quelque sorte : réaliser cette mission d'ouverture de l'homme à la vérité avec lui-même et constater que cette ouverture se fait chez certains, c'est la preuve que l'Évangile (Bonne Nouvelle de Jésus ressuscité) est déjà à l'œuvre. « Derrière » chaque homme qui fait ainsi un pas, il y a « Quelqu'un qui vient ». Cela entraîne toute l'espérance du chrétien au cours de son histoire aux apparences peu retentissantes, mais où se trouve la présence cachée du Christ.

G.B.

Troisième dimanche
Jean 1,6-8.19-28

SITUATION PARADOXALE DU TÉMOIN[1]

⁶ Il y eut un homme envoyé par Dieu dont le nom (était) Jean. ⁷Celui-ci vint pour un témoignage, afin de rendre témoignage à la lumière, afin que tous crussent par lui. ⁸Il n'était pas la lumière, celui-là, mais (il vint) afin de rendre témoignage à la lumière...

¹⁹Et tel est le témoignage de Jean, quand les Juifs envoyèrent de Jérusalem des prêtres et des lévites afin de l'interroger : « Qui es-tu ? » ²⁰Et il confessa, et il ne nia pas, et il confessa : « Je ne suis pas le Christ. » ²¹Et ils l'interrogèrent : « Quoi donc ? Es-tu Elie ? » Et il dit : « Je ne (le) suis pas. » « Es-tu le prophète ? » Et il répondit : « Non. » ²²Ils lui dirent alors : « Qui es-tu, que nous donnions réponse à ceux qui nous ont envoyés ? Que dis-tu de toi-même ? » ²³Il déclara : « Moi, (je suis) (la) *voix de ce lui qui crie dans le désert : Aplanissez le chemin du Seigneur*, comme a dit Isaïe le prophète. »

²⁴Et ils avaient été envoyés par les Pharisiens. ²⁵Ils l'interrogèrent et lui dirent : « Pourquoi donc baptises-tu, si tu n'es ni le Christ, ni Elie, ni le prophète ? » ²⁶Jean leur répondit en disant : « Moi, je baptise dans l'eau. Au milieu de vous se tient quelqu'un que vous ne connaissez pas, ²⁷celui qui vient derrière moi dont moi, je ne suis pas digne de délier la courroie de sa sandale. »

²⁸Cela se passa à Béthanie, au-delà du Jourdain, où Jean baptisait.

---

1. Synopse § 1; 19 et 22; voir la présentation synoptique de ce texte p. 29-32.

Parmi les difficultés que présente ce texte si original, il en est une qui provient des informations synoptiques relatives à Jean-Baptiste. Pour comprendre ce passage, il faut en effet commencer par oublier ce que les autres évangélistes nous ont appris, par exemple que Jean-Baptiste était Élie (Mt 11,9.13-14) et chercher si Jean n'a pas une manière propre de le présenter. Pourquoi en particulier a-t-il rompu apparemment la belle harmonie de son Prologue en y donnant une telle place à ce personnage ? Et pourquoi présente-t-il des réponses de lui si déroutantes : puisque Jean n'est ni Élie, ni le Prophète, ni le Messie, les enquêteurs ne sont-ils pas excusables de n'avoir pas compris son identité ?

Les indications topographiques : Jérusalem ville sainte par excellence et Béthanie lieu dit « d'au-delà du Jourdain », ont-elles seulement pour fonction de donner au récit un cadre géographique ou contiennent-elles, en même temps, un sens symbolique ?

L'opposition suivant laquelle sont présentés d'une part les enquêteurs, experts patentés en matière de purification, ainsi que la qualité des Officiels — Juifs ou Pharisiens — qui les envoient et, d'autre part, la seule personnalité de Jean dont l'activité baptismale paraît suspecte à ces autorités traduit visiblement un climat de tension. Quel est donc ce baptême que Jean donnait et pourquoi pouvait-il paraître inquiétant ?

Malgré l'abondance de ses allusions à l'Ancien Testament conçu comme une source de références préparée par le Père en faveur du Fils (5,39), l'auteur du quatrième évangile économise d'ordinaire au maximum les citations explicites des Écritures. Or, ici, il sort de cette réserve en utilisant la citation d'Isaïe 40,3. Le caractère exceptionnel de cette citation doit lui conférer une signification particulière.

*
* *

a) Unis dans la lecture liturgique, les deux groupes de versets 6-8 et 19-28 le sont-ils également dans *le contexte* de l'organisation johannique ?

— Le premier appartient au Prologue qui forme un tout introductif au quatrième évangile. Quant au second, il est bien circonscrit par l'inclusion géographique Jérusalem-Béthanie. L'un présente Jean comme l'envoyé de Dieu, témoin de la Lumière, guide des hommes vers la foi au Verbe incarné et, ceci, par deux fois. L'autre commence à le décrire dans l'exercice concret de son activité de témoin.

Le témoignage de Jean, dans le Prologue, est régi par l'indication chronologique générale « Au commencement » qui renvoie au premier jour de la création (selon Gn 1,1) et annonce la nouvelle et définitive Création. Or, la grande œuvre de ce premier jour biblique fut la séparation de la lumière d'avec les ténèbres, deux symboles dont l'évocation est constante dans tout le Prologue johannique. Cependant, l'auteur introduit une différence capitale : il s'agissait là de la lumière et des ténèbres au sens matériel des mots ; il s'agit maintenant de la Lumière identifiée au Verbe incarné, et des ténèbres de l'incrédulité. La personne de Jean est ainsi introduite au cœur du drame opposant l'une aux autres.

En revanche, l'introduction à l'activité concrète du témoin (vv. 19-28) ne comporte pas d'indication chronologique. Ceci est une carence inhabituelle dans le quatrième évangile. Les commentateurs y suppléent en opérant un calcul à rebours à partir du verset 29 qui parle du « lendemain ». Une autre solution serait possible : ne faudrait-il pas mettre le récit du témoignage de Jean aux envoyés juifs sous la même indication chronologique que le Prologue lui-même, dans l'état actuel du texte, c'est-à-dire le premier jour de la nouvelle et définitive Création ? Là, le témoignage de Jean est présenté dans le discours d'une manière globale ; ici, ce même témoignage est décrit dans le récit d'une manière précise, non sans référence de l'un à l'autre (comparer v. 27 à v. 15). Mais ce n'est là que suggestion. Mis sous l'égide de ce premier jour, le témoignage de Jean aux enquêteurs prendrait une signification d'une importance omise par les Synoptiques : il prononce une parole de séparation entre la Lumière, présente pourtant au milieu des siens, et ceux qui ne la connaissent pas, c'est-à-dire qui ne la reçoivent pas (comparer v. 26 à vv. 10-11). Il s'ensuit que les « Juifs » s'excluent d'eux-mêmes de la nouvelle et définitive Création.

— Le lien avec la suite paraît formellement assuré par la succession des jours (1,29.35.43 ; 2,1), à tel point que certains y ont vu une semaine entière : la semaine inaugurale dont le sommet est l'adhésion à Jésus des disciples issus des cercles baptistes (2,11).

Par la suite, la personne de Jean, envoyé de Dieu, témoin de la Lumière, guide des hommes vers la foi au Verbe incarné, continue à occuper l'avant-scène. Lors du deuxième jour (1,29ss) il manifeste, non pas aux « Juifs » mais à Israël (1,31ss) « l'Agneau de Dieu qui ôte le péché du monde », qui « baptise dans l'Esprit Saint », « l'Élu de Dieu ». Lors du troisième jour, il guide ses disciples vers cet Agneau et son chemin.

Remarquons-le : « Juifs », « foules d'Israël », « disciples », sont les trois catégories des auditoires de Jésus dans le quatrième évangile ; les premiers viennent et ne voient pas ; les seconds viennent et voient ; les troisièmes viennent, voient et croient.

Les « Juifs » ne connaissent pas celui qui est pourtant parmi eux : ils ne le reçoivent pas tandis que les disciples, initiés par Jean, verront sa gloire, à travers le signe de Cana, et croiront en lui (2,11).

C'est encore au témoignage précis de Jean que nous devons de reconnaître en Jésus l'Époux eschatologique (3,29) et dans le chemin du Seigneur, inauguré à Béthanie lors de la première journée (v. 23), le chemin nuptial du nouvel et définitif Exode ; enfin, dans ceux qui viennent à Lui, l'Épouse (3,27 ss), autrement dit le peuple, est constitué non seulement de purs Israélites mais encore de Samaritains (chap. 4) et même de Grecs, introduits auprès de Jésus par d'anciens disciples du Baptiste (12,20 ss).

Les « Juifs », de plus en plus identifiés aux ténèbres, après s'être exclus de la nouvelle et définitive Création se retranchent du chemin nuptial du Seigneur. Et si la Passion selon Jean ne comporte pas de récit du procès de Jésus devant les autorités juives, c'est que l'ensemble du quatrième évangile est un perpétuel affrontement entre celles-ci et celui-là : un procès continuel dont Jean est le premier témoin, dès le premier jour.

Le contexte souligne donc très fortement les caractéristiques du témoignage du Baptiste dans le quatrième évangile :

— témoignage privilégié par lequel s'exerce le Jugement eschatologique de Dieu, à l'endroit de ceux (les Juifs) qui ne connaissent pas son Fils unique, la Lumière venue dans le monde ;

— témoignage privilégié par lequel le Père attire les cœurs à son Fils bien-aimé (les disciples) ;

— témoignage privilégié puisque, contrairement aux Synoptiques, Jean ne présente pas la mission du Baptiste préparatoire à celle du Christ, mais son témoignage inaugurant les temps du Jugement et de la Nouvelle Création (vv. 6-8).

b) L'analyse du contexte justifie donc la présentation, à l'intérieur d'une unique structure, des deux groupes de versets 6-8 et 19-28 quoique *l'organisation* du second soit plus complexe que celle du premier.

Durant le « premier jour »
(de la création de la lumière)
vv. 1-28

I. Identité de Jean vue par l'évangéliste (vv. 6-8).

— envoyé par Dieu
— témoin de la Lumière
— guide des hommes vers la foi au Verbe incarné.

II. Le témoignage de Jean sur lui-même devant les enquêteurs juifs : (vv. 19-27).

A. DÉCLARATION SUR SON IDENTITÉ : (vv. 19-26a)

— Question d'enquêteurs venus de Jérusalem :
Qui es-tu ? (vv. 19-23)
— Réponses
a) négatives : vv. 19-22
— Je ne suis pas le Christ (ou Messie)
— Je ne suis pas Élie
— Je ne suis pas le Prophète
b) positive (v. 23)
— Je suis la voix... Is 40,3

B. RELANCE DU DIALOGUE AVEC LA MENTION DES PHARISIENS (v. 24)
— Question : Pourquoi donc baptises-tu (vv. 25-26a)
— Réponse : Je (ne) baptise (que) dans l'eau

c. Déclaration sur « Celui qui se tient »
et révélation de l'ignorance juive : (vv. 26b-27)
1) au milieu de vous se tient quelqu'un
2) il vient derrière moi
3) je ne suis pas digne...
et vous ne le connaissez pas!
Conclusion : cela se passa à Béthanie (v. 28).

c) L'organisation de ce texte fait apparaître son *genre* : celui du dialogue si fréquent dans le IVᵉ évangile avec ses caractéristiques :
— une brève présentation des personnages et de l'argument (v. 19);
— le dialogue proprement dit (vv. 20-27);
— l'indication topographique de l'action, par laquelle l'auteur a coutume de conclure.

Dans cet ensemble, apparaissent des particularités propres au passage.

Tout d'abord, le dialogue proprement dit (vv. 20-27) se compose de deux parties séparées par un verset charnière (v. 24) qui le relance. Toutes les deux visent le Messie. Manifestement la première sert de prologue à la seconde qui apparaît ainsi la plus importante. Cela ressort encore de la comparaison avec les Synoptiques. Le IVᵉ évangile présente en commun avec eux la première : Jean annonce l'accomplissement des Écritures par la venue du Messie. Mais la seconde lui est bien propre. Lui seul mentionne que Jean révèle la présence de « Celui qui se tient », présence ignorée et, sous-entendu, inacceptée des enquêteurs. Ainsi apparaît une signification qu'il donne aux événements : dès le premier jour de la semaine inaugurale de la Nouvelle Création, il informe le lecteur, par la bouche de Jean, de l'issue du drame : les autorités juives ne reconnaîtront pas en Jésus de Nazareth le « Seigneur qui vient »; elles s'excluent, par le fait même, du temps du salut; elles sont « des ténèbres » (12,35-50) et déjà jugées.

Le verset 24 est apparu à certains comme une anomalie littéraire. Cependant, dans l'état actuel du texte, il a un bon parallèle en 12,42; mais surtout, deux raisons peuvent l'expliquer. D'une part l'auteur peut avoir voulu, avant d'introduire la déclaration centrale du témoignage du Baptiste, préciser l'identité de ceux qui téléguidaient l'ambassade officielle juive, ce que ne révélait pas encore le verset 19. D'autre part et plus précisément, ce verset semble avoir pour fonction d'introduire la question qui suit (v. 25) et qui sera pour Jean-Baptiste l'occasion de témoigner du Christ et non plus de lui-même. D'anormale, cette construction devient donc au contraire, sur le plan théologique et non plus littéraire, un procédé du meilleur effet. Nous sommes en présence d'un développement progressif « en spirale », typique du génie littéraire de Jean.

A ces particularités s'ajoute une série de contrastes révélateurs d'une intention.

— Face aux enquêteurs envoyés par les plus hautes autorités, se dresse un homme apparemment marginal, sans mandat officiel, mais en réalité « envoyé par Dieu ».

— Ils viennent de la Ville sainte, centre mondial de diffusion et de contrôle de la Parole de Dieu, vers une terre étrangère — l'auteur le souligne par deux fois (1,28 et 10,40) — par la route habituelle des hommes. Invités par Jean à accueillir le « chemin du Seigneur » (v. 23) celui du nouvel et définitif Exode dont le point de départ est Béthanie transjordane, ils n'ont qu'une hâte : revenir à Jérusalem, probablement par la même route (v. 22b), celle qui n'appartient pourtant qu'au passé, celui de la première Création.

— Le seul passé qui ait un avenir est celui de la Parole dite par Isaïe (40,3) aujourd'hui, dans la nouveauté du premier jour, actualisée dans la personne et la mission de Jean. Or, c'est précisément à cela qu'ils ne donnent pas suite. Aussi n'entreront-ils jamais dans le Chemin-de-celui-qui-vient-après, qui est déjà présent mais qui demeure, pour eux, inconnu.

*
* *

Au terme de l'analyse littéraire, il est possible de préciser le *thème central* du passage : l'identité et la mission de Jean le « témoin ».

L'auteur n'appelle jamais Jean du nom de Baptiste. Certes, il n'ignore pas son activité baptismale ; il s'y réfère même à trois reprises dans le texte et, dans la dernière, un verbe à l'imparfait en souligne la durée. Mais il ne la décrit pas, contrairement aux Synoptiques. Il ne dit rien non plus de la prédication pénitentielle et abrège la citation d'Isaïe (40,3) peut-être pour ne point s'étendre sur l'appel à la conversion. Ainsi, il situe ailleurs son intérêt que nous pouvons concentrer dans le titre de témoin — ignoré des autres évangélistes — qu'il décerne à Jean.

Jean est un témoin conscient de sa propre identité. Il le montre d'une double manière : en marquant la distance infranchissable qui le sépare de celui dont il est le témoin et, cependant, en affirmant sa place unique dans l'histoire du peuple de Dieu.

1. Trois déclarations montrent la place subalterne du témoin :

Jean commence par dire : « Je ne suis pas le Christ. » La question qui a provoqué une telle réponse suppose d'avoir reconnu en lui une autorité et une puissance peu ordinaires[2]. C'est aussi, dans le IVe évangile, répondre au schéma d'interprétation des Écritures que se faisaient les responsables juifs : ils auraient pu conclure à l'imposture et prononcer l'excommunication (9,22). La réponse de Jean : « Je ne suis pas le Christ » (v. 20) est propre à l'auteur (de même que 3,28 s). Sans doute le discours fortement théologique du Prologue nous révèle-t-il que le Messie n'est autre que Jésus, Fils Unique, Verbe incarné, Lumière dont Jean n'est que le témoin ; cependant, ce dernier paraît avoir conscience de la distance infranchissable qui le sépare de Jésus lorsqu'il ne se reconnaît pas le droit d'être son esclave, de délier la courroie de sa sandale (v. 27 ; voir aussi 3,29-30).

« Je ne suis pas Élie », dit encore Jean, alors que les Synoptiques reconnaissent l'identification entre l'un et l'autre. Quel est le sens de sa parole ? Deux explications sont possibles. Tout d'abord, Élie[3] était une figure des temps messianiques ; si l'on pouvait

2. VTB, *Messie*, N.T., I 1.
3. VTB, *Élie*, N.T., 1.2.

attendre sa réapparition dans une personne préparant la venue de ces temps, à la manière dont Malachie l'annonçait (3,23 s), il présentait en revanche d'autres aspects que seul le Messie lui-même réaliserait, par exemple : sa mission universelle (Lc 4,25 ss) ou son pouvoir de réanimation (Lc 7,11-16). Que Jean-Baptiste se reconnaisse nouvel Élie pourrait donc entraîner certains de ses auditeurs à une méprise et à voir en lui non pas le Précurseur, mais le Messie lui-même. C'est pourquoi il nie être Élie.

Une seconde explication reste possible. Au nombre des tâches imparties à Élie par les traditions, il en est une éminente qui consistait à manifester le Messie à Israël, le moment venu. Il est évident que Jean ne manifeste rien aux enquêteurs « juifs » sinon leur ignorance de celui qui est déjà au milieu d'eux : en ce sens, il n'est pas Élie pour eux. Mais, dès le second jour, il joue auprès d'Israël le rôle imparti à Élie dans la littérature apocalyptique : il désigne bel et bien l'Agneau de Dieu, Celui qui baptise dans l'Esprit-Saint, l'Élu de Dieu.

« Je ne suis pas le prophète », déclare enfin Jean. Le prophétisme s'étant peu à peu éteint depuis l'Exil, on en était venu, à partir de Dt 18,15, à attendre pour les temps messianiques un nouveau prophète[4], véritable nouveau Moïse révélateur définitif de Dieu et libérateur : bref, Messie lui-même. Cependant, sur la base de Malachie, on en était aussi venu à voir non seulement dans le Messie mais également dans le Précurseur un prophète rempli de l'Esprit (Ml 3,1), ce qu'a été effectivement Jean-Baptiste (Lc 1,76; Mt 11,9...). Aussi, pour distinguer l'un de l'autre, le IVe évangile présente-t-il Jésus comme étant, lui seul, « le Prophète » par excellence (6,14; 7,40; voir, en comparaison, Mt 16,14; 21,11.46...). C'est pourquoi il fait dire à Jean : « Je ne suis pas le prophète ».

2. A ces trois négations, Jean ajoute deux réponses positives.

Tout d'abord il se présente comme « La voix de celui qui crie » (Is 40,3). Nous avions noté le caractère exceptionnel de la citation

---

4. VTB, *Prophète*, N.T., II 1.2.

explicite de l'Écriture. Sans doute l'auteur est-il tenu par une tradition ancienne de l'Église primitive qui impose cette référence. Cependant, lui seul (les Synoptiques disant : « Comme il est écrit dans le prophète... ») met sur les lèvres de l'intéressé lui-même l'appropriation de l'oracle prophétique ; cela est dans la logique des choses : si Jean est réellement témoin, il ne peut l'être que consciemment et non à la manière de l'ânesse de Balaam. Il a conscience qu'avec lui arrive un événement unique de l'histoire du Salut et qui justifie son appel à la conversion. Pour n'être point celle du Prophète au sens que lui donnent les enquêteurs juifs, sa voix n'en est pas moins prophétique au sens le plus radical du terme, puisqu'elle est celle de Celui qui crie, Dieu lui-même : il est bien, pour qui sait comprendre, « l'homme envoyé par Dieu » (v. 6) et sa voix de témoin s'identifie à celle de Celui qui l'envoie, au point que c'est le Père qui témoigne par lui (5,32.33.37). Sa voix crie la Bonne Nouvelle de la libération : aplanissez le Chemin du Seigneur, la Route triomphale du nouvel et définitif Exode, mais elle ne trouve aucun écho dans le cœur des enquêteurs juifs.

Conscient de n'être ni le Christ, ni Élie, ni le Prophète, mais la voix de Celui qui crie, Jean témoigne encore, mais cette fois-ci dans un sens judiciaire, auprès des enquêteurs et à travers eux auprès de leurs mandants : au milieu de vous se tient quelqu'un que vous ne connaissez pas (v. 11); il participe par là au jugement eschatologique de Dieu dont il est le porte-voix, séparant la Lumière des Ténèbres, le Verbe incarné de ceux qui ne le connaissent pas (v. 10), qui ne le reçoivent pas (v. 11), qui ne croient pas en son nom (v. 12). Dès le premier jour de la nouvelle Création et du nouvel Exode, l'auteur nous livre l'issue du drame par la bouche de Jean, le témoin.

De plus, c'était une opinion courante que le Messie devait rester caché, ignoré, jusqu'au moment de sa manifestation publique. De ce point de vue, la parole de Jean-Baptiste n'offre rien que de très normal. Mais elle prend une tout autre dimension si l'on compare à celle des Synoptiques la manière dont le quatrième évangile la transmet. Chez Marc, ce n'est qu'avec le baptême de Jésus et donc sa manifestation, que le Précurseur proclame son indignité (1,7-10). Chez Jean, sa parole se situe à un moment particulier : par révélation du Père, il sait qu'il reconnaîtra la personne du Messie lorsque celui-ci se présentera pour le baptême (1,15.30.33). Mais ce baptême, et donc cette reconnaissance, n'aura lieu que « le lendemain » (v. 29). Ainsi, Jean a conscience que le Messie existait avant lui, qu'il est l'Élu de Dieu, celui qui le dépasse totalement, auquel il est entièrement subordonné et qui vient. Mais il ne l'a pas encore identifié et c'est là toute l'importance de sa parole : son témoignage est un témoignage dans la foi. Témoigner, pour le IVe évangile, c'est essentiellement inviter à croire.

*
* *

Pour l'évangéliste, il s'agit manifestement d'entraîner une adhésion sans réserve à Jésus, de la part de disciples fidèles du Baptiste : l'histoire de la primitive Église montre qu'il y en avait encore, deux décennies après la mort du Christ (Ac 19,1-6), et loin de la Palestine. Leur existence laisse supposer une personnalité d'un grand rayonnement et prouve que le tableau des foules qui viennent vers Jean-Baptiste au Jourdain correspond à *quelque chose de la réalité historique.*

Quant à la tradition qui relie l'événement à la rédaction des évangiles, deux courants apparaissent : pour l'un, celui qu'ont retenu les Synoptiques, la question de la messianité se pose à propos de Jésus et on n'hésite pas à dire de Jean qu'il est prophète et nouvel Élie; pour l'autre, celui du IVe évangile, la messianité se pose à propos de Jean-Baptiste et on nie que celui-ci soit prophète ou Élie. Cette contradiction apparente, loin de mettre en cause l'historicité de ce que les uns et les autres disent, la confirme plutôt. Si Jésus a dit de Jean qu'il était « le plus grand parmi les enfants des femmes, mais que le plus petit dans le royaume des cieux est plus grand que lui » (Mt 11,11), la Tradition a relevé, suivant les besoins de la prédication, tantôt un aspect des souvenirs que l'histoire a laissés dans les mémoires et tantôt l'autre aspect. Ainsi apparaît le côté paradoxal du « témoin » de Jésus.

55

Quant au climat que suppose ce récit, il concorde en plusieurs points avec les données fournies par les connaissances actuelles du judaïsme de ce temps : attente du Messie liée à la venue d'Élie et d'un prophète, sans que l'identification ou la distinction soit clairement faite entre ces différents personnages, attente d'un baptême définitif donné par le Messie, le tout authentifié par le Sanhédrin[5]. Enfin, à Qumrân, on avait établi des rites pour ceux qui entraient dans la Communauté : Jean pratique donc, par le baptême qu'il donne, un geste qui s'apparente à ceux de son temps. Il lui donne cependant une tout autre signification : d'une part il le confère une fois pour toutes et, d'autre part, il ne prêche pas une purification rituelle, mais une conversion. Il est, comme Isaïe, le héraut de la route du Salut, qui invite à changer de vie pour obtenir la rémission des péchés (voir Mt 3,2; Mc 1,4; Lc 3,3). C'est en cela qu'il innove d'une manière qui paraît non orthodoxe aux autorités du Temple.

*
* *

Ce texte invite les chrétiens à s'interroger sur le rôle de tout témoin du Christ, ainsi que sur le sens qu'ils donnent à sa présence dans le monde et à l'accueil qui lui est fait.

Le trait qui caractérise le témoin est sa proximité avec celui dont il annonce la présence et auquel il se dit totalement subordonné. Pour lui le premier, cette situation ne repose pas sur des évidences, mais sur un acte de foi qui s'appuie particulièrement sur l'Écriture et la lecture des événements resitués dans la perspective de l'histoire du Salut. Sa proximité du Christ doit l'entraîner à vivre d'une manière qui fait question pour son entourage en étant l'occasion pour celui-ci de révéler quelle est sa disposition de foi. Certains le prendront pour un surhomme ou un illuminé bizarre et passeront à côté de lui sans reconnaître sa véritable identité de « réflecteur » de la lumière. C'est qu'il annonce un Jésus présent, mais pas de manière évidente : un Jésus qui propose mais ne s'impose pas. Le témoin invite mais ne

---

5. VTB, *Messie*, N.T., I 1.

contraint pas. Il n'annonce pas un Jésus étranger, mais il aide ceux qui l'entourent à le découvrir « au milieu d'eux » et il apprend à le connaître en même temps qu'eux.

Enfin, de soi, le baptême devrait achever la rencontre avec le Christ faite par l'intermédiaire du témoin.

Celle-ci, en effet, ne peut normalement rester purement intérieure. La conversion, si elle est complète, conduit à se manifester extérieurement.

Cet évangile met donc en évidence tout ce qui fait une démarche catéchuménale : découvrir Jésus par étapes, à tâtons et, par des intermédiaires, passer des Ténèbres à la Lumière, tout en sachant que certains n'opéreront pas nécessairement ce passage.

R. B.; G. B.

QUAND LE FILS DE DIEU SE FAIT HOMME[1]

[26]Or au sixième mois, l'ange Gabriel fut envoyé par Dieu dans une ville de Galilée, qui (avait) nom Nazareth, [27]*à une vierge* fiancée à un homme qui (avait) nom Joseph, de la maison de David, et le nom de la vierge (était) Marie. [28]Et, étant entré, il lui dit : « Réjouis-toi, comblée de grâce, le Seigneur (est) avec toi. »
[29]A cette parole, elle fut fort troublée, et elle se demandait ce que pouvait être cette salutation. [30]Et l'ange lui dit : « Ne crains pas, Marie, car tu as trouvé grâce devant Dieu. [31]Et *voici que* tu *concevras dans ton sein et enfanteras un fils, et tu appelleras son nom :* Jésus. [32]Celui-ci sera grand et sera appelé fils du Très-Haut, et le Seigneur Dieu lui donnera le trône de David son père, [33]et il régnera sur la maison de Jacob pour les siècles et son règne n'aura pas de fin. »
[34]Mais Marie dit à l'ange : « Comment cela sera-t-il, puisque je ne connais pas d'homme ? » [35]Et, répondant, l'ange lui dit : « L'Esprit Saint viendra sur toi, et la puissance du Très-Haut te prendra sous son ombre ; c'est pourquoi l'(être) saint qui va naître sera appelé Fils de Dieu. [36]Et voici qu'Elisabeth, ta parente, a conçu elle aussi un fils en sa vieillesse, et ce mois-ci est le sixième pour elle que l'on appelait stérile ; [37]car *rien n'est impossible à Dieu.* » [38]Or Marie dit : « Voici la servante du Seigneur, qu'il m'advienne selon ta parole ! » Et l'ange la quitta.

1. Synopse § 4.

En abordant une des pages les plus lues des évangiles, il faudrait d'abord réviser la connaissance que nous en avons, les pistes que nous suivons d'ordinaire. Regardons-nous, par exemple, cette page d'un œil plutôt critique, nous demandant quels en sont les fondements historiques, ou ne considérons-nous que le *Fiat* de Marie ? Ou bien, ne commençons-nous pas par nous souvenir d'un certain nombre de tableaux de maîtres consacrés à cet épisode : lequel nous attire, et pourquoi ? Pour nous, en abordant ce travail, nous nous rappelons qu'il s'agit :

De l'Évangile : au cœur de ces lignes, se tient le message du salut révélé en Jésus-Christ; où perce cet élément fondamental ?

De l'évangile selon Luc, avec ses marques caractéristiques (évangile de la grâce, évangile des pauvres) : où les voit-on ici ?

D'un évangile pour l'Avent.

*
* *

a) Il n'y a d'annonce à Marie qu'en Luc. Mais pour déterminer les intentions de l'évangéliste, *nous disposons en Matthieu d'un texte* qui, sans être son parallèle exact, en est fort proche (Mt 1,18-25). Dans un cas comme dans l'autre, l'enfant est au centre du récit et l'on se trouve en présence de données semblables sur : sa filiation davidique avec emploi d'Is 7,14; sa conception virginale, œuvre de l'Esprit Saint; le nom de Jésus qu'il faut lui donner en signe de sa mission de salut. Évangéliste du Royaume de Dieu, Matthieu enseigne pourquoi il est légitime de voir en Jésus celui qui doit détenir pour toujours le règne de David; par la généalogie, il le rattache à Abraham et il le désigne comme le fruit de la Promesse; et quand Joseph accueille Marie déjà enceinte, l'homme de l'ultime chaînon offre à Dieu le consentement de l'entière lignée davidique et donc de tout le peuple.

En regard, Luc offre un récit qui développe d'autres aspects de la personne de Marie; le thème davidique ne préoccupe plus un auteur dont l'œuvre entière ne s'adresse pas directement à Israël. D'autres valeurs sont soulignées dans son texte qui, dès l'abord, apparaît plus complexe, tant au plan littéraire qu'au plan doctrinal.

Pour éclairer ces questions, l'étude du passage dans le *contexte du IIIe évangile lui-même* fournit quelques éléments.

L'Annonce à Marie relative à la naissance de Jésus est située entre l'annonce faite à Zacharie et la Visitation, deux épisodes qui touchent de près le Baptiste. Toute l'introduction du troisième évangile (vv. 1-2) est construite sur cet apparent parallélisme entre les deux enfances jusqu'au moment où, par deux fois, Jésus pénètre au Temple dans la maison de son Père. Cette construction littéraire est destinée à montrer que le mystère de Jésus est plus profond, et l'œuvre plus importante, que tout ce qui touche le Baptiste, personnage pourtant si grand et vénéré.

Luc n'hésite pas à utiliser le paradoxe pour renforcer l'effet : il en est ainsi pour les deux annonces. Elles s'opposent par le cadre ; d'un côté le spectacle grandiose du Temple à l'heure du sacrifice en présence du peuple en prière ; de l'autre, l'humble maison d'un village jusque-là ignoré et dont rien dans le texte ne laisse imaginer l'aspect. Celui qui est envoyé dans le monde pour évangéliser les pauvres, et qui le dira dans ce village même (v. 4), est introduit dans le monde sans bruit et sans faste. Les attitudes diffèrent plus encore ; elles vont de l'incroyance du père du Baptiste à la foi sans réserve de la mère de Jésus. En somme, c'est dans la pauvreté et l'humilité que s'épanouit vraiment la gloire du Seigneur : tel est l'enseignement du contexte immédiat.

Il est possible de regarder plus loin. Le passage de l'Annonciation, en mettant en valeur le rôle de l'Esprit, de la grâce (deux fois mentionnée en début de texte), de la pauvreté spirituelle, ne dépare pas dans l'évangile de Luc dont l'attention à l'Esprit, la miséricorde et les pauvres est un trait typique.

Mais le récit a des attaches plus précises et de grande valeur. C'est ainsi que la manière dont le verset 35 parle du Fils de Dieu l'apparente aux grands moments christologiques du troisième évangile : le Baptême (3,22), la finale de la généalogie (3,28), le départ en mission (4,14), et la Transfiguration (9,35). Par là, l'auteur invite à dépasser la simple ambiance et à découvrir le mystère de la filiation divine de Jésus.

b) *La manière dont le récit est construit* va confirmer cette impression. Apparemment il est d'une texture très simple qui peut se représenter de la manière suivante :

Présentation : du cadre (v. 26)
et des personnages (v. 27)

RÉVÉLATION DE DIEU	ACCUEIL PAR MARIE
Salutation : 3 formules bibliques (v. 28) — Réjouis-toi — Comblée de grâce — Le Seigneur est avec toi	
	Effroi Question intérieure } (v. 29)
Premier message (mission) : Reprise développée des trois formules bibliques — Ne crains pas — Tu as trouvé grâce } (v. 30) — Tu concevras Jésus • citation d'Isaïe (v. 31) • Fils du Très-Haut Trône de David } (v. 32) • régnera (v. 33)	
	Question explicite (v. 34)
Précision du message (mission : v. 35) — *l'action de Dieu* • L'Esprit Saint • La puissance du Très-Haut — *Les résultats de cette action* • Ce qui est né sera appelé Fils de Dieu (Signe : vv. 36-37) • un fait : grossesse d'Élisabeth • une parole : Gn 18,14	
	Acceptation de ·Marie (v. 38a)

Fin de la Révélation

c) Cet enchaînement si naturel pourrait donner l'impression d'être le compte rendu de la conversation de Marie et de l'ange. En fait, il correspond au schéma classique du *genre littéraire « annonciation »*.

Les rapports du récit de Luc avec ce genre sont trop nombreux et trop précis pour n'avoir pas été voulus pas lui. Il a estimé que seul Dieu parle bien de Dieu et, tout au long de son œuvre, comme ici, il s'est volontairement composé une langue et un style qui imitent sa Bible : celle de la Septante.

Pourtant, la présentation que fait Luc, tranche avec ces schémas habituels. Tout d'abord, si Marie a posé une question, elle n'a pas demandé de signe, c'est Dieu qui le lui accorde. C'est, en effet, le message de l'ange qui la renvoie à un fait qu'elle pourra constater et dont l'Écriture lui donnera l'interprétation (le verset 37 renvoie à Gn 18,14). Ensuite, et surtout, l'expression de la mission, qui est le but même de ce genre de récit, se développe ici en deux temps ; la première parole de l'ange exprime le caractère de Messie davidique qui s'attachera à l'Enfant, la seconde indique qu'il faut changer de registre si l'on veut comprendre toute la signification de l'événement. La construction du verset 35 suggère d'elle-même de quelle progression il s'agit. Ce verset apparaît construit comme suit : deux propositions parallèles en supportent une troisième ; les deux premières (« l'Esprit Saint viendra sur toi » et « la puissance du Très-Haut te prendra sous son ombre ») disent l'action de Dieu en Marie, la troisième (« C'est pourquoi l'(Être) saint qui va naître sera appelé Fils de Dieu ») en exprime les résultats.

Ainsi l'attention à la structure littéraire du texte permet non seulement d'inscrire l'Annonciation dans la longue liste des gestes sauveurs de Dieu, mais encore de percevoir l'originalité profonde de ce que Dieu accomplit en sa servante Marie.

*
* *

Pour arriver à mieux cerner la pensée de Luc sur le Fils de Dieu, il convient de prêter à présent attention aux *deux points majeurs* du texte : le mystère de l'Enfant et l'attitude de Marie.

1. Pour Luc, la messianité de l'Enfant qui va naître ne saurait exprimer tout son mystère.

Son apport sur ce point n'est pas original ; Matthieu l'a traitée avec plus de soins. Luc aborde ici cet aspect en termes classiques, en faisant écho à ses principales sources bibliques : l'oracle de Nathan (2 S 7), des passages du livret de l'Emmanuel (Is 7—9), les déclarations de Michée (Mi 4—7) et peut-être quelques traits pris à Daniel.

Il faut surtout retenir la modification la plus importante qu'il fait subir au texte de l'*almah* : « Tu appelleras son nom... » Apparemment, la citation est littérale ; mais le sujet du verbe a changé : en Isaïe, il s'agissait vraisemblablement d'Achaz, en Matthieu de Joseph, jamais de la mère comme ici, car en Luc c'est Marie qui donne le nom à son enfant. Il ne s'agit donc pas pour elle d'une maternité ordinaire ; elle prend toute la responsabilité de l'enfant à qui elle donne le nom ! Cet argument doit entrer en ligne de compte quand on discute de la conception virginale de Jésus.

Il ne s'agit pourtant encore que de maternité messianique, d'un Messie peut-être très proche de Dieu, mais ne sortant pas nécessairement de la condition humaine. Cependant dans la seconde proclamation de l'ange (v. 35), les expressions utilisées invitent le lecteur à progresser dans la pensée. Elles le font au moyen de termes de plus en plus riches de sens.

L'Esprit[2] et la puissance[3] désignent ici les forces par lesquelles Dieu intervient ; l'absence d'article en grec, le parallèle entre Esprit et puissance empêchent d'y voir la révélation de la troisième personne de la Trinité ; il s'agit du langage biblique exprimant l'action intérieure et toute-puissante de Dieu. Luc y recourt aussi aux grands moments de l'existence de Jésus : Baptême, départ en mission.

En reportant l'intervention de l'Esprit et de la puissance de Dieu au moment même de la conception de Jésus, il a voulu dire non seulement que Jésus était un homme qui agit sous une influence charismatique, mais surtout que son existence ne s'est jamais déroulée en dehors de l'Esprit de Dieu. L'humanité de Jésus est, dès le premier instant, pétrie, pénétrée de la présence de l'Esprit de

---

2. VTB, *Esprit*, N.T., I 2.
3. VTB, *Puissance*, V 1.

Dieu. Paul, songeant à Gn 2,7, dirait qu'il est le véritable Adam. La conception de Jésus n'est pas seulement une suite, le couronnement d'une histoire, le résultat d'une promesse, elle est aussi quelque chose d'absolument nouveau, une sorte de nouvelle Création.

Des verbes qui traduisent l'action de Dieu, le second surtout mérite d'être retenu : « (la Puissance... te) prendra sous son ombre[4] ». Ce verbe *(épiskiasein)* sert dans l'Ancien et le Nouveau Testament à désigner une présence toute spéciale.

Il s'agit de la présence de Dieu protégeant Israël comme un oiseau couvre ses petits de ses ailes : peut-être présence de l'Esprit qui donne vie au monde en planant sur les eaux (Gn 1,2); présence de Yahvé en son Temple, marquée par la Nuée qui couvre le sanctuaire de son ombre (Ex 40,35); présence de la gloire de Dieu à la Transfiguration par la Nuée qui recouvre les Apôtres; présence du Ressuscité dans les Apôtres, puisque les malades tentent de se placer dans l'ombre de Pierre pour en recevoir la guérison (Ac 4,15).

De toutes ces nuances, celle qui oriente la pensée vers l'Arche d'Alliance, constituée d'une façon nouvelle en Marie, a eu le plus de faveur; mais on ne peut dire de façon décisive que ce soit la pensée même de Luc. Cependant, de toute manière, il a voulu suggérer qu'en Marie, mère de Jésus, la présence de Dieu s'actualisait d'une manière inouïe et par là orienter les esprits vers ce qu'il allait dire.

Il qualifie l'enfant à naître de saint[5] et de Fils de Dieu. Bien sûr ces termes peuvent avoir une signification assez simple. Mais jamais, ni dans l'évangile ni dans les Actes, Luc ne parle de Jésus comme saint au sens d'un homme remarquable par sa piété ou sa vertu. Ce titre, employé dès l'enfance de Jésus, a la valeur que lui donne l'Église naissante en référence au Serviteur qui partage désormais la gloire de Dieu (Ac 3,16; 4,27) : exprimer la condition divine de Jésus. Ici, il prépare les esprits à la découvrir.

En est-il de même pour l'expression Fils de Dieu ? Il n'y a pas là non plus d'article déterminant. Pourtant, nous avons déjà remarqué comment ces termes sont mis en vedette par leur position en fin de phrase. Ils dominent en fait tout le passage qui a été construit pour leur donner cette prééminence et nous savons aussi à quels

4. VTB, *Ombre*, II 2.
5. VTB, *Saint*, N.T., I.

échos ils font appel dans le IIIe évangile. Si le rédacteur n'a pas rendu plus nette son affirmation, c'est qu'il avait conscience des deux niveaux de significations auxquels se situe son récit. De la même manière qu'il n'a pas altéré les discours de Pierre au début des Actes, même s'ils ne répondaient pas aux manières de penser des années 70-80, il sauvegarde ici la distinction entre le niveau de foi, certaine mais implicite, où a pu se placer Marie et celui où se situe le disciple formé à la théologie de Paul.

2. *La situation de Marie* apparaît dans la présentation qu'en fait le rédacteur. Son texte comprend deux séries d'éléments qui permettent de l'éclairer : d'une part ceux qui ont trait à la virginité, d'autre part ceux qui constituent la salutation de l'ange.

En ce qui concerne la virginité de Marie, dès le départ, Luc parle d'elle en des termes qui font problème :

La difficulté ne vient pas du terme de *parthénos*, vierge. Celui-ci se rencontre aussi bien en Matthieu qu'en Luc : Matthieu l'a laissé dans le texte de la citation d'Is 7,14 (la Septante l'avait utilisé pour rendre l'hébreu *almah* qui, de soi, ne désignait qu'une jeune fille accédant au mariage et à la maternité). Luc, qui a tourné autrement la citation, l'a placée en début de texte. Son intention est claire; il ne veut pas laisser de doute sur la virginité de Marie, car il pouvait en surgir un du mot qu'il écrit aussitôt après : *émnesteuménen*, fiancée (également en Matthieu).

A l'époque, la coutume juive avait réglé le mariage en deux temps : le premier, celui de la promesse, donnait à l'homme tous les droits sur sa future femme, en déconseillant mais en n'excluant pas les relations conjugales; le second consistait dans la cohabitation. Pour dire les deux, le grec ne disposait que d'un seul verbe. D'où le risque de confusion que Luc élimine en faisant précéder ce verbe du terme de *parthénos*. Du reste, la discussion ne porte plus guère aujourd'hui sur l'état virginal de Marie au moment de l'Annonciation.

Il importe davantage de savoir le sens qu'elle pouvait lui attribuer et si elle entendait demeurer en cet état[6].

6. VTB, *Marie*, II 4.

Pour certains, anciens et modernes, Marie aurait déjà formé le propos de virginité permanente, allant peut-être jusqu'à un vœu. Dans le présent « je ne connais pas d'homme », la grammaire permettrait d'entendre une décision ferme « je ne veux point connaître... ». A l'époque des événements, l'idéal de virginité commençait à se répandre en Israël, dans l'ambiance essénienne et Philon parle même de vierges âgées qui ont conservé leur virginité par amour de la Sagesse. Cette décision répondrait enfin à ce que nous savons de la pureté originelle de Marie.

Une proposition plus subtile a été émise : avant l'Annonciation, Marie ne songeait pas à une virginité permanente ; mais le développement de certains courants messianiques (dont Is 7,14, dans le texte de la Septante, serait le témoin), avait commencé à accréditer l'opinion selon laquelle la mère du Messie devrait être une vierge. Marie, dans ce cas, s'écrierait : « Être la mère du Messie ? Mais alors je ne devrais point connaître d'homme, or voilà que j'ai commencé à m'engager dans le sens d'un mariage. » Mais l'extension que l'on est obligé de donner ici au verbe « je ne connais pas » est fort peu vraisemblable, et Marie ne vivait pas dans un milieu marqué par le judaïsme hellénistique où était répandue la Septante.

La virginité[7] permanente de Marie s'explique autrement. Au moment de l'Annonciation, Marie vit dans la virginité, sans y attacher la valeur qu'en proposent des courants qui ne l'ont probablement pas atteinte et sa parole : « Je ne connais pas » n'exprime que sa condition présente, sans inclure ni exclure aucun propos permanent. Mais, sous l'effet de la révélation dont elle est l'objet, elle va prendre peu à peu conscience de la volonté de Dieu sur elle et des exigences qu'elle entraîne. C'est pour exprimer cette progression que Luc a modifié le schéma habituel fourni par la Tradition. Devant la découverte du plan de Dieu, Marie, comme autrefois Abraham, renonce à ses vues personnelles et au déroulement que tout laissait prévoir pour sa vie. Elle est la première croyante[8]. Et c'est ainsi que sa virginité prend son sens de la naissance du Messie

7. VTB, *Virginité*, N.T., 2.
8. VTB, *Marie*, IV 1.2.

et uniquement d'elle. Mais en acceptant de tout risquer, elle accède au plein épanouissement[9].

La salutation de l'ange le lui a déjà signifié. Pour traduire la révélation que Marie a eue, Luc utilise, outre les termes habituels aux schémas des annonciations (« un ange... fut troublée... ne crains pas » etc.), des expressions propres dans lesquelles se trouve, par conséquent, l'essentiel à retenir[10].

« Réjouis-toi » (v. 28) : Ce n'est pas ainsi que les sémites entrent en conversation et le Nouveau Testament n'ignore pas le *shalom* toujours en vigueur. Ce terme renvoie donc à autre chose qu'une simple salutation. Il évoque avec certitude les cris de joie que les prophètes (So 3,14; Za 2,14; 9,9; Is 54,1), placent sur les lèvres de la Fille de Sion, personnification de tout Israël, lorsqu'elle voit venir vers elle son Sauveur. On peut d'ailleurs pousser davantage la comparaison entre les textes. Voilà donc Marie prise pour le peuple entier dont elle va engager la destinée[11]. Elle devient le type de l'Église en son attente perpétuelle du Seigneur.

« Comblée de grâce » : de nous-mêmes, après le « Réjouis-toi », nous aurions ajouté « Marie ». « Comblée de grâce » que l'on pourrait traduire encore « Favorisée de Dieu » en tient la place : cela indique donc en quelque sorte que tel est désormais le nouveau nom de Marie; comme en beaucoup de récits de vocations, Dieu change le nom de la personne qu'il choisit. En exprimant la nouvelle réalité dans laquelle Marie est placée, le terme « comblée de grâce » renvoie également à la Bien-Aimée, la Favorisée du Cantique.

Ici encore, le nom nouveau inscrit sa destinée en des perspectives autres qu'individuelles; en elle, un peu comme cela sera dit par les anges à Noël, ce sont tous les hommes qui sont touchés par la grâce surabondante de Dieu qui va se manifester dans l'enfant à naître.

9. VTB, *Marie*, III 1.
10. VTB, *Marie*, I 2.
11. VTB, *Marie*, V 2.3.

*

* *

Ce que nous avons découvert jusqu'ici répond au travail du rédacteur évangélique nous livrant sur Jésus, en forme de prédication, des choses « vraies et sincères » pour reprendre l'expression de la « Constitution sur la Révélation » de Vatican II[12]. Est-il *possible de remonter* à ses sources, et, plus loin encore, *à l'événement* dont cette page livre le sens ?

Tout d'abord apparaissent très nettement des données reçues de la Tradition.

Le travail très important que Luc a fourni à l'occasion de la rédaction de cette page n'amène pas à dire qu'il en est l'unique auteur. A la fois les passages pour lesquels on a des parallèles synoptiques, et la manière dont il a traité les sources des Actes nous permettent de bien connaître ses méthodes et de donner foi à la déclaration initiale de son évangile (1,1-4). Certains indices, ne serait-ce que la construction grammaticale si embarrassée du verset 35, font penser qu'il utilisait ici aussi une source traditionnelle.

Nous verrons également que Matthieu, dont l'orientation est toute différente et qui n'a pas connu le récit de l'Enfance de Jésus dû à Luc, note au passage et sans s'y arrêter que la conception de l'Enfant en Marie vient de l'Esprit Saint. Sur ce point, comme sur d'autres aussi importants que la descendance davidique et la naissance à Bethléem, il y a donc une ligne d'accord entre les deux écrits indépendants. Elle est due au fait qu'ils puisent tous deux dans des milieux que l'on commence, aujourd'hui, à prendre plus en considération sinon à mieux connaître : les milieux judéo-palestiniens où se conservaient les traditions de la famille de Jésus.

Ce qui reste en discussion, c'est de savoir s'il faut retenir pour ces traditions un document écrit ou une simple transmission orale. Mais il est grandement probable que, d'une manière directe ou non, l'évangéliste Luc a eu recours à l'apport personnel de la Vierge Marie, « qui gardait toutes ces choses en son cœur », formule de style apocalyptique bien insérée dans le milieu juif de l'époque.

12. *Dei Verbum*, § 19.

Quant à l'événement que peut-on en dire ?

Luc n'a pas eu pour but de satisfaire notre curiosité. Il convient donc d'être fidèle à sa discrétion. Il est possible de remarquer qu'il ne dit pas qu'il y a eu « apparition », comme cela arrive en d'autres endroits de la Bible, mais audition, et que cela invite à ne pas se faire une représentation imagée de la scène. Aller jusque-là serait supprimer toute réponse de foi. Il y a eu révélation de Dieu à Marie d'une manière qui n'a pas écrasé la liberté de réponse de celle-ci ; le langage de la Bible exprime cela en disant : « Un ange lui a parlé. »

Par ailleurs, nous avons relevé ce que les réponses de Marie révèlent de sa condition et de sa situation religieuse : elle est vierge et, selon les conceptions de son temps, se demande, face à la révélation qu'elle reçoit, ce qu'elle doit faire en ce qui concerne son mariage avec Joseph.

Enfin, toutes les paroles qui lui sont adressées, traduisent le fait que la conception n'est pas annoncée pour demain, mais qu'elle commence avec la révélation et l'adhésion de Marie. Elle a eu l'insigne privilège de connaître le moment de la conception de son enfant. Elle a dû, à ce moment précis de sa vie, se prononcer dans la foi sur ce que la volonté de Dieu lui proposait. Elle l'a fait avec suffisamment de clarté et de liberté pour qu'il s'agisse d'un consentement humain authentique. Et ce n'est qu'au fil de la vie, en suivant à son tour le Fils qu'elle avait mis au monde, qu'elle a perçu la portée toujours plus grande de ce qui s'était passé aux origines de la vie humaine de son enfant.

*
* *

Les chrétiens sont habitués à lire ce récit de l'Annonciation, l'attention attirée sur Marie. Or, nous l'avons vu, le but de l'évangéliste et la pointe de son récit culminent plutôt dans la présentation de l'Enfant qui est conçu. Le personnage de Marie ainsi que son attitude se comprennent en dépendance de cet élément dominant : Dieu conçoit son Fils, par l'Esprit, dans une fille d'Israël. Compte tenu de cette perspective, on pourra dégager du texte les *deux invitations suivantes :*

En ce qui concerne Marie : Il y a son *fiat* que nous n'avons pas commenté directement mais dont nous avons cerné la portée qu'elle a eue sur le moment et celle qu'elle a dans le développement de la Tradition.

Il y a son humilité, sa foi consciente de pauvre du Seigneur. Nous sommes surtout sensibles au fait que la foi de Marie est une foi vraiment humaine, intelligente et « proportionnée », une foi qui se traduit aussitôt par espérance et engagement, mais qui est passée par l'abandon de tout projet propre, par le risque de tout perdre : une foi évangélique.

Il y a aussi sa grandeur. Elle repose uniquement sur sa maternité messianique, mais elle ouvre la personne de Marie aux dimensions collectives du Peuple de Dieu qu'elle représente authentiquement comme Fille de Sion et Bien-Aimée, Comblée-de-grâce.

C'est de cette grandeur qui ne change rien à son attitude intime qu'elle prend conscience quand elle se déclare Servante du Seigneur. Sa mission la met aux côtés des plus grands de son peuple : Abraham, Moïse, David, tous serviteurs avec le Serviteur.

En ce qui concerne l'enfant : la manière même dont Luc présente la progression de Marie nous aidera à respecter, pour nous et pour tous, les lentes démarches qu'exige la véritable reconnaissance de notre Sauveur.

Mais nous voyons le terme de cette progression : la reconnaissance du Fils Unique de Dieu en l'humanité de Jésus. Tout le mystère de l'Incarnation est déjà là, avec ses dimensions de pauvreté et de gloire.

A ces deux invitations peut s'en ajouter une troisième : observer comment Luc a mis toute son intelligence au service de la foi. Il a vécu avant nous le passage d'une expression de la foi d'un monde culturel à un autre, en l'occurrence : le passage de la culture sémitique à la culture grecque; et, sous sa plume, se révèlent dans les traditions déjà anciennes des richesses nouvelles.

R. V.

DEUXIÈME PARTIE

TEMPS DE NOËL

Nuit de Noël
Luc 2,1-14

ANNONCE AU SUJET DU NOUVEAU-NÉ[1]

[1]Or il arriva en ces jours-là (qu')il sortit un édit de César Auguste, de recenser tout l'univers. [2]Ce recensement, le premier, eut lieu tandis que Quirinius était gouverneur de Syrie. [3]Et tous partaient se faire recenser, chacun dans sa ville. [4]Or Joseph, lui aussi, monta de Galilée, de (la) ville de Nazareth, en Judée, à (la) ville de David, qui est appelée Bethléem — parce qu'il était de la maison et de la famille de David —, [5]afin de s'y faire recenser avec Marie, sa fiancée, qui était enceinte. [6]Or il arriva, tandis qu'ils étaient là, (que) furent accomplis les jours où elle devait enfanter, [7]et elle enfanta son fils premier-né, et elle l'enveloppa de langes et le coucha dans une crèche, parce qu'il n'y avait pas de place pour eux dans la chambre d'hôtes.

[8]Et il y avait dans la même région des bergers qui vivaient aux champs et veillaient les veilles de la nuit sur leur troupeau. [9]Et un ange du Seigneur se tint près d'eux, et la gloire du Seigneur les enveloppa de clarté et ils craignirent d'une grande crainte. [10]Et l'ange leur dit : « Ne craignez point, car voici (que) je vous annonce la Bonne Nouvelle d'une grande joie, qui sera pour tout le peuple : [11]il vous est né aujourd'hui un Sauveur, qui est Christ, Seigneur, dans la ville de David. [12]Et ceci vous (servira de) signe : vous trouverez un nouveau-né enveloppé de langes et couché dans une crèche.

[13]Et soudain il y eut avec l'ange une multitude de l'armée céleste, louant Dieu et disant : [14]« Gloire au plus haut (des cieux) à Dieu et sur la terre paix aux hommes de (sa) bienveillance! »

1. Synopse § 9; 10.

Existe-t-il récit plus ancré dans l'imagination et la sensibilité du chrétien que celui de la naissance de Jésus ? Il lui est connu, familier, trop connu peut-être. Chacun y trouve un point qui le touche : le spirituel, un idéal de pauvreté vécue; l'historien, la mention du contexte politique de l'époque; le théologien, des formules déjà pascales : le Christ Sauveur; les simples, l'ambiance des bergers dans lesquels ils se reconnaissent; les poètes, celle du merveilleux...

Mais, si les lecteurs découvrent cette multiplicité de facettes, quelle est celle que l'auteur a voulu mettre principalement en évidence ?

De tous les évangélistes, Luc est celui qui a le plus la préoccupation de l'histoire. Cependant, tout comme les autres auteurs inspirés, il la transmet interprétée à la lumière de sa foi et en fonction des besoins de ses lecteurs.

En particulier, pour rejoindre sa pensée, il importe de se rappeler qu'il n'a pas commencé la rédaction de l'évangile par le récit de l'enfance de Jésus, mais qu'il l'a placé comme une préface à l'histoire de la Bonne Nouvelle de Jésus mort et ressuscité.

*

* *

a) Dans le *contexte* de l'ensemble du IIIe évangile, ce récit participe, comme ceux qui le précèdent, aux caractéristiques de toute la préface que constituent les récits de l'Enfance. Luc les destine à mettre en valeur la grandeur de Jésus par le procédé d'un constant parallélisme entre lui et Jean-Baptiste et il les compose en conséquence. On peut voir, en particulier, la correspondance entre la naissance du fils de Zacharie entourée de la visite des voisins, et celle de Jésus entourée seulement des bergers.

Plus précisément, l'évangéliste veut introduire à la révélation de Jésus Fils de Dieu. On peut, en effet, constater l'emploi d'expressions qui ne se retrouveront qu'à la fin de son livre et au début des Actes des Apôtres : Aujourd'hui, Sauveur, Christ-Seigneur (2,11; 23,43; 24,3; Ac 5,31). L'inclusion est visible et fait dire que l'auteur veut montrer que celui qui est mort, ressuscité et glorieux est le

Jésus qui est né sur la terre, comme un homme modeste. Cette présentation invite déjà à pressentir le sens du passage.

Replacés dans le contexte immédiat, les récits de l'Annonciation et de la Visitation paraissent avoir pour fonction de présenter surtout le mystère de cette personne, Messie, Fils de Dieu, tandis que celui de la naissance veut préciser davantage certains signes annonciateurs de sa mission.

b) Les éléments qui constituent *l'organisation du texte* peuvent se dégager à des niveaux différents.

Le premier qui apparaît c'est que l'ensemble est fait de deux parties :

— l'empereur et l'enfant (vv. 1-7);
— les bergers et l'enfant (vv. 8-20).

Ce contraste, à lui seul, attire l'attention sur le fait que la seigneurie de l'enfant n'est pas du style de celle des grands de ce monde.

La première partie met en évidence quatre types de préoccupations, relatives aux mouvements, aux lieux, aux royautés et aux hommes. Schématiquement, elles peuvent se représenter de la manière suivante :

Mouvements	Lieux	Royautés	Hommes
	Tout l'univers	César Auguste	Tous les hommes y compris Marie et Joseph
partent	La Syrie La Galilée		
arrivent	Bethléem	Lignée davidique	Chacun dans sa ville
	Une crèche	Le fils de Marie	Un enfant qui n'a pas de place

Ces différentes présentations ont en commun de partir de l'universel et d'aboutir à une personne en particulier. L'auteur utilise, sur le plan littéraire, un effet semblable à celui du zoom des caméras qui présente d'abord un groupe, puis, par des mouvements d'approche, détache en gros plan la personne sur laquelle l'attention est appelée et qui prend tout le champ de l'écran.

La naissance de Jésus est mise en évidence par une progression en contrastes. On part de l'empereur soi-disant maître de l'univers et on aboutit à un enfant pauvre qui n'a même pas de place pour naître. Cette présentation en antithèse veut éveiller au message de tout l'évangile fait de conflits entre les puissances asservissantes de la terre et le Dieu humble qui épouse cette condition pour en libérer les hommes par d'autres voies que celles du monde. Après la longue préparation du début, le sommet de ce passage est bien mis en évidence : « Elle enfanta son fils premier-né. » On peut aussi remarquer que cette naissance intervient au terme d'un long voyage, trait caractéristique chez Luc qui groupe la majeure partie de son évangile le long d'un itinéraire et qui le fait encore plus naturellement dans les Actes, toujours dans un but théologique. C'est donc moins aux incidents du parcours qu'à son aboutissement que nous sommes invités à penser.

Quant à la seconde partie elle présente la structure habituelle aux récits d'annonciations, avec toutefois quelques particularités.

DES BERGERS AUX CHAMPS (v. 8)

RÉVÉLATION

La gloire du Seigneur (v. 9)
Une parole de salut (vv. 10-11)
    Bonne Nouvelle
    Joie pour tout le peuple
    Sauveur, Christ, Seigneur
Un signe :
    Un nouveau-né pauvre (v. 12)
Parole donnant le sens de ce signe (vv. 13-14)

LES BERGERS SE METTENT EN MARCHE

VÉRIFICATION

veulent voir et connaître (v. 15)
se hâtent (v. 16a)
vérifient (v. 16b)
font connaître (v. 17)
sont émerveillés (v. 18)
Marie médite

LES BERGERS REVIENNENT EN GLORIFIANT

A nouveau cette structure montre l'importance du déplacement pour l'intelligence du mystère. Chez Luc, c'est habituellement en voyage que l'on apprend quelque chose : ainsi, par exemple, Joseph et Marie apprennent au cours des voyages à Jérusalem que Jésus sera « signe en butte à la contradiction » (2,34), qu'il se doit « aux choses de son Père » (2,49), etc. Ce procédé signifie que la foi est une mise en marche. Ici, on peut remarquer que l'élan est donné, au départ, non plus par un agent humain et dominateur (l'empereur) comme dans la première partie du récit, mais par le Seigneur. Bien plus, cette annonce aux bergers présente une « vérification » très développée par rapport aux autres récits de ce genre. En outre, la parole qui donne le sens du signe est, elle aussi, plus développée que d'habitude. Ainsi, à la jointure de la révélation et de son effet se trouve un signe d'une grande importance. Or il met en relief un élément modeste : la crèche, élément sur lequel sont donc centrées les deux parties du texte.

L'ensemble de cette construction fait apparaître que la seconde partie est comme un développement christologique de l'enseignement déjà amorcé dans la précédente : d'abord est présenté un fait, ensuite la parole qui en exprime le sens.

*
* *

Les éléments principaux du récit peuvent se prendre successivement dans chacune des parties, ce qui revient à les chercher d'abord dans les faits et la manière dont ils sont présentés, puis dans le message divin et, conjointement quoique en second, dans les réactions des personnes auxquelles il s'adresse.

1. Les faits qui ont entouré la naissance de Jésus révèlent qu'elle a accompli les promesses messianiques, c'est-à-dire le dessein de Dieu d'entrer dans l'histoire des hommes pour l'amener à son terme.

A l'encontre de Matthieu, Luc ne cite pas explicitement les textes qui lui permettent d'approfondir le sens des événements survenus en Jésus; il procède plus volontiers par allusions. Ici, il songe manifestement à la prophétie de Michée « jusqu'au temps où aura enfanté celle qui doit enfanter » (voir 2,6 et Mi 5,2), en quoi il se rapproche de Matthieu qui, lui aussi, utilise ce prophète dans le récit des Mages (2,1).

Cette prophétie annonce pour des temps futurs la naissance du Messie au sein de la Fille de Sion, naissance marquée par les caractères suivants : elle aura lieu à Bethléem et d'un descendant de David. Tout le contexte l'indique.

La Fille de Sion représente la communauté du peuple de Dieu. Elle est, en Michée, également appelée le « Reste » (5,2 b), le « troupeau » (5,3 a), toutes appellations qui désignent les pauvres. L'expression « Fille de Sion » indique donc la petite communauté de ces pauvres qui, après une longue attente dans l'humiliation, doit enfanter le peuple messianique, c'est-à-dire rassembler tout Israël d'abord et les nations ensuite.

Cette naissance sera la marque de la « puissance du Seigneur et de la majesté du nom de notre Dieu » (Mi 5,3). Autrement dit, elle manifestera la gloire de Dieu. Et celui qui naîtra ainsi, pour paître le troupeau rassemblé, sera lui-même « paix » (Mi 5,4a).

Chez Luc, que devient cette annonce ? Il dit explicitement que la naissance a bien eu lieu à Bethléem et il renforce cette indication par d'autres traits qui se rattachent au messianisme davidique et qui se trouvent dans la deuxième péricope : « Il vous est né aujourd'hui... Christ... dans la ville de David » (vv. 9-10).

La manifestation de la puissance du Seigneur sera plus visible dans le récit de la visite des bergers, mais on peut être sensible au contraste qui oppose ici l'autorité suprême de l'empereur Auguste à la position, apparemment démunie, de Jésus. En effet, l'empereur est nommé par son titre divin : « Auguste ». Par ce détail l'auteur ne suggère-t-il pas la prétention d'être vénéré comme Dieu par les hommes ? On remarque également que son recensement concernait « toute la terre », manière d'insinuer qu'il se voulait participant à la puissance divine.

Au début du chapitre suivant (v. 3) l'évangéliste reprend une présentation semblable de deux royautés qui s'affrontent : celle de César et celle de Jésus, véritable Roi, fils de David, Messie, le seul qui ait droit à l'adoration universelle des hommes, en se proposant à eux humblement et non en s'imposant.

Dernier aspect messianique de la naissance de Jésus : Luc désigne en Marie la véritable Fille de Sion qui met au monde l'enfant pour la joie de tout le peuple.

On a ici un exemple (fréquent dans la Bible si imbue de la dimension communautaire des individus) d'un terme qui, de portée collective, en vient à désigner une personne par laquelle le Seigneur agit en faveur de tous. C'est dans cette ambiance que doit évoluer toute réflexion doctrinale et spirituelle sur la personne et la place de Marie, Fille de Sion et mère de Jésus.

Par Marie, c'est donc la communauté des pauvres qui accueille le Messie. Luc précise encore la chose de deux manières :

Par trois fois (vv. 7.12.16) il montre l'enfant « couché dans une crèche » et il dit : « Ceci vous (servira de) signe » (v. 12). La pauvreté est donc un « signe ». Or, dans l'Ancien Testament, est dit « signe » un événement par lequel se révèle la présence agissante de Dieu. S'il est pris dans la pauvreté, c'est qu'il veut être perçu par les pauvres représentés ici par les bergers.

Ces derniers ne sont point marqués seulement par une pauvreté matérielle. La profession qu'ils exercent les met en quelque sorte hors la loi[2] : ne sont-ils pas obligés de manquer souvent à la Loi, à l'observation du sabbat surtout ?

L'auteur dit que « la gloire du Seigneur... les enveloppait » (v. 9). Or la gloire a toujours désigné, dans l'Ancien Testament, la présence de Dieu (Ex 16,10 ; 24,16-17 ; Nb 14,10 ; Is 60,2 ; Ez 40,35). Luc, l'évangéliste des pauvres, veut dire que Dieu est présent là où sont les petits, ceux qui, malgré le mépris dont ils peuvent être l'objet, sont tout ouverts à Dieu. Ce sont eux qui, les premiers, font la découverte de la Révélation du Dieu Sauveur.

2. Le message divin révèle que la naissance de Jésus est un signe annonciateur de sa Passion glorieuse et la joie qui en découle un commencement de la proclamation de l'Évangile (Bonne Nouvelle du Christ Seigneur Sauveur) ainsi que de la louange entraînée par cette proclamation.

---

2. VTB, *Pasteur*, N.T., Intr.

Des versets 10 à 14, sommet du récit, tous les termes seraient à relever. Notons l'expression « je vous annonce » (en grec : *euaggelizomai* : je vous « évangélise ») ainsi que le mot « aujourd'hui » caractéristique du IIIe Évangile (4,21) pour désigner la Bonne Nouvelle réalisée dans la personne du Christ qui inaugure les temps eschatologiques. Ces expressions sont une clé pour donner tout leur sens aux éléments dominants que sont le « signe », la « joie », les titres de « Sauveur-Seigneur », enfin « la gloire et la paix ».

Luc n'entend pas seulement le mot « signe »[3] dans le sens dit plus haut, de l'Ancien Testament. On constate, en effet, que dans les annonces de l'Ancien Testament et, chez Luc, jusqu'à Zacharie, les signes étaient donnés pour répondre à un doute. Or celui qui est donné aux bergers l'est sans qu'ils le demandent. De plus, il n'annonce pas une réalisation à venir mais déjà arrivée. Il correspond à ceux qui, dans le Nouveau Testament, accompagnent la proclamation de l'Évangile par les apôtres. Et l'on sait que, pour ces derniers, le signe par excellence, c'est Jésus passant de ce monde à son Père (Mc 8,11 p.; 1 Co 1,22). Luc veut donc dire : en Jésus naissant pauvre parmi les pauvres se manifeste un signe du mystère de sa personne. C'est tout le paradoxe de sa vie qui commence à se montrer et qui culminera dans sa Passion glorieuse.

Lorsque Luc dit que l'ange « annonce une grande joie »[4] il entend l'expression non seulement au sens des prophètes (Is 60,1-3.6), mais aussi et surtout au sens, caractéristique de son œuvre (10 fois dans l'évangile, 15 fois dans les Actes), de joie accomplie et qui accompagne la proclamation de la Bonne Nouvelle de Jésus ressuscité (Ac 8,35; 15,7). Il s'agit d'une joie qui vient d'en haut, autrement dit qui vient de Dieu. Non seulement elle accompagne la naissance de Jésus, mais, d'une certaine manière, la joie de Dieu vient personnifiée en Jésus lui-même.

En disant du Messie qu'il est « Sauveur-Seigneur »[5], Luc utilise deux titres qui sont deux maîtres mots de son évangile. Termes

3. VTB, *Signe*, N.T., I 1.
4. VTB, *Joie*, N.T., I 1.
5. VTB, *Jésus*, III; *Jésus-Christ*, II a; *Seigneur*, N.T. 1.

utilisés déjà dans l'Ancien Testament, ils ont été attribués au Christ à partir de la Pentecôte, jour où les apôtres ont accédé à la foi en la plénitude de sa divinité (Ac 2,36).

Les évangélistes les ont utilisés, par la suite, même pour des épisodes antérieurs à la Résurrection, voulant rappeler toujours aux chrétiens la nature de leur Seigneur (il est Dieu) et sa mission (il est Sauveur). A la suite de Paul dont il est le compagnon, Luc met dans ce mot[6] l'essentiel de l'action de Dieu en Jésus-Christ auprès des hommes. Tout le IIIe Évangile est bâti de manière à mettre ces réalités en évidence. Ici, elles sont indiquées en introduction, un peu à la manière d'un indicatif musical annonciateur d'une émission, pour guider dès le début les lecteurs vers le sommet de la révélation de l'Évangile.

La présence de Jésus, enfin, est porteuse de « gloire et paix[7] », car il établit un lien entre ciel et terre, autrement dit entre le monde de Dieu et celui des hommes. C'est ce que signifie la présence des anges dans le texte[8]. Ils sont même une « foule » pour annoncer le message de paix. Une telle mention est rare dans la Bible qui, habituellement, parle plutôt d'un (ou de deux) anges. Elle est visiblement employée pour mieux dire la portée universelle de la seigneurie du Christ (Is 6,13). On la retrouve en effet dans les textes de Qumrân où elle signifie que, lorsque la communauté est en prière, elle participe à la liturgie céleste, devenant ainsi une portion du monde divin. On la retrouve aussi et surtout chez Paul, dont Luc dépend (Col 1,16; 2,9-10; He 1-2).

La Gloire est le signe de la présence active de Dieu au service de son peuple; c'est la gloire du Dieu Très-Haut, dépassant l'homme par sa perfection et sa grandeur, mais lui apportant le bonheur le plus complet. Ces qualités divines se manifestent donc au plus haut point en Jésus. Elles éclateront surtout dans sa Passion glorieuse qui s'amorce le jour des Rameaux, précisément avec ce même cantique (19,38).

La Paix n'est pas l'absence de troubles, mais la perfection dans le bonheur par le partage des biens divins. L'hébreu l'exprime par le

---

6. VTB, *Salut*, N.T. 1; 2b.
7. VTB, *Gloire*, IV 3; *Paix*, III 1.
8. VTB, *Anges*, N.T. 2.

mot *Shalom* rendu chez Luc par la salutation *kairé*, preuve que pour lui, « paix » et « joie » sont liées comme « grâce » et « paix » chez son maître Paul (voir Rm 1,7; 1 Co 1,3...), cette paix est la situation où tout homme peut s'épanouir, et elle s'adresse à tous les hommes, parce qu'ils sont l'objet de la bienveillance de Dieu. C'est ainsi qu'il faut comprendre l'expression longtemps traduite par « aux hommes de bonne volonté ». Littéralement, le texte parle bien de « bienveillance », mais avec le sens « aux hommes parce qu'ils sont objet de sa bienveillance » ou encore « aux hommes parce qu'il les aime ». Il s'agit des complaisances de Dieu pour les hommes et non des dispositions de ceux-ci. Bien sûr, il faut des dispositions pour accueillir le don de Dieu. Mais ici, l'accent ne porte pas sur elles : il est tout entier sur le don offert par Dieu à tous. C'est son amour qui est à l'origine de ce don accompli en son Fils, c'est de lui que vient cette initiative, et non des hommes. L'expression existe déjà avec cette signification dans les prophéties concernant la fin des temps (Dn 9,23; 10,11.19).

Ainsi, la paix est-elle le don de Dieu aux hommes. Mais la suite de l'évangile montre que ce don est à entendre au sens de la plénitude qu'il prend lorsque le Christ, passé par la mort et ressuscité le transmet : « Paix à vous » (24,36).

A travers tous ces éléments essentiels du passage, on peut relever enfin l'aspect universaliste.

Nous l'avons déjà signalé dans le parallèle suggéré entre Auguste, nom divin de l'empereur du moment, et Jésus, Seigneur de l'univers entier, du monde visible et invisible (les anges). Là encore Luc est en parfaite cohérence avec l'ensemble de son œuvre.

Cet universalisme est mis en relief aussi par les expressions « Paix aux hommes de sa bienveillance » et « une grande joie... pour tout le peuple... ».

Dans la suite du texte, Luc accentue le sens pascal de ce passage par deux indications.

Tout d'abord l'évangile montre les bergers allant, à leur tour, « faire connaître la parole qui leur avait été dite ». Ces termes sont en effet ceux que l'on retrouve dans le Nouveau Testament pour exprimer la proclamation de l'Évangile, Salut dans le Christ (1 Co

15,1; Ga 1,11; He 2,18; 6,5; Rm 10,16). Luc ajoute « en hâte »[9] autre terme typique de son évangile (voir 1,39). Il veut exprimer l'obéissance zélée à l'Esprit de Dieu, pour transmettre sa Parole. Il s'agit d'une hâte d'ordre missionnaire.

L'évangéliste dit ensuite que les bergers « furent émerveillés » et « s'en retournèrent glorifiant et louant Dieu ». Pour cela, il utilise des expressions qui lui sont chères (1,64; 2,28.38) et que l'on trouve particulièrement liées à l'expérience de la mort et de la résurrection de Jésus (23,47; 24,53). C'est pourquoi Luc les emploie pour le chant de louange de la communauté liturgique des croyants (Ac 2,47). Aussi pouvons-nous voir dans le cantique du *Gloria* (v. 14) une portée post-pascale. L'évangéliste veut montrer en Jésus nouveau-né celui qui vient inaugurer le nouveau culte qui relie les hommes à Dieu par sa personne et que les chrétiens célèbrent dans tous leurs rassemblements liturgiques, depuis la Pentecôte.

Ce que le message annonce de nouveau et dont Marie commence à faire l'expérience se trouve dans le lien entre la venue des pauvres et la présence du monde céleste. C'est ce que souligne la parole « garder en son cœur », c'est-à-dire chercher à accueillir dans la foi le mystère. C'est déjà, avec elle, un portrait du vrai disciple qui est brossé.

*

* *

Luc présente donc un récit de la naissance de Jésus, tout orienté à montrer déjà en lui la révélation du Fils de Dieu et empreint des préoccupations ainsi que de la mentalité de la communauté chrétienne à laquelle il s'adresse. Par-delà cette présentation, peut-on remonter au *fond historique* solide sur laquelle il repose ? L'étude du texte a montré qu'il faut le chercher surtout dans la première partie.

Tout d'abord, Jésus est né à Bethléem. Luc accompagne cette donnée de la précision suivante : « avec Marie sa fiancée, qui était enceinte » (v. 5), ce qui rejoint une donnée semblable chez Matthieu (1,16). Les deux évangélistes étant indépendants l'un de l'autre et

9. VTB, *Courir*, 2.

ne concordant pas toujours, ce point d'accord semble d'autant mieux fondé sur la réalité de l'événement : ils le transmettent parce qu'ils le reçoivent d'une tradition antérieure à eux. Le fait est encore confirmé par le quatrième évangile qui relate comment se trompent ceux qui croient Jésus né en Galilée (Jn 7,41). Enfin, les relations entre Bethléem et la Galilée sont suffisamment attestées à l'époque pour confirmer la vraisemblance du fait.

La seconde des affirmations historiques de Luc concerne un recensement dû à un édit de César Auguste, Quirinius étant gouverneur de Syrie (vv. 1-6). Ce point cause quelques difficultés pour les historiens modernes. On sait qu'un certain nombre de recensements ont eu lieu à l'époque, mais pas à la date de la naissance de Jésus; celui dont parle Luc aurait eu lieu, d'après Flavius Josèphe, sept ans plus tard. Certains expliquent les choses de la manière suivante : il a dû y avoir un recensement spécial pour lequel Quirinius aurait reçu une délégation, sans être encore gouverneur. Du fait qu'il est resté dans les mémoires comme « gouverneur », Luc ne commet qu'un anachronisme sans conséquence. D'autres, enfin, mettent en question la valeur du renseignement de Fl. Josèphe.

A ces deux données l'évangéliste en ajoute une troisième : « Marie... enveloppa l'enfant de langes et le coucha dans une crèche parce qu'il n'y avait pas de place pour eux dans la chambre d'hôtes » (v. 7). Ces détails qui introduisent l'épisode de l'annonce aux bergers ne sont pas donnés pour les besoins de la cause mais s'appuient sans doute sur des faits. La crèche est importante. Elle n'est pas un élément que l'on trouve dans les récits parallèles d'enfance des grands hommes de l'époque. De plus, dans la structure du récit de Luc, elle occupe la place principale.

Et puis il y a « la chambre d'hôtes », rendue par « hôtellerie » dans la Vulgate et, partant, dans les traductions habituellement connues. En fait, pour désigner une hôtellerie, Luc emploie un autre mot (10,34-35). Le terme qu'il utilise ici revient ailleurs dans l'évangile (14,14), à la dernière Cène, pour indiquer la salle où le repas est pris. Il s'agit de la salle commune de la maison. On retrouve le même terme dans la Septante, pour désigner toujours cette salle commune, dans 1 S 1,18; 9,22. Si l'on joint cette remarque à la confrontation générale des deux récits de Matthieu et de Luc, on est invité à penser que Joseph était de Bethléem où il avait sa famille. Comme il n'est pas seul à venir pour le recensement, la chambre était pleine et il est allé à l'étable, chose toute simple dans le contexte de l'époque, comme aujourd'hui encore en certains milieux semblables.

Reste la mention des « bergers » et tout ce qui les concerne. Ce récit semble tellement destiné à montrer Jésus réalisant la prophétie de Michée que l'on peut se demander si les faits ont existé réellement. S'il est donc difficile de préciser ce qui s'est passé exactement, il paraît possible de penser, en revanche, que l'ensemble du récit repose sur un fait. En effet, l'argumentation de Luc consiste à montrer Jésus réalisant la prophétie de Michée en ce point. Cela exige que le fait a existé, sinon son argumentation perdrait de sa valeur. Mais il y a plus : il emploie le genre « annonciation » lequel, dans la Bible, sert à exprimer le sens révélateur d'un événement. Même si tous les détails de celui-ci échappent, le fait n'en demeure pas moins postulé par le genre : des bergers ont dû être les premiers témoins émerveillés de la rencontre du ciel et de la terre dans l'enfant Jésus. Cependant ils ne pouvaient comprendre encore toute la portée de ce qu'ils voyaient. S'ils l'avaient perçue et transmise autour d'eux, il en serait resté des traces. Or Jésus a vécu à Nazareth sans que personne se soit rappelé que sa naissance avait été reconnue comme messianique par certains.

*
* *

En retenant ou en transmettant le *message livré par ce texte* il convient d'en garder toute l'ambiance évocatrice dont l'auteur l'a chargé. Les images qu'il a utilisées ne le sont pas pour présenter purement du merveilleux. Une grande distance sépare le texte du débordement de décors et de consommations en tous genres que la fête de Noël entraîne de nos jours dans le monde. L'essentiel de la crèche réside en ceci : une atmosphère de famille, de personnes modestes et de joie à crier à l'ensemble des hommes. Cependant, revenir à l'essentiel n'est pas réduire à une idée abstraite mais garder ce qu'il convient d'éléments sensibles pour émerveiller et inviter à l'intériorité.

Le lecteur est invité à pénétrer dans le mystère de la personne de Jésus qui s'est caractérisée à sa naissance, par des contrastes. Il est entré dans l'histoire petitement mais pour la retourner et en livrer le sens dernier. Il manifeste sa grandeur, mais dans l'humilité : elle est tout intérieure, proposée et non imposée. Elle vient de l'amour de Dieu lui-même qu'il offre à tous les hommes en la mettant ainsi à leur disposition, dans sa bienveillance. Il est aussi l'imprévisible, celui qui vient chez les hommes autrement qu'ils l'attendent si bien qu'ils risquent de ne pas voir sa place dans le monde.

Ceux qui ont un cœur de pauvre peuvent s'émerveiller en découvrant cette personne de Jésus. Dès lors commence pour eux, comme pour les bergers, une démarche par laquelle ils progressent dans la foi et deviennent des annonceurs de la Bonne Nouvelle. Entourés d'hommes submergés par des informations caractérisées par l'insolite, le dramatique et le sensationnel, ils devraient être non pas des donneurs de conseils, des défenseurs d'une doctrine, d'une morale ou d'une politique, mais des révélateurs de la lumière présente à de nombreux événements humbles, perçus dans la foi comme signes du monde nouveau de Jésus-Christ. Ceci doit les entraîner à imiter leur maître venu porter la paix aux hommes en supprimant toute distance, toute barrière.

Une telle Bonne Nouvelle a, de soi, une portée universelle; elle est bouleversante. Si vraiment Dieu a pris corps avec l'humanité en un point de l'histoire, ce sont tous les hommes sur lesquels rejaillit l'effet de cet événement : la possibilité d'une vraie libération, celle de combler leurs aspirations au bonheur absolu, est mise à leur portée. Il suffit d'un cœur de pauvre pour l'accueillir.

Le fruit de la libération accueillie dans une vie est la joie et l'homme heureux, vivant, est la gloire de Dieu.

G. B.

Jour et deuxième dimanche
de Noël
Jean 1,1-18

DANS LE SILLAGE DU VERBE FAIT CHAIR[1]

[1]Au commencement était le Verbe et le Verbe était auprès de Dieu et le
Verbe était Dieu. [2]Celui-ci était au commencement auprès de Dieu. [3]Tout
fut par lui et sans lui rien ne fut. [4]Ce qui fut en lui était (la) vie et la vie
était la lumière des hommes [5]et la lumière luit dans les ténèbres et les ténèbres ne l'ont pas atteinte.

[6]Il y eut un homme envoyé par Dieu dont le nom (était) Jean. [7]Celui-ci
vint pour un témoignage, afin de rendre témoignage à la lumière, afin que
tous crussent par lui. [8]Il n'était pas la lumière, celui-là, mais (il vint) afin
de rendre témoignage à la lumière.

[9]Il était la lumière véritable qui éclaire tout homme venant dans le monde.
[10]Il était dans le monde et le monde fut par lui et le monde ne l'a pas connu.
[11]Il vint chez lui et les siens ne l'ont pas reçu. [12]Mais tous ceux qui l'ont
reçu, il leur a donné pouvoir de devenir enfants de Dieu, à ceux qui croient
en son nom, [13]lui qui ne fut engendré ni du sang, ni d'un vouloir de chair,
ni d'un vouloir d'homme, mais de Dieu. [14]Et le Verbe devint chair et il
habita parmi nous et nous avons vu sa gloire, gloire (qu'il tient) du Père,
comme (Fils) Unique, plein de grâce et de vérité.

[15]Jean lui rend témoignage et s'écrie en disant : « C'était celui dont j'ai dit :
Celui qui vient derrière moi est passé devant moi parce qu'avant moi il
était. » [16]Et de sa plénitude nous avons tous reçu, et grâce pour grâce. [17]Car
la Loi fut donnée par Moïse, la grâce et la vérité furent par Jésus-Christ.
[18]Nul n'a jamais vu Dieu ; le Fils Unique, qui est dans le sein du Père, celui-
là (l')a raconté.

1. Synopse § 1.

89

Durant des siècles, le prologue de l'évangile de Jean a résisté à l'usure de la lecture quotidienne ; aujourd'hui encore, nous nous sentons dépaysés devant cette page. Les mots très simples, trop simples, « la lumière », « les ténèbres », « le monde », « la chair », échappent aux prises des commentateurs.

Certes, la lecture de ce texte pose bien des questions. La première et la plus importante, en même temps qu'un peu déroutante, est la place que tient le « Verbe » : d'où vient ce mot et que veut-il dire ?

D'autres questions se posent aussi, inévitables : quel est le lien de la double mention de Jean (le Baptiste) avec le reste du texte ? La liturgie suggère d'omettre éventuellement ces passages : ce choix est-il justifié ? Au verset 13, faut-il lire le singulier « lui que Dieu a engendré » ou le pluriel « eux que Dieu a engendrés » ? Les spécialistes butent encore sur bien d'autres questions. On peut remarquer, par exemple, que toutes les traductions ne rendent pas de la même manière les versets 3 et 4.

Pour comprendre ce passage, il serait bon de répondre aux questions suivantes :

— Ce Prologue introduit-il réellement à ce qui le suit dans l'évangile ?

— De quelle manière commencent les autres évangélistes ? Que nous apprend cette confrontation ?

— Quelles sont les pages de la Bible auxquelles se réfère davantage cet extrait ?

*
*   *

a) Le quatrième évangile a connu une élaboration longue et complexe. Le Prologue en est l'un des textes les plus récents. Du coup, il l'est aussi en regard de l'ensemble des évangiles et même de la totalité des Saintes Écritures. C'est donc à ces différents niveaux qu'il faut en chercher *le contexte.*

Le passage se réfère d'abord à l'évangile qu'il introduit. On peut même dire qu'il le contient déjà totalement. Le quatrième évangile, en effet, ne suit pas comme les Synoptiques un développement linéaire; il est plutôt fait d'une série de présentations concentriques reprenant chacune, mais avec une progression, les mêmes thèmes centraux. Ceux-ci nous apparaissent clairement ramassés dans la conclusion de l'œuvre qui se présente comme écrite « pour que vous croyiez que Jésus est le Christ, le Fils de Dieu et qu'en croyant vous ayez la vie... » (20, 30-31).

Condition messianique et divine de Jésus, don de la vie aux hommes, et cela par le seul moyen de la foi, ces trois thèmes se retrouvent sans peine en chacune des grandes articulations de ce livre[2]. On les trouve effectivement dans le Prologue qui nous fait voir dans le Verbe et le Fils la seule source de la Vie des hommes par le moyen de la foi.

Le Prologue introduit donc valablement au quatrième évangile. En est-il de même par rapport à l'ensemble de la tradition évangélique ?

En comparant la manière dont débutent les quatre évangiles, on peut avoir au premier coup d'œil l'impression que l'horizon de la méditation recule sans cesse. Marc paraît fixer le « commencement de l'Évangile » « aux jours de Jean-Baptiste » (1,1; Ac 1,22), Matthieu et Luc à l'enfance de Jésus, Jean enfin à l'origine éternelle du Verbe. En réalité, ces rapports sont plus complexes.

— Marc, d'emblée, nous met en présence de « Jésus-Christ Fils de Dieu ». Or ce sont les termes mêmes par lesquels Jean termine son évangile, ainsi qu'il vient d'être dit.

— Matthieu établit une comparaison entre l'enfance de Jésus et celle de Moïse. Comparer ces deux figures n'est-ce pas aussi le souci de Jean dans le Prologue (v. 17) ?

— Luc préfère mettre en parallèle Jésus et Jean-Baptiste. Jean garde cette préoccupation (vv. 6-8.15).

Si l'on remonte plus haut dans la tradition primitive et que l'on se réfère au schéma évangélique qui résume l'entretien de Pierre et de Corneille, on trouve ceci : « Il a envoyé sa Parole aux enfants d'Israël, leur annonçant la Bonne Nouvelle... par Jésus-Christ, c'est lui le Seigneur de tous » (Ac 10,36).

Bref, pour commencer un évangile, tous les écrivains ont eu le

2. Voir la présentation qu'en fait la Bible de Jérusalem et en fonction de ces divisions les passages suivants : 3,16; 3,35-36; 5,24; 6,46-47; 9,35-39; 11,25; 12,46; 20,28-29.

souci de montrer à quel point Jésus dépasse toute figure humaine fût-elle aussi grande que celle de Moïse ou du Baptiste : c'est au sein même du Père que le Verbe de Dieu fait chair nous introduit. Jean, après les autres mais mieux que tous, a su exprimer cela et dresser au seuil de l'évangile le « portique » qu'il fallait.

Au-delà, dans le contexte de toutes les Écritures, la première page de l'évangile de Jean renvoie expressément à la première de toute la Bible : « Au commencement... ». Ce rapprochement traduit, de la part de l'auteur, l'intention de mettre en relief ceci : ce que l'apôtre a vu du Verbe de Vie et dont il témoigne à travers l'évangile dépasse le cadre restreint de la communauté primitive pour donner son sens à tout ce qui existe et pour mettre en lumière la relation du cosmos à celui par qui tout a été fait.

Manifester le lien de toute créature au Verbe agent de la Création, révéler en même temps le lien de ce Verbe au Père, et par là donner l'interprétation ultime de la destinée de Jésus de Nazareth dans l'évangile, telle est la tâche que le contexte paraît assigner au Prologue. Comment va-t-elle être accomplie ?

b) Le sens que Jean donne à cette page apparaît d'abord à la manière très consciente dont il l'a construite. Deux rapprochements vont laisser voir *la structure* qu'il a adoptée *et le mouvement* qu'il lui a donné.

— Le premier de ces rapprochements peut se faire avec le texte de Jean (16,28) où Jésus déclare :

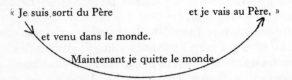

« Je suis sorti du Père   et je vais au Père, »
et venu dans le monde.
Maintenant je quitte le monde.

Nous avons un mouvement Père-monde-Père que l'on peut représenter par une courbe en parabole, un peu comme l'hymne de l'épître aux Philippiens (2,6-11) nous donne le trajet : condition divine-humiliation-exaltation.

Le Prologue commence et s'achève en montrant le Verbe auprès de Dieu (v. 1) et le Fils au sein du Père (v. 18). Entre ces deux extrémités de la courbe est décrite la mission du Verbe qui par sa participation à la Création puis son « installation » chez lui, au milieu du peuple de Dieu, retourne auprès du Père après l'avoir fait connaître aux hommes.

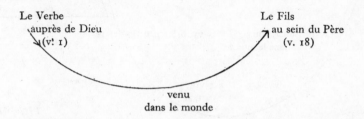

Le Verbe
auprès de Dieu
(v. 1)

Le Fils
au sein du Père
(v. 18)

venu
dans le monde

Nous venons de relever, dans le texte de Jean, comme une inclusion (v. 1 : le Verbe en Dieu; v. 18 : le Fils au sein du Père). Ce procédé indique une équivalence entre le premier et le dernier verset. Ceci est donc une manière, pour l'auteur, de souligner la communion éternelle du Fils au Père, et de présenter le Verbe en Dieu comme Fils incarné.

Pourtant, le tracé de la courbe est, dans le cas du Prologue, plus complexe. Certes, on peut disposer les éléments de cette pièce sur les deux branches d'une parabole. Aux deux extrémités se placent les versets 1 et 18, parlant du Verbe auprès de Dieu et du Fils unique dans le sein du Père. Au long du parcours, se répondent les versets qui évoquent la médiation unique qu'exerce le « Verbe » *logos*, aussi bien dans le monde (vv. 3 et 4-5) que dans le Peuple de Dieu à qui il apporte plus que Moïse. De part et d'autre se répartissent encore les allusions au Baptiste (vv. 6-8 et 15). Enfin, voici que le Verbe vient en ce monde pour y éclairer tout homme (v. 9) et qu'il se fait chair pour demeurer parmi nous (v. 14). Mais de telles déclarations paraissent faire atteindre des sommets — l'Incarnation est là — et chacune peut répondre parfaitement à la proclamation qui ouvre le Prologue : le titre « lumière » (v. 9) reprend, sous une autre forme, celui de « Verbe » (v. 1). Elles peuvent répondre également aux déclarations qui le ferment et qui évoquent la visibilité du Verbe et du Fils au milieu de son peuple (en 14 et en 18). Les versets 1-9 et

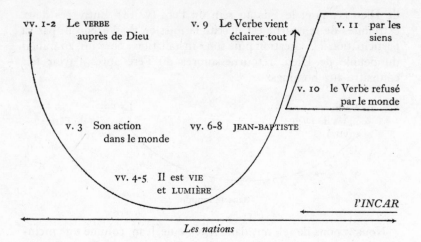

vv. 1-2 Le VERBE auprès de Dieu

v. 9 Le Verbe vient éclairer tout

v. 11 par les siens

v. 10 le Verbe refusé par le monde

v. 3 Son action dans le monde

vv. 6-8 JEAN-BAPTISTE

vv. 4-5 Il est VIE et LUMIÈRE

l'INCAR

Les nations

14-18 se présentent donc comme deux petits ensembles constitués l'un et l'autre d'un mouvement descendant et d'un mouvement ascendant.

De plus, entre les deux blocs subsiste un intervalle. Les versets 10-13 nous placent successivement devant le refus qu'opposent au Verbe le « monde », puis « les siens ». Les versets 12-13 exaltent alors la situation des croyants qui, en accueillant le Verbe, ont reçu le pouvoir de devenir enfants de Dieu. L'ensemble peut se représenter comme le schéma ci-dessus :

Dans cet ensemble, les versets 12-13 présentent une curieuse particularité. Ils mêlent un langage « grec » (vouloir d'homme) à des expressions plus sémitiques (« la chair et le sang »). On a tenté d'expliquer ce phénomène par une confusion entre deux textes. Mais la critique textuelle ne fournit pas la clé du problème. Une attention plus grande au vocabulaire du Prologue aboutit à des remarques plus curieuses encore. Les versets 1-9 emploient un vocabulaire à l'allure grecque « vie, lumière, homme, monde »; les verbes y sont à la troisième personne du pluriel et ces versets ne contiennent pas d'allusion au caractère messianique de Celui qu'ils annoncent. Les versets 14-18 ont un arrière-fond de messianisme (on y sent l'attente d'un nouveau Moïse, on y parle du Fils de Dieu); on y use du « nous »; les catégories utilisées sont familières au langage

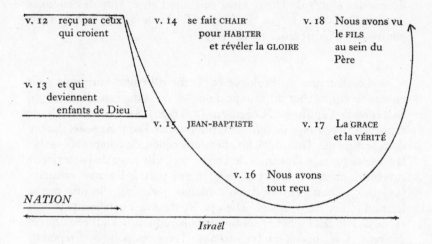

sémitique : chair, gloire, habiter, grâce, vérité, loi. Entre les deux séries, un seul terme commun : le Verbe.

S'il subsiste des difficultés (le schéma proposé semble, par exemple, mettre en rapport Jean-Baptiste et les Nations, rapport qu'il serait bien difficile d'éclaircir), c'est qu'une seule figuration ne saurait épuiser toutes les facettes du texte. Cependant elle contribue à éclairer la structure du Prologue. Dans l'accueil du Verbe se réalise l'unité de la foi entre les deux grandes fractions opposées de l'humanité : le Monde et Israël. Cette unité est symbolisée dans la fusion des langages qui marque les versets 12-13, alors qu'ils étaient strictement séparés aux temps des lentes préparations de la Venue du Verbe, versets 3-9 et 14-17, et aux moments du refus, versets 10 et 11.

Relevons le point le plus important, celui qui se situe au sommet de l'espace libre entre les deux paraboles et qui peut, le mieux, nous révéler l'intention majeure de l'auteur. Nous plaçons là les versets 11 et 12 : « Il vint chez lui et les siens ne l'ont pas reçu. Mais à tous ceux qui l'ont reçu, il a donné le pouvoir de devenir enfants de Dieu, à ceux qui croient en son nom... » De cette manière, la « pointe » du Prologue n'est pas une histoire du Verbe indépendante de la nôtre, mais un appel à notre responsabilité, à notre foi : en croyant nous devenons enfants de Dieu. Ainsi naît une Église, faite des hommes de tout l'univers : Grecs, Juifs... Le Prologue a pour but de nous confronter à la présence de ce Verbe.

— La structure du Prologue en forme d'hymne liturgique peut encore se rapprocher du groupe de celles de la Sagesse (Pr 8,22-36 ; Si 24) ou de l'épître aux Colossiens (1, 15-20). Sans conteste, elle se rapproche davantage de celle de l'itinéraire de Dame Sagesse, décrite dans le Siracide. On trouve en effet dans celle-ci les points suivants : la Sagesse partage l'intimité de Dieu (v. 3), elle jouit de l'antériorité sur toute créature (vv. 3.9), elle prend part à l'œuvre créatrice (vv. 3b.5), Dieu l'envoie dans le monde (vv. 6.7), elle finit par se fixer au milieu du peuple de Dieu (v. 8), dans la Tente sainte (v. 10) et, de là, elle fait rayonner ses bienfaits paradisiaques sur ceux qui la désirent et lui obéissent (vv. 30-34). Tous ces points se repèrent assez facilement aussi dans le Prologue. Mais cette identité de structure contribue précisément à faire ressortir les nouveautés saisissantes de la pensée de Jean.

Chez le Sage Ben Sira, la Sagesse arrivant en Israël ne pouvait y trouver que bon accueil. Or, nous l'avons vu, dans le Prologue il en va autrement : le drame du refus auquel se heurte le Verbe venant « chez les siens » occupe le centre de la pièce. C'est qu'il y a, derrière le rapprochement des deux structures, un désaccord fondamental. Le Siracide termine sa composition en disant : « Tout cela n'est autre... que la Loi promulguée par Moïse » (v. 23). Au moment où Jean arrive à ce point de son modèle, il écrit au contraire : « La Loi nous a été donnée par Moïse, la grâce et la vérité nous ont été données par Jésus-Christ. » D'où vient cette différence ? Entre Jean et le texte dont il s'inspire, il y a toute la distance qui sépare l'expérience vécue de la pure spéculation. Jean se nourrit de ses sources, mais il n'oublie jamais qu'il a vécu en compagnie de Jésus de Nazareth. Tout ce que son texte présente de nouveau se réfère à cette expérience. S'il préfère le titre de *Logos*-Parole à celui de Sagesse, c'est parce que celui-ci lui paraît plus large, mieux capable d'englober à la fois la capacité créatrice et révélatrice de la Sagesse et la dimension normative de la *Torah*, comme aussi les interventions de Dieu qui sauve son Peuple par l'action toute-puissante de sa

Parole (voir Is 55,10-11; Ps 107,20; 147,18; Sg 19,14-15). Jésus-Christ, pour Jean, est tout cela à la fois.

Une deuxième différence entre le texte de Jean et celui du Siracide est la présence, dans le premier, de deux couplets sur Jean-Baptiste (vv. 6-8; 15). La manière dont ils sont mis en relief est telle que le récit se lirait très bien, de façon suivie, si on les enlevait. Pourquoi donc l'évangéliste les a-t-il introduits là ? Encore une fois, Jean ne parle pas de l'itinéraire théorique de la Sagesse, mais de la manière réelle dont elle s'est présentée historiquement en Jésus dans l'aventure évangélique, précédée d'un précurseur : le Baptiste.

Ainsi, la structure utilisée par Jean a un sens : elle révèle une plongée du texte dans un des courants les plus profonds de la tradition biblique en prolongeant la réflexion sur la Parole, la Sagesse et la Loi. Les modifications mêmes que l'évangéliste lui a apportées montrent comment il a fusionné réflexion théologique et expérience de Jésus-Christ. Nous cherchions un dynamisme, nous rencontrons celui par lequel, à travers l'activité de sa Parole, Dieu nous appelle à la nouvelle naissance par la foi en son Fils Jésus-Christ à qui la Parole apostolique rend témoignage.

*

*　*

Le Prologue comprend *les éléments principaux* suivants : la Parole, la Vie, la Lumière, les Ténèbres, le Témoignage, le Monde, la Foi, la Filiation divine, l'Incarnation du Verbe, la Grâce et la Vérité... Tous ces éléments s'ordonnent autour de la Parole. Il devient possible de cerner au mieux ce que représente la Parole dont la mention paraît si souvent en cette étude, mais qui, fait notable, ne paraît sous cette forme que dans les « prologues » johanniques : celui de l'évangile et celui de la première épître. Dans le cadre que nous avons déterminé plus haut, la Parole nous apparaît avec les principales caractéristiques suivantes :

1. Elle est essentiellement « Parole de Dieu »[3]. Dans l'Ancien Testament, l'expression désigne la présence agissante et révélatrice de Dieu. Ce que Jean apporte de neuf, c'est son identification avec la personne même de Jésus.

Ceci apparaît dès le début du texte (vv. 1.2), mais s'approfondit ensuite, puisque l'itinéraire « parabolique » établit une équivalence entre la Parole et le Fils. C'est donc d'abord en regard du Père qu'il faut envisager l'activité de la Parole de Dieu, Verbe fait chair, et toute son action de salut, très particulièrement celle dont il est question dans l'évangile auquel le Prologue introduit. Finalement, elle n'a d'autre but que de nous donner accès au dialogue éternel du Père et du Fils.

Notons que le travail des exégètes consiste à expliquer le sens de cette activité de la Parole de Dieu consignée dans l'Écriture. Il apparaît, en conséquence, que son aboutissement est de provoquer à entrer en dialogue avec le Père par le Fils, seul véritable exégète de la Parole de Dieu issue du Père.

2. La Parole de Dieu qui a sa source dans le Père et son agent dans le Fils-Parole se déploie d'abord dans le domaine de la Création[4].

Le Prologue fournit à ce sujet une affirmation capitale. La création ne trouve son accomplissement que dans le Christ et l'on ne parvient à cette découverte qu'après avoir pénétré le mystère de la filiation de Jésus. Paul disait aux Colossiens une formule peut-être plus explicite : « Tout a été créé par lui et pour lui » (1,16). L'Apocalypse dit : « Je suis l'*Alpha* et l'*Oméga* » (22,13).

On peut aussi en retenir la proclamation de la dimension universelle du Christ Parole de Dieu : de tout être il est la Vie[5], de tout homme venant en ce monde, il est la Lumière[6]. Parce que lui-même est relié étroitement au Père, tout homme et toutes choses lui sont rattachés par des liens tels, que les refuser c'est se précipiter dans les Ténèbres et mourir.

---

3. VTB, *Parole de Dieu*, III 1.
4. VTB, *Création*, N.T., I 2.
5. VTB, *Vie*, IV 2.
6. VTB, *Lumière*, N.T., I 3.

Le lien des hommes avec le Christ Parole de Dieu [7] devient plus étroit encore, ou prend une tournure spéciale avec ceux que le texte appelle « les siens » (v. 11). Leur cercle s'étend pratiquement à tous ceux qui, dans la foi, reconnaissent en Jésus le Verbe de Dieu. Ceci permet de parler de dimension ecclésiale du Verbe : croire en Lui, c'est aussi, en même temps, entrer dans et constituer une communauté. Il est clair qu'il ne s'agit pas d'une communauté particulariste comme c'était le cas du judaïsme officiel de l'époque. Le critère d'appartenance à la communauté constituée par le Verbe est d'ordre qualitatif et conscient, ce qui donne à cette appartenance une possibilité d'extension universelle. Par-delà les barrières, la foi permet à tout homme de devenir « enfant » de Dieu (pour sauvegarder la différence faite par le grec *uios* : fils, et *tekna* : enfants).

Mais l'homme peut aussi refuser ce lien avec la Parole de Dieu. Ceux qui ne l'accueillent pas sont fils des ténèbres (vv. 5-10). Ainsi, est-ce un drame qui se joue, autour de cette Parole, drame auquel tout homme est affronté d'une manière ou d'une autre.

3. Cette Parole se fait « chair ». On sait la place première que tient l'Incarnation rédemptrice dans la conception johannique du Salut. Quand on a perçu la richesse de l'arrière-fond biblique évoqué plus haut, on sent le caractère paradoxal de cette proclamation. L'évangéliste ose dire d'un homme de chair tout ce que l'on contemple de la Sagesse. Plus encore : il ose lui appliquer les qualificatifs par lesquels Dieu se définit dans l'Ancien Testament lorsqu'il se donne comme « riche en miséricorde et en fidélité » (Ex 34,6), expression traduite dans la Septante par « grâce et vérité[8] » et que Jean reprend (v. 14). Mais l'évangéliste ajoute que « cette grâce et cette vérité nous sont venues par Jésus-Christ » (vv. 16-17). Il veut par là indiquer que la plénitude de la vie divine, de la révélation et du don de l'amour dont est rempli le Christ est une plénitude mais dynamique, communiquée, partagée. Enfin Jean ose tenir d'un seul lien l'ensemble de ces affirmations ici accumulées... L'évangéliste est donc notre meilleur guide quand il s'agit pour nous de reconnaître

---

7. VTB, *Parole de Dieu*, N.T., III 2.
8. VTB, *Grâce*, Intr., III; *Vérité*, N.T., 3.

la filiation divine et le caractère historique du Christ en une confession de foi qui ne nous mène ni au « monophysisme » (par négation de l'humanité du Fils) ni à un « adoptianisme » quelconque (par oubli de la condition divine de Jésus).

Le terme grec employé par Jean pour dire : « Il habita parmi nous » *(eskènôsen)*, a intentionnellement l'assonance du mot hébreu *shakân* (tente). Littéralement on traduirait : « Il a planté sa tente. » Ce qui fait penser à l'habitation de Dieu au milieu de son peuple dans l'Ancien Testament : la Tente de réunion au temps de l'Exode (Ex 25,8; 29,45...), le Temple de Jérusalem (1 R 8,12; Ez 37,27), et la demeure de Dieu au milieu des hommes attendue pour les temps messianiques (Jl 4,17; Za 2,14). Toutes ces expressions avaient ceci de commun : parler d'une réalité qui révélait l'amour de Dieu pour les hommes en venant partager leur propre vie, en attendant la plus merveilleuse manifestation de cette révélation de l'amour de Dieu qu'est l'Incarnation[9].

Le caractère inouï de l'annonce que fait Jean apparaît encore en ceci que, au verset 1, il parle du Fils Verbe à l'imparfait (temps qui décrit une action qui dure) tandis qu'au verset 14 il parle du Verbe fait chair, en utilisant l'aoriste (temps qui, en grec, veut traduire une action précise). Le contraste entre ces deux affirmations fait ressortir le paradoxe de la personne du Christ à la fois transcendant et proche.

4. Enfin, *cette Parole incarnée est à l'origine de la mission apostolique :* c'est le Verbe fait chair que les disciples ont pu voir et c'est de lui qu'ils témoignent. On note la présence des apôtres au cœur du Prologue : « Nous avons vu sa gloire » (v. 14). Elle invite à remarquer la fonction qu'ils ont assurée aux origines de l'Église et qui est perpétuellement vivante en elle.

« Nous avons vu », c'est à la fois leur raison d'être et leur message. En Jean, « voir » est inséparable de croire. Voir l'humanité de Jésus et le reconnaître « plein de grâce et de vérité », c'est-à-dire accéder aux dons de l'alliance nouvelle (connaître Dieu et participer en plénitude à sa vie), pour la proclamer ensuite, telle est la mission des apôtres.

9. VTB, *Demeurer*, II.

*

* *

Le milieu qui a donné naissance au Prologue et les questions auxquelles il veut répondre se décèlent en particulier aux versets
concernant Jean-Baptiste. Ils sont peut-être dus à une intention
polémique contre certains disciples qui, à l'époque de la rédaction
définitive du dernier évangile, s'arrêtaient encore à lui au lieu d'aller
jusqu'à Jésus.

Il se décèle également à la maturité de la réflexion qu'il reflète.
Aux origines de la tradition apostolique, le discours de Pierre à Corneille aborde le « passage » de Jésus parmi les siens dans les termes
suivants : « (Dieu) a envoyé sa Parole aux enfants d'Israël, leur
annonçant la Bonne Nouvelle de la paix par Jésus-Christ; c'est lui
le Seigneur de tous » (Ac 10,36). Une telle prédication trace déjà la
place d'un prologue au seuil de l'Évangile et en indique les thèmes.
Le rapport entre la Parole et la Personne de Jésus sera approfondi
par Paul (1 Co 8,6), et on en trouve des échos dans la tradition
synoptique, (Mc 4,1-9 p.). Aussi Luc qui, le premier, a mis un
« prologue » en tête de son évangile, parle-t-il de tous ceux qui ont
été des « serviteurs de la Parole » (Lc 1,1-4). Le IVᵉ Évangile se
place donc à l'aboutissement de cette double tradition littéraire et
théologique. Il accueille le témoignage du disciple de la première
heure, témoignage sans cesse approfondi au cours d'une longue vie
d'Église par les communautés johanniques. A la double lumière des
Écritures (des écrits de Sagesse en particulier) et de l'expérience
apostolique, elles ont cherché à comprendre toujours mieux le
mystérieux rapport qui lie la Parole de Dieu à la Personne de Jésus
de Nazareth.

Cette réflexion s'est exprimée en prenant les mots en vogue dans
les courants de pensée grecque circulant dans la province d'Ephèse
à la fin du premier siècle : *logos, cosmos*... Mais ces termes voient
ainsi leur sens transformé : il ne s'agit plus de rationalité ou d'explication, mais de l'accueil d'une personne qui interpelle l'homme et
livre le sens dernier de son histoire à celui qui répond à son invitation.

*
* *

Qui s'aventure à parler du Prologue de Jean s'expose à laisser dans l'ombre plus de richesses qu'il n'en montre. Relevons seulement, *à titre d'ouverture*, quelques points essentiels.

Le travail de l'évangéliste a révélé un équilibre parfait entre tradition et progrès; c'est à l'intérieur de formes lentement mises au point que Jean, par quelques retouches significatives, fait éclater des valeurs nouvelles, si nouvelles qu'elles en sont profondément scandaleuses pour qui se cloisonnerait strictement dans les schémas anciens.

Cet équilibre en reflète un autre, celui que l'évangéliste a su établir entre Écriture et Événement : l'Événement éclaire pour lui l'Écriture et l'Écriture lui sert à déchiffrer puis à exprimer l'Événement. C'est à partir d'observations de ce genre que l'on pourrait avancer plus sûrement dans les débats actuels sur la place de l'Ancien Testament dans la réflexion chrétienne et, plus largement, de celle de l'Écriture dans la vie.

On aura relevé aussi avec quel art l'évangéliste marie les deux cultures auxquelles il participe. Voilà qui livre matière à réflexion en un temps de changement de culture, pour la recherche d'un langage de la foi.

Plus profondément, on retiendra : La personne de Jésus Vrai Dieu-Vrai Homme; elle a été le lieu de la Révélation du Verbe et elle continue de jouer ce rôle irremplaçable. Il est extrêmement difficile de saisir toute la portée de l'Incarnation : comme Jean, nous ne pouvons avoir accès au mystère du Christ qu'en tenant compte de sa consistance humaine, de la solidité « charnelle » de sa présence.

Le dynamisme auquel engage le Prologue : le Christ est venu habiter parmi nous en Envoyé du Père (mot qui se retrouve 40 fois dans le IVe évangile, pour qualifier Jésus). Il n'est pas venu pour être statiquement au milieu des hommes, mais pour leur faire connaître ce Père et vivre de sa Vie. Il rend la Parole de Dieu présente dans le monde d'une manière qui n'est pas neutre, mais qui est appel, provocation même puisque face au Christ il n'y a pas de troisième voie hors le refus ou l'accueil.

R. V.

Dimanche dans l'octave de Noël, fête de la sainte famille
Luc 2,22-40

LES PAUVRES OUVRENT L'AVENIR[1]

[22]Et quand furent accomplis les jours de leur purification, selon la Loi de Moïse, ils le portèrent à Jérusalem (pour) le présenter au Seigneur, [23]comme il est écrit dans la Loi du Seigneur, que : *Tout mâle sorti le premier du sein maternel sera appelé : Consacré au Seigneur,* [24]et pour donner en sacrifice, selon ce qui est dit dans la Loi du Seigneur, *un couple de tourterelles ou deux jeunes colombes.*

[25]Et voici : il y avait à Jérusalem un homme du nom de Syméon et cet homme (était) juste et pieux, attendant la consolation d'Israël, et l'Esprit Saint était sur lui. [26]Et il lui avait été révélé par l'Esprit Saint qu'il ne verrait pas la mort avant d'avoir vu le Christ du Seigneur. [27]Et il vint au Temple, (poussé) par l'Esprit. Et quand les parents apportèrent le petit enfant Jésus pour faire selon les prescriptions de la Loi à son sujet, [28]et lui le reçut dans ses bras et il bénit Dieu et dit : [29]« Maintenant tu laisses aller ton serviteur, ô Maître, selon ta parole, en paix, [30]car mes yeux ont vu ton salut, [31]que tu as préparé à la face de tous les peuples, [32]lumière de révélation pour les nations et gloire de ton peuple Israël. »

[33]Et son père et sa mère s'émerveillaient de ce qui était dit de lui. [34]Et Syméon les bénit et dit à Marie, sa mère : « Voici : celui-ci est placé pour la chute et le relèvement d'un grand nombre en Israël, et pour (être) un signe en butte à la contradiction, [35]— et toi-même, un glaive te transpercera l'âme! — afin que soient révélées les pensées d'un grand nombre de cœurs. »

[36]Et il y avait une prophétesse, Anne, fille de Phanouel, de la tribu d'Aser. Elle (était) avancée en jours nombreux, ayant vécu avec (son) mari sept ans depuis sa virginité, [37]et elle (était restée) veuve jusqu'à quatre-vingt-quatre

---

1. Synopse § 11.

ans, qui ne quittait pas le Temple, par des jeûnes et des prières servant Dieu nuit et jour. [38]Et survenant à cette heure même, elle louait Dieu et parlait de lui à tous ceux qui attendaient la délivrance de Jérusalem. [39]Et lorsqu'ils eurent accompli tout ce qui (était) selon la Loi du Seigneur, ils retournèrent en Galilée dans leur ville de Nazareth. [40]Cependant l'enfant grandissait et se fortifiait, rempli de sagesse, et une grâce de Dieu était sur lui.

Les évangiles contiennent-ils des pages mineures et la Présentation de Jésus au Temple en serait-elle une ? On pourrait le croire : la scène est stylisée à ce point que les personnages ont l'air d'y agir sur commande en entrant en scène à point nommé ; de plus, est-il vraisemblable que Jésus ait été si vite reconnu pour lumière des nations et gloire d'Israël, que son destin ait été aussi rapidement déclaré, alors que l'incident ne semble pas avoir laissé de traces durables dans la suite des événements ? En revanche, c'est ici que l'on rencontre deux éléments chers à la piété chrétienne ; le cantique *Nunc dimittis* qui est au cœur de la prière du soir, et l'annonce du glaive qui fera de Marie « la Vierge aux sept douleurs ».

En lisant plus attentivement cette page, c'est d'un autre principe que l'on aperçoit la justesse : chaque page de l'Évangile, dit-on, contient l'Évangile tout entier. De fait, presque tous les traits caractéristiques du troisième évangile apparaissent dans ce passage.

La scène se déroule au Temple, ce centre du monde évangélique de Luc ; mais les rites y sont profondément renouvelés, au point que celui de la purification annoncé au début du récit n'y est jamais décrit.

La mission de Jésus y est donnée comme le salut, la consolation, la délivrance universelle.

Ceux qui l'accueillent en premier, ce sont les pauvres, spécialement ceux dont on n'attend plus rien : un vieil homme, une vieille femme, alors qu'ils sont eux-mêmes remplis de l'attente qui ouvre les portes du salut.

La prière, de louange surtout, et un veuvage assumé, les placent sous l'influence de l'Esprit qui les guidera vers la lumière.

Enfin, comme toujours en Luc, la route tient sa place : elle est là, de Bethléem à Nazareth, la halte au Temple paraissant n'être qu'une étape. Que signifie-t-elle ?

*

* *

a) Le récit de la Présentation *s'insère dans l'ensemble du récit luca-nien de l'enfance de Jésus.* Il suffit pour s'en rendre compte de voir comment le rédacteur a soigneusement noué les fils qui rattachent cette séquence à tout ce qui l'entoure (vv. 22.40).

Le jour de la Purification est arrivé comme sont arrivés celui de l'engendrement (2,6) et celui de la circoncision (2,21). Seul ce dernier est accompagné de la mention d'un chiffre : « le huitième jour ». Luc n'aime pas souligner trop fortement les procédés qui l'aident dans ses compositions, comme c'est le cas ici pour la série du premier, du huitième et du quatrième jour. Son style est plus allusif. Il n'en reste pas moins qu'il conduit ainsi le récit jusqu'au temps de la plénitude : c'est au quarantième jour (Lv 12,2-6) que l'Enfant est présenté au Seigneur. Plus tard, le lecteur de l'œuvre de Luc apprendra que c'est encore un quarantième jour que s'achèvera le temps d'une recherche de la présence sensible du Ressuscité au milieu des siens.

Après les temps, les lieux. C'est à Jérusalem que montent les parents de Jésus pour le présenter au Seigneur. C'est à Nazareth qu'ils se retirent après avoir accompli tout ce qui leur avait été prescrit. A Nazareth, « leur ville », pour que se termine le grand aller et retour au long duquel Luc a l'habitude de disposer les épiso-des qu'il retient pour sa narration. A Nazareth et non pas « dans les déserts » comme ce fut le cas du fils de Zacharie (1,80) et pour que se prépare le cadre de la future rencontre des deux évangélistes (3,1 s). A Jérusalem pour que soit annoncé dès l'enfance le but de la « grande montée » (9,51 à 18,14) en laquelle Luc verra l'axe de la vie publique de Jésus. La scène qui se déroule à la Ville ne peut être mineure. Est-elle pourtant à regarder comme le sommet de cette préface de l'évangile ? Il reste un épisode à retransmettre pour parve-nir au terme du récit de l'enfance, et il sera bâti selon les mêmes principes : un voyage dont les pôles seront Jérusalem et Nazareth, l'arrière-fond pascal traduit par le symbolisme des trois jours où l'on croit perdu l'enfant occupé au Temple, arrière-fond par conséquent plus accentué que dans les paroles ardues du vieillard Syméon. Enfin, pour en terminer avec le thème des visites à Jérusalem, notons que l'évocation de l'enfance du Baptiste, parallèle jusqu'alors en tous points à celle de Jésus, n'en comporte pas. Ce n'est pas que ses parents s'en soient abstenus. C'est que, pour Luc, seule la présentation de Jésus est significative. L'entrée de l'enfant au Temple réalise ce que nul homme ne peut accomplir : le retour de la Gloire du Seigneur en sa demeure sainte au milieu de son Peuple, mais de la manière la plus inattendue.

La finale du récit de la Présentation donne un refrain (v. 40) de croissance en guise de conclusion, qui est semblable à celle de l'enfance du Baptiste (1,80).

D'autres éléments, à l'intérieur du récit, offrent des possibilités de comparaison avec certains points des chapitres.

Le *Nunc dimittis* est le quatrième cantique de ces pages, après ceux du *Benedictus*, du *Magnificat* et du *Gloria in excelsis*. L'émerveillement des parents de Jésus et les propos qu'Anne rapporte sur lui à tous ceux qu'elle rencontre rattachent, par deux fois, cette scène à celle de la visite des bergers à la crèche (v. 33 renvoie à v. 18 et v. 38 à v. 17).

Trois termes peuvent rassembler l'apport de ce regard sur le contexte : ceux de plénitude, de nouveauté et d'annonce pascale. La plénitude est exprimée en un temps parfait, la route de cet enfant atteint son but : il est présenté au Seigneur. La nouveauté apparaît à ceci que l'enfant se distingue de manière décisive de son précurseur, le fils de Zacharie : lui seul pénètre dans le Temple en présence de Dieu. Quant à l'annonce pascale, elle consiste en ce que le salut d'Israël et des nations se réalisera dans les douleurs de la contradiction que suscitera la présence de cet enfant venu « afin que, se révèle la pensée d'un grand nombre de cœurs » (35b).

b) Tel est l'environnement. La narration s'y déroule suivant une organisation apparemment très simple. Entre une introduction et une conclusion consacrées au voyage qu'il faut faire pour se conformer à ce qui est prescrit par la Loi du Seigneur se trouve le récit de deux rencontres faites à cette occasion : celle d'un homme et celle d'une femme, ce qui n'étonne pas dans un livre où les femmes ont tant d'importance. Pourtant, alors que les paroles de Syméon sont longuement rapportées, il n'est fait qu'une allusion générale à ce que peut dire Anne. Cette absence de symétrie entre les deux rencontres laisse à penser qu'il y a, entre les éléments de cet ensemble, des rapports plus complexes qu'il n'y paraît au premier abord. Nous les figurons à l'aide du schéma suivant :

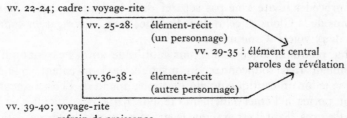

vv. 22-24 ; cadre : voyage-rite

vv. 25-28 : élément-récit
(un personnage)
            vv. 29-35 : élément central
                        paroles de révélation
vv. 36-38 : élément-récit
(autre personnage)

vv. 39-40 ; voyage-rite
refrain de croissance

On ne peut manquer d'être frappé par l'opposition que les deux éléments les plus extérieurs de cette disposition présentent avec le reste du récit. Ils annoncent un rite qui vient clore un temps, alors que l'ensemble du texte manifeste un grand intérêt à l'avenir de l'enfant et parle plus d'ouverture que de clôture. D'ailleurs, le narrateur parle d'un rite à accomplir, puis il le dit accompli. Mais nulle part il ne le montre en voie d'accomplissement. Tout se passe comme si Joseph et Marie n'étaient pas allés devant les prêtres et s'étaient contentés des rencontres faites au parvis du Temple. Quelle est donc la visée de l'auteur, et à qui l'enfant est-il présenté : au Seigneur ou aux hommes ?

Ce n'est pas tout. Le texte est disposé en cinq éléments qui attirent l'attention sur celui qui est central. (On peut voir des exemples semblables de cette construction en Ac 6,1-7 ; et 9,1-30.) Là se place le nœud de la « crise » et de là surgira la solution. Or c'est une révélation que l'on rencontre. Ce ne sont plus les parents qui présentent l'Enfant au Seigneur mais un homme, poussé par l'Esprit qui leur en dévoile le mystère. Il s'agit d'une tout autre « présentation » que celle à laquelle on s'attendait. La structure même de cette intervention prophétique mérite qu'on s'y arrête.

Elle ne se compose pas d'éléments disparates mais de trois temps qu'il faut saisir d'un seul regard. Le cantique, la notation sur l'émerveillement des parents et la parole sur le glaive s'enchaînent selon le schéma classique des discours de révélation (on en trouve des exemples en Dn 7, dans le discours en paraboles de Mt 13, dans le discours après la Cène en Jn 14, et même dans la vision d'Ananie en Ac 9). Dans tous ces textes, la rédaction des sujets, sous forme d'étonnement ou de question, ouvre la voie à une deuxième parole dans laquelle la révélation première s'approfondit. Cette manière de procéder invite à ne pas séparer dans la destinée de l'enfant le temps de la Gloire et celui de la Passion, mais à les regarder comme les deux volets d'une même vocation.

Ici, pourtant, le jeu se fait plus subtil : devant les parents qui ne semblent rien soupçonner du mystère de leur enfant, Syméon laisse jaillir un cantique de glorification ; quand ils s'en étonnent et sont portés à l'émerveillement, il leur parle de difficultés et de souffrances. Tant il est vrai que la structure profonde des révélations de Syméon n'est autre que la dialectique du Serviteur humilié et exalté.

L'étude de la structure conduit donc par étapes au mystère de l'enfant. Le rite compte moins que la rencontre et la rencontre n'est là que pour la révélation : celle du Serviteur de Dieu qui, au terme de la dure route entrevue ici, se présentera lui-même au Seigneur pour illuminer les nations et consoler Israël.

*
* *

Ainsi renseignés sur les *éléments principaux* fournis par le texte, il reste à en voir le sens en suivant les composantes fournies par le rite, la rencontre et la révélation.

1. Si, au point de vue de la structure, le rite n'occupe pas la première place dans l'équilibre du texte, la manière dont Luc en parle recèle des richesses que révèle la composition des vv. 22-24. La purification y est présentée comme l'occasion d'une action (la montée à Jérusalem) dont les buts sont indiqués par les deux propositions infinitives (présenter au Seigneur et offrir un sacrifice) et

éclairés, chacun, par un renvoi aux Écritures. Pour mieux saisir la portée d'une action dont le contexte lucanien dit assez l'importance, il faut revenir sur les autres aspects de cette construction.

— La purification dont il est question ne va pas sans problèmes. Qui doit s'y soumettre ? Le pluriel « leur purification » ne peut pas viser Joseph et Marie, car il n'est jamais question de l'homme en pareil cas et cela serait plus étrange encore dans le cadre d'une narration où ce récit suit celui de l'Annonciation. Il ne peut donc s'agir que de la mère et de l'enfant, ce qui ne manque pas d'étonner, les textes lévitiques ne soumettant pas l'enfant à cette obligation. La réponse à cette question dépend du sens que l'on donne à ce geste. Le Lévitique associe les rites de purification aux sacrifices d'expiation. Or on sait les liens qui unissent ces sacrifices au Serviteur de Dieu qui offre sa vie « en victime d'expiation ». Le pluriel utilisé par Luc s'explique alors. S'il avait reproduit le féminin singulier du texte du Lévitique (12,8), il aurait attiré l'attention sur le besoin de purification qu'aurait eu Marie. Dans sa perspective, ici comme en tout Luc 1-2, ce besoin ne joue aucun rôle : Marie n'a pas à être purifiée. En passant au pluriel, il associe le fils à la mère, ce fils en qui s'accomplira tout ce qui a été dit du Serviteur. Le même sacrifice les unit aujourd'hui comme la même douleur les transpercera plus tard.

Une perspective sacrificielle semblable se dégage des verbes qui expriment le but de la montée à Jérusalem. Mais ils mettent plus clairement l'accent sur ce qui fait l'essence du sacrifice[2] : l'offrande. Présenter l'enfant au Seigneur, c'est le lui offrir selon la nuance que reçoit le verbe grec *parastenai* à diverses reprises dans l'Épître aux Romains (6,13.16.19; 12,1). Ce sens du terme est renforcé du fait qu'il est ici employé en parallélisme rigoureux avec l'expression « donner en sacrifice ». La connaissance des usages du temps ne dément pas cette interprétation. La présentation de l'enfant au Temple ne relevait pas, en effet, du rite obligatoire mais de la piété ajoutée à ce qui est prescrit. En agissant ainsi, Marie suivait le lointain exemple d'Anne, la mère de Samuel venant offrir son fils au service du sanctuaire; elle redonnait vie aussi à une décision

2. VTB, *Sacrifice*, N.T.

qui avait été prise dans la ferveur du Retour de l'Exil au temps du scribe Esdras (Ne 10,37) et qui visait à généraliser cette pratique. En fait, son geste allait beaucoup plus loin que tous ceux qui l'avaient préparé.

L'arrière-fond biblique auquel il renvoie expressément dépasse les limites d'un acte de dévotion. La citation du verset 23 est à rapporter à la loi pascale des premiers-nés (Ex 13), mais elle n'en reproduit pas littéralement le texte grec d'origine. Luc combine diverses données (Ex 13,2.12.15) pour que soit bien mise en évidence la sainteté du premier-né que Marie présente au Seigneur, et pour inviter à découvrir la plénitude de sens qui s'attache désormais aux notions qui ont tant de place dans les Écritures[3]. La citation du verset 24 est, elle aussi, traitée de manière très expressive, comme le montre ici encore la comparaison de citation avec le texte d'origine (Lv 12,8). Luc ne l'a pas reproduite en entier : il en a omis toute la fin ; de la sorte, il n'est pas amené à écrire que l'une des deux tourterelles serait destinée à être victime d'expiation pour un péché qui n'avait pas touché Marie. En revanche, par les mots qu'il cite, il range les parents de Jésus parmi les pauvres qui sont autorisés à ne présenter que ce couple de petits oiseaux. Certes, à s'en tenir aux prescriptions du rituel, tout cela ne concernait pas l'enfant mais seulement sa mère. Cependant, l'intention du rédacteur est nette : Jésus ne peut être séparé de Marie et ce qui touche l'un regarde l'autre. Marie prête à Jésus sa propre démarche. L'offrande qu'elle fait de son Fils préfigure celle qu'il fera de lui-même à la Cène et sur la Croix. Elle n'aura pas non plus à rougir de celui qui vivra toujours comme un pauvre et qui dira : « Heureux les pauvres ».

— Puisque le comportement de la mère annonce celui du Fils, on entre ici dans la ligne de l'accomplissement, un des thèmes majeurs de ces versets comme de l'ensemble du texte. Le thème précis est celui de l'accomplissement de la Loi[4]. Il revient cinq fois (vv. 22.23. 24.27.39) avec une variété de formules dues surtout à l'habileté du rédacteur. Pourtant on peut relever une certaine opposition entre la Loi « de Moïse » liée à la purification et la Loi « du Seigneur »

3. VTB, *Jésus-Christ*, II c.
4. VTB, *Loi*, C I 1.

attachée à la présentation ainsi qu'au sacrifice offert. La formule du verset 39 est la plus développée; Joseph et Marie ont accompli « tout ce qui était prescrit dans la Loi du Seigneur ». Cet élargissement final donne la note. C'est bien un mystère qui s'accomplit ici. Quand Marie a présenté l'enfant, le Fils a dit au Père : « Me voici pour faire ta volonté » (Ps 39, 8; He 10,7). Malgré la qualité de leur foi, Marie et Joseph ne pouvaient porter leur regard si haut. Les rencontres qu'ils font les remplissent d'étonnement, c'est-à-dire interpellent leur foi et quand, douze ans plus tard, ils conduiront à nouveau le jeune garçon au Temple, ils ne comprendront pas pourquoi celui-ci veut y rester en disant qu'il s'y trouve « chez son Père ».

2. Le récit ne dit rien des prêtres devant lesquels Marie a dû se présenter. Cependant il mentionne le petit groupe des parents et de l'enfant dans une rencontre avec un homme et une femme sur lesquels nous n'avons pas d'autres renseignements que ceux fournis par le texte. Le portrait qu'il en fait invite à dépasser l'anecdote pour reconnaître en eux les types mêmes de la communauté qui accueille l'Enfant (intervention de Syméon) et qui le présente au monde (intervention d'Anne). Par eux, c'est tout le peuple des « pauvres que Dieu aime » qui vient à la rencontre du Sauveur[5]. De quelle manière ces deux personnages en sont-ils représentatifs ?

— D'abord en ce qu'ils sont petits. Leur âge les classe parmi ceux que la société a tendance à oublier, chose qui ne date pas d'aujourd'hui si l'on en croit les recommandations réitérées des Sages sur le respect dû aux vieillards[6]. Anne a atteint le comble de la vieillesse (sept fois douze!) et Syméon se regarde comme au soir de sa vie. De plus, Anne est veuve. Or, qui dit veuve[7] dit, aux yeux de la Bible, la pauvreté en personne puisqu'elles ont perdu tout ce qui garantissait leur place dans la société. Il ne faut pas s'étonner de la part importante que Luc leur a faite en toute son œuvre; il est celui des évangélistes qui en parle le plus.

5. VTB, *Pauvres*, N.T., 1.
6. VTB, *Vieillesse*, 2.
7. VTB, *Veuves*, 2.

Syméon est « juste et pieux [8]». Luc n'applique le titre de « Juste », sans commentaire, qu'à Jésus à l'heure de sa mort (23,47) et dans sa condition de Ressuscité (Ac 22,14). Quand il en use pour un de ses personnages, il le double par une autre expression (1,6; 23,50; Ac 10,22). Ici, le qualificatif de « pieux » amène à rapprocher le vieillard de ces hommes « pieux » qui vinrent écouter le message proclamé par les apôtres le jour de la Pentecôte (Ac 2,5) ou de ceux qui ensevelirent Étienne (Ac 8,3). Faut-il pour autant ranger Syméon parmi les Hellénistes dont parlent les Actes? On a trop peu d'éléments pour l'affirmer.

— Syméon et Anne sont sous l'influence de l'Esprit Saint. Le terme revient trois fois pour l'homme et le thème se retrouve pour la femme sous le titre de «prophétesse» qui lui est donné[9]. Faut-il voir en cette double présence de l'Esprit une sorte d'anticipation de la Pentecôte en laquelle se réalise l'annonce de Joël: « Je répandrai mon Esprit sur mes serviteurs et mes servantes... » ? En tout cas, dans le récit lucanien de l'enfance de Jésus, comme dans les Actes pour l'Église naissante, tous les personnages qui reconnaissent l'œuvre que le Seigneur est en train d'accomplir sont remplis de l'Esprit Saint. Celui-là seul peut faire discerner les voies de Dieu en ces humbles commencements.

Syméon et Anne se caractérisent encore par leur genre de vie. Elle se déroule à l'ombre du Temple[10] qui, pour Luc, n'est pas seulement la belle bâtisse que certains admirent (21,5). Il est le lieu de la prière et de la louange. Luc ne met jamais l'accent sur les cérémonies qui s'y déroulent, mais il en fait le centre même de toute l'œuvre du salut accompli en Jésus; il traite par le silence les défectuosités de l'institution et va directement à sa signification. C'est là que, selon les Écritures, doit se manifester au jour du Seigneur la Gloire de Dieu : comment se préparer à la recevoir ? Syméon et Anne montrent la voie. La prière, la louange, le jeûne, la chasteté sont leur pratique quotidienne. Par là, ils se font de plus en plus pauvres devant Dieu. Par là, ils sont prêts à être attentifs au signe paradoxal dont seul

8. VTB, *Justice*, N.T., 2 et *Piété*, N.T., 2.
9. VTB, *Prophète*, II 1.
10. VTB, *Temple*, N.T., I 1.

l'Esprit qu'ils sont habitués à écouter leur donne le sens : c'est par un petit enfant, autre figure typique de la pauvreté, que la Gloire de Dieu revient dans sa Demeure. Seuls ceux qui sont et se font pauvres sont à même d'accueillir le Dieu qui se fait pauvre pour nous.

— L'objet de leur espérance est exprimé de diverses manières. Syméon attend la Consolation d'Israël[11] et Anne parle à ceux qui attendent le rachat de Jérusalem. Syméon, pour sa part, ne verra pas la mort avant d'avoir vu le Christ du Seigneur tandis qu'Anne bénit Dieu pour cet enfant. Il est important de ne pas séparer les deux aspects que montre cette énumération. L'espérance des pauvres porte à la fois sur le sort du Peuple et sur la personne du Christ à venir. C'est pour le Peuple que le Christ vient, mais le bonheur d'Israël ne suffit pas à épuiser la raison d'être de sa présence. Il vient aussi pour lui-même. C'est lui qui est le « Salut[12] ». Dès lors, le Christ et l'Église sont inséparables.

La « Consolation pour Israël (v. 25) » est le premier des termes qui décrivent cette espérance des pauvres. La consolation ou *paraclèse* est bien connue des épîtres pauliniennes. Formé par les prophètes, Paul ne termine jamais ses écrits sans quelques mots d'encouragement, et sa lettre la plus sévère (2 Co) est celle qui recourt le plus souvent à ce terme. Mais l'emploi lucanien s'en distingue d'une double façon. Il s'agit de consolation pour tout un peuple. Il ne s'agit pas d'encouragements à donner ou à recevoir en cours de route mais de la situation finale de l'histoire d'Israël : après avoir vu la désolation s'installer à demeure chez lui, il verra venir pour toujours la Consolation.

A la fin de la scène qui concerne Anne, il est question de la « délivrance de Jérusalem ». Le mot est à entendre en un sens très global ; cette délivrance[13] représente tout ce que le Messie peut apporter à la Ville sainte, comme le disent les disciples d'Emmaüs : Jésus devait délivrer Israël (24,21). D'une manière plus large, Luc, tout en usant plus amplement que les autres évangélistes de termes apparentés au grec *lutrosis*, évite de donner à la « rédemption » une allure cultuelle.

11. VTB, *Consoler*, 1.
12. VTB, *Salut*, N.T., I 2b.
13. VTB, *Rédemption*, Intr.

Au contraire de Marc (10,45), il n'écrit pas que Jésus donne sa vie
« en rançon » *(lutron)* mais qu'il se met à « servir » *(diakonein)*. Ici,
l'arrière-fond de purification faisait lire en Lv 12,8 le terme de
lutrosis ; Luc ne s'en sert pas pour désigner l'acte rituel qu'il ne
décrit d'ailleurs pas. Mais il fait en sorte que le mot de « rédemption » vienne couvrir toute l'œuvre du salut en espérance.

Enfin, l'Esprit a fait savoir à Syméon qu'il ne verrait pas la mort
avant d'avoir vu le « Christ du Seigneur ». Cette dernière tournure
est remarquable par son archaïsme. Elle a pu être forgée par Luc
à partir des façons de parler de la communauté primitive (Ac 3,18;
4,26), ou de la déclaration, à coup sûr ancienne, de Pierre à
Césarée (9,20) : « Tu es le Christ de Dieu. » Mais il faut noter surtout
le jeu de mots sur lequel est construite la proposition : une opposition des deux « visions ». Ne pas voir la mort, c'était l'angoisse et
l'espoir des psalmistes (Ps 16,10; 89,49). C'était le sort exceptionnel
d'Élie enlevé par le Seigneur pour qu'il ne voie pas la mort (He 11,5).
Ce sera la promesse de Jésus à ceux qui croiront en Lui (Jn 8,51;
11,25). Pour Syméon, c'est devenu chose indifférente à partir du
moment où il a vu le Christ du Seigneur : il a eu alors accès à une
plénitude de sens auprès de laquelle cette vie même n'est plus rien.

3. Ce que Syméon a vu du Christ, il l'exprime dans la double
parole révélatrice à laquelle il faut maintenant prêter attention.

Le *Benedictus* et le *Magnificat* apparaissaient comme des inser-
tions dans le contexte des épisodes où ils sont présentés. Le *Nunc
dimittis*, au contraire, vient s'y placer de façon très organique. On en
voit les multiples liens dans les thèmes de la promesse accomplie, de
la vision comme image du salut, de la gloire apportée à Israël. Mais
sur chacun de ces points il fait progresser la pensée.

La promesse est accomplie : avant lui, Abraham avait pu se
plaindre de son piétinement (Gn 15,2); Moïse (Ex 32) et Élie
(1 R 19,4), déçus, avaient souhaité mourir et en avaient prié le Seigneur; Tobie les avait imités sur ce point (Tb 3,6). Syméon, lui,
peut s'endormir dans la paix comme Jacob après avoir revu Joseph
(Gn 49,30).

Syméon voit le salut de Dieu. Pourquoi ne pas songer à Job qui avait crié son espoir : « Oui je verrai Dieu », et qui en constate la réalisation : « Jusqu'alors je ne te connaissais que par ouï-dire, maintenant mes yeux t'ont vu » (Jb 42,5). Le rapprochement est encore plus net avec le second Isaïe : « Toute chair verra le salut de Dieu » (Is 42,5), « les extrémités de la terre verront le salut de Dieu » (Is 52,10). Ces deux citations englobent toute l'œuvre de Luc, de la mission du Baptiste (Lc 3,6) à l'ultime définition de celle de Paul (Ac 28,28). On pourrait encore suggérer un autre rapprochement. Syméon est plus heureux que Moïse : celui-ci est mort après avoir vu la Terre promise, mais de loin et à regret, sans pouvoir y entrer (Dt 31,52). Pour Syméon, au contraire, voir c'est tenir, c'est communier à l'enfant qu'il porte dans ses bras.

Parce que cette présentation de la vision est capitale, elle est transmise par tout un vocabulaire qui s'harmonise avec elle : lumière, révélation, gloire. Mais ces mots, inspirés eux aussi du Second Isaïe, sont porteurs de l'enseignement majeur du Cantique : ce « petit enfant » *(paidion)* n'est autre que le Serviteur de Dieu *(Païs)* promis par le prophète. Le thème du Serviteur, extrêmement riche, est abordé par son sommet : la révélation qu'il apporte aux nations et la glorification qu'il connaîtra une fois son œuvre accomplie. Ce qu'il apporte donc aux nations, c'est la lumière, image essentielle pour traduire l'action de Dieu dans le monde. Cette lumière est orientée vers la révélation pour les nations. L'expression veut certainement dire que les nations, grâce à elle, verront le salut que Dieu envoie. Mais on peut penser aussi qu'elles seront elles-mêmes révélation; l'action missionnaire que le Livre des Actes décrira montrera au grand jour quelques-unes des richesses que Dieu a déposées au sein de toutes les familles de la terre.

Il n'y a pas lieu cependant d'opposer cet aspect de la mission du Serviteur à la Gloire qu'il est pour Israël. Gloire et Lumière sont ici en strict parallélisme. De plus, ce n'est pas de lui-même qu'Israël tire sa gloire; elle vient de ce que Dieu a choisi Jérusalem et le Temple pour l'y faire résider et l'on sait les méditations prophétiques (Ez 1,40-48; Ml 3) sur ce thème. Or, voici que ces paroles s'accomplissent paradoxalement : comment tirer gloire de ce petit enfant qu'un vieillard tient dans ses bras mais que nul des grands du Temple n'a remarqué ?

« Je ne me glorifierai que dans la Croix du Christ », dit Paul, et c'est bien dans le même sens que se poursuit la révélation de Syméon. Le terme même de révélation revient (v. 35), mais cette fois avec une tout autre portée : l'œuvre du Messie désigné n'atteindra pas à la réussite par un chemin aplani, mais elle soulèvera des divisions qui, en fait, correspondront aux pensées secrètes des cœurs mis en demeure de choisir. Mais, au début du passage, à qui s'adresse Syméon ? Alors qu'il vient de bénir le père et la mère, il ne parle plus qu'à Marie. Ce n'est pas parce que la mère serait davantage sensible aux souffrances de son enfant. La parole dépasse sa souffrance personnelle. Elle va à la Mère du Messie, à la Fille de Sion qui avait entonné avec tant de joie le Magnificat. Marie porte réellement en elle le destin de toute la communauté d'Israël : quand celle-ci va se diviser au sujet de Jésus, quand beaucoup rencontreront en lui une pierre d'achoppement, comment ne souffrira-t-elle pas intensément ? La piété chrétienne a souvent entrevu dans ces lignes relatives à l'enfance de Jésus l'annonce de la Croix. Elle a vu juste dans la mesure où l'on ne sépare pas la Croix de la longue crise qui l'a préparée et où l'on considère que Marie n'est pas seulement « la mère du condamné » mais plus encore celle du Peuple messianique.

*
* *

Comme toujours, Luc a fortement marqué de son style et de ses tendances le récit qu'il donne à lire. Dans cette page, destinée à être le sommet principal du récit de l'Enfance, on a remarqué l'harmonie interne et la cohésion du cantique avec son contexte. On y rencontre aussi presque tous les thèmes du IIIe évangile et du Livre des Actes. Un tel souci de composition laisse peu de place aux détails qui satisfont l'imagination. Les quelques traits anecdotiques qui subsistent dans l'histoire d'Anne sont, eux aussi, mis au service de l'essentiel du récit.

Cependant Luc n'a pas échafaudé de toutes pièces cette narration. *Il s'appuie sur des pratiques cultuelles juives* indiscutables et il restitue fidèlement une ambiance qui n'existe plus au moment où il écrit. S'il use fort élégamment du cadre de son récit, il ne l'invente ni ne le déforme. Dans les parties narratives, il se sert d'un style qu'il a imité de la Septante. Ce n'est pas sous cette allure ancienne qu'il faudrait chercher le roc de la Tradition. Par contre, les paroles, ici comme ailleurs, rendent un tout autre son. Elles comportent des sémitismes que Luc n'a pas inventés : l'emploi d'un indicatif comme impératif (« tu laisses aller »); l'expression « à la face de... »; le verbe que rend le français « est placé » (littéralement « est posé comme... »).

Sous la rédaction de Luc, nous cernons donc la présence de pièces anciennes et de traditions familiales conservées dans la parenté de Marie, du moins au regard d'hypothèses récentes qui ne manquent pas de fondements. Ces éléments reflètent un milieu qui se reconnaissait dans les figures de Syméon et d'Anne, milieu fervent, héritier des préoccupations religieuses des « pauvres » de Yahvé et proche de ces « pieux » qui ont accueilli, les premiers, la parole apostolique. C'est Luc qui a disposé ces éléments dans un de ces tableaux synthétiques dont il a le secret. Il a « relu » l'épisode assez ordinaire de la purification à la lumière de l'ensemble de la destinée de Jésus, il y a discerné les germes de l'avenir et il en fait le récit de la Présentation.

*
* *

Pour accueillir comme Évangile *ce texte* sur la Présentation de Jésus au Temple, il est maintenant possible de se placer à différents points de vue.

Il est bon d'étudier l'art du rédacteur, de savoir comment on écrit un évangile, mais aussi comment on en vit. L'art de Luc conduit à faire partager sa foi. Et celle-ci pénètre le sens des moindres gestes qui touchent à Jésus. Ici, en particulier, elle dégage la portée du signe cultuel de la purification d'une manière qui peut servir d'exemple à toute recherche sur la signification évangélique du culte.

On peut aussi prêter attention aux acteurs de ce drame. L'Enfant, destiné à être le Serviteur de Dieu dans toute la complexité de cette vocation. Marie, sa mère, qui découvre avec étonnement son rôle de Mère du Messie, de Fille de Sion, représentative du Peuple de Dieu, ce peuple qui, en face de son Fils, va se déchirer sous ses yeux... Syméon et Anne, types de ceux qui attendent le salut de Dieu dans la pauvreté de la foi et la simplicité de leur vie.

Le lecteur est enfin le destinataire du récit de la Présentation. C'est à ses regards que Jésus est offert, comme un appel à partager la foi des pauvres en plaçant son existence dans les conditions qui permettent l'accueil, afin d'être davantage porteurs de lumière au milieu de ceux qui attendent cette révélation.

R. V.

Octave de Nöel
Luc 2,16-21

VOIR L'ENFANT : ACCUEILLIR LE SAUVEUR[1]

[16]Et ils vinrent en se hâtant, et ils trouvèrent et Marie et Joseph et le nouveau-né couché dans la crèche. [17](L')ayant vu, ils firent connaître la parole qui leur avait été dite de cet enfant. [18]Et tous ceux qui entendirent furent émerveillés de ce qui leur avait été dit par les bergers. [19]Quant à Marie, elle gardait avec soin toutes ces choses, les méditant en son cœur. [20]Et les bergers s'en retournèrent, glorifiant et louant Dieu pour tout ce qu'ils avaient entendu et vu, comme il leur avait été dit.

[21]Et quand furent accomplis (les) huit jours pour le circoncire, et son nom fut appelé Jésus, nom donné par l'ange avant qu'il eût été conçu dans le sein (de sa mère).

1. Synopse § 10; 11.

Le lecteur moderne, peu au courant des usages du temps, peut se demander en quoi consistait la circoncision et pourquoi elle est mentionnée de manière si brève : était-elle de peu d'importance et quel sens avait-elle dans la vie de Jésus ?

Il est donné à l'enfant le nom de Jésus, nom dont les textes d'annonce de sa naissance ont montré la signification. Mais si les bergers avaient compris cette signification et transmis la bonne nouvelle de la naissance du « Sauveur », leur parole se serait perdue puisque trente ans plus tard, personne ne semble plus y penser ? Finalement, on peut se demander quand ce nom a pris tout son sens appliqué à Jésus.

Enfin, certains ne seraient-ils pas tentés d'attacher toute leur attention à Marie qui « gardait avec soin toutes ces choses... », éliminant pratiquement les bergers ? Ne convient-il pas mieux d'être attentif à la place qu'elle tient au milieu des autres personnages qui composent le tableau fait d'un monde d'adultes : elle, les bergers, d'autres (v. 18) ? Qui les remue ainsi ? Quelqu'un qui ne parle pas, un nouveau-né sur qui le texte attire plusieurs fois l'attention comme le personnage par lequel les autres prennent leur importance respective.

*
*   *

a) L'étude du contexte[2] fait apparaître que le verset 21 occupe une fonction charnière : il se relie à la fois à ce qui précède, dont il est comme la conclusion, et à ce qui suit, dont il est comme l'introduction.

Les versets 16-20 qui montrent la vérification du message angélique adressé aux bergers constituent ainsi comme un préalable à l'imposition du nom. Ils présentent dans le nouveau-né le Sauveur. On comprend alors que lui soit donné ensuite le nom qui convient à un tel rôle.

L'ensemble des versets 16-21 est la narration d'un événement de dimension familiale. Il est comme un prélude qui introduit l'épisode de la Présentation dont le caractère est, cette fois, de portée univer-

---

2. Se reporter à ce qui a été dit dans l'étude de Luc 2,1-14, p. 76-77.

saliste. De part et d'autre on retrouve « l'enfant », « l'émerveillement », « la méditation » (2,19.51).

La comparaison avec le récit de la circoncision de Jean-Baptiste
donne également quelque éclairage sur le sens du texte. Le récit
concernant le précurseur est développé et l'on trouve autour de lui
tout un milieu naturel : parents et voisins, qui discutent au sujet de
son nom. Jésus, au contraire, est nommé sans contestation, même
si ce sont ses parents qui lui donnent son nom. C'est le signe qu'ils
ne l'ont trouvé qu'en se rendant dociles à une inspiration venant de
plus haut qu'eux et qu'il doit exprimer parfaitement ce que seront
la personne et la mission de Jésus.

b) Le texte présente *la structure* suivante :

VÉRIFICATION DE LA PAROLE CONCERNANT LE SAUVEUR

Trois démarches de foi :

— les bergers		
v. 15 : voyons	ce que le Seigneur a fait connaître	
v. 16 : se hâtent		
v. 17 : ayant vu	ce qui leur avait été dit	le font connaître
— d'autres v. 18	de ce qui leur est dit	sont émerveillés
— Marie v. 19	ces choses	les garde et médite
— les bergers v. 20 : ce qu'ils ont entendu et vu	comme il leur a été dit	ils glorifient

IMPOSITION DU NOM DE JÉSUS (v. 21)

Cette organisation met en évidence :
— L'importance de la Parole qui a fait irruption dans le monde des
pauvres.
— Le mouvement de foi qu'elle entraîne de la part de plusieurs
catégories de personnes : les bergers qui se hâtent, voient puis font

connaître, méditent et glorifient ; d'autres qui sont émerveillés. Marie, mère du nouveau-né, participe à ce mouvement de foi pour accueillir la personnalité de son enfant, son rôle paraissant être de lui donner une tournure plus intérieure.

— La cause de tout cela : celui qui mérite le nom de Jésus, Sauveur.

*
* *

Les éléments principaux du texte peuvent être envisagés suivant ce triple aspect.

1. Un événement important vient de se passer. Mais, pour être reçu, il demande à être vérifié.

Tout le mouvement des personnages décrit par le texte est commandé par lui. Les expressions qui le désignent : « la parole (ou : « la chose », « l'événement ») qui leur avait été dite » (v. 17), « ce qui leur avait été dit » (v. 18), « toutes ces choses » (v. 19), « comme il leur avait été dit » (v. 20), ont toutes trait à la nouvelle inouïe de la naissance du Seigneur Sauveur fait homme, contenue dans l'annonce aux bergers qui précède (vv. 9-14). Mais, dans le vocabulaire de l'Église primitive[3] ces expressions désignent aussi la nouvelle de Jésus ressuscité, transmise par les témoins et prédicateurs de l'Évangile (voir Ac 6,7 ; 12,24 ; 19,20 ; 2 Co 11,4, etc.).

Dire que cette Bonne Nouvelle est la transmission de quelque chose, d'un événement qui a « été dit », c'est affirmer radicalement qu'elle n'est pas une invention des hommes mais une donnée qui vient de Dieu.

2. Si l'événement est donné, il n'en demande pas moins, pour être reconnu, une démarche. Trois catégories de personnes et tout un vocabulaire traduisent cette vérification de la Parole dans un fait reconnu.

3. VTB, *Parole de Dieu ;* N.T. ; *Évangile,* III 2.

— Les bergers font cette vérification et le disent. D'autres l'apprennent et sont émerveillés. Marie, enfin, garde ces choses, non pas leur souvenir mais les événements *(ta remata)* ; elle les fait siens, allant plus loin que les bergers dont la démarche est décrite de manière plus extérieure : ils répètent ce qui leur a été dit.

Les mots principaux sont, dans le cas des bergers : se hâter, voir, entendre[4]. Ces termes expriment la démarche des hommes qui accueillent et comprennent un événement à la lumière de la foi. Ils avaient accueilli la Parole, mais ils font à présent l'expérience du signe dans lequel ils la reconnaissent existentiellement. A ces mots s'ajoute l'expression « faire connaître » qui montre que la foi chrétienne est une foi qui proclame ce qu'elle croit, sous peine de ne pas être. Pour Luc, la Bonne Nouvelle qui apparaît en la personne de Jésus commence déjà à « courir ». Visiblement, il reporte sur l'enfance de Jésus ce qui sera vrai surtout de la fin de sa vie : à la Résurrection (24,9) et encore davantage à la Pentecôte (Ac 2). Le petit groupe qu'il y avait à la naissance lui apparaît déjà comme un signe de celui qui se rassemblera ce jour-là.

— Des autres personnes, il est dit qu'elles sont « émerveillées ». Ce mot revient souvent chez Luc (voir 4,22 ; 8,25 ; 9,43 ; 11,14-16 ; 20,26), et c'est toujours pour exprimer la foi qui s'oriente vers la découverte et l'accueil de la divinité en Jésus.

— Enfin, de Marie il est dit qu'elle « gardait avec soin toutes ces choses, les méditant en son cœur » (2,19). Replacée dans le contexte biblique, cette phrase revêt une double signification. Dans la ligne de la Sagesse (Pr 22,17-19), Luc oriente vers l'activité de foi de Marie[5]. Déjà s'annonce ce qu'il dira de la manière d'être mère en accueillant sa parole avec foi (8,20-21 ; 11,27-28). Dans la ligne messianique (Dn 7,28), il exprime l'attitude intérieure de quelqu'un qui, de toute son intelligence et de toute sa volonté, cherche à pénétrer le sens d'un événement apparaissant comme un présage où Dieu est présent, c'est-à-dire annonçant un fait à venir, sans savoir encore lequel. C'est en cela que Marie est, des trois catégories de per-

---

4. VTB, *Courir*, 2 ; *Voir* N.T., 1 ; *Foi*, N.T., I 2 ; II 1.
5. VTB, *Marie*, IV 2.

sonnes présentées dans ce texte, celle qui est le plus un modèle pour les chrétiens : dès le début elle apparaît non seulement dans une démarche de foi, mais dans cette foi précise qui cherche à pénétrer le sens de la mission de son fils.

3. La cause de toutes ces attitudes, c'est que Jésus le Sauveur entre officiellement dans l'histoire de son peuple. En effet, si l'annonce du nom qu'il porterait avait été faite, il restait encore à le recevoir au cours du rite qui signifie sa solidarité avec tout Israël. Telle est la portée de la circoncision[6].

Le nom, aujourd'hui encore, revêt une grande importance. Mais il avait chez les anciens une valeur plus significative encore : exprimer la personnalité, principalement sa fonction dans la vie. Dire qu'il était « donné », c'est exprimer, de plus, qu'il était porteur de ce quelque chose de puissance que la famille y mettait. Il était donc plein de promesse pour l'enfant, mais aussi d'exigence. Or dans le cas de Jésus, il est dit que ce nom a été donné par inspiration divine. Le nom de Jésus porte donc la marque de la puissance elle-même de Dieu et exprime toute sa mission : être « Sauveur »[7].

Mais, pour les chrétiens auxquels Luc s'adresse, le nom de Jésus a pris, depuis Pâques, une signification nouvelle. Les apôtres ont découvert que dans ce nom était contenue toute la puissance même de Dieu, manifestée dans les miracles et surtout dans la Résurrection. Le nom de Jésus exprime depuis Pâques le Sauveur ressuscité et glorifié comme Seigneur (Ac 2,22-24.32-36). Par la Passion glorieuse, son nom a reçu une plénitude au-dessus de tout ce qui était concevable auparavant. Comme le dit saint Paul : « Dieu l'a exalté et lui a donné le Nom qui est au-dessus de tout nom, pour que tout, au nom de Jésus, s'agenouille... » (Ph 2,9-11).

6. VTB, *Circoncision*, A.T., 1.
7. VTB, *Jésus (Nom de)*.

*
* *

Par-delà le texte à son stade rédactionnel définitif, est-il possible d'imaginer *quelque chose de l'événement tel que l'historien aurait pu le voir*, du dehors ?

Quand on observe la relecture que Luc en a faite après Pâques et quand on sait qu'au moment où Jésus inaugure son ministère, il n'y a aucune trace d'une « évangélisation » remontant à sa naissance, il est permis de conclure : l'événement se ramène aux dimensions d'un cadre familial très restreint, l'émerveillement des bergers ne pouvant pas encore être une foi claire. Luc est alors inspiré pour indiquer la portée de tels faits, après coup, quand la pleine lumière est projetée sur eux : il relève que Marie en pressentait la dimension messianique.

Quant à la circoncision, la loi juive demandait qu'elle ait lieu le huitième jour (Lv 12,3). Cette cérémonie manifestait l'entrée dans l'alliance et l'appartenance au peuple de Dieu. Un nom nouveau était donné à la naissance. Pour les Juifs du temps, la circoncision l'emportait sur l'imposition du nom. Or, Luc manifeste un souci inverse : il glisse sur la première pour insister sur la seconde, ce qui souligne toute l'importance qu'il attribue au nom de Jésus.

Deux faits montrent que ce nom était courant et familier. D'une part il est fréquemment porté par des hommes de l'Ancien Testament, sous une forme ou sous une autre, telle que Josué, Osée, Jésus Ben Sira... D'autre part, les contemporains de Jésus éprouvent le besoin, quand ils en parlent, de le distinguer d'autres Jésus (voir par exemple ceux cités dans Lc 3,29 ou Col 4,11) en précisant : « de Nazareth » (Ac 2,12), « le charpentier... » (Mc 6,3), le « fils de Joseph dont nous connaissons le père et la mère » (Jn 6,42).

Dans le cas de Jésus, ce qui fait que ce nom n'a pas seulement la signification commune de son temps mais un sens qui achemine à ce que la foi pascale permettra de lire en lui, ce sont les circonstances historiques dans lesquelles il a été donné. De même que pour

Jean-Baptiste (Lc 1,59-63), il n'a pas été imposé le jour de la naissance, comme c'était le cas dans l'A.T., mais huit jours après, lors de la cérémonie de son incorporation au Peuple de Dieu. Et la cause en a été l'accueil de ses parents à l'intervention de Dieu dans leur vie, au temps de sa conception.

*

* *

Ce texte invite à découvrir toujours davantage la mission accomplie par Jésus et à cheminer dans la foi.

En nommant Jésus, le chrétien sait qu'il est le Sauveur qui a épousé la condition commune de son peuple. Mais, tout comme les personnages de la crèche, il ne peut encore que pressentir à quoi l'engage cette réalité accueillie. Il lui faut nécessairement vivre dans l'attente de découvrir existentiellement ce que cela entraînera concrètement dans sa vie. C'est cette découverte qui fera de lui un annonceur de la Bonne Nouvelle.

Être mère (ou père) ne se limite pas à donner à un enfant sa chair, mais consiste essentiellement à assumer toute sa personnalité. En ce sens-là Marie a été pleinement Mère. Elle n'a pas donné à Jésus seulement sa chair, mais elle a accueilli dans la foi toute sa personne de Sauveur Seigneur, c'est-à-dire de son humanité et de sa divinité.

Avec cette maternité commence à se répandre dans le monde la Bonne Nouvelle du Salut venue de plus haut que Marie. Cette propagation se fera si, à l'imitation de celle-ci, des hommes et des femmes gardent avec soin toutes ces choses c'est-à-dire vivent intérieurement de l'Évangile et les transmettent ainsi à leur tour.

Appeler son fils Jésus revenait, pour Marie, à prononcer le nom le plus familier qui soit, très humain, en même temps qu'à être provoquée à un acte de foi dans ce que signifiait ce nom. Ainsi en est-il pour les chrétiens qui veulent, eux aussi, être de la parenté de Jésus.

G. B.

Épiphanie
Matthieu 2;1-12

COURONNES EN LITIGE[1]

[1]Jésus étant né à Bethléem de Judée, aux jours du roi Hérode, voici (que) des mages (venus) du Levant arrivèrent à Jérusalem, [2]en disant : « Où est le roi des Juifs qui vient de naître ? Nous avons vu, en effet, son astre à (son) lever et sommes venus nous prosterner (devant) lui.

[3](L')ayant entendu (dire), le roi Hérode fut troublé, et tout Jérusalem avec lui. [4]Et, ayant assemblé tous les grands prêtres et les scribes du peuple, il s'enquérait auprès d'eux (du lieu) où (devait) naître le Christ. [5]Ils lui dirent : « A Bethléem de Judée; ainsi en effet est-il écrit par le prophète : [6]*Et toi, Bethléem, terre de Juda, tu n'es nullement le moindre parmi les clans de Juda, car de toi sortira un chef qui paîtra mon peuple Israël.* »

[7]Alors Hérode, ayant appelé secrètement les mages, se fit préciser par eux le temps de l'apparition de l'astre, [8]et, les ayant envoyés à Bethléem, il dit : « Étant partis, renseignez-vous avec précision sur l'enfant; quand vous l'aurez trouvé, annoncez(-le-) moi, afin que moi aussi, (y) étant allé, je me prosterne (devant) lui. »
[9]Ayant entendu le roi, ils partirent; et voici (que) l'astre qu'ils avaient vu à (son) lever les précédait jusqu'à ce que, étant venu, il s'arrêtât au-dessus de (l'endroit) où était l'enfant. [10]Ayant vu l'astre, ils se réjouirent d'une très grande joie. [11]Et étant entrés dans la maison, ils virent l'enfant avec Marie sa mère, et, tombant (à genoux), ils se prosternèrent (devant) lui; et, ayant ouvert leurs cassettes, ils lui offrirent en présent de l'or et de l'encens et de la myrrhe.

[12]Et ayant été avertis en songe de ne point retourner vers Hérode, (c'est) par une autre route (qu')ils se retirèrent dans leur pays.

1. Synopse § 14.

Contrastant avec la simplicité et le dépouillement de la scène de l'enfant à la crèche, ce récit se présente sous un jour qui fait davantage « nouvelle à sensation ». Le cadre devient celui des grands, ceux de la cour du roi Hérode comme ceux de la capitale, Jérusalem. Entre eux, le mouvement de personnages mystérieux qui tirent leur magie de l'astrologie.

Cependant, des questions ne peuvent manquer de se poser. Comment ces savants, étrangers et ignorants des Écritures, savaient-ils que le roi des Juifs venait de naître ? Pourquoi aussi l'étoile les a-t-elle conduits à Hérode et non pas, tant qu'à faire, à Jésus ? Ce suspense est renforcé par le fait que le grand roi qui dispose de la force se renseigne visiblement pour tuer le petit roi démuni et effacé. Enfin, il est tout de même étrange que les Mages soient venus se rendre compte, puis soient repartis sans laisser trace de leur démarche. Telles sont, résumées, les principales interrogations que pose cet épisode de l'Évangile.

Pour répondre à toutes ces questions il convient de rejoindre les intentions de Matthieu et de se rappeler que, tout comme Luc, il a donné au récit de l'Enfance de Jésus la valeur d'une préface à l'ensemble de son livre. L'objet de son évangile est la révélation du Royaume qui culmine dans la Passion et la Résurrection. Il lui a donné comme préambule le récit de l'Enfance de Jésus, dans lequel on peut s'attendre à trouver la trace de ce même thème fondamental.

De plus, il écrit quelque quatre-vingts ans après les événements, à partir de souvenirs anciens reçus de la Tradition, mais présentés avec des traits merveilleux comme le font tous les hagiographes quand ils retracent, après coup, la vie de leur personnage.

Enfin, parmi ses destinataires figurent de nouveaux convertis, entrés dans l'Église et adorateurs de Jésus, après avoir cherché le sens de leur vie dans des moyens humains à leur portée, telle l'astrologie.

Si l'on ajoute la passion de son auditoire composé de chrétiens issus du judaïsme, sensibles aux argumentations scripturaires et imagées, on aura les principales dispositions pour entrer dans les vues de Matthieu.

*
* *

a) Dans son contexte, le récit de l'adoration des Mages apparaît rattaché directement à la finale de l'épisode qui le précède : « Marie enfanta un fils et Joseph appela son nom : Jésus » (1,25). La naissance est simplement mentionnée, sans que rien d'autre ne soit dit sur elle. L'épisode des Mages vient, en quelque sorte, combler ce manque. Dans un cas comme dans l'autre, il est question de songe.

La séquence des Mages s'insère bien dans la série de celles qui la précèdent. Dans un premier chapitre Matthieu a présenté la personne de Jésus Homme-Dieu en un diptyque composé de la généalogie de Jésus et de l'annonce à Joseph. Il a donc amorcé la réponse à la question : « Qui est Jésus ? » Il est le fils de David, accomplissant la promesse faite à Abraham, conçu du Saint-Esprit, né de Marie. Dans un deuxième chapitre, il groupe une série de quatre tableaux construits sur le même modèle; chacun a pour noyau une parole d'Écriture et veut répondre à la question : « Que vient faire Jésus et comment ? » Il naît à Bethléem pour rassembler son peuple, mais ce rassemblement est l'occasion de revivre les étapes à la fois merveilleuses et douloureuses de l'Exode, de l'Exil et du « Petit Reste ». Le climat est celui de révélation, mais aussi de persécution. En présentant, dans ce contexte, Jésus « roi des Juifs » face au « roi Hérode » (v. 1), Matthieu a donc visiblement comme préoccupation centrale de montrer quelle est la vraie nature de la mission royale de Jésus annoncée dans les Écritures.

On peut remarquer que dans l'annonce à Joseph, Jésus est donné comme « Emmanuel », Dieu-avec-nous, tandis que dans le récit de la venue des Mages il est montré comme Dieu pour les païens. Cette double présentation se retrouve dans l'épilogue de l'évangile selon Matthieu : « Je suis avec vous »... « allez aux nations... » (28,19-20). Elle se retrouve également dans le récit de Luc qui, après avoir montré Jésus accueilli par les siens, les pauvres en la personne des bergers, a mis en relief sa mission auprès des païens, dans l'événement de la Présentation au Temple.

Sous cet aspect, l'épisode des Mages a donc, dans le premier évangile, la même fonction que celui de la Présentation de Jésus au Temple, chez Luc : l'un et l'autre font ressortir le côté ambivalent de la mission du Sauveur, Révélateur et signe de contradiction. Cependant, chez Matthieu, cette fonction est relevée par la mise en relief de l'opposition des autorités hostiles de Jérusalem et du roi Hérode. Elle revient donc à mettre en évidence « Jésus roi des nations », thème situé dans l'axe majeur du premier évangile : le Royaume.

b) *La structure du texte* se laisse dessiner facilement le long d'un itinéraire dont le sens est, à la fois, matériel et spirituel. Elle s'insère en effet dans une double inclusion formée, au début et à la fin, par la mention d'une route (vv. 1 et 12); que la seconde route ne soit plus la même que la première prouve qu'entre temps des événements importants ont appris aux Mages à se guider d'une nouvelle manière : la lumière de Jésus a remplacé celle de l'astre. La seconde inclusion, qui souligne encore cette lecture, tient dans la mention explicite d'une démarche de foi : les Mages viennent « se prosterner » (vv. 2 et 11) comme le montre le schéma de la page suivante. Dans l'intervalle, deux pauses sont centrées sur le roi Hérode et sur le « roi des Juifs ». Le premier est occasion d'une pause-question et le second d'une pause-adoration. Un contraste est ainsi établi entre eux.

Cette structure impose quelques autres réflexions : l'astre, en particulier, est présent tout au long de l'itinéraire et, chemin faisant, il permet de mettre en relief les trois signes dont toute démarche de foi ne peut faire l'économie : un événement naturel, l'Écriture, Jésus lui-même.

Quatre catégories de personnes apparaissent : l'enfant, bien sûr, qui est au centre et à l'origine de tout le mouvement; les Mages qui font un long et périlleux mais bénéfique chemin; Hérode (et « tout Jérusalem avec lui ») qui bouge mais sans aboutir à ce qu'il voulait car il le faisait avec une intention pernicieuse; enfin

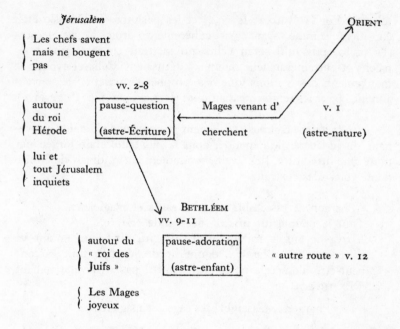

les chefs de Jérusalem, incapables de bouger, figés dans leurs connaissances qui ne passent pas en actes!

En même temps que cette présentation préfigure tout le drame de la vie de Jésus selon le premier évangile, elle fournit l'ensemble des éléments de la démarche de la foi pour l'homme de tous les temps.

c) Cette structure très étudiée est réalisée en une composition dont le *genre littéraire* s'apparente à des milieux culturels différents, qui en font un tout complexe.

— Il comporte des éléments spécifiquement bibliques relatifs au Messie davidique.

Bethléem est la cité de David. Le Messie doit en être originaire (Gn 49,10). La citation (v. 6), empruntée à Michée (5,1) dit la chose; mais il y a lieu de remarquer comment elle est transmise.

Le roi est celui auquel on offre les présents du plus grand prix tels que l'or (1 R 10,2; Is 39,2) et les parfums. Le Messie était considéré comme ayant particulièrement droit à ces trésors (Ps 72,10) puisqu'il serait celui qui mettrait en mouvement les païens et entraînerait leur montée à Jérusalem. Celle-ci évoque le mouvement des nations que les prophètes avaient si souvent annoncé pour les temps messianiques (Is 2,2-3; 60,1-6; Ps 72,11...).

— Le texte est composé également au moyen d'éléments provenant du judaïsme de l'époque, dont la mentalité était forgée par toute une littérature. Il y avait, notamment un midrash de Moïse dont voici des extraits :

« Pharaon ... rassembla tous les sages et magiciens...
Tout le peuple fut pris d'une grande crainte...
Arriva devant le roi un prince qui lui dit ... un enfant va naître aux fils d'Israël... donne l'ordre de tuer tout garçon; peut-être alors cela ne se réalisera-t-il pas » (développement d'Ex 1,9.22).

« Pharaon... rassembla les sages et magiciens... »

On voit les ressemblances avec Matthieu : Hérode aussi rassemble les Mages (v. 7); lui aussi est troublé et toute la ville avec lui (v. 3), consulte des grands du peuple (v. 4) et décide le massacre des enfants (2,16).

En rapprochant la manière de présenter la naissance de Jésus et celle dont était racontée de son temps la naissance de Moïse, Matthieu veut dire (ce qui correspond avec tout le reste de son évangile) que Jésus est un nouveau Moïse et donc le Messie attendu, puisque les Juifs en étaient venus, sur la base du texte de Deutéronome 18,18, à attendre le Messie comme un nouveau Moïse.

— Le genre littéraire du passage combine enfin des éléments communs aux mentalités biblique, judaïque et païenne. La littérature de l'époque se complaisait dans les images en relation avec la naissance des grands personnages. C'était le cas de celle de l'astre. C'est ainsi que la nuit de la naissance d'Abraham était marquée par un astre. Les « grands » du monde gréco-romain avaient leur étoile : Alexandre, Auguste... Pourquoi le Christ n'en aurait-il pas également ? Mais ce n'était là encore qu'une manière de parler voisine du sens de l'expression moderne : « naître sous une bonne étoile ». Pour un oriental de ce temps, la découverte d'un nouvel astre avait le sens beaucoup plus fort, comme en témoignent les *Targums*, d'annonce d'une naissance. Quant à l'homme de la Bible, au temps du Christ, les astres sont pour lui des messagers à la disposition du Seigneur, ayant un rôle dans l'histoire du salut. L'épisode de l'astre de Jacob (Nb 24,17) avait entre autres été l'objet de développements influencés par l'attente de la venue du Messie.

L'épisode concernant cet astre se trouve dans la Bible, au moment de la traversée par les Hébreux du territoire de Moab, dans leur marche vers Canaan. Le roi de ce pays leur refuse le droit de passage et fait intervenir le devin Balaam pour maudire ces indésirables qui l'importunent. Mais Balaam ne peut se résoudre à proférer des malédictions sur le peuple de Dieu (Nb 22,1-21). Mieux même, alors qu'il s'y laissait entraîner, un signe lui a servi de rappel à l'ordre : son ânesse a refusé de marcher (Nb 22,22-35). Finalement donc, il prononcera une série de bénédictions qui annoncent prophétiquement le rôle que remplira Juda (Nb 23-24).

L'auteur qui écrit ce récit vit à l'époque de Salomon. Très imbu de l'oracle tout récent de Nathan à David (2 S 7,11-14), il fait proférer par Balaam une parole qui contient la même annonce de descendance que celle de la prophétie de Nathan : « Je le vois, mais non pour maintenant, je l'aperçois, mais non de près : un astre issu de Jacob devient chef, un sceptre se lève, issu d'Israël » (Nb 24,17). Par ailleurs ce même Balaam, magicien païen, est présenté par l'écrivain sacré, comme ayant reconnu et adoré le vrai Dieu (voir Nb 22,31).

Au IIe siècle avant Jésus-Christ, les traducteurs de la Septante révèlent l'interprétation donnée de leur temps à cette prophétie. Le « sceptre » est devenu « un homme ». A Qumrân, au temps du Christ, on retrouve cette application de la prophétie à un personnage messianique. La Septante traduisait de plus Nb 24,7 par « un homme sortira de sa semence et dominera sur des nations nombreuses », donnant ainsi à l'épisode une dimension universaliste. Or, Matthieu et ses destinataires sont imbus de ces conceptions.

L'ensemble de ces données permet donc de saisir le genre propre composé par l'évangéliste. Son intention est manifeste : montrer en Jésus le grand personnage, nouveau Moïse et Messie, qui met les nations en mouvement vers Lui. Au cœur de cet ensemble il a situé une déclaration de prophète (Mi 5,1.3) soulignant de la sorte l'importance de cette citation.

*

* *

Tous les éléments du texte peuvent ainsi être étudiés centrés sur le Messie, pour en relever non pas tant l'identité, mais surtout la mission : une mission royale dont il convient de voir le caractère humble, le contenu et la manière dont elle est reçue.

1. Le caractère de la mission royale de Jésus est mis en relief par le contraste avec le faux roi vis-à-vis duquel il est présenté. « Où est le roi des Juifs ? » lui disent les Mages[2].

L'Évangile dit le sens de cette expression. Elle s'y trouve plusieurs fois, toujours en rapport avec la Passion (Jn 18,33-37; 19,19-21). En l'utilisant dans l'épisode des Mages, Matthieu veut donc suggérer le rapport de cet événement avec la Passion. Après le chapitre premier où il a montré Jésus Fils de David, c'est-à-dire Messie de race royale, l'évangéliste veut, dans ce deuxième chapitre, préciser de quel genre est cette messianité. Face au roi Hérode qui le poursuit, il apparaît comme un roi humble, commençant à répondre à ce qu'annonçait de lui le Serviteur souffrant (Is 53) : sa messianité (ou royauté) est inséparable de la croix. Le lieu où il naît renforce encore cet aspect humble : Bethléem, autrement dit un modeste bourg, et non pas la grande ville.

2. Le contenu de cette mission est de rassembler un nouveau peuple dans l'unité, constitué de païens auxquels Dieu est révélé.

2. VTB, *Roi*, N.T., I 1-2.

L'intention de rassembler le nouveau peuple dans l'unité[3] se voit à la manière dont Matthieu modifie la citation qu'il place au cœur de son récit (v. 6). Il y introduit deux petites retouches, mettant le mot Bethléem à la place de celui, poétique, d'*Ephrata*, et changeant « le moindre » en « nullement le moindre ». Ceci révèle clairement son intention d'expliciter le rôle de Bethléem, puisque c'est là qu'en fait a eu lieu l'événement. Mais surtout, il modifie la citation de Michée : « ... celui qui doit régner sur Israël » en la terminant par « un chef qui paîtra mon peuple Israël ». Pour comprendre l'intention que révèle ce changement, il faut remonter au schisme qui a suivi la mort de Salomon. Il s'est opéré, à ce moment-là, une division du pays à laquelle le peuple ne s'est jamais fait. Il rêvera toujours de sa réunification; Jérémie, trois cents ans après, le dit clairement (Jr 3,18; 33,1-13); des prophètes du retour de l'exil, cent ans plus tard, le redisent encore dans un oracle introduit à la suite du précédent (Jr 33,14-26). Finalement, on en était venu à attendre du Messie qu'il réalise ce rêve.

Matthieu opère donc un glissement du peuple aux nations pour préciser que Jésus est né afin de remplir ce rôle de réunificateur, pratiquement pour être roi universel. Il le dit avec l'image du chef qui paît, c'est-à-dire, dans le langage du temps, du roi. « ... Juda, de toi sortira un chef qui paîtra mon peuple Israël » (v. 6).

A ce peuple nouveau, constitué par les païens[4], Jésus vient révéler Dieu. Ceci ressort de deux observations.

Tout d'abord l'application que Matthieu fait de l'annonce d'Isaïe concernant la marche des nations vers la lumière (Is 60,3-7). Alors que le prophète prévoyait leur montée vers un Messie qui régnerait à Jérusalem, Matthieu le montre adoré hors de cette ville. De même, au retour d'Égypte, l'évangéliste indique que Jésus se rend en « Galilée » (2,22), « terre des païens » (4,15). Ces nuances révèlent son intention de mettre en relief le caractère universaliste de la mission de Jésus.

Vient ensuite l'astre auquel il donne une place centrale. On

3. VTB, *Israël*, A.T., 3; N.T., 1.
4. VTB, *Nations*, N.T., III 1a.

peut remarquer le procédé littéraire suivant lequel cet astre est toujours mentionné à proximité de l'endroit où il est parlé de l'enfant (vv. 2.7.8.9.10), ce qui revient à souligner la signification symbolique qu'il faut accorder à cet élément. L'étoile dont parlait l'oracle de Balaam avait préparé le symbole de Jésus, et le Mage qui avait reconnu le vrai Dieu était un présage qui annonçait sa mission d'amener les païens à le reconnaître et l'adorer.

3. Quant à l'accueil fait à la mission royale de Jésus, vu le caractère ambigu et humble de celle-ci, il requiert des signes et des dispositions pour la reconnaître.

Trois signes sont nécessaires pour la « révélation » apportée par Jésus. Au départ, un événement naturel dont les circonstances invitent à réfléchir : en l'occurrence, un astre. Ensuite, les Écritures[5] car elles fournissent des renseignements sur le Maître des événements : non un être fermé sur lui mais un Dieu présent à l'histoire d'un peuple à travers laquelle il se révèle par sa fidélité à son dessein de sauver les hommes. Enfin, le signe par excellence, c'est Jésus lui-même. Il est, en personne et en plénitude, parole, révélation de Dieu[6].

Cependant, pour que ces signes soient perçus comme tels, il faut certaines dispositions. Les personnages présentés dans le texte réagissent différemment parce que leurs dispositions sont différentes. En premier apparaissent les Mages qui, tout savants qu'ils sont, partent pour apprendre et se disent disposés à « se prosterner », c'est-à-dire à reconnaître le Seigneur[7]. C'est pourquoi, en chemin ils perçoivent les différents signes qui se présentent et, au terme, Jésus lui-même. Ensuite vient Hérode et le peuple de Jérusalem qui s'agitent mais en inquiets, sensibles donc déjà à ce que disent les Écritures mais pour en tirer des réactions hostiles à l'égard de leur message. Enfin, voici les sanhédrites, ces doctes

5. VTB, *Écriture*, III.
6. VTB, *Parole de Dieu*, N.T., Intr.
7. VTB, *Adoration*, II 2.

de la religion qui savent, mais qui, bardés de leur savoir, répètent leur leçon tout en demeurant insensibles à ce qu'elle dit et ne bougent pas.

*
* *

Étant donné la part de composition considérable que révèle le récit ainsi que les nombreux éléments qu'il a en commun avec le milieu ambiant du temps, on pourrait se demander s'il ne constitue pas, tout entier, un enseignement composé par Matthieu sans *solidité historique*. Dans l'état actuel de leurs connaissances, les exégètes ne sont pas en mesure de tracer nettement la ligne de démarcation entre l'événement et le récit qui en est fait, ici moins peut-être qu'en d'autres pages de l'Évangile.

— Ce qui apparaît tout d'abord, c'est l'insertion du récit composé par Matthieu dans le contexte historique de la fin du premier siècle. L'influence des Mages, y connaît une place croissante, comme en témoigne la littérature de cette époque. Leur rôle est à la fois politique et religieux. Ils sont, en particulier, qualifiés dans l'interprétation des événements extraordinaires, l'astrologie tenant une place certaine dans les procédés qu'ils utilisent. Il en existait dans toutes les cours du Proche-Orient, plus particulièrement vers l'est.

Quant au thème d'un déplacement lointain pour venir adorer un roi, il est courant à l'époque. C'est ainsi que pour l'inauguration de Césarée, les notables de tout l'Orient ont afflué en Palestine; qu'une délégation du roi arménien Tiridate est venue en pompe à Rome pour le couronnement de Néron et que la reine d'Abilène s'est rendue en visite à Jérusalem vers les années 40-50. Il était courant, de plus, en telles circonstances, de se prosterner devant l'empereur.

Quand on sait que les chrétiens auxquels s'adresse Matthieu sont issus du judaïsme, constituent une communauté au sein de laquelle existe un conflit, car elle accueille en son sein des païens convertis de la magie et doit faire face aux critiques d'éléments pharisiens, on aura l'ensemble du milieu historico-littéraire dans lequel est né le récit relatif aux Mages. L'auteur veut dire en quelque sorte : « Reconnaissez dans ce fait de la conversion des païens dont vous êtes témoins la réalisation de l'annonce prophétique faite par Balaam concernant le Messie. » Il rédige alors un récit dramatique fait de suspenses et laisse transparaître l'influence exercée sur lui par les récits du temps. Tous les détails qu'il organise admirablement sont plus stylistiques que documentaires.

— Cependant, il n'a pas dû tout inventer et, derrière cette composition, il est possible de relever les points les plus solides sur lesquels il s'appuie et qu'il tient de la Tradition.

La naissance de Jésus a eu lieu à Bethléem. Trois raisons, au moins, montrent la solidité de ce fait. Tout d'abord, il est une donnée sur laquelle l'évangéliste insiste (vv. 1.5.8.16). Ensuite elle coïncide avec ce que dit Luc, qui pourtant est indépendant de Matthieu et s'écarte de lui sur plusieurs points. Ce qui entraîne cet accord, ce doit bien être le fait qui a eu lieu. Enfin, le premier évangéliste montre, dans tout son récit de l'enfance de Jésus, qu'il est bien renseigné sur tout ce qui concerne Joseph : il utilise donc des sources qui lui viennent de Bethléem, d'où était Joseph, et qui doivent relater ce qui s'est passé dans cette bourgade.

Ce qui est dit du roi Hérode. Son nom revient trois fois ici (et quatre fois dans le reste du chapitre), indice que sa place dans les souvenirs de la naissance de Jésus a gardé une grande importance.

Matthieu précise : peu avant « qu'il eut cessé de vivre » (vv. 19.21). Comme on sait que la mort d'Hérode a eu lieu en 4 avant notre ère, après des mois d'une maladie qui l'a entravé dans l'exercice de ses fonctions, la naissance de Jésus, se situe aux alentours de l'an 6, toujours avant notre ère, puisque, d'après l'âge des enfants massacrés (2,16), elle a eu lieu de zéro à deux ans auparavant.

Ce que l'on sait de ce roi, par l'histoire, montre la vraisemblance du portrait qu'en fait l'évangile : tout son règne a été dominé par la hantise de l'usurpation de son pouvoir qu'il tenait précairement des Romains. Porté à voir des complots partout autour de lui il en vint ainsi à faire tuer ses trois fils, sa belle-mère et jusqu'à la femme à laquelle il était le plus attaché.

Or, à son époque, l'espérance davidique a connu un nouveau regain à cause de l'échec lamentable de la famille des Asmonéens, descendants des Maccabées. On sait aussi qu'il a commencé sa carrière comme gouverneur de la Galilée, où il a réprimé des mouvements nationalistes dans lesquels les descendants de David n'étaient pas absents.

Restent « les Mages venus du Levant » (v. 1) et « l'astre qu'ils ont vu à son lever » (v. 2). Nous avons dit la signification de ces traits. Mais qu'a-t-il pu se passer historiquement ? Quelque chose de ténu puisque lors du ministère de Jésus, personne (hors Marie et Joseph) n'avait retenu les événements entourant sa naissance, même pas qu'elle avait eu lieu à Bethléem (Jn 7,14). Certes, il y a eu des contacts entre le judaïsme et la Perse à la faveur de la *diaspora* en Mésopotamie; une espérance messianique au sens large s'était établie dans tout l'ancien monde, comme en témoigne la quatrième Eglogue de Virgile. Cependant, l'expression « du Levant » désigne-t-elle la Perse ? Elle peut tout aussi bien indiquer la Transjordanie (Moab ?). Mais quand l'évangéliste dit qu'ils venaient « du Levant », il peut avoir amplifié les choses d'une manière qui s'explique. En grec le même mot *anatolé* peut traduire : « à son lever » et « au Levant ». Du fait que tout vient du « lever de l'astre », il est possible, par jeu de mots, de transposer ce « lever » en « Levant ».

— Peut-être l'événement se ramène-t-il donc à la nouvelle, parvenue aux mages de la cour d'Hérode, de spéculations chez les Juifs au sujet de la date de naissance du Messie. Les découvertes faites à Qumrân ces dernières années ont, en effet, mis à jour un élément nouveau : un horoscope du Messie attendu. Pour déterminer quel astre annoncerait la naissance du Messie, des Juifs s'étaient donc mis à recourir à l'astrologie, ce qui jusque-là était le fait des païens. Il aura donc pu suffire que des prêtres juifs initiés à ce genre de recherches aient fait la découverte d'une étoile inconnue d'eux auparavant pour que, dans l'attente fiévreuse où ils étaient du Messie, ils l'aient cru déjà né. Bref, puisque le propos de l'évangéliste n'est pas de renseigner sur ce point, mieux vaut reconnaître que celui-ci restera toujours difficile à préciser. Du moins est-il possible de répondre au curieux qui cherche : le moins que l'on puisse dire est qu'il s'est passé quelque chose de particulièrement révélateur de la présence de Dieu. Car tout ce mouvement, dont la marque la plus claire est le massacre des

Innocents, vraisemblable historiquement, s'est déroulé sur l'espace de deux années où précisément naissait, sans tapage, le roi Jésus.

*
* *

Le *message* livré par l'épisode des Mages devient, à présent, facile à dégager. Il s'adresse essentiellement aux communautés chrétiennes qui peuvent être traversées par des crises douloureuses lors de l'accueil en leur sein de membres issus d'un monde qui leur est étranger.

Ce que les communautés ont à vivre l'a déjà été par le Christ lui-même dès sa naissance. Nouveau-né, il est déjà roi, mais d'une manière humble, effacée et éprouvée qui annonce sa Passion. Il vient attirer et mettre en marche tous les hommes : ceux qui, à travers les éléments naturels dont ils disposent, la nature elle-même, les événements, cherchent la lumière dernière de tout ce qu'ils vivent, au moyen de leur science, de leur technique, voire de leur magie. Il vient également pour ceux qui rapporteraient tout à leur politique, au risque de se faire oppressifs, et pour ceux qui mettent l'absolu dans des systèmes religieux de pensée ou de rites.

De tous, il veut constituer un peuple rassemblé dans l'unité, d'où disparaisse à jamais toute trace de division.

Pour tous ceux qui sont accueillants, il est la lumière et il révèle Dieu. Par-dessus les frontières nationales, sociales, culturelles politiques ou religieuses, et sans que cela soit nécessairement visible aux yeux du monde, il sait se faire reconnaître et entraîner des actes d'adoration. Des païens, apparemment très éloignés du culte qui devrait lui revenir, sont capables de ne pas s'enfermer sur leurs richesses humaines et d'être, au contraire, tout prêts à les lui offrir.

Le drame, c'est que, parmi ceux qui sont apparemment le plus proches de lui, qui connaissent intellectuellement le mieux sa Parole, se trouvent des hommes capables de ne pas le reconnaître quand il se manifeste concrètement. Le tout n'est pas de savoir, il faut encore se mettre en chemin, c'est-à-dire courir le risque d'expérimenter ce que l'on sait, de lâcher les amarres du savoir extérieur au profit du voir intérieur.

142

ÉPIPHANIE

Le chemin de la foi est long et périlleux. Il comporte nécessairement trois composantes : la recherche du sens des événements vécus, de leur cohérence avec l'Écriture et de l'attachement à la personne de Jésus. La première de ces trois composantes est déterminante, mais une foi complète ne peut faire l'économie des deux autres. Après avoir parcouru de manière décisive cette étape de l'entrée dans la foi, il reste ensuite à refaire sans cesse des pauses « Écriture » et « Adoration » sous peine d'en revenir à l'attitude simplement païenne.

G.B.

Baptême du Seigneur
Marc 1,6-11

LES CIEUX SE DÉCHIRENT
UNE HUMANITÉ NOUVELLE NAÎT [1]

Matthieu	Marc 1,6b-11	Luc	Jean
			1 [24]Et ils avaient été envoyés par les Pharisiens. [25]Ils l'interrogèrent et lui dirent : « Pourquoi donc baptises-tu, si tu n'es ni le Christ, ni Élie, ni le prophète ? »
		3[15]Or, comme le peuple était dans l'attente et que tous se demandaient en leur cœur, à propos de Jean, si lui ne serait pas le Christ,	
	[6]Et il prêchait en disant :	[16]Jean répondit en disant à tous : « Moi, je vous baptise avec de l'eau,	[26]Jean leur répondit en disant : « Moi, je baptise dans l'eau.
3[11]« Moi, je vous baptise dans l'eau en vue du repentir ;			Au milieu de vous se tient quelqu'un que vous ne connaissez pas,

1. Synopse § 22 ; 24.

145

Matthieu	Marc	Luc	Jean
mais celui qui vient derrière moi est plus fort que moi,	[7]« Vient le plus fort que moi, derrière moi,	mais vient le plus fort que moi,	[27]celui qui vient derrière moi
dont je ne suis pas digne	dont je ne suis pas digne, en me courbant,	dont je ne suis pas digne	dont moi, je ne suis pas digne
d'enlever les sandales;	de délier la courroie de ses sandales. [8]Moi, je vous ai baptisés (avec) de l'eau,	de délier la courroie de ses sandales;	de délier la courroie de sa sandale. »
lui vous baptisera dans l'Esprit Saint et le feu.	mais lui vous baptisera (avec) l'Esprit Saint.	lui vous baptisera dans l'Esprit Saint et le feu.	

[12](Lui) qui (tient) en sa main la pelle à vanner et va nettoyer son aire, et il recueillera son blé dans le grenier; quant aux bales, il les consumera au feu inextinguible. »

[17](Lui) qui (tient) en sa main la pelle à vanner, pour nettoyer son aire et recueillir le blé dans son grenier; quant aux bales, il les consumera au feu inextinguible. »
[18]Et par bien d'autres exhortations encore, il annonçait au peuple la Bonne Nouvelle.

[28]Cela se passa à Béthanie, au-delà du Jourdain, où Jean baptisait.

§ 24

[19]Or Hérode le tétrarque, blâmé par lui au sujet d'Hérodiade, la femme de son frère, et pour tous les méfaits qu'il avait commis, lui Hérode, [20]ajouta même celui-ci à tous (les autres) : il enferma Jean en prison.

Matthieu	Marc	Luc	Jean
¹³Alors	⁹Et il arriva, en ces jours-là,	²¹Or il arriva,	²⁹Le lendemain, il voit Jésus venant
arrive Jésus (venant) de Galilée au Jourdain vers Jean, pour être baptisé par lui.	(que) Jésus vint de Nazareth de Galilée		vers lui et il dit : « Voici

l'agneau de Dieu qui enlève le péché du monde. ³⁰C'est de lui que j'ai dit : Derrière moi vient un homme qui est passé devant moi parce qu'avant moi il était. ³¹Et moi, je ne le connaissais pas, mais pour qu'il fût manifesté à Israël, pour cette (raison) je suis venu, moi, baptiser dans l'eau. ³²Et Jean témoigna : J'ai vu l'Esprit descendre du ciel comme une colombe et il demeura sur lui. ³³Et moi, je ne le connaissais pas, mais celui qui m'a envoyé baptiser dans l'eau, celui-là m'a dit :

Matthieu	Marc	Luc	Jean
		quand tout le peuple eut été baptisé et Jésus	
¹⁶Ayant été baptisé,	et il fut baptisé dans le Jourdain par Jean.	ayant été baptisé	
		et priant,	
Jésus aussitôt remonta de l'eau et voici : les cieux s'ouvrirent	¹⁰Et aussitôt, remontant de l'eau, il vit les cieux se déchirant	(que) le ciel s'ouvrit	
et il vit (l')Esprit de Dieu descendre	et l'Esprit	²²et l'Esprit Saint descendit sous forme corporelle	Celui sur qui tu verras l'Esprit descendre
comme une colombe	comme une colombe	comme une colombe	

Matthieu	Marc	Luc	Jean
(et) venir sur lui	descendre en lui.	sur lui,	et demeurer sur lui, c'est lui qui baptise dans (l')Esprit Saint. [34]Et moi j'ai vu et je témoigne que
[17]Et voici une voix, des cieux, disant : « Celui-ci est mon Fils bien-aimé en qui je me suis complu. »	[11]Et une voix, des cieux : « *Tu es mon Fils* bien-aimé, en toi je me suis complu. »	et il y eut une voix, du ciel : « *Tu es mon Fils ;* *moi, aujourd'hui,* *je t'ai engendré.* »	celui-ci est l'Élu de Dieu. »

Ce texte semble destiné à renseigner sur l'identité de Jésus et donc, par contrecoup, sur celle des chrétiens. Cependant, si la première lecture laisse apparaître cette intention fondamentale, elle n'en fait pas moins surgir plusieurs difficultés. Ainsi, il est dit que Jean baptisait pour la rémission des péchés. Ce n'était donc pas un pur rite extérieur mais une action ayant un sens spirituel. Or, il a l'air de dire qu'un autre viendra, beaucoup plus grand que lui, et qui aura l'Esprit. De plus, il ajoute que cet autre baptisera. Mais qu'entend-il par là puisque, de fait, l'évangile de Marc ne montrera à aucun moment Jésus baptisant comme Jean-Baptiste pouvait le faire ?

Ce n'est pas tout. Si Jésus est Fils de Dieu, rempli de l'Esprit, pourquoi vient-il se soumettre au baptême du pardon des péchés dont il n'a pas besoin ? N'y a-t-il pas là un défi scandaleux de la part de quelqu'un qui apparaît partout ailleurs, dans le deuxième évangile, comme ayant une autorité, un comportement « pas comme les autres » ?

Le texte ne peut manquer d'étonner enfin par ce tableau extraordinaire des cieux qui se déchirent, de l'Esprit présent comme une colombe ainsi que de la Voix céleste. Ce décor peut inspirer un poète, être suggestif de réalités plus profondes pour le croyant et, un peu pour tous, faire question. Quant au lecteur à l'esprit positif, il aura remarqué bien sûr que seul Jésus (« il vit ») est dit avoir été témoin de la scène. Comment les évangélistes peuvent-ils donc en parler si longtemps après ? et peut-on faire confiance à ce qu'ils disent ? ont-ils rapporté des faits réels ?

Ce récit se trouve chez les trois Synoptiques, avec un fond commun dont l'écho est également présent dans le quatrième évangile. Chacun cependant a une manière propre de le rendre. On constate que Marc est le plus bref (5 versets, 3 seulement pour le baptême). Il s'en tient à l'essentiel et, à quelques détails près, tout ce qu'il dit se retrouve chez les autres. Il convient donc, dans la lecture, de lui réserver ce fond commun, tandis que pour les autres il suffira d'y refaire allusion et de s'attacher, au contraire, à ce qu'ils ont en propre.

*
* *

a) Le rapport de ce récit avec son *contexte immédiat* saute aux yeux.

Il est encastré au cœur de l'introduction générale à l'évangile, entre le baptême pour la rémission des péchés prêché par Jean et le récit de la Tentation. On trouve la mention de l'Esprit (1,8.10. 12) dans ces trois petits épisodes : il en est le lien le plus visible. Cette constatation, à elle seule, suggère déjà la pointe du texte, tout centré sur la personne de Jésus présentée, dès l'ouverture de l'évangile, comme celle sur qui repose en plénitude l'Esprit. Pour ses contemporains il est le Messie, et pour les chrétiens le Fils de Dieu.

On peut noter cependant, malgré ce lien avec le contexte qui précède, une rupture : Jean annonce « Lui vous baptisera avec l'Esprit »; en fait, que voit-on ? Jésus vient non pour baptiser mais pour être baptisé ! Il y a là une anomalie apparente qui doit avoir une grande importance sur le sens à donner au baptême dans l'Esprit.

Le récit paraît également relié à ce qui précède par la parole « tu es mon Fils » (v. 11), réplique de « Jésus-Christ, Fils de Dieu » (1,1). La Bonne Nouvelle est la révélation que Jésus-Christ est Fils de Dieu et le point culminant du « commencement » de cette Bonne Nouvelle est le baptême. Cependant, si cette révélation est grandiose, il ne faut pas la séparer de son complément au caractère plus immédiatement proche de la condition humaine et fourni par le récit de la Tentation qui en est inséparable.

Les nuances du sens à donner au récit du baptême apparaissent également dans l'étude de ses liens avec le reste de l'évangile, car cette scène en rappelle une autre : la Transfiguration où la voix céleste prononce la même parole (9,2-8). On trouve encore une troisième proclamation, de la bouche de Jésus cette fois, lors de son procès devant le Sanhédrin (14,61). Or il est remarquable qu'à chaque fois, cette proclamation se trouve en parallèle avec une tentation.

Au baptême, la voix céleste proclame Jésus « Fils » (v. 11) et aussitôt celui-ci doit affronter la tentation au désert (1,12-13).

Quand les foules galiléennes l'abandonnent, Pierre le reconnaît comme Messie (8,29) mais refuse de le voir s'avancer vers la mort, et Jésus le repousse : « Passe derrière moi, Satan » (8,33); la voix céleste proclame alors, à la Transfiguration, qu'il est bien « le Fils qu'il faut écouter » (9,7).

Au sommet de sa vie, lorsque Jésus subit au jardin de Gethsémani la tentation suprême de son « agonie », il en sort vainqueur et proclame ensuite devant le Sanhédrin : « Vous verrez le Fils de l'homme siégeant à la droite de la Puissance » (14,62), déclaration à laquelle fera écho, dans le silence mystérieux de la Résurrection, celle du Père auquel est appliqué l'oracle du Ps 2 : « Tu es mon Fils, moi aujourd'hui je t'ai engendré » (Ac 13,33; Rm 1,4). Gethsémani est la seule et unique circonstance depuis le début de l'évangile de Marc, où Jésus nomme Dieu « son Père ». On pourrait noter également que la déchirure intervient pour le voile du Temple (15,38-39), au moment où le centurion va proclamer : « Vraiment cet homme était Fils de Dieu. » Les trois évangiles synoptiques font cette mention du voile déchiré, mais Marc est le seul à reprendre quelque chose de l'expression au baptême. Sans forcer les rapprochements, il est permis d'y voir un aspect suggestif.

Dans la tradition évangélique, la vie de Jésus paraît ainsi scandée par deux déclarations divines marquant à chaque fois un seuil dans la réalisation de la mission du Christ, et sans doute aussi dans la conscience qu'il en a. Sa propre déclaration devant le Sanhédrin exprime clairement cette conscience au moment suprême de sa vie terrestre.

Cela nous invite d'abord à voir dans la proclamation divine l'élément principal du récit. L'évolution que l'on constate de l'une à l'autre des rédactions évangéliques l'indique d'ailleurs nettement : le baptême s'efface peu à peu devant la théophanie. Marc raconte sur le même plan les deux événements : Matthieu et surtout Luc ne mentionnent le baptême que dans une phrase au participe, toute référée donc à la théophanie ; Jean, lui, ne mentionne que celle-ci.

Mais le lien constant avec une tentation nous rappelle aussi que la mission extraordinaire qu'il inaugure, ne dispense pas Jésus de prendre part à la lutte contre le mal, comme les chrétiens eux-mêmes y sont affrontés : Jésus est tenté et doit se défendre sur cela même qu'il vient de vivre dans la théophanie.

Dans le contexte des sources synoptiques, la tradition antérieure à nos évangiles avait donc lié le baptême à la tentation au désert, mais également à la prédication de Jean-Baptiste. Aussi retrouvons-nous le récit du baptême de Jésus situé dans le même contexte par les trois Synoptiques : précédé de la prédication de Jean-Baptiste, suivi de la tentation (avec, chez Luc, la filiation divine proclamée au baptême, développée dans la généalogie).

Par cette prédication et le baptême, Jean avait pour but de préparer le peuple nouveau de la fin des Temps.

De l'ensemble de ces observations, tirées du contexte, il convient de retenir principalement la concentration christologique que l'auteur a voulu mettre dans le récit qui introduit à son évangile et dans laquelle il a voulu plonger ses lecteurs, d'entrée de jeu.

b) Le récit est tellement lié à ceux de la prédication de Jean-Baptiste et de la tentation au désert qu'il convient d'en étudier la *structure*, non seulement pour lui-même, mais replacé dans ce contexte.

Si on le traite pour lui-même, sa structure apparaît très simple. Il présente :
— une introduction (v. 9);
— une théophanie (vv. 10-11), au cœur de laquelle émerge l'élément principal : la parole.

Mais, replacée dans le contexte, la structure révèle davantage encore l'apport spécifique du récit.

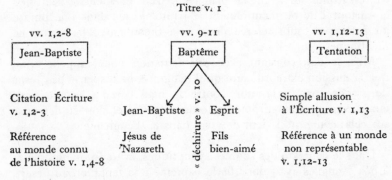

Très nettement, le verset 10, au cœur du récit du baptême, marque un tournant dans l'ensemble de l'introduction à l'évangile. Auparavant, tout relève de l'ordre d'un événement : Écriture, faits et personnage agissant (Jean-Baptiste), appartiennent au domaine de l'histoire au sens courant du mot; Jésus lui-même est appelé « de Nazareth » (v. 9). Après, tout change : le personnage agissant (l'Esprit) est invisible, le monde est évoqué de manière imagée (anges et bêtes sauvages) et l'Écriture n'est citée que sous mode allusif; bref, tout introduit à un monde de mystère où Jésus est appelé cette fois « mon Fils bien-aimé ».

On peut donc retenir, de la structure replacée dans le contexte, que le baptême fait entrer dans un monde qui révèle la nature, cachée auparavant, de celui qui s'y plonge.

c) On pourrait être tenté, a priori, de rapporter ce texte au *genre littéraire* des récits de vocation. Il s'agit, en effet, d'un épisode qui ouvre dans la vie de Jésus, la phase nouvelle de son ministère et qui, de plus, comporte une Parole. Cependant, à y regarder de près, il apparaît que manquent les éléments essentiels à ce genre : il n'y a pas d'appel mais une déclaration, pas non plus de réponse de la part de celui à qui est adressée la Parole ni, enfin, de message à transmettre.

Il faut donc penser à un autre genre. C'est la proclamation « Tu es mon fils... » qui en révèle la nature ; il s'agit du genre « investiture royale ». En effet, Israël avait adopté certains éléments des usages du milieu ambiant en ce qui concerne l'intronisation des rois. Au cours de la cérémonie de leur couronnement on proclamait aux rois l'oracle tiré de la prophétie de Nathan : « Tu es mon Fils. » Jusque-là, depuis la naissance d'Israël comme peuple, lors de l'Exode, la piété juive s'était nourrie de l'idée de filiation par rapport à Dieu. Cependant il ne s'agissait de filiation que relativement au peuple (Ex 4,22). C'est avec la famille davidique que la notion est centrée sur un individu (2 S 7,14). Et l'expression « il sera un fils » voulait indiquer la relation particulière de Dieu avec la dynastie davidique. Au retour de l'exil, celle-ci n'ayant plus de rôle politique à jouer, la proclamation en était venue à s'appliquer au Messie à venir. Enfin, quand le roi était intronisé on l'oignait en signe de l'emprise de l'Esprit de Dieu sur lui en vue de l'aider dans l'accomplissement de sa mission. Quand Jésus paraît, la déclaration qui lui est faite le désigne ainsi comme le Messie, ou roi, attendu. C'est du moins clair pour Marc et ses lecteurs chrétiens. L'usage du Ps 2 dans la réflexion des premières communautés (voir Ac 4,25 ss; He 1,5...) montre en effet que la messianité de Jésus, oint[2] de

_____
2. VTB, *Fils de Dieu*, A.T., I, II; *Onction*, III 2.

153

l'Esprit, n'a été comprise comme telle qu'à partir de la Résurrection.

Ces éléments : présence de l'Esprit et déclaration de filiation se retrouvent dans le récit du baptême de Jésus et demandent d'y voir non un récit de « vocation », mais une authentification de sa mission[3].

*
* *

Les *éléments principaux* du récit s'ordonnent donc autour de la personne de Jésus. Ils en éclairent l'identité et la mission[4]. Ils sont fournis par la description de la théophanie et par la parole située au cœur de celle-ci.

1. *Deux éléments* suffisent à évoquer la théophanie. Mais ils sont extrêmement riches de signification.

Dire que « les cieux se déchirent[5] » pour laisser place à « l'Esprit[6] » c'est signifier que les temps de grâce, de l'ère messianique annoncée par les prophètes, sont arrivés.

Dans l'Ancien Testament, l'Esprit est l'attribut par lequel Dieu anime, donne la vie, s'empare de différents hommes pour une mission précise : c'est le cas des rois et spécialement de ce « Fils de David », le Messie qui reçoit à titre permanent l'Esprit Saint (voir Is 11,2).

A l'époque du retour de l'Exil, le peuple, vivant dans le marasme et angoissé par le silence de Dieu, en est venu à attendre les temps messianiques comme un nouvel Exode (Is 41,17-20; 43,16-21...). Un prophète s'est alors appuyé sur le souvenir de la sortie d'Egypte en l'interprétant comme une création du peuple sous la conduite de Moïse qui le fait remonter des eaux tandis que l'Esprit Saint

---

3. VTB, *Baptême*, III 2.
4. Pour ce qui concerne les éléments contenus dans les vv. 6-8, on se reportera à l'étude du deuxième dimanche de l'Avent, p. 37-39.
5. VTB, *Ciel*, V 4.
6. VTB, *Esprit*, N.T., I 1.2.

qui descend d'auprès de Dieu agissait en lui (Is 6,316). Il pousse alors le cri : « Ah! si tu déchirais les cieux... » (Is 63,19).

Connaissant ces aspirations et ces expressions, on ne peut manquer de remarquer que la tradition présynoptique, lorsqu'elle a commencé à donner une forme littéraire à la prédiction relative au baptême de Jésus, l'a fait en se coulant dans ces oracles d'Isaïe. Cette composition est intentionnelle. Elle veut dire que par son baptême Jésus réalise les aspirations de l'Ancien Testament; nouveau Moïse, il inaugure les temps eschatologiques où l'Esprit Saint descend sur lui pour donner naissance au nouveau peuple de Dieu sortant des eaux (car c'est bien à ce moment, dit le texte, qu'a lieu la théophanie) et le diriger.

L'aspect sous lequel se manifeste l'Esprit fait question. Pourquoi une colombe ? Notons d'abord que le texte dit « comme ». Ce dernier mot est fréquemment employé dans le langage apocalyptique pour annoncer une image suggérant l'invisible. Dieu, par exemple, dans la vision de Dn 7,9 a un « vêtement blanc comme neige, des cheveux purs comme laine ». Il peut en être de même ici. Mais pourquoi cette image ? Certains y voient une allusion à l'Esprit qui planait sur les eaux au début de la création. Mais en Gn 1,1 il ne s'agit pas d'une colombe et ici l'oiseau ne descend pas sur les eaux mais sur Jésus. Aussi d'autres recourent-ils au symbolisme de la colombe dans le sens qu'il avait pris dans le judaïsme et qui oriente vers l'idée de constitution du nouveau peuple. Cette interprétation doit peut-être son origine à celle déjà en usage au temps d'Osée ou du Cantique des Cantiques et qui voit dans la colombe une image du peuple de Dieu (Os 7,11; 11,9) ou de son épouse (Ct 1,15; 2,14; 4,1...). Mais peut-être faut-il[7] y voir plus précisément une image de l'amour de Dieu qui descend vers la terre en la personne de Jésus. S'il en est ainsi, la colombe ne représenterait pas l'Esprit lui-même, mais son rôle dans la vie de Jésus à la mission duquel il donne toute sa signification : Jésus est désigné comme ayant pour mission d'instaurer le nouveau peuple de Dieu. On peut faire un rapprochement avec la présence de l'Esprit sur les apôtres à la Pentecôte « comme des

7. VTB, *Colombe*, 3.

langues de feu », symbole exprimant son action dans les témoins de la Parole de Dieu.

Ainsi, l'ouverture des cieux ne se fait-elle pas pour une révélation qui inviterait l'homme à s'évader du monde qui est le sien, comme il arrivait dans les Apocalypses de l'époque, mais comme une porte qui s'ouvre pour donner tout son sens à ce monde : Dieu révèle qu'il veut établir avec lui des rapports particuliers, lui donner en la personne de Jésus le Messie et l'inaugurateur d'un peuple nouveau.

2. *L'identité et la mission de Jésus* reçoivent quelques précisions de la parole centrale : « Tu es mon Fils[8] bien-aimé[9], en toi je me suis complu », parole qui se réfère à deux stades de la pensée de l'Ancien Testament : Ps 2,7 et Is 42,1.

L'attente messianique avait pris plusieurs formes dans l'Ancien Testament. Ce verset marque le sommet de l'une d'elles. Elle avait commencé avec la promesse de Dieu à David de toujours maintenir sur son trône un de ses fils, disant à son égard : « Je serai pour lui un père et il sera pour moi un fils » (2 S 7,14). Cette attente avait été reprise par Isaïe en l'appliquant à un descendant spécial qui serait, de son temps, « Dieu avec nous » (Is 7,14; 9,5-6; 11,1-2). Par la suite, cette attente s'est spiritualisée et tournée vers les temps futurs comme l'indique la formulation des Ps 2,7 et 110,3. Au temps de Jésus cette attente nourrissait l'espoir d'Israël en la venue d'un Messie glorieux chassant les étrangers qui occupent son territoire et rétablissant l'hégémonie de son peuple sur les nations.

A ce titre de « Fils » la parole appose celui de « bien-aimé » qui amorce une toute autre perspective : celle d'un serviteur de Dieu qui rétablirait l'Alliance par sa douceur, et finalement par sa souffrance et sa mort offertes en expiation. Toutefois, dans le premier chant cité ici, il ne s'agit pas encore de souffrance, mais seulement d'humilité. Cependant, y a-t-il vraiment citation d'Is 42,1 ? Toutes les Bibles y renvoient. Cela correspond pour le sens mais pas pour les mots. Marc dit « mon Fils » et Isaïe « mon Élu ». Les chrétiens auxquels

8. VTB, *Esprit en Jésus*, N.T., I 1.
9. VTB, *Fils bien-aimé*, N.T., I 1; *Jésus-Christ*, II 2a.

s'adresse l'évangéliste connaissaient-ils une autre traduction grecque (inconnue de nous) où « « mon Élu que préfère mon âme » (Is 42) était traduit par « le bien-aimé en qui je me complais » ? C'est possible. Mais il se peut aussi que la façon dont la voix céleste désigne ici Jésus ait amené les chrétiens à traduire de la même manière Is 42. Dans ce cas, cette voix ne ferait-elle pas allusion à d'autres textes ?

Au nombre de ces derniers on peut penser à Isaïe 62,4 et Gn 22,2. 12.13.16.

Le passage d'Isaïe est le seul de la Septante où Dieu est dit « se complaire en quelqu'un » et c'est dans le peuple nouveau de l'avenir que déjà symbolisait le Serviteur. Dans ce cas, la voix désignerait bien Jésus comme le Serviteur dont parlait Isaïe, mais en insistant sur l'aspect de ce « personnage » qui en fait un symbole du peuple, chargé de rétablir l'Alliance. Mais alors d'où viendrait le mot « bien-aimé » ?

Quant au texte de la Genèse, il est le seul endroit de l'Ancien Testament où « bien-aimé » se trouve associé au mot « fils ». Or il y est question du sacrifice d'Isaac qui jouera un rôle important dans la communauté pour exprimer le sacrifice du Christ (He 11, 17 ss), thème qui sera développé ensuite dans la tradition chrétienne. De plus, dans le Nouveau Testament, l'expression « Fils bien-aimé » se retrouve à la Transfiguration, annonce de la Passion glorieuse, et celle de « fils » dans la parabole des vignerons homicides (Mc 12,6), la seule fois de sa vie où Jésus annonce clairement à ses adversaires qu'il s'offre en sacrifice.

L'évangéliste clôt le tout en disant : « En qui j'ai mis tout mon amour » (v. 11) signifiant ainsi que Jésus est le don même du Père en qui se réalise la Nouvelle Alliance[10].

Quel est alors le sens de cette citation complexe ? Il s'agit d'un oracle d'investiture où Jésus est « nommé » par le Père, au sens fort de recevoir un nom, autrement dit la révélation de l'identité de sa personne et de sa mission. Il est dit « Fils de Dieu » et est intronisé comme « Seigneur » sur le monde entier. Il ne le manifestera pleinement que par sa Résurrection (Ac 2,36). Mais la manière dont est bâti le récit du baptême montre que celui-ci commençait déjà cette

10. VTB, *Amour*, N.T., 1.2.

manifestation : sa signification se comprend en référence au mystère
pascal.

Ainsi l'identité et la mission de Jésus reçoivent par cette parole
un éclairage qui confirme celui qu'ont fourni les images de la
théophanie et qui le complète : il est Messie[11] et Messie Serviteur
dont la mission est d'annoncer la Bonne Nouvelle (voir Lc 4,18-21).
Éclairée par la mort de Jésus et sa parole (10,38), la communauté
chrétienne peut également y trouver l'explication au fait que n'ayant
pas ,besoin de pardon des péchés pour lui-même Jésus vienne
cependant se présenter au baptême de conversion pour la rémission
des péchés conféré par Jean-Baptiste. Jésus est baptisé en vue de sa
mission de serviteur qui est de mourir pour le péché des hommes.
En plongeant dans les eaux du baptême, il mime cette autre plongée
dans le tombeau, où il emportera avec lui l'humanité tout entière
et d'où il ressortira en ayant fait d'elle un peuple nouveau. C'est
pourquoi il n'aura pas de raison de baptiser de son vivant. Son
baptême élimine celui de Jean-Baptiste et trouvera son prolongement
dans celui que donneront les apôtres après la Pentecôte.

*

* *

Lorsque l'évangéliste adresse à ses contemporains le récit du
baptême de Jésus situé ainsi dans l'ensemble de son livre, il lui
donne visiblement le sens d'accomplissement du dessein de Dieu :
former le peuple de la fin des temps en Serviteur qui lui transmet
la Bonne Nouvelle de l'amour de Dieu. Tel qu'il vient d'être vu,
le récit se révèle être une construction littéraire qui répond aux
questions des chrétiens s'interrogeant après Pâques. Il se comprend
adressé aux prosélytes sortant de l'eau. Visiblement, c'est à partir
de cet événement illuminateur que l'histoire antérieure a été relue.
Il a servi d'abord à éclairer le sens de la Transfiguration. Puis, de
celle-ci, il a été possible de remonter plus haut, en des termes qui

11. VTB, *Onction*, III 5.

orientent vers elle, jusqu'à l'événement initial. Quant à *l'historicité* de celui-ci, quelques éléments permettent de l'approcher.

Tout d'abord l'historien Flavius Josèphe note déjà que Jean a existé et qu'il a baptisé. Il ne parle pas du baptême de Jésus, mais ce fait est attesté chez les quatre évangélistes ainsi que dans les autres écrits de la communauté primitive. On est frappé, en effet, de l'importance donnée à cet événement. Pour être « témoin de la Résurrection », déclare Pierre, il faut « avoir suivi le Seigneur Jésus tout le temps qu'il a vécu au milieu de nous, du baptême de Jean jusqu'au jour où il nous fut enlevé » (Ac 1,22). Ce baptême représente, pour la communauté, « les débuts » d'une existence qui conduira Jésus jusqu'à la croix et la Résurrection (Ac 10,37; 13,24).

Un inventaire des nombreux textes du Nouveau Testament sur le baptême des chrétiens est très éclairant. On s'attendrait à ce qu'ils se réfèrent à ce baptême du Jourdain. Or ils renvoient toujours au mystère pascal : « C'est dans sa mort que nous avons été baptisés... » (Rm 6,3). Il semble donc que pour la conscience chrétienne primitive, le baptême, celui de Jésus comme le nôtre, soit orienté vers le mystère pascal où il trouve son sens et dont il est le signe.

Quant aux paroles concernant la filiation divine de Jésus, elles y occupent également une place privilégiée, toujours situées dans le contexte de sa mission de Serviteur (voir Mc 9,7; 13,32; Lc 10,22; Mt 11,27...).

A cela il faut ajouter au moins deux autres arguments. D'une part, Pâques étant réalisé et le baptême chrétien s'y rattachant de manière directe, on ne voit pas les raisons qui auraient conduit à inventer un récit de baptême antérieur qui pose par ailleurs tant de questions. D'autre part, le vocabulaire, particulièrement dans le récit de Marc, demeure fondamentalement juif : il parle d'Esprit à la manière de l'Ancien Testament et les textes du Nouveau montrent que le titre de « Fils bien-aimé » a été abandonné par les chrétiens au profit de « Fils de Dieu ».

Par-delà ces questions textuelles, le récit de Marc fournit un autre argument qui plaide en faveur de l'historicité de l'événement en même temps qu'il est révélateur de la personne de Jésus et qui est de l'ordre de sa conscience. En effet, le texte de cet évangéliste est, comme celui des autres, une interprétation des souvenirs concernant Jésus, mais il développe moins qu'eux cette interprétation. Il livre l'événement réduit à l'essentiel : au moment où Jésus sort de l'eau, il a une vision, sans doute intérieure puisqu'il est seul à « voir », qui révèle un approfondissement de la conscience à la fois de sa mission auprès des hommes et de sa filiation par rapport à Dieu le Père. En revenant si peu sur cet aspect dans la suite de son évangile, Marc reste fidèle à la réalité de la vie telle que Jésus l'a éprouvée. Il a toujours eu la conviction d'être Serviteur et Fils mais en proportion de son âge et de son expérience. Alors que le quatrième évangile met en évidence le fond de la personne de Jésus, être essentiellement relié au Père, en faisant un récit qui donnerait l'impression d'une présence de celui-ci consciente de façon constante, Marc montre cette présence jaillissant seulement à certains moments. Lorsque Jésus inaugure en acte sa mission de Serviteur dont il a toujours eu conscience, celle-ci est authentifiée et sa confiance approfondie par cette expérience.

S'il fallait encore relever un dernier point d'historicité sous-jacent à un tel récit, il suffirait de faire remarquer que déclarer une telle filiation est un fait ne se trouvant dans aucune autre expérience humaine et que, même chez les Juifs, le Messie n'était pas attendu comme « Fils de Dieu » au sens fort où Jésus se montre convaincu de l'être. Cette manière dont l'événement est présenté peut donc faire poser la question à tous ceux que l'histoire intéresse : Quelle est l'origine de cette conviction ?

*
* *

Celui qui est attiré par la personnalité humaine de Jésus et qui découvre le récit de son baptême se sent *interpellé*. Cette Personne peut apparaître comme un défi pour l'homme. Elle tient une place dominante, il est vrai. Mais au-delà de son étrangeté, elle est en même temps porteuse de révélation sur l'homme et sur Dieu.

A l'homme, il est manifesté qu'avec Jésus commence une ère nouvelle pour un peuple nouveau constitué par ceux qui reconnaissent en Lui l'initiative prise par Dieu : donner au monde la Personne qui offre la possibilité de communiquer avec lui. En effet par lui-même l'homme est comme enfermé dans la tentation de mettre le salut dans le prolongement de ses attitudes humaines les plus chargées de valeur ou, pris par la science, de nier la possibilité qu'il y en ait un. Prenant sur lui ce « péché », Jésus est venu redire que salut il y a. Le sens dernier de l'homme fourni par l'évangéliste est donc : il n'est pas un être fait pour rester enfermé dans son univers, si grand soit-il; il est fait pour s'accomplir d'une manière supérieure, en accueillant cette bonne nouvelle qui accompagne Jésus. Sa vraie grandeur est d'être appelé à se reconnaître « Fils de Dieu », en Jésus, de s'ouvrir à l'alliance de grâce et d'amour opérée en lui. Ceci entraîne d'accepter une certaine déchirure aux limites de l'univers qu'il peut atteindre, bref, un dépassement.

La caractéristique du chrétien est d'avoir accueilli cette déchirure, porteuse de révélation bouleversante. Ayant accédé à cet ordre supérieur des choses, il n'est pas nécessairement supérieur à d'autres sur le plan humain. Sa spécificité lui vient essentiellement de ce qu'il éprouve quelque chose de la conscience du Christ, d'être « fils ». Mais s'il n'est pas supérieur à d'autres, cette conscience ne peut pas ne pas rejaillir dans son comportement, de même qu'il en a été pour le Christ, comme une force au service de son propre développement humain et de celui des autres : sa foi lui dit qu'il est possible de dépasser toutes les forces du mal et d'accéder à la vraie liberté.

Si telle est la spécificité du chrétien qui a perçu et accueilli l'identité que lui fournit Jésus, elle ne se limite cependant pas à cela. S'il pousse la réflexion jusqu'à chercher la clé qui livre le dernier mot de la conscience de Jésus, ne peut-il se dire : s'il sait qui il est, Fils de Dieu, c'est qu'il est Dieu.

Mais, précisément, si l'identité du Christ se définit par rapport à Dieu, ce n'est pas en relation avec un dieu conçu à la manière théiste. Jésus révèle Dieu aux hommes, mais dans sa mission terrestre, concrète, de Serviteur des hommes. Si le dieu des philosophes est un dieu-mort (et peut-être que l'athéisme moderne aura amené certains chrétiens à corriger leur manière de parler aussi du Dieu de la Révélation comme un dieu-mort), pour les chrétiens, celui qu'ils connaissent, c'est à travers Jésus qu'ils l'atteignent. Ce n'est pas un Dieu en soi qui s'est incarné, mais Dieu le Fils : Jésus de Nazareth. Et lorsque l'identité du Fils a été révélée, en même temps a été donnée la source de celle-ci, le Père, ainsi que l'agent qui les relie, l'Esprit.

Et voilà qui rappelle au chrétien ce qui complète les éléments de sa spécificité. Il est un homme relié au Christ dans sa présence aux combats du monde, mais il faudrait que ce lien ne lui fasse pas vivre ni parler du Christ sans renvoyer au Père et à l'Esprit; sinon il résorberait quelque chose du Dieu auquel il croit, qui recouvre toute l'humanité et se communique à elle, mais la dépasse.

G. B.

TROISIÈME PARTIE

TEMPS DU CARÊME

VICTOIRE AU DÉSERT
COMBAT EN GALILÉE[1]

Matthieu	Marc 1,12-15	Luc
4 ¹Alors Jésus	1 ¹²Et aussitôt	4 ¹Or Jésus, rempli d'Esprit-Saint, s'en retourna du Jour-
fut mené au désert par l'Esprit,	l'Esprit le pousse au désert. ¹³Et il était dans le désert, quarante jours,	dain et il était mené par l'Esprit dans le désert, ²quarante jours,
pour être tenté par le diable.	tenté par Satan.	tenté par le diable.
²Et ayant jeûné quarante jours et quarante nuits, finalement, il eut faim. ³Et s'approchant, le tentateur lui dit : « Si tu es (le) Fils de Dieu, dis que ces pierres deviennent des pains. » ⁴Mais, répondant, il dit :		Et il ne mangea rien pendant ces jours-là, et lorsqu'ils furent achevés il eut faim. ³Or le diable lui dit : « Si tu es (le) Fils de Dieu, dis à cette pierre de devenir du pain. » ⁴Et Jésus lui répondit :

1. Synopse § 27; 28.

Matthieu	Marc,	Luc
« Il est écrit :		« Il est écrit que :
L'homme ne vivra pas		*L'homme ne vivra pas*
de pain seul,		*de pain seul.* »
mais de toute parole		
qui sort		
par la bouche de Dieu. »		
[5]Alors le diable		[9]Or il le mena
le prend avec (lui)		à Jérusalem
dans la Ville Sainte		et il (le) plaça
et il le plaça		sur le faîte du Temple
sur le faîte du Temple		et lui dit :
[6]et lui dit :		« Si tu es (le) Fils de Dieu,
« Si tu es (le) Fils de Dieu,		jette-toi d'ici en bas;
jette-toi en bas;		[10]car il est écrit que :
car il est écrit que :		*Il commandera pour toi*
Il commandera pour toi		*à ses anges,*
à ses anges,		*afin qu'ils te gardent.*
		[11]Et que :
et		*Ils te porteront*
ils te porteront		*dans (leurs) mains,*
dans (leurs) mains,		*de peur que tu ne heurtes*
de peur que tu ne heurtes		*ton pied à une pierre.* »
ton pied à une pierre. »		[12]Et Jésus répondant
[7]Jésus lui déclara :		lui dit :
« Il est encore écrit :		*Tu ne tenteras pas*
Tu ne tenteras pas		*le Seigneur, ton Dieu.* »
le Seigneur, ton Dieu. »		
[8]Le diable		[5]Et, le menant
le prend encore avec lui		en haut,
sur une très haute montagne,		il lui montra
et lui montre		en un instant
		tous les royaumes
tous les royaumes		de l'univers,
du monde		
et leur gloire		[6]et le diable lui dit :
[9]et lui dit :		
« Tout cela		« Je te donnerai
je te le donnerai,		tout ce pouvoir
		et leur gloire,
		car elle m'a été remise
		et je la donne
		à qui je veux.
		[7]Toi donc,

166

Matthieu	Marc	Luc
si, tombant à mes (pieds), tu te prosternes. » [10]Alors Jésus lui dit : « Retire-toi, Satan! Car il est écrit :		si tu te prosternes devant moi, elle t'appartiendra toute. » [8]Et Jésus, répondant, lui dit : « Il est écrit :
Le Seigneur ton Dieu *tu adoreras* *et à lui seul* *tu rendras un culte.* »		*Tu adoreras* *le Seigneur ton Dieu* *et à lui seul* *tu rendras un culte.* » [13]Ayant achevé toute tentation, le diable s'éloigna de lui, jusqu'au temps (marqué).
[11]Alors le diable le quitte.		
	Et il était avec les bêtes sauvages et les anges	
Et voici que des anges s'approchèrent et ils le servaient.	le servaient.	

§ 28

Matthieu	Marc	Luc
4 [12]Or, ayant entendu (dire) que Jean avait été livré, il se retira en Galilée,	[14]Et après que Jean eut été livré, Jésus vint en Galilée,	[14]Et Jésus retourna en Galilée sous la puissance de l'Esprit

[13]et, quittant Nazareth, il vint s'établir à Capharnaüm, au bord de la mer, sur les confins de Zabulon et de Nephtali. [14]Afin que fût accompli ce qui fut dit par Isaïe le prophète : [15]*Terre de Zabulon et terre de Nephtali*, Route de *la mer*, Pays de *Transjordane, Galilée des nations!* [16]*Le peuple qui* habitait *dans les ténèbres a vu une grande lumière ; et sur ceux qui habitaient la région et l'ombre de la mort, une lumière s'est levée.*

Matthieu	Marc	Luc
[17]Dès lors Jésus commença à prêcher	prêchant	

Matthieu	Marc	Luc
et à dire :	l'évangile de Dieu, et disant que : [15]« Le temps est accompli	
« Repentez-vous, car le royaume des Cieux est proche. »	et le royaume de Dieu est proche : repentez-vous et croyez à l'évangile. »	

Dans sa brièveté, le récit de Marc présenterait-il en Jésus un être affronté à la situation tragique commune aux hommes ? Le sens à donner au langage symbolique qu'il utilise lorsqu'il parle de bêtes sauvages et d'anges doit aider à éclairer son intention sur ce point. Il serait bon, en effet, de savoir pourquoi Jésus, qui vient d'être annoncé par Jean-Baptiste et confirmé dans son baptême, comme étant le Messie, semble ainsi soumis à l'épreuve.

Ce qui semble net, du moins, c'est que l'évangéliste n'a pas pour but de répondre à toutes les curiosités de ses lecteurs, car il ne raconte même pas la tentation. Ceci a conduit les commentateurs à se poser la question suivante : Marc aurait-il laissé tomber cette part du récit, présente chez Matthieu et Luc, ou ces derniers ont-ils amplifié le fond qu'ils utilisent en commun avec le deuxième évangéliste ? Ainsi ses intentions se décèleraient plus facilement, mais l'important demeure qu'il a livré le texte tel qu'il se présente et c'est à cette forme définitive qu'il faut accorder le plus d'attention.

A cet épisode de la tentation, est jointe une parole sur la prédication de Jésus. Cet ajout peut étonner certains, vu le changement apparent du ton. Que le lecteur voie là une invitation à ne pas passer rapidement sur ces versets qui doivent avoir une portée actuelle.

*

* *

a) Un rapide coup d'œil sur *le contexte* immédiat de ces deux récits, de la tentation et de la prédication de Jésus, permet de voir qu'ils concluent le prologue attribué par Marc à tout son évangile. Voilà qui éclaire le sens à leur donner.

La Tentation fait partie de l'introduction à « la Bonne Nouvelle de Jésus-Christ, Fils de Dieu » (1,1). Son attache avec le baptême est très fortement marquée par la mention de « l'Esprit » qui intervient dans les deux cas. Elle est donc à comprendre dans son rapport avec le don de l'Esprit manifesté chez celui que le Baptiste avait annoncé comme « le plus puissant ». Si Jésus est révélé dans son baptême comme investi par l'Esprit, c'est pour se montrer « fort » contre Satan. Le but du récit doit donc être de le montrer victorieux, de sorte que la Bonne Nouvelle ne soit pas seulement annoncée mais montrée se réalisant. C'est ce que confirme l'épisode qui fait suite, à travers lequel éclate la force de Jésus en action dans l'expulsion d'un démon (1,23). L'Évangile est la manifestation concrète du Saint de Dieu, qui remporte la victoire sur le Mal.

Quant au résumé sur la prédication de Jésus, il apparaît comme une réflexion qui tire les conséquences de ce que disent les deux épisodes précédents, du Baptême et de la Tentation : si le Règne de Dieu a commencé à s'exercer dans sa phase nouvelle et définitive, et qu'il est le plus fort, il faut se rendre à l'évidence et croire à cette Bonne Nouvelle. Ces versets insistent à deux reprises sur elle et invitent à la conversion. Ils reprennent par là, sous forme d'inclusion, ce qui était dit aux versets 1 et 4. Leur insertion dans le contexte est donc indéniable et l'on peut regretter que, dans certaines traductions, ils apparaissent trop détachés de ce qui précède. Ce lien n'est pas arbitraire, il s'impose même, textuellement parlant. Cependant, si ces versets concluent l'introduction à tout l'Évangile c'est pour être en même temps, comme les trois épisodes qui la composent, une introduction au ministère en Galilée (1,14 à 7,23). Après la section consacrée à cette partie de la mission de Jésus, se retrouve, d'ailleurs, une expulsion de démon (9,14-30) et un enseignement sur la manière de réagir face à ce qui peut tenter l'homme (9,42-49).

Ainsi, la Tentation et la prédication de la Bonne Nouvelle ne sont pas à prendre comme ayant eu lieu une fois seulement. Elles ont même fonction : annoncer Jésus-Christ en qui habite la puissance de l'Esprit. Mais cette révélation a connu un commencement, puis un développement. Toute la mission de Jésus a été jalonnée par cette histoire et cette annonce. Et quand elle sera achevée, ses disciples se verront confier le soin de la poursuivre en des termes qui rappellent les expulsions de démons et la non-nocivité des bêtes sauvages (16,17-18).

Quant au Royaume annoncé dans cette prédication, il apparaît comme la grande réalité autour de laquelle est construit le récit de la Bonne Nouvelle (4,11.26-29; 9,47; 10,14-15...). Bref, d'entrée de jeu sont annoncés les éléments qui ne cessent de courir dans tout l'Évangile : l'exercice du Règne de Dieu et l'opposition qu'il entraîne, mais dont il est vainqueur.

*
* *

Les deux parties du texte présentent une *organisation* correspondant au genre de chacune.

I. LA TENTATION (vv. 12-13)

Introduction : l'Esprit pousse Jésus au désert
Il se passe quelque chose :
Jésus reste là, tenté durant quarante jours.
Sens de ce qui se passe :
Il est dans la compagnie des bêtes sauvages
et les anges le servent.

II. L'INAUGURATION DU MINISTÈRE (vv. 14-15)

Partie narrative (v. 14)
Parole dite (v. 15)
 • L'action de Dieu :
 les temps sont accomplis;
 le Règne est proche.
 • Les conséquences pour l'homme :
 se repentir;
 croire à la Bonne Nouvelle.

Bien que brève la présentation de la tentation de Jésus est plus qu'une juxtaposition de trois éléments. Elle forme une unité qui associe des éléments d'aspect narratif (lieu et temps) à d'autres plus nombreux, de contenu théologique très net : « l'Esprit », « le désert », « les quarante jours », « les bêtes sauvages », « les anges »... Cette construction montre qu'il s'agit d'un genre théologico-historique.

Quant au deuxième épisode, il se présente avec les caractéristiques du genre « sommaire ». Ses deux éléments (partie narrative et parole dite) sont reliés au moyen d'une inclusion fournie par le mot « évangile » (vv. 14 et 15). Le sens à donner à l'expression « prêcher l'évangile » apparaît donc déjà : elle comporte la révélation de l'action de Dieu et ses conséquences sur les hommes, ces deux aspects étant explicités, chacun, par deux expressions qui disent la même chose, mais de manière différente : « Les temps sont accomplis; le Royaume (ou, plus exactement, le Règne) de Dieu est proche » et « repentez-vous; croyez à l'évangile ».

*

* *

Les éléments principaux fournis par le texte peuvent s'ordonner autour de l'évangile dont la puissance victorieuse vient d'éclater en Jésus, au début de sa mission et tel qu'il commence à se manifester, Bonne Nouvelle qui interpelle les hommes.

1. La Bonne Nouvelle qui vient d'éclater de manière victorieuse en Jésus, par son attitude, pourrait se formuler de la manière suivante : si l'homme est soumis à un combat intérieur contre des forces qui le feraient dévier de sa vocation de Fils de Dieu, il n'est cependant, pas enfermé tragiquement dans cette condition. Cette signification de la tentation de Jésus[2] se découvre en lisant les termes qui en parlent, interprétés selon le sens qu'ils prennent dans le langage biblique.

---

2. VTB, *Épreuve-Tentation*, N.T., I.

Il est dit que Jésus est « poussé au désert[3] par l'Esprit[4] ». Le verbe employé par Marc, *ekballo*, est très fort. On le retrouve dans son évangile pour exprimer une action violente particulièrement lorsque, par cet Esprit, Jésus lui-même expulse les démons (1,34-39; 3,15. 22...). La tentation est donc une situation dans laquelle toute la force de l'Esprit est à l'œuvre. Contrairement à Matthieu qui montre Jésus tenté seulement à la fin des quarante jours, Marc le présente tenté continuellement durant ce temps, comme l'indique l'emploi qu'il fait de l'imparfait (« il était tenté ») temps qui exprime la durée ou la répétition.

Si Jésus est conduit au désert, il faut chercher quelle signification a celui-ci. Dans la mentalité biblique, il évoque à la fois le lieu où se fait l'expérience intime de Dieu dont le peuple a découvert la présence salvatrice et révélatrice, à la sortie d'Égypte, et le lieu de l'épreuve où se manifeste le fond du cœur, la fidélité (Dt 8, 2-3). Aussi est-ce là que Dieu veut conduire à nouveau son peuple pour retrouver cette première intimité quand celle-ci a été malmenée par les fautes d'Israël (Os 2,16). Dans son évangile, Marc relève plus ce deuxième sens que le premier. Pour lui, lorsque Jésus se retire pour vivre son intimité avec Dieu, c'est « dans un lieu désert » (1,35; 6,31) qu'il se rend. Après le récit du baptême qui a montré en Jésus le Fils bien-aimé, serviteur qui, en quelque sorte, inclut dans sa personne le nouveau peuple que Dieu crée, il est clair que l'épreuve qu'il subit est celle de la fidélité à son intimité avec son Père dans la condition qu'il a épousée de serviteur de l'humanité. Mais il est clair aussi, qu'il entraîne avec lui le nouveau peuple auquel il donne naissance. En même temps que lui, c'est donc ce nouvel Israël qui sort vainqueur de l'épreuve, là où le premier s'était montré défaillant.

Car il s'agit d'une victoire totale, sans aucune ombre. En effet, l'évangéliste dit : « Il était tenté par Satan »[5], nom personnel que la Bible donne aux forces adverses que tout homme rencontre dans le monde et qui le tentent de prendre pour Dieu ce qui ne l'est pas. Mais l'auteur ajoute aussitôt : « Et il était avec les bêtes sauvages »[6]. Manifestement, la mention de ces animaux ne veut pas traduire

3. VTB, *Désert* I, N.T., I 1.2.
4. VTB, *Esprit*, N.T., I 3.
5. VTB, *Jésus-Christ*, II 2a; *Satan*, II.
6. VTB, *Bêtes*, 3 c.

l'hostilité d'un monde auquel Jésus serait en butte. Il faut plutôt y voir une marque de la sécurité qui l'habite et de la venue, avec lui, du monde à venir annoncé par les prophètes, celui des temps messianiques où l'homme se retrouverait réconcilié avec la Création (Is 11,6-7; 65,25...). Ce sens messianique est souligné encore par cette autre parole de l'évangéliste : « Et les anges[7] le servaient. » Le psaume (91,11) auquel cette expression fait manifestement allusion était, en effet, appliqué de manière particulière au Juste par excellence que serait le Messie. Il était attendu comme devant jouir, par cette qualité, d'une protection de Dieu telle que les puissances hostiles, à l'œuvre dans le monde, n'auraient pas de prise sur lui.

La Tentation prend ainsi tout son sens et un sens conforme à la présentation, spécifique au deuxième évangile, que Marc fait du « Fils de l'homme ». Dieu a créé une humanité qui, dès son origine, n'a pas su reproduire « son image ». Avec Jésus, cette mission est assurée : l'épreuve du paradis est renouvelée, mais c'est un Adam[8] sûr de lui, ou plutôt de Dieu, qui la traverse. En effet, les deux expressions concernant les bêtes et les anges sont accompagnées d'un verbe à l'imparfait, indiquant le caractère continu de la paix du Christ durant toute son épreuve. Marc se préoccupe donc peu du contenu de cette épreuve; tout son intérêt porte sur l'attitude de Jésus, qui est celle de la victoire absolue et sereine : Jésus est en harmonie avec Dieu, avec lui-même, avec le monde, il est vraiment l'homme à Son image.

2. Maintenant que, par les récits de la prédication de Jean-Baptiste, du baptême et de la tentation de Jésus, les lecteurs de l'Évangile savent qui est Jésus, quelle est sa puissance et comment, avec lui, une ère nouvelle a commencé, il est possible de comprendre ce que cette Bonne Nouvelle entraîne pour les hommes, lorsqu'elle commence à leur être annoncée. Chaque détail du texte mérite une explication pour faire comprendre tout le sens de cette étape.

7. VTB, *Anges*, N.T., 1.
8. VTB, *Adam*, II 1.

— Ce sont tout d'abord des mentions de temps et de lieu qui introduisent l'invitation lancée par Jésus. Pour en comprendre toute l'importance, il faut voir quel sens théologique elles peuvent contenir.

Cette invitation va marquer le commencement d'une ère nouvelle. Le temps qui précédait était celui de l'Ancien Testament au terme duquel se trouvait Jean-Baptiste, avec des éléments bien propres à celui-ci, il est vrai. En effet, il ne s'adressait plus, comme ses devanciers les prophètes, à un peuple, mais à des individus et il joignait un baptême à la parole ; enfin, il annonçait quelqu'un sur qui reposerait l'Esprit. Durant une courte période, Jésus a cheminé avec lui, mais son baptême ayant conduit l'ordre ancien à sa perfection, le temps est donc venu de manifester l'ère nouvelle qui commence : celle du « Règne » eschatologique en la personne de Jésus. Cette expression de Règne semble préférable à celle de Royaume qui indique plutôt la réalité résultant de ce Règne. Dire que Jésus se rend dans une autre région et que cela coïncide avec l'arrestation de Jean, c'est suggérer les ressemblances et différences entre le style de vie et la prédication des deux hommes correspondant à ces deux temps. L'un et l'autre annoncent la proximité d'un événement bouleversant ; l'un et l'autre, aussi, prêchent la repentance. Mais, outre qu'il le fait avec un accent propre, Jésus apporte des éléments nouveaux. Jean parlait au futur : « Il vous baptisera » (v. 8), lui parle au présent : « Le Règne s'est approché » (v. 15) ; de plus, il demande de « croire en l'Évangile ». Il n'est donc plus question de se préparer à un événement, mais de l'accueillir parce qu'il est là.

Quant au territoire nouveau où se déroule cette première offensive destinée à obtenir la libération des personnes captives de la souffrance, du mal et de la mort, comment ne pas voir son sens pour les chrétiens ? Selon la Tradition à laquelle se réfère Marc, n'est-ce pas en Galilée que Jésus a donné rendez-vous pour se manifester vivant après sa Résurrection (16,7) ? Cette terre a, pour l'évangéliste, une signification théologique. Elle est, pour lui, le lieu où la vie de Jésus atteint un sommet. C'est là que la prédication du Règne a commencé (vv. 14-15), que les premiers disciples seront appelés (1,17) que les foules accourront de partout (3,7-8), que l'unité du pays sera reconstituée (7, 31). Après une retombée pour la mort à Jérusalem, un nouveau temps commencera sur la Galilée nouvelle, c'est-à-dire toute terre où retentira l'Évangile de Dieu. L'évangéliste, imbu de cette conviction, relisant l'histoire passée, veut donc faire ressortir que cette Bonne Nouvelle, en fait, commençait déjà à retentir du temps de la vie terrestre de Jésus lorsque, pour la première fois, il a commencé son ministère en Galilée. C'est pourquoi il ajoute « prêchant l'Évangile de Dieu » (v. 14) mettant dans ces mots tout le contenu de la foi chrétienne jusque dans son achèvement[9].

— Mais de quelle manière commence cet évangile? « Le temps est accompli et le Règne de Dieu est proche », dit le texte. Ces expressions sont porteuses de précisions et de mystère. Précisions car « le Règne de Dieu[10] » est un élément essentiel de l'Ancien Testament exprimant la souveraineté de Dieu dans sa présence à l'histoire des hommes et qui avait orienté toute son espérance. A l'origine l'attente était dirigée vers la venue d'un fils de David; à partir de l'exil, d'un serviteur du Seigneur qui porterait le salut et la joie (Is 61,11) et, enfin, dans la période la plus récente, celle d'un « Fils de l'homme », être participant au monde divin, personnification du monde des hommes auxquels sont communiqués les dons mêmes de Dieu et qui jugera les royaumes terrestres (D 7,13-14) quand le temps sera accompli. Cette espérance était devenue d'autant plus vive que le peuple était affronté à des adversités et misères de toutes espèces. Mais cette espérance avait pris la forme d'une attente d'un événement visible, extérieurement bouleversant. Jean lui-même, aux dires de Matthieu et de Luc, montre sa manière de participer à cette conception (Mt 3,12 p).

Or, c'est là qu'intervient l'aspect mystérieux du Règne dont parle Jésus. Il ne le présente pas ainsi; il le dit « arrivé » et, cependant, « encore à venir ». Tel est, en effet, le sens de l'expression « est proche » (ou « s'est approché ») verbe grec au parfait, c'est-à-dire à un temps qui exprime une action passée dont l'effet dure. Il s'agit donc d'une réalité nouvelle, se présentant d'une manière qui n'était pas prévue. Plus qu'invisible ou intérieure, la caractéristique de cette réalité est d'être en train de paraître. Elle semble viser Jésus lui-même, sa propre personne, qui commence à révéler quelque

9. Voir ce qui est dit de cet Évangile page 40.
10. VTB, *Royaume*, N.T., I 1; II 2; *Espérance*, N.T., I.

chose de la divinité qui l'habite, de son amour infini qui apparaît sous forme de signes à travers ses gestes et paroles. Le Règne est donc là, avec lui. Mais, pour qu'il devienne effectif, il faut pourtant encore qu'il soit reçu, accueilli.

Le mystère du Règne réside dans la relation existant entre sa réalité, puisqu'il est bien là, et la réponse qu'il attend de l'homme. Il est don gratuit offert à l'homme sans que celui-ci y soit pour rien. Mais il devient effectif seulement s'il est accueilli et, de ce point de vue, tout dépend donc de l'homme. Il est offert, non imposé; l'accueillir demande de se faire violence (comme le rapporte Matthieu 11,12), d'accepter le combat avec soi-même, de s'ouvrir à une réalité qui dépasse tout ce que l'homme peut atteindre par lui-même.

— C'est face à cette réalité que prennent leur sens toutes les autres expressions « les temps sont accomplis », « repentez-vous », etc.

« Les temps[11] sont accomplis » est une expression qui reprend l'une de celles qu'ont particulièrement utilisées les premières communautés chrétiennes (voir Ga 4,4; Ep 1,10) pour l'appliquer à la réalisation du salut par Jésus, dans sa Passion glorieuse. En reportant cette expression à la première prédication de Jésus, l'évangéliste manifeste là, comme lorsqu'il dit « Évangile de Dieu », la réflexion, pour les chrétiens, sur l'actualité des faits et gestes de Jésus. Il reprend, pour en tirer tous les développements, le sens de la « fin » attendue dans l'Ancien Testament, autrement dit de la « venue de Dieu » pour partager en plénitude ses biens avec les hommes. L'histoire présente ainsi deux dimensions : l'une relevant d'un temps chronologique, repérable instrumentalement ou psychologiquement, par les hommes, et l'autre d'un temps théologique, celui vécu en accueillant le Royaume, c'est-à-dire en donnant à sa moindre activité une valeur éternelle. Ce temps-là ne relève pas de la chronologie : il est, à tout moment, proche de tout homme. Pour y être introduit il suffit d'accueillir le Royaume. Mais y pénétrer c'est entrer dans un devenir, car la nature de ce Royaume est d'être une réalité qui s'approche sans cesse, à accueillir non seule-

---

11. VTB, *Temps*, N.T., I 2; *Accomplir*, A.T., 3.

ment une fois, mais de manière toujours renouvelée. Il est une réalité en développement, une histoire à faire librement et non un donné fermé, reçu une fois pour toutes dans son achèvement. Jésus est sans cesse à venir. Ce qui apparaît, ce sont des signes, des appels du monde de ce temps nouveau qu'il apporte, mais la souffrance, le mal et la mort n'ont pas achevé de disparaître. Le temps de la « fin » est donc arrivé mais il n'en est qu'à son commencement et ceux qui y entrent par la foi se retrouvent tendus vers son accomplissement définitif. Croire, c'est courir cette aventure.

Face à cette réalité, le sens de la prédication[12] « repentez-vous », se comprend. Le verbe grec traduit ainsi ne signifie pas « regretter ses péchés », mais d'abord « changer son état d'esprit ». Il s'agit d'un appel à prendre parti face à la nouvelle inouïe : en Jésus est manifesté plus qu'un pouvoir humain, celui de Dieu lui-même à la disposition de tout homme, à tout moment. Autrement dit : un champ est ouvert à l'homme, pour qu'il accède à une vie supérieure. Que va-t-il faire quand cette possibilité se présente à lui comme un événement actuel ? « Repentez-vous », c'est, en effet, la parole des premiers prédicateurs de la nouvelle « Jésus ressuscité » (voir Ac 2,38; 3,19, etc.). S'ils appellent à la conversion, c'est parce qu'ils annoncent d'abord un événement interpellateur.

« Croyez[13] en l'Évangile », est-il dit. C'est tout le programme, mis en formulation chrétienne, des campagnes de Jésus en Galilée. Il invite à croire à cette Nouvelle que Dieu est ici, maintenant, avec lui, pour ouvrir l'homme à une réalité capable d'être plus forte que la souffrance, le mal et la mort sur lesquels celui-ci bute sans cesse. Il est invité à croire plus que tout à la vie, puissance à l'œuvre dans le monde mais qui n'y est pas enfermée, qui le dépasse et qui est rendue présente dans l'événement Jésus. Bref, il s'agit d'un appel à croire en Jésus en qui se fait le lien et la communication de sa propre histoire avec quelqu'un qui est plus qu'un homme, et qu'il appelle Dieu.

12. VTB, *Prêcher*, I 1.2.
13. VTB, *Foi*, N.T., I 2.

*
* *

Le récit de la Tentation, même ramené à sa plus simple expression par Marc, et le sommaire introductif à la période qui a suivi, révèlent une réflexion déjà chrétienne. Sont-ils dépourvus, pour autant, d'*enracinement historique?*

Si la tentation de Jésus s'est passée alors qu'il était « au désert », nul autre que lui n'en a été témoin. Pour qu'elle soit connue, il faut donc qu'il en ait fait la confidence. Dans ce cas, les évangélistes ont coutume de l'indiquer en présentant l'enseignement dans la bouche de Jésus. Or, rien de tel n'apparaît ici. Le récit est à la troisième personne. On est donc amené à chercher où, dans l'Évangile, apparaît une confidence de Jésus relative à l'obstacle que sa mission doit subir du fait de Satan. Et, tout naturellement, c'est le contexte de la scène de Césarée qui se présente à l'esprit (8,27-34). Sans doute est-ce à l'occasion d'une rectification des conceptions trop humaines que les apôtres se faisaient de sa mission de Messie, que le Christ a pu révéler le caractère de combat de celle-ci avec une chance que son enseignement soit au moins retenu. Par la suite, dans la lumière définitive de Pâques, cet épisode a pris toute sa signification de combat type préfaçant tous les autres menés par Jésus jusqu'à sa mort. Mais sa place à cet endroit n'a pas dû être inventée par la tradition. Elle remonte certainement à un fait vécu par Jésus. Il serait d'ailleurs bien étrange que la communauté primitive si convaincue de la puissance de son Seigneur ait inventé un récit qui le montre aux prises avec la condition humaine commune.

Bien des raisons postulent la réalité du fait. Le Christ venant de fonder en sa personne le nouvel Israël, il est compréhensible qu'à l'imitation de celui-ci après sa traversée de la mer Rouge, il connaisse, à la suite de son baptême, l'épreuve du désert et de la tentation. Le fait est symbolique, mais ne révèle toute sa signification que s'il a vraiment existé. Il s'inscrit dans la ligne d'une prise de conscience existentielle, par Jésus, de sa mission. Il est habituel, chez tout homme, au moment où il s'engage dans une vie de combat, d'éprouver, avant de s'y livrer, quelque chose de ce que sera celui-ci :

avant de partir en campagne, il est bon d'éprouver sa force. Pourquoi Jésus n'aurait-il pas suivi cette loi humaine ? L'on peut penser, au contraire, qu'il y fait allusion dans sa parabole de l'homme fort (3,27).

Enfin, au moment où, pris par les événements qui conduisent des foules à Jean-Baptiste, il est mis devant des conditions qui l'appellent à demander le baptême et à réaliser de manière décisive ce que sera sa mission, la tentation qu'il a subie se comprend dans ce contexte historique. En effet, quels qu'aient été les courants qui la traversaient, la mentalité populaire concevait le Messie comme devant manifester une force directement politique et sociale. Jésus se voit donc amené à rejeter toutes ces contrefaçons de sa mission auxquelles l'entourage le provoquera sans cesse.

Au plan de l'historicité, il est normal de pousser plus avant et de se poser la question de savoir ce qu'a pu représenter, concrètement, la tentation vécue par Jésus. Les chrétiens de tous les temps ne se sont pas fait faute de se la poser. La réponse de l'Évangile ne se situe pas au plan psychologique, mais sur celui de l'affirmation théologique : Jésus s'est présenté en serviteur, c'est-à-dire solidaire de l'humanité qu'il a prise, y compris avec la possibilité de se trouver dans la situation d'épreuve commune aux hommes. Le contexte des confidences qu'il a faites sur le Satan à repousser montre que l'épreuve, constante pour lui, et donc dès le début de sa mission, a été l'opposition que la Bonne Nouvelle qu'il portait par sa personne, a rencontrée. La tentation devait donc être de prendre des moyens pour éviter cet échec ou, plus simplement, de refuser cette mission; bref de se couper de celui que Jésus appelle Dieu. Or l'Évangile dit : si Jésus s'est trouvé dans ces conditions de tentation, il n'a pas failli, ce qui fait de son épreuve, non seulement un exemple pour les hommes, mais un événement dont l'efficacité est réelle et englobe les tentations de tous.

Quant au sommaire sur le début du ministère de Jésus en Galilée, bien qu'il reflète des expressions (« croyez à l'Évangile »...) typiquement chrétiennes et que, par ailleurs sa présentation sous forme schématisée soit plus que visible, il n'en révèle pas moins le fondement historique sur lequel il repose.

La mention de Jean-Baptiste « livré » (c'est-à-dire emprisonné) et celle de la Galilée sont, il est vrai, relevées par Marc avec un sens symbolique. Mais, par-delà, elles font atteindre à des faits très solides qui s'éclairent par comparaison avec les autres évangiles. Il s'est, en effet, passé du temps entre le moment du baptême et de la tentation de Jésus et celui de l'arrestation de Jean. C'est le quatrième évangile qui fournit des renseignements sur cette période (Jn 4,1-2) : Jésus, jusque-là, était associé à Jean-Baptiste tout en ayant plus grand succès que lui. L'emprisonnement de celui-ci se comprend donc comme le fait qui détermine le Maître à sortir de cette période de préparation et à commencer au grand jour ses premiers combats. Ainsi peut s'entendre dans son contexte historique la parole : « Le temps est venu... »

✷
✷ ✷

Ces deux tout petits passages de l'évangile de Marc apparaissent ainsi avoir une portée en proportion bien inverse de leur brièveté. Ils *interpellent* ceux qui les lisent sur un point s'inscrivant dans la suite des invitations déjà fournies par le récit du baptême et relatif à l'Évangile, c'est-à-dire à ce que la foi chrétienne a de spécifique.

Tout d'abord, l'objet de la foi est de voir en Jésus l'homme selon le plan de Dieu ; de croire qu'à un moment de l'histoire, en un lieu donné, a existé un être qui a mené le combat contre les forces du mal et remporté la victoire sur elles. Croire donc que chaque membre de l'humanité, dont Jésus est solidaire et qu'il inclut en lui, peut passer par la brèche qu'il a ouverte et accéder ainsi à une vie supérieure.

L'objet de la foi porte sur cette heureuse nouvelle. Croire, c'est reconnaître en Jésus non pas seulement le plus puissant des hommes, mais proprement quelqu'un qui porte en lui la force divine elle-même, pour vaincre avec tant de sûreté, de sécurité, de liberté !

Avoir perçu en soi la possibilité d'accès à une vie supérieure, c'est-à-dire à la vraie liberté, et reconnaître en Jésus celui qui, à la fois, invite à franchir cet accès et permet à tout homme qu'il devienne

180

effectif, voilà un deuxième trait spécifique de la foi chrétienne.

Quelle que soit la manière dont cette attitude s'exprime, l'homme affronté au combat intérieur face aux forces adverses à l'œuvre dans le monde, peut percevoir dans cette situation tragique qui est la sienne un appel à « plus » et croire ce « plus » possible quelque part dans le monde. Le Règne de Dieu est, alors, proche de lui.

Mais, et c'est un troisième trait spécifique de la foi chrétienne, celui qui accueille cet Évangile de Dieu, cette Bonne Nouvelle de Jésus lui-même et de la parole que sa mission l'a conduit à proclamer, celui-là commence à vivre une expérience nouvelle marquée d'une espérance particulière. Elle change quelque chose dans son comportement, mais elle n'est qu'en devenir, aventure sans cesse à renouveler toute tendue vers la plénitude de sa réalisation au-delà du temps présent.

Autrement dit, tout en provoquant sans cesse le chrétien à mener le combat pour un monde meilleur, son espérance lui fait en même temps dépasser la tentation d'enfermer sa raison d'être définitive dans le monde présent.

G. B.

LUEUR DE GLOIRE
SUR UN CHEMIN DOULOUREUX[1]

Matthieu	Marc, 9,1-9	Luc
	[1]Et il leur disait :	
16 [28]En vérité	« En vérité	
je vous dis que	je vous dis que	9 [27]Je vous (le) dis
		vraiment :
il en est	il en est	il en est
d'ici présents	d'ici présents	d'ici présents
qui ne goûteront pas	qui ne goûteront pas	qui ne goûteront pas
la mort	la mort	la mort
qu'ils ne voient	qu'ils ne voient	qu'ils ne voient
le Fils de l'homme		
venant,		
en son royaume. »	le royaume de Dieu	le royaume de Dieu. »
	venu en puissance. »	

§ 169

Matthieu	Marc	Luc
		[28]Or il arriva,
		après ces paroles,
17 [1]Et après six jours,	[2]Et après six jours,	environ huit jours,
Jésus prend avec (lui)	Jésus prend avec (lui)	et ayant pris avec (lui)
Pierre et Jacques	Pierre et Jacques	Pierre et Jean
et Jean son frère	et Jean	et Jacques
et il les emmène	et il les emmène	il monta
sur une haute	sur une haute	sur
montagne,	montagne,	la montagne
à part.	à part, seuls.	
		pour prier.
		[29]Et il arriva,

1. Synopse § 168; 169.

Matthieu	Marc	Luc
		comme il priait,
²Et il fut transfiguré devant eux, et son visage brilla comme le soleil,	Et il fut transfiguré devant eux,	l'aspect de son visage devint autre,
mais ses vêtements devinrent	³et ses vêtements devinrent resplendissants,	et son vêtement
blancs comme la lumière.	très blancs,	blanc, fulgurant.
	tels qu'un foulon sur la terre ne peut ainsi blanchir.	
³Et voici leur apparu(ren)t Moïse et Élie	⁴Et leur apparut Élie avec Moïse, et ils étaient	³⁰Et voici, deux hommes
s'entretenant avec lui.	s'entretenant avec Jésus.	s'entretenaient avec lui, lesquels étaient Moïse et Élie,

³¹qui, apparus en gloire, parlaient de son exode qu'il allait accomplir à Jérusalem. ³²Or Pierre et ceux (qui étaient) avec lui étaient accablés de sommeil : restant éveillés, ils virent sa gloire et les deux hommes qui se tenaient avec lui. ³³Et il arriva, comme ils se séparaient de lui,

Matthieu	Marc	Luc
⁴Or, prenant la parole, Pierre dit à Jésus : « Seigneur, il est bon que nous soyons ici; si tu veux, je ferai ici trois tentes, pour toi une et pour Moïse une et pour Élie une. »	⁵Et, prenant la parole, Pierre dit à Jésus : « Rabbi, il est bon que nous soyons ici; et faisons trois tentes, pour toi une et pour Moïse une et pour Élie une. » ⁶Car il ne savait pas que répondre, car ils étaient saisis d'effroi.	Pierre dit à Jésus : « Maître, il est bon que nous soyons ici; et faisons trois tentes, une pour toi et une pour Moïse et une pour Élie », ne sachant ce qu'il disait.
⁵Comme il parlait encore, voici, une nuée	⁷Et arriva une nuée,	³⁴Comme il disait cela, arriva une nuée

Matthieu	Marc	Luc
lumineuse les mit sous son ombre,	les mettant sous son ombre,	et elle les mettait sous son ombre, et ils furent effrayés quand ils entrèrent dans la nuée.
et voici une voix, de la nuée, disant : « Celui-ci est mon Fils bien-aimé en qui je me suis complu : écoutez-le. » [6]Et, ayant entendu,	et arriva une voix, de la nuée : « Celui-ci est mon Fils bien-aimé : écoutez-le. »	[35]Et une voix arriva, de la nuée, disant : « Celui-ci est mon Fils élu : écoutez-le. » [36]Et, quand la voix fut arrivée,

les disciples tombèrent sur leur
face et furent fort effrayés.
[7]Et Jésus s'approcha et, les ayant
touchés, dit : « Levez-vous et
n'ayez pas peur. »

Matthieu	Marc	Luc
[8]Or, levant leurs yeux, ils ne virent personne sinon lui, Jésus, seul.	[8]Et soudain, regardant autour (d'eux) ils ne virent plus personne sinon Jésus seul avec eux.	Jésus se trouva seul.
[9]Et comme ils descendaient de la montagne, Jésus leur commanda disant : « Ne dites à personne	[9]Et comme ils descendaient de la montagne, Jésus leur recommanda de ne raconter à personne	Et eux gardèrent le silence et n'annoncèrent à personne, en ces jours-là, rien de ce
la vision, jusqu'à ce que le Fils de l'homme s'éveille d'entre les morts. »	ce qu'ils ont vu, sinon quand le Fils de l'homme se serait levé d'entre les morts.	qu'ils avaient vu.

Voici une scène grandiose mais, aussi, étrange et mystérieuse.

Étrange parce que des images y sont accumulées avec lesquelles le lecteur moderne n'est pas très familiarisé, car elles renferment de nombreuses allusions à l'Ancien Testament, comme la « montagne », les « tentes », la « nuée », etc.

Mystérieuse, car il se passe quelque chose de stupéfiant concernant la Personne de Jésus. Il semble subitement avoir abandonné son parti pris d'être effacé et de ne rien dire de lui : le voilà qui se montre éclatant de gloire! Mystérieuse aussi parce que les témoins de la scène se disent à la fois heureux et saisis de frayeur, et parce qu'il leur est enjoint de ne rien dire. Finalement, quel secret leur a été transmis, qu'ils doivent garder à leur tour ?

Le texte de Marc est plus bref que celui des deux autres Synoptiques. Il n'est pas question de développement sur l'Exode, comme chez Luc (vv. 31-32); pas question non plus de relèvement des apôtres, comme chez Matthieu (vv. 6-7). Le deuxième évangéliste n'aurait-il donc en propre que le détail piquant de la lessive capable de tant blanchir les vêtements (v. 3) ?

La critique peut aussi être plus globale : le récit a été transmis après Pâques et semble très teinté de l'expérience de cet événement. A la limite, ne pourrait-il pas avoir été créé de toutes pièces, après coup, comme une prédication destinée à montrer en Jésus-homme l'être glorieux auquel croient les chrétiens ? Sinon, dans le cas où l'événement a eu lieu, comment se le représenter ? Pour répondre à ces questions, il importe de retrouver l'intention de l'auteur et la profondeur de son texte.

*
* *

a) L'épisode de la Transfiguration est relié au *contexte* immédiat par deux versets transition (1 et 9) qui se correspondent et où il est question de la manifestation glorieuse du Fils de l'homme.

Les récits qui enserrent l'épisode lui-même soulignent le sens à lui donner. En effet, il est encastré entre des « annonces de la Passion », (8,31-33 ; 9,30-32 ; 10,32-34) ; il est, de plus, situé dans une section (7,24 à 10,52) où Jésus intensifie son enseignement à ses disciples souvent seuls, parfois avec des foules. Depuis le début de son ministère, il n'a pas été reçu par les siens pour ce qu'il est. Aussi en est-il venu à se consacrer plus spécialement à la formation de ce petit groupe. Son but est de leur ouvrir les yeux sur son identité : « Qui suis-je ? » (8,27). Pierre répond par le mot juste : « Le Christ » (c'est-à-dire « le Messie »). Mais il se fait reprendre parce qu'il n'y met pas le contenu convenable, à savoir : Messie qui manifestera sa gloire en passant par la mort. C'est « six jours après » (v. 9) cette première annonce de la Passion (8,30-33) qu'est situé l'épisode de la Transfiguration. Il doit donc avoir pour but de préciser à Pierre et à ses compagnons l'enseignement sur l'identité du Messie glorieux par la souffrance.

Cet enseignement est encore mis en évidence par les instructions qui précèdent : imitation du maître par ses disciples et jugement du Fils de l'homme (8,34-38) concernant le portement de croix pour accéder au salut. Quant à la guérison de l'enfant épileptique qui suit, elle souligne l'affrontement de Jésus avec le mal (9,14-29). Ce rapprochement rappelle celui qui existe entre la scène glorieuse du baptême et celle de la tentation qui l'a suivie. L'évangéliste relève ainsi le rapport entre la gloire et la lutte avec le mal.

Toute une série de précisions montre les liens du passage avec l'ensemble du reste de l'évangile de Marc.

Les trois interlocuteurs « pris à part » : Pierre, Jacques et Jean se retrouvent témoins privilégiés de deux autres scènes : la résurrection de la fille de Jaïre et l'agonie de Jésus. Lorsqu'ils apparaissent ainsi, c'est donc toujours pour une révélation importante et secrète concernant la personne de Jésus. De même, dans ces trois passages, il est question de passion et de résurrection.

L'expression « il ne savait ce qu'il disait » se retrouve à propos des fils de Zébédée au sujet de la nécessité de passer par la mort pour être glorifiés (10,38), et à Gethsémani alors que les apôtres sont témoins de ce qui arrive à Jésus (14,40).

Plus apparents encore sont les liens du récit de la Transfiguration avec celui du Baptême. Tous les deux lèvent un voile sur l'identité du Messie, Fils de l'homme, dont le secret ne peut être connu sans une révélation spéciale. Mais il y a une progression du premier au second. A son baptême, Jésus est présenté comme un être céleste : le ciel lui est ouvert. Cependant il est seul (chez Marc) à en avoir conscience : c'est lui qui « voit », et c'est à lui que « la voix » s'adresse. Il y a là comme une anticipation de la révélation plénière qui éclatera dans la Passion glorieuse. A la Transfiguration, les mêmes éléments apparaissent, mais cette anticipation est plus accentuée : comme à la Résurrection, il est fait mention de montagne, de vêtement blanc, d'êtres célestes ; enfin, Jésus n'est plus seul à connaître le secret qui le concerne : des témoins sont invités à le partager, même s'ils ne le comprennent pas encore.

Replacer l'épisode de la Transfiguration dans son contexte demande, enfin, de voir à quel endroit de l'ensemble de l'évangile il est situé. Les commentateurs s'accordent à dire que c'est au tournant le plus décisif (et commun aux trois Synoptiques), marqué par la confession de Pierre à Césarée. Dans une première partie, Marc a présenté Jésus agissant de manière à faire poser la question de savoir qui il est. La confession de Pierre qui va provoquer, en quelque sorte, l'épisode de la Transfiguration ouvre, avec elle, la deuxième partie qui achemine à la Passion. Le titre de « Fils de l'homme », si cher à Marc, va intervenir plus fréquemment dans cette finale. Or il n'est pas qu'un titre, mais un nom qui exprime une mission.

A partir de la confession de Césarée, Jésus a donc décidé de révéler davantage sa mission : il est le Fils de l'homme qui va amener le Royaume glorieux attendu, mais en devant subir la mort. Baptême et Transfiguration apparaissent ainsi comme deux scènes ayant une même fonction. Au moment où Jésus inaugure son ministère et l'affrontement public du mal, l'épisode lève un coin de voile : ici commence la mission de Jésus de glorification par la mort. Puis Jésus se livre à son ministère, investi de cette puissance dont personne ne soupçonne la source et qui n'apparaît d'ailleurs que fortuitement. Alors, à Césarée, au moment où il va affronter sa passion et dévoiler ainsi le secret qui l'habite, Pierre lui attribue un titre qui va dans le sens de cette révélation. Jésus souligne aussitôt le propos exprimé et se dévoile ainsi davantage. Le lecteur de l'évangile doit donc le savoir clairement : Jésus révèle ce qu'il est, par sa passion glorieuse (voir 14,39). Donc, plus celle-ci approche, plus il est normal que soit précisé qui il est.

b) Les contours de l'*organisation du texte* apparaissent avec netteté. On peut les représenter suivant un schéma spatial : bas, haut, bas.

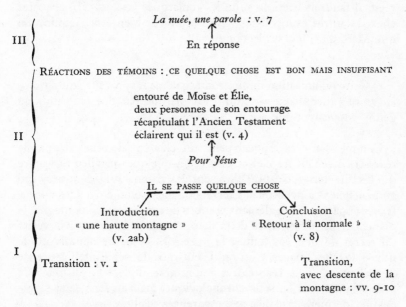

Une image domine la construction du récit : celle de la montagne, gravie d'abord, descendue ensuite. Mais le fait qu'entre deux il se soit « passé quelque chose » suggère qu'il y a eu comme une ouverture à un autre monde qui, à présent, doit faire vivre différemment dans celui du quotidien.

Dans la section consacrée à la vision, évidemment la plus importante, apparaissent nettement deux parties, la seconde (III), plus brève parce que chargée de la parole la plus révélatrice sur Jésus. Dans la première (II), c'est l'Ancien Testament qui éclaire sa personne ; dans l'autre, c'est Dieu lui-même, preuve que les précédents intervenants, Moïse et Élie, étaient insuffisants à révéler qui il était.

La relance entre les deux est effectuée par la réaction des témoins. Ceux-ci trouvent dans le premier cas quelque chose à dire, mais en décalage sur la réalité, et dans le deuxième, ils restent sans mot dire, indice qu'ils doivent être complètement dépassés. Ils ont fait une expérience dont ils restent marqués, de retour à leur vie ordinaire, mais qu'ils ne comprendront que plus tard.

Pour bien saisir l'aspect de black-out si fort mis en relief dans ce récit, il faudrait lire à la suite les remarques (vv. 10.12b) absentes chez les autres évangélistes : elles semblent bien être l'explication que Marc fournit à ses lecteurs.

c) Cette organisation du texte fait également apparaître qu'il *relève du genre* « théophanie » et qu'il est marqué par des emprunts au genre « apocalyptique ».

Comme dans les Apocalypses un élément domine : la parole révélatrice venant du ciel et réservée à quelques privilégiés, car ce qui les caractérise, c'est qu'elles sont des visions qui aident ceux qui en bénéficient à pénétrer les secrets divins. Comme dans les apocalypses apparaissent également nombre de symboles : la montagne, la blancheur, la présence de deux personnages pour garantir la vérité du secret dévoilé, les tentes, la nuée... Si ce genre apocalyptique utilise de telles images, c'est qu'il veut introduire à l'intelligence de la réalité, et de la réalité très importante de la « fin ultime » de l'histoire non pas au sens chronologique, mais au sens de sa signification dernière, par-delà ses apparences visibles.

Il s'agit d'un genre qui peut étonner ou dérouter le lecteur moderne, au moins dans son emploi littéraire, car il n'est pas sans en connaître des équivalents, dans le septième art notamment. Mais il importe de savoir que son utilisation était de la plus haute importance pour la foi des contemporains du Christ. On pourrait en voir les premières origines dans le livre d'Ezéchiel (9,2-11) d'Isaïe (24-26; 34-35; 64-66) de Zacharie (8-14) et surtout de Daniel. Que le lecteur se reporte, par exemple, à la vision de l'homme vêtu de blanc (Dn 10) : il y trouvera, outre la blancheur (v. 5), la lumière (v. 6), un témoin privilégié (v. 7), l'effroi (v. 7), des paroles (v. 9 s)... Concernant la foi, la grande question que voulaient éclairer les apocalypses était celle du Royaume, celui à venir, transfiguré, des saints glorifiés, d'une humanité libérée des douleurs de ce monde et dont on parlait de manière personnifiée, comme d'un « Fils de l'homme venant sur les nuées » (Dn 7,13).

Tous ces éléments montrent le sens dans lequel il convient de lire le récit de la Transfiguration. A ce que montrait déjà l'étude du contexte, celle de l'organisation et du genre littéraire permet ainsi d'ajouter quelques précisions. Si Jésus a pour mission de manifester sa divinité par sa passion glorieuse, il est celui par qui l'histoire de l'humanité trouve le dernier mot de son destin. Cependant, lorsque Marc écrit ce récit, ses lecteurs ont mieux qu'une apocalypse : l'événement lui-même de la Résurrection, par lequel Jésus a manifesté dans tout son éclat la nature profonde de sa personne. Dès lors, plus qu'à l'Ancien Testament les symboles de son récit veulent faire penser à ceux qui sont associés à cette Résurrection : la montagne, la transformation de Jésus, ses témoins privilégiés... Voilà ce qu'annonce la Transfiguration : l'événement décisif qui change le sens du monde.

*
*　*

L'ensemble du récit a donc pour but de transmettre une révélation concernant Jésus dans son rôle relatif à la fin des temps. Mais, chez Marc, cette révélation est rapportée sous un jour spécial : elle est si étrange qu'elle est réservée à certains seulement et qu'elle leur paraît plus la mise en présence d'un mystère qui interpelle qu'une vision claire et définitive. Les *éléments principaux* du récit peuvent être vus suivant ce double aspect.

1. Quelque chose est dévoilé de l'identité de Jésus : il est le personnage qui inaugure le Royaume attendu pour la fin des temps, autrement dit le Messie « Fils de l'homme ».

Que Jésus soit le personnage avec qui est inauguré le Royaume attendu pour la fin des temps est dit de manière éclatante par tous les termes apparentés aux symboles apocalyptiques.

— Le cadre qui introduit le récit est déjà typique par lui-même. « Après six jours » dit le texte sans préciser à partir duquel il faut compter ainsi. Cette imprécision suggère que l'expression est à prendre dans son sens théologique. Elle rappelle principalement le temps que Moïse a passé au Sinaï avant de pénétrer dans la nuée (Ex 24,16). Il s'agit donc de la durée d'une préparation à une grande révélation, Jésus, parole de Dieu à écouter, prenant la place des tables de pierre. Puisque c'est un septième jour que la loi est donnée, il est tout indiqué qu'une révélation importante sur Jésus ait lieu également un septième jour. Prise eschatologiquement, l'expression peut aussi être une manière de suggérer le temps qui précède le jour de la plénitude[2], celui de la « fin ».

Trois témoins seulement sont invités à partager la révélation. Cette sélection a pour but, dans les apocalypses, de montrer qu'il s'agit d'un secret réservé[3]. Mais chez Marc une tournure spéciale est employée : ils sont dits emmenés « à part ». Cette expression revient à sept reprises dans son évangile et toujours dans des passages à contenu messianique (voir 6,31-32; 13,3).

La localisation « sur une haute montagne » vient enfin compléter ce cadre. Emplacement privilégié des rencontres avec Dieu, particulièrement pour Moïse, la montagne en est venue à exprimer dans les apocalypses le lieu de la révélation des temps eschatologiques[4]. C'est donc ce sens théologique qu'elle signifie avant tout.

— Ce qui se passe pour Jésus est également typique des transformations attendues pour le temps de la venue du Royaume des Saints.

A partir de ce qui était dit de Moïse dont la « peau du visage rayonnait... » (Ex 34,29), les apocalypses décrivaient la transformation finale (ou glorification) des êtres au moyen de termes particuliers : blanc[5], lumière, vêtement... qui ont tous une signification

---

2. VTB, *Temps*, N.T., I 2; *Jour du Seigneur*, N.T., I 1.
3. VTB, *Révélation*, N.T., I c; *Mystère*, N.T., I.
4. VTB, *Montagne*, II 1.3.
5. VTB, *Blanc*, 2.

eschatologique. Pratiquement, ils veulent dire qu'avec Jésus est arrivée cette fin des temps où les hommes seront transformés.

Pour résumer l'état de Jésus traduit par tous ces mots, le texte dit qu'il fut « transfiguré » (v. 2). A la différence de Moïse il ne reflète donc pas qu'un rayonnement, il révèle son être profond : il est Dieu lui-même. Dire de Jésus qu'il est transfiguré, c'est exprimer que sa vie intime, la réalité profonde de ce qu'il est, transparaît à travers son humanité.

— La révélation concernant ce qui se passe pour Jésus souligne encore son identification avec le personnage amenant le Royaume à la fin des temps. Elle est fournie d'une triple manière : par deux personnes, par des symboles de la nature et par une parole.

Moïse[6] et Élie[7] avaient l'un et l'autre gravi la montagne de la révélation. Il est donc normal qu'ils apparaissent sur ce nouveau Sinaï où sont les apôtres. Mais, de plus, ils étaient devenus dans la littérature biblique des personnages de la fin des temps.

Élie, dont la mort était restée entourée de mystère (2 R 2,11-13), devait revenir comme précurseur (voir Ml 3, 1.23 et Mc 9,11-12; Mt 17,10...). Quant à Moïse, du fait que l'on n'avait plus trace de son tombeau (voir Dt 34,5), on s'était mis à penser que, de même qu'Élie, il était déjà entré dans le monde eschatologique des êtres glorifiés et qu'il en reviendrait, comme lui, à la fin des temps.

La mention de Moïse et d'Élie dans la vision signifie donc que la fin des temps est arrivée et authentifie, pour les apôtres, la messianité de Jésus. Celui-ci apparaît ainsi au centre du dessein de Dieu[8]. L'image des tentes suggérée par la présence de ces personnages évoque également un événement relatif à l'histoire d'Israël au Sinaï (Ex 26,7...). Abritant l'Arche, elle était symbole de la présence de Dieu parmi son peuple. Au temps du Christ, dans l'attente eschatologique, elle symbolisait la demeure céleste. Une des significations de la réaction de Pierre (v. 4) serait qu'il croit la fin des temps arrivée et qu'il voudrait éterniser ce moment.

---

6. VTB, *Moïse*, 3 § 3.
7. VTB, *Elie*, N.T., 3.
8. VTB, *Dessein de Dieu*, I 1.

Les éléments de la nature interviennent également par leur symbolisme pour aider à la compréhension de la révélation en cours.
En contraste avec la tente fabriquée par l'homme et qui met dans
l'obscurité, la Nuée[9] est céleste et lumineuse. Au temps de Moïse,
elle recouvrait la tente (Ex 40, 34-35) et symbolisait la présence de
Dieu (sa Gloire) au milieu de son peuple. C'est pourquoi aussi,
dans les derniers siècles avant le Christ, on attendait la fin des temps
comme devant être accompagnée d'une nouvelle manifestation de
la présence de Dieu, sa Gloire, symbolisée par la Nuée (voir le
petit midrash apocalyptique de 2 M 2,1-8). Sa mention à la Transfiguration indique donc que les derniers temps sont venus et que les
apôtres font l'expérience de la présence de Dieu dans la personne
de Jésus.

Mais il y a plus : cette Nuée recouvre de son ombre[10] non seulement les personnages célestes, mais aussi les apôtres (cela est dit
explicitement chez Luc, et implicitement en Marc et Matthieu).
Ceux-ci ne sont donc pas simplement spectateurs du dehors :
ils sont pris dans un mouvement de rassemblement.

En eux, c'est le nouveau peuple attendu pour la fin des temps
(voir 2 M 2,7) qui est réuni. En écoutant l'enseignement de
Jésus ils commencent ainsi à réaliser la communion du peuple qui
est sur terre avec la communauté du ciel. C'est tout le dessein de
Dieu qui est révélé dans leur vision.

Le vêtement littéraire du récit met donc très en relief l'identité
messianique de Jésus. Cependant, contrastant avec les apocalypses[11]
qui ouvrent le ciel pour y entraîner l'homme en des visions fantas-
tiques, un renversement s'opère ici. Le grandiose est réservé au
décor. Sa fonction, loin de faire s'évader dans du merveilleux, se
limite à préparer une révélation qui ramène sur terre et se concentre
sur une parole relative à l'individu concret Jésus qui est donc lui-
même « la » révélation céleste en personne au milieu des hommes[12].

---

9. VTB, *Nuée*, 4.
10. VTB, *Ombre*, II 2.
11. VTB, *Dessein de Dieu*, V.
12. VTB, *Transfiguration*, 2 § 3.

2. Or, qu'est-il dit de ce Fils de l'homme ? Qu'il est le « bien-aimé[13] », autrement dit le « serviteur ».

La signification d'un tel titre, déjà présente au baptême[14], est renforcée ici non seulement par le contexte comme on l'a vu mais aussi par toutes les allusions à Moïse. En effet, dans la tradition juive, au temps du Christ, ce personnage avait été mis en relation avec celui du Serviteur. C'est d'ailleurs dans ce sens que la suite de l'évangile explique ce passage (9,9-13), dans ce sens aussi que Marc, et lui seul, oriente en utilisant ce titre au cœur de la parabole des vignerons homicides (12,6). Mais ce qui est surtout nouveau par rapport au baptême, c'est un appel lancé à « écouter » Jésus[15]. Non seulement il est mis dans le secret de Dieu concernant le Fils de l'homme de la fin des temps, mais il est quelqu'un dont on peut croire l'enseignement sur sa mission : révéler Dieu par la mort qu'il vivra. Ainsi, le grand secret, ce qui est caché sur le visage humain de Jésus, c'est sa divinité. Et, pour la percevoir, il faut se référer à sa mission de Serviteur qui doit mourir. Cet aspect est plus fortement marqué chez Marc que chez Matthieu. Il semble que même le déplacement d'Élie, nommé avant Moïse (v. 4), le souligne. En effet, dans la suite du récit, Marc seul explique : « Élie devait venir avant... et le Fils de l'homme souffrira beaucoup... » (v. 12). Seule la foi en sa Passion glorieuse peut faire comprendre la Transfiguration de Jésus et faire voir sa divinité, reflétée dans son humanité souffrante.

3. Cependant, si révélation il y a, elle n'en demeure pas moins toujours incomprise.

C'est ce que montre particulièrement la réaction des témoins. Dans un premier temps, ils proposent de dresser trois tentes. Leur réaction rappelle celle de David qui voulut bâtir à Dieu une maison comme la sienne : en réponse, il eut la révélation que c'est Dieu qui lui en bâtirait une, et d'un autre ordre (2 S 7). Ici, vouloir bâtir une

---

13. Voir Étude sur le baptême, p. 156-157.
14. VTB, *Transfiguration*, 1.3.
15. VTB, *Transfiguration*, 1 b.

tente pour Jésus à la manière de celle de Moïse et Élie, c'est se mettre sur le même pied qu'eux. La réponse à une telle méprise est fournie par la nuée, tente qui n'est pas faite de main d'homme mais vient de Dieu et qui, de plus, est évocatrice du rassemblement de ceux qu'elle abrite : Jésus est donc au cœur d'une humanité qu'il rassemble en la mettant en présence de Dieu par sa personne même.

Il est à noter que Pierre parle (v. 5) alors que personne ne lui a adressé la parole. Il se sent donc interpellé par l'événement et exprime qu'il vit une chose paradoxale, déjà bonne, mais faisant naître un désir d'être davantage comblé. L'évangéliste résume en traduisant qu'il ne savait pas ce qu'il disait; autrement dit : ce qui se passait restait incompréhensible pour lui. Ceci paraît encore plus flagrant après que la parole décisive a été prononcée (v. 7) puisqu'elle n'est suivie d'aucune réaction. Mais l'évangéliste conclut en quelque sorte en terminant son récit par ces mots : « Virent Jésus seul avec eux » (v. 8), manière de dire que les apôtres, après avoir vécu un événement unique relatif à l'identité de Jésus, n'en demeurent pas moins seuls, affrontés à son mystère. Ceci est bien dans la manière de Marc pour qui Jésus est essentiellement celui en face duquel on se trouve comme en présence d'une interrogation. La raison fondamentale en est que Jésus ne s'est pleinement révélé que par sa Résurrection. Auparavant, il ne pouvait être véritablement connu. Mais comme il semblait savoir ce qu'il était lui-même et où il allait, il faisait question : ses proches percevaient en lui un secret, sans pouvoir encore le comprendre[16].

Enfin, il convient de relever que cette expérience du mystère de la personne de Jésus a été faite par trois membres du groupe des apôtres, au nombre desquels Pierre se trouve nommé[17]. Ils reçoivent cette « révélation » en tant que représentants du groupe des Douze, noyau symbolique du peuple nouveau à venir qu'est l'Église. Ainsi, l'événement annonce la mission pour laquelle celle-ci sera, elle aussi, mise « à part ».

*

* *

16. VTB, *Dieu*, N.T., II 4.
17. VTB, *Pierre*, 2.

Comme pour le Baptême, il est possible de se poser, pour la Transfiguration, des *questions relatives à l'historicité* de l'événement. Elles sont, pratiquement, de deux types : y a-t-il eu événement ? Et, si oui, comment peut-on se le représenter ?

On sait que rien n'a été écrit sur le moment, que tout a été retransmis après Pâques et dans le but d'acheminer les destinataires à la foi, ou de les renforcer dans leur foi pascale. Enfin, la construction systématique du récit et sa place dans l'ensemble de l'Évangile sont frappantes. Dans Marc en particulier l'intention est manifeste, elle rejoint sa ligne théologique dominante : montrer en Jésus celui qui porte un secret dont seule la Résurrection permettra la révélation.

Il faut donc reconnaître l'influence dominante de la foi pascale dans le récit. Mais celui-ci ne semble pas, pour autant, une pure création théologique. De nombreux indices font toucher, par-delà la construction littéraire, la réalité d'un événement pré-pascal. Des disciples de Pierre rapportent son propre témoignage (2 P 1,16-18). La représentation peu glorieuse qui est faite de Pierre s'expliquerait mal, créée au sein d'une communauté où on le révère. Enfin, après Pâques, avec les récits d'apparitions, les chrétiens ont mieux que celui de la Transfiguration. Pourquoi revenir ainsi en arrière ? On ne voit pas ce qui motiverait la relation d'un tel événement sinon le fait qu'il a eu lieu. Et c'est ce qui donne du poids à l'argumentation de l'épître de Pierre : une référence à un événement pré-pascal s'inscrivant dans l'existence ordinaire peut être plus convaincante, pour montrer la présence de la gloire dans cette trame, que des récits d'apparitions dont la distance avec elle est plus difficile à saisir. Le texte ne dit plus « écoutez-le », en parlant de Jésus; il invite à écouter Pierre qui se présente comme témoin de l'enseignement qu'il a reçu sur la venue du Seigneur à la fin des temps.

Par ailleurs, si Marc a systématisé sa mise en relief du secret de Jésus dans le but évident de souligner l'importance du plan de salut par la Croix, ce secret présente tous les traits de la vraisemblance historique. N'est-il pas conforme à la pédagogie ? Jésus ne pouvait révéler quelque chose de lui-même que dans la mesure où son entourage se posait des questions sur lui. Il est normal, dès lors, qu'il en ait fait poser. Il a profité de ce qui était dit de lui pour faire aller plus loin. Pierre venait de dire : « Tu es le Messie » (8,29). Il ne savait pas tout ce que contenait une telle déclaration. Mais elle était dite et permettait ainsi à Jésus de dévoiler en quel sens l'entendre. C'est une raison d'être de la Transfiguration. De plus, l'épisode se situe immédiatement avant la Passion du Christ, moment où s'explique que les apôtres soient réconfortés d'avance pour mieux tenir quand viendrait l'événement douloureux qu'ils ne pouvaient comprendre.

Tout postule ainsi la réalité de l'événement. Le genre imagé utilisé pour le traduire, révélateur d'un contexte littéraire pré-pascal, le souligne également. Ce genre peut de surcroît suggérer quel événement a pu avoir lieu. Le texte le définit comme une « vision » (v. 9). Sa représentation échappe au domaine du constatable et c'est pourquoi un genre imagé a été choisi par ceux qui en ont parlé.

Si l'on voulait tenter de traduire l'événement de manière discrète, en langage moderne, il faudrait — sans tout réduire à cela, car il y a une part de mystère qui échappe — penser à ces instants privilégiés que connaissent parfois des intimes. A un moment de profonde communication, ils ont l'impression de percevoir l'être de leur interlocuteur comme à nu. Ce sont alors comme des instants d'extase. Revenus à la réalité, ils reconnaissent qu'ils ne pourront jamais tout connaître de l'autre. Mais ils gardent la marque de cette expérience, elle les pousse à aller de l'avant pour connaître de nouveaux moments aussi merveilleux, en acceptant de mourir à tout ce qui, en soi, y ferait obstacle.

Bref, au-delà des apparences de la vie quotidienne, les apôtres ont, à un moment privilégié, dû faire l'expérience de la vraie identité de Jésus, de l'intimité de sa personne qui a en partage la vie divine, et de son enseignement lumineux. Ils ont été séduits mais dépassés au point d'en rester incapables de la répéter avant l'animation de l'Esprit de la Pentecôte.

*
* *

Les *invitations fournies par le texte* de la Transfiguration apparaissent, surtout chez Marc, propres à toucher l'homme moderne.

Combien d'idéologies philosophiques, religieuses, politiques, scientifiques, etc., englobent dans leurs aspirations l'attente d'un moment où l'humanité se surpassera et atteindra un état où elle sera sublimée. En criant qu'elles ne sont pas satisfaites, certaines ne proclament-elles pas, elles aussi, les mêmes aspirations ?

Au plan de la foi chrétienne, la Transfiguration est la réponse que Jésus donne à ces aspirations : l'homme est fait pour la gloire, c'est-à-dire pour la révélation en lui, au-delà de ce qu'il fait, d'une surexistence de son être qui n'est autre que la vie partagée avec Dieu en assumant sa condition mortelle. Cette destinée présente un caractère stupéfiant pour la raison. Il est possible d'en faire l'expérience sans déjà savoir la formuler. C'est la rencontre de Jésus ressuscité, écouté et suivi quand il indique ainsi la révélation dernière sur l'homme, qui permet de formuler et de croire en une telle destinée.

Bien que la Résurrection ait eu lieu et que le voile soit entièrement levé sur la nature et la personne de Jésus inaugurant cette nouvelle humanité, les chrétiens ne peuvent vivre dans l'illusion : les réalités douloureuses de l'existence ne sont pas éliminées; ils restent, pour une grande part, dans une situation proche de celle des apôtres à la Transfiguration. La Résurrection n'a pas aboli les enseignements donnés avant elle, elle les a seulement confirmés. Marc est celui des évangélistes qui relève le mieux cette situation où l'on croit avoir compris et où, cependant, l'on n'a jamais fini de voir que l'on n'avait pas encore pleinement compris. Il présente les chrétiens comme des hommes qui ont découvert en Jésus une personne unique, leur ayant fait faire une expérience décisive mais jamais achevée.

La vie de disciple de Jésus est donc présentée comme jalonnée de temps forts. La montagne est le symbole de ce lieu où, par le baptême, s'est opérée pour lui la rencontre avec l'être glorieux de Jésus. L'ayant gravie, il est entré dans un autre monde qui lui paraît à la fois merveilleux et étrange et qui change son sens de la vie. Mais il connaît ensuite une retombée normale : il lui faut continuer dans la même perspective enthousiasmante d'une vie glorieuse, mais sans la même ambiance. Cette existence quotidienne est donc marquée par des étapes qui le renvoient à l'écoute de la personne de Jésus et qui deviennent pour lui de vrais moments « à part », car ils lui font approfondir, de manière plus intérieure et intime, l'identité de celui avec lequel il chemine.

A cet effet, deux éléments peuvent être déterminants. D'une part, un retrait effectif de la vie quotidienne, qu'il soit provoqué ou fortuit. C'est alors comme un cadre qui fait éclater l'ordinaire et dispose à une explosion intérieure. Il ne s'agit pas d'un retrait païen qui couperait de la vie ou y ferait revenir comme à quelque chose d'intolérable, mais d'une expérience spirituelle authentique qui renvoie dans la vie et la fait mener en transfigurant le quotidien immédiat. D'autre part, il faut faire, dans sa propre vie, l'expérience de la souffrance, voire de la mort, quelles qu'en soient les formes, pour s'ouvrir à cette intelligence nouvelle.

Une tentation guette le chrétien sur ce chemin : s'arrêter à l'une des étapes, cesser sa marche et absolutiser son expérience comme si elle était définitive, canoniser ses propres vues qui, même bien intentionnées, restent encore humaines. Sur quelque point que ce soit, le chrétien devrait être quelqu'un en chemin et non quelqu'un d'arrivé. Il n'y a d'absolu que la personne de Jésus qu'il suit.

Enfin, le texte invite les chrétiens à agir avec la même pédagogie que Jésus. Il est normal que les hommes ne découvrent son mystère que peu à peu, qu'ils s'intéressent d'abord à l'homme en lui, puis qu'ils soient étonnés de cette conscience qu'il montre d'une surexistence qui l'habite et qu'il appelle Dieu. Il est normal d'attendre que les hommes se posent des questions avant de leur répondre; il est normal que, pour être mieux disposés à comprendre, certains aient fait dans leur vie l'expérience de morts à eux-mêmes et du désir de dépasser leurs limites.

G. B.

Troisième dimanche
Jean 1,13-25

LA VRAIE MAISON[1]

[13]Et la Pâque des Juifs était proche, et Jésus monta à Jérusalem [14]et il trouva dans le Temple ceux qui vendaient bœufs et brebis et colombes, et les agents de change assis, [15]et, ayant fait un fouet de cordes, il les chassa tous hors du Temple, et les brebis et les bœufs, et il renversa la monnaie des changeurs et il retourna les tables, [16]et il dit aux vendeurs de colombes : « Enlevez cela d'ici. Ne faites plus de la maison de mon Père une maison de commerce. »

[17]Ses disciples se souvinrent qu'il est écrit : *Le zèle pour ta maison me dévorera.* [18]Les Juifs répondirent et lui dirent : « Quel signe nous montres-tu, que tu fasses cela ? » [19]Jésus répondit et leur dit : « Détruisez ce Temple et en trois jours je le relèverai. » [20]Les Juifs lui dirent : « Ce Temple fut bâti (en) quarante-six ans, et toi, tu le relèveras en trois jours ? » [21]Mais lui parlait du Temple de son corps. [22]Lors donc qu'il se fut relevé d'entre les morts, ses disciples se souvinrent qu'il avait dit cela et ils crurent à l'Écriture et à la parole que Jésus avait dite.

[23]Comme il était à Jérusalem pendant la Pâque, pendant la fête, beaucoup crurent en son nom en voyant les signes qu'il faisait. [24]Mais Jésus, lui, ne se fiait pas à eux pour la (raison) qu'il les connaissait tous [25]et qu'il n'avait pas besoin que quelqu'un rendît témoignage sur l'homme; lui-même, en effet, connaissait ce qui était dans l'homme.

1. Synopse § 77.

« Marchands du Temple » est une expression consacrée. L'imagination est pleine de l'iconographie chrétienne représentant le Christ, fouet en main, et les marchands en déroute. Dans ces conditions, quelques efforts préliminaires d'attention ne sont peut-être pas inutiles.

Le texte de ce récit dépasse les limites de l'incident pour offrir (vv. 23-25) une vue plus générale sur l'activité de Jésus à Jérusalem et sur l'accueil qui lui est fait. Cela est déjà important pour lire cette page de Jean chez qui, malgré les apparences, les choses ne sont jamais simples. Il demande de se placer simultanément à différents plans. Ce passage correspond, chez lui, à un point de la tradition évangélique qui a été repris par les trois Synoptiques : il sera très utile dès le premier contact d'être très attentif à cette comparaison des textes.

*

* *

a) Dans l'ensemble, le IVe évangile ne progresse pas selon une ligne continue mais d'une manière qui fait revenir indéfiniment les mêmes thèmes en des contextes différents pour qu'ils en reçoivent de nouvelles richesses. Il n'est donc pas aisé d'exprimer tous *les liens qui*, formant la toile de l'œuvre, *traversent ici le texte*.

Parmi les plus visibles, notons le thème du Temple dont on ne s'éloigne jamais beaucoup chez Jean, celui du souvenir constitutif de la foi qui resurgit presque dans les mêmes termes (en 12,16), ou enfin celui du procès qui déborde la Passion pour envahir toute la vie publique avec les nombreuses altercations entre Jésus et les « Juifs ». Mais il est toujours possible de confronter n'importe quel passage johannique à la conclusion exprimée en 20,30-31 : que va-t-il apprendre ici sur la vie que donne la foi en Jésus Messie et Fils de Dieu ? Pour répondre à cette question, il est bon de regarder plus en détail. Le passage forme, avec la mention des premières conversions relatées brièvement (vv. 23.25) et l'entretien avec Nicodème (3,1-21), une petite section qui couvre le premier séjour de Jésus à Jérusalem. On pourrait l'intituler « De la nécessité et de la difficulté de croire ». Jésus est bien l'unique « lieu » où l'on rencontre Dieu. Mais on ne saurait se décider pour lui sur la seule question des signes. Ceux que Jésus accomplit sont difficiles à admettre, tel celui du Temple, ou demandent pour être véritablement perçus un approfondissement et une conversion de tout l'être.

Ce thème rebondit si au texte étudié est joint le précédant, consacré à la « semaine inaugurale » : du baptême (1,19) à Cana (2,12). A tous les moments, la présence de Jésus y est mentionnée. Reconnu par Jean-Baptiste comme l'Élu et l'Agneau de Dieu, il commence une œuvre qui doit mener au renouvellement de toutes choses : Vin nouveau, Temple nouveau, Naissance nouvelle en sont les signes; en Jésus, Dieu est présent d'une manière toute neuve. Il faut donc poser la question du culte tout autrement qu'on le faisait jusqu'alors. Dans l'humanité de Jésus, Dieu est là, comme l'indique le texte, par l'image des « anges qui montent et descendent... » (1,51) reprise du récit de l'échelle de Jacob. Jésus est le chœur du sanctuaire *(naos)*, le Signe dressé pour apporter au Peuple le salut (3,14). Cela ne sera vraiment compris qu'une fois son Heure venue (2,4), Heure qui est celle de la mort, du Temple détruit, de la Croix dressée (3,14 ss), Heure de la Résurrection (v. 22).

Face à ce mystère, il ne faut suivre ni la voie des gens superficiels comme le maître d'hôtel de Cana, les gens de Jérusalem et, d'une certaine manière, Nicodème, ni celle des adversaires questionneurs de Jésus. Il faut accepter de suivre le lent cheminement des disciples vers la foi; au bord du Jourdain, à Cana, à Jérusalem, elle progresse pas à pas.

Les Synoptiques situent l'expulsion des vendeurs du Temple au seuil de la semaine qui aboutit à la Passion; c'est la première fois qu'ils montrent Jésus à Jérusalem. En procédant ainsi, ils mettent l'épisode en relation plus directe avec la mort de Jésus; mais dans le climat général de tension de l'ultime semaine, le récit n'apparaît pas avec autant de relief que dans le quatrième évangile.

Jean diffère encore des autres évangélistes en joignant ici deux épisodes qu'ils séparent : l'acte de Jésus et la discussion sur son autorité. Ceci amène à voir de plus près comment Jean a construit le récit de l'incident auquel il joint encore un sommaire.

On voit aisément qu'il y a bien dans le récit de l'incident deux parties, l'une rapportant un geste de Jésus (vv. 13-17), l'autre ayant pour sujet la controverse qui s'ensuit (vv. 18-22). On retrouve la structure, fréquente dans les textes bibliques, de geste précédant la parole, l'un ayant pour but de poser l'action de Dieu dans l'histoire, l'autre d'en livrer le sens. On peut, par contre, se demander si de l'un à l'autre il n'y a pas progression et explicitation d'une même intention profonde. Il semble que c'est ici le cas.

Si l'on compare les deux parties du texte, on remarque que dans l'une il est question du Temple *(ieron)* et, dans l'autre, du Sanctuaire *(naos)*. Ce changement de mot chez Jean n'est pas une pure variation de style. Le *ieron* désigne le temple dans son ensemble : on est dans le *ieron* quand on se trouve dans l'un des multiples parvis dont il se compose. Le *naos* indique au contraire ce qui est le plus précieux dans le Temple : le lieu du sacrifice et de la résidence de la divinité. Est-ce par hasard que Jésus purifie le temple *(ieron)* et se désigne comme le sanctuaire *(naos)* ?

Les deux parties du texte se terminent sur le thème du « souvenir » : dans la première (v. 17), les disciples se souviennent d'une Écriture, mais à la fin, ils joignent à l'Écriture la parole que Jésus a dite (v. 22). De plus, le texte laisse penser que le premier souvenir est immédiat tandis que l'autre ne s'éclaire qu'après la Résurrection. Ceci entraîne le lecteur sur un troisième terrain : la mention de la Pâque par laquelle s'ouvre et se clôt le texte. S'agit-il d'une simple précision chronologique (il est bien normal qu'un bon Juif monte à Jérusalem pour la Pâque), ou de l'effet d'un schéma cher à Jean, soucieux de replacer les activités de Jésus dans le cadre des grandes fêtes du judaïsme ? Alors que les Synoptiques usent pour la parole de Jésus du verbe *oikodomein*, (rebâtir), Jean utilise le verbe *egeirein* (éveiller, relever), l'un des deux verbes qui, dans le vocabulaire chrétien, désignent la Résurrection de Jésus. Il est répété trois fois (vv. 19.20.22), la dernière référant de manière explicite à la Résurrection de Jésus. Le début et la fin du récit s'appellent donc : de la Pâque juive nous arrivons à la Pâque chrétienne, dans un cheminement qui, du geste à la Parole vivante de Jésus, doit faire progresser dans l'intelligence du mystère du Christ.

La péricope qui suit (vv. 23-25) paraît jouer le rôle tenu par des sommaires chez les autres évangélistes. Elle appelle le long développement qu'apportera la conversation avec Nicodème. Elle est construite sur une sorte de jeu de mots comme on en trouve dans le quatrième évangile : le même mot « croire » est employé pour les hommes et pour Jésus avec un sens paradoxal.

*
* *

Les démarches qui viennent d'être accomplies ramènent constamment à *deux pôles de réflexion* : le Temple et la foi. C'est autour d'eux qu'il convient de poursuivre les recherches.

1. Toute réflexion autour du Temple s'éclaire en fonction de Jésus-Christ.

Quelle signification a, selon le quatrième évangile, l'épisode de Jésus, chassant les vendeurs du Temple[2] ? Jésus agit-il à titre de prophète, comme un homme rempli de zèle pour l'honneur de la maison[3] de Dieu ?

— La citation du Psaume (69,10) pourrait le faire penser : Jésus reprendrait le geste de Jérémie qui avait tenté d'interdire à ses concitoyens de traverser le Temple avec des fardeaux. Les Synoptiques y ont pensé puisqu'ils renvoient clairement à Jérémie (chap. VII). En Jean la citation de Jérémie a disparu, la parole de Jésus ne renvoie même plus à un texte. Mais il est aisé d'en deviner l'arrière-fond. Voici tout d'abord la conclusion du Second Zacharie, « et il n'y aura plus de marchands dans le Temple en ce jour-là » (Za 14,21). Elle entraîne vers tout un dossier scripturaire où la

2. VTB, *Temple*, N.T., I 1-2; *Culte*, N.T., I 1.
3. VTB, *Maison*, II 2; III 1.

prophétie de Malachie (chap. 3) sur la purification ultime du Temple par l'Envoyé de Dieu tient une grande place. Le texte passe d'une ambiance prophétique, centrée sur le comportement actuel des personnes, à l'attente eschatologique des jours et des gestes du Messie à venir. En chassant les vendeurs du Temple, Jésus se pose donc en Messie et ses adversaires ne s'y trompent pas puisqu'ils lui demandent précisément de quelle autorité il jouit pour agir comme il le fait (v. 18).

— Jean ne s'en tient pas là. Pour lui, le geste de Jésus a une signification plus profonde.

Quand on le lit en le comparant aux Synoptiques, on s'aperçoit que sa description du parvis du Temple est la plus détaillée. Alors que les Synoptiques vont directement au geste de Jésus, Jean invite à inspecter d'abord l'aire où se fait le commerce : bœufs, brebis, colombes, argent, tout le nécessaire aux sacrifices est là. Et c'est tout cela que Jésus boute dehors.

Si l'on se souvient maintenant que Jésus a été présenté comme l'Agneau de Dieu, qu'il mourra à l'heure où, dans le même Temple, on égorgera les premiers agneaux de la Pâque après qu'il eut prié ainsi : « Je me sanctifie moi-même... », on est amené à penser que Jésus chasse tout ce qui est désormais devenu inutile. La vraie, l'unique victime du sacrifice agréable à Dieu, c'est lui. Le reste doit disparaître.

Le lecteur est en effet mis ici en face de ce qui fait le fond même du sacrifice : ni la quantité ni l'immolation des victimes, mais le cœur avec lequel on se présente à Dieu. Or cela éclate dans la parole de Jésus aux marchands de colombes. Ils tiennent ici une maison de commerce. Même si ce trafic est légitime et nécessaire, il ne peut qu'obscurcir la relation filiale qui donne sa valeur à l'offrande que l'on fait. Et cette relation, Jésus la vit dans une dimension que nul n'égale : « la maison de mon Père », l'expression vient naturellement prendre la place du détour que représente la citation des Synoptiques lorsqu'elle dit : « Il est écrit que... » Elle est renforcée par tout ce que le quatrième évangile dit de Jésus Fils du Père. Elle semble même cueillie directement sur les lèvres de Jésus, car elle impressionne les disciples au point que Jean met encore au futur la citation du psaume qui les impressionna tant :

« le zèle... te dévorera ». Le psalmiste laissait monter sa plainte, ce zèle l'avait dévoré; les disciples se trouvent ici devant un état d'esprit sans aucune commune mesure : on ne peut résister indéfiniment à ce feu. De fait, le même Ps 69 revient à plusieurs reprises en contre-point du discours après la Cène et de la Passion (15,25; 16,32). L'amour de Jésus pour l'œuvre du Père s'est heurté à la haine de ses adversaires jusqu'à le mener à la mort.

Mais ce zèle[4] porte sur « la maison ». En lisant attentivement le psaume il apparaît que cette maison est tout autant la famille de Dieu que le Temple (voir vv. 8-9.33-37). Dans l'évangile de Jean, le Prologue donne pour résultat à la mission du Fils l'engendrement de nouveaux enfants de Dieu; la conversation avec Nicodème reprend cette préoccupation de nouvelle naissance. Le zèle que Jésus montre à l'égard du Temple devient, lu ainsi, un signe de l'amour qu'il porte à la famille du peuple de Dieu auquel il donne naissance. En cette première action, Jésus leur annonçait ce qu'il était, même s'ils ne pouvaient encore supporter le poids de cette révélation.

Un pas de plus doit être franchi. « Détruisez ce sanctuaire et en trois jours je le relèverai... Mais lui parlait du sanctuaire de son corps » (vv. 19.21). Pour les auditeurs [de Jésus, son défi s'inscrivait dans le cadre de ses prétentions messianiques et sa promesse « en trois jours » laissait penser qu'il comptait sur quelque secours extraordinaire de Dieu (cf. Os 6,2). Pour les lecteurs de Jean, c'est dans la Mort et la Résurrection survenue le troisième jour qu'a été compris le sens de la prédiction de Jésus et découvert par cet événement à quel point il était dévoré par l'amour de son Père.

L'importance du mot sanctuaire *(naos)*, utilisé ici, a déjà été soulignée. Pour qu'il ne fasse pas penser à quelque relation trop vague, il faut attirer l'attention sur le réalisme de Jean.

Ordinairement, quand il veut parler de la personne de Jésus dans sa condition humaine, le IVe évangéliste emploie le mot chair *(sarx)* (Jn 1,14 et le chap. 6). Ici, il n'est pas question de détruire la chair, mais le corps (vv. 19.21). Or ce terme ne se retrouve que pour

4. VTB, *Zèle*, II 2.

parler des crucifiés après leur mort (chap. 19) ou de la dépouille que cherchent les femmes au matin de Pâques. Il s'agit bien de « cadavre ».

Par conséquent, pour le IVe évangéliste, même le Corps de Jésus mort en croix peut être vu aussi comme sanctuaire de Dieu. Il faut avoir longuement médité la Passion (que l'on pense également à l'épisode de l'eau sortie du côté de Jésus, symbole du fleuve sortant du Temple : 19,33) pour pouvoir énoncer de telles choses.

Reste le thème de la violence[5]. Il est maintenant possible de l'aborder, après avoir montré toute la portée du geste de Jésus. C'est en présence de son corps en croix qu'il faut peser la violence de son action.

Jésus chassant les vendeurs du Temple ne cède pas à la colère ; il ne se laisse pas séduire par la puissance qu'il peut déployer ni par la tentation de la force. Il n'a pas dit « je détruirai » mais « détruisez », laissant aux dirigeants du moment la responsabilité de leurs actes et de leurs conséquences. Il n'a jamais voulu prendre une part quelconque à l'action de ceux qui, avec le parti des Zélotes, voulaient hâter la purification messianique par un coup de main sur le Temple (cf. Jn, chap. 7). Jésus, par ce geste, a voulu seulement annoncer la puissance du Ressuscité et faire pressentir le renouvellement de toutes choses. Il a balayé tout ce qui gêne l'authentique expression filiale. Il a effacé ce qu'en sa personne il remplaçait pour toujours.

2. Tout ce qui a été entrevu de ce texte montre d'ailleurs qu'il est moins fait pour éclairer tel ou tel comportement précis que pour poser à sa manière la question de la foi que le chrétien doit à Celui qui se révèle en de telles circonstances.

C'est la foi des disciples qui est d'abord en question. Que l'on prenne conscience de leur condition : ce sont des personnes qui ont déjà répondu à l'appel de Jésus, mieux, qui ont vécu avec lui et tout vécu jusqu'à la Résurrection. Et ils ont encore à découvrir qui est en définitive leur Seigneur et quel sens ont ses actions.

5. VTB, *Violence*, IV 2.

Il est important que la foi des disciples soit montrée ici dans un cheminement; l'organisation du texte en dit assez sur ce point. Mais ce développement s'opère selon un modèle que décrivent les interventions du rédacteur (vv. 17.22).

Ces versets placent le lecteur en présence de la personne de Jésus, saisie soit dans son activité en Palestine, soit dans sa condition de Ressuscité, mais toujours comme quelqu'un de présent et qui en raison de ce qu'il est, interpelle ceux qui l'entourent.

Devant cette interrogation, les disciples réagissent d'une manière qui, par deux fois, est qualifiée de souvenir[6]. On peut déjà dire que ce type de souvenir n'est point retour au passé mais acte d'intelligence du présent. Il ne s'éveille que parce que le Christ est là actuellement et qu'il faut pénétrer dans son mystère. Faut-il souligner qu'il ne porte ses fruits réels qu'après la Résurrection de Jésus ?

Ce souvenir puise dans un double trésor : celui de l'Écriture[7] et celui de la parole de Jésus. L'Écriture correspond ici à l'Ancien Testament et la parole de Jésus aux souvenirs qui, à l'époque du rédacteur, achèvent de se condenser dans les évangiles. De la sorte, une première harmonie des deux Testaments permet de mieux situer le rôle de l'Écriture dans l'intelligence de la foi. Dans un va-et-vient permanent, elle ne s'ouvre qu'en la présence du Christ vivant, mais elle permet à ceux qui la lisent ainsi d'avancer dans la foi qui les anime déjà. C'est dans la célébration de la Pâque chrétienne que cette foi prend le plus conscience de son objet. Jésus est non seulement le Temple, mais il est la Pâque.

3. Cependant il y a un drame de la foi impossible.

Si, en effet, la foi des disciples est réponse à un appel et progression dans la découverte de Celui qui appelle, il n'en va pas de même pour tous ceux qui rencontrent Jésus. Les versets 23-25 attirent l'attention sur ce point : « Beaucoup crurent en son nom à la vue[8] des signes qu'il faisait. »

6. VTB, *Mémoire*, 4b.
7. VTB, *Écriture*, IV.
8. VTB, *Foi*, IV.

Parler de la foi « en son nom » est bien, pour l'évangéliste, parler de l'authentique foi chrétienne en Jésus Vivant, sans le voir. Le faire à propos de signes, c'est montrer que des gens le prennent comme Messie temporel. Mais pourquoi cet échec ?

Le couple voir-croire est présenté ici, mais il comporte des degrés dont certains restent en deçà de la foi et d'autres vont plus loin. A ces différentes nuances correspondent différents verbes grecs. Les Galiléens bientôt (4,25), les spectateurs de la résurrection de Lazare plus tard (11,45) parviendront eux aussi à une certaine foi. Mais leur foi ne s'épaule ni sur un appel de Dieu ni sur le souvenir de l'Écriture et l'intelligence profonde de l'événement décrits plus haut. Pour aboutir à la foi, la vue ne doit pas en rester aux signes mais aller du signe à la personne de Jésus, et de la personne de Jésus à la totalité de l'œuvre salvifique du Père. Alors seulement on accède à la vraie connaissance de la foi.

Ce court paragraphe apporte en même temps un précieux enseignement sur Jésus. Il ne se fie pas aux gens qui viennent à lui en de telles conditions. Faut-il rapprocher la connaissance[9] qui lui est ici attribuée de celle de Dieu « qui sonde les reins et les cœurs » ? S'il en était ainsi, l'évangéliste aurait employé un autre verbe que celui qu'il utilise ; il emploie celui de *ginosko*, signifiant une connaissance qui progresse dans l'expérience, et non celui de *oida* qui parlerait de connaissance quasi intuitive.

Jean, toujours attentif à l'humanité de Jésus, semble faire voir en lui le parfait Maître de Sagesse, capable, sans qu'on lui fasse la leçon, de pénétrer le sens des expériences que lui offrent la vie courante et les multiples rencontres avec les hommes.

*
* *

Cette page est profondément marquée par les thèmes et les procédés familiers du IVe évangile. La Pâque, le Temple, le « souvenir » apostolique disent déjà tout du mystère de Jésus et de la manière dont les disciples en ont fait la découverte et la méditation. Mais un

9. VTB, *Connaître*, N.T., 2.

regard sur la façon dont le même épisode a été traité par les Synoptiques suffit à faire surgir les problèmes que pose quant à son *historicité*, l'insertion de cette page dans l'ensemble de l'évolution du Nouveau Testament.

Les divergences portent sur la place faite à l'événement dans la vie de Jésus; pour les Synoptiques qui ne connaissent qu'une montée à Jérusalem, l'affaire ne se situe pas au début mais à la fin de la vie de Jésus, au seuil de la dernière semaine, comme l'incident qui a provoqué la crise entre Jésus et les autorités du Temple. On a relevé aussi une différence de structure; Jean relie en une seule séquence des péricopes séparées chez les Synoptiques. Enfin les interprétations des divers rédacteurs ne mettent pas l'accent sur les mêmes points. Matthieu et Marc insistent plus sur le caractère prophétique de l'attitude de Jésus. Luc qui donne fort peu de place à l'événement (deux versets) met ainsi en relief la parole sur la maison de prière, tandis que Jean insiste sur la révélation messianique que comporte le geste de Jésus. Chacune de ces manières de faire répond aux préoccupations des différents rédacteurs évangéliques, et nous avons vu quelles étaient celles de Jean.

Sous la divergence des témoignages, il n'est pourtant pas impossible de rejoindre un événement unique. Les études faites sur les usages et les coutumes juives au temps de Jésus montrent la réalité du commerce qui se pratiquait au Temple. Mais deux détails doivent retenir l'attention. D'une part, la présence des changeurs sur le parvis du Temple n'était pas permanente; elle n'avait lieu que trois semaines avant la Pâque, à l'époque où était exigible l'impôt sur le Temple. C'est aussi en fonction des sacrifices de la Pâque et de celui de Jésus que Jean mentionne, parmi les animaux présentés à la vente, les brebis et les bœufs. D'autre part, ces transactions commerciales ne se faisaient qu'avec l'accord des autorités du Temple et contribuaient à coup sûr à l'accroissement de leurs ressources. S'attaquer aux commerçants du parvis, c'était partir en guerre contre les responsables de la Maison de Dieu, et ceux-ci ne s'y sont pas trompés.

On penchera donc vers la solution d'ensemble suivante : une seule fois, au seuil de l'ultime semaine, Jésus a chassé les vendeurs des parvis pour signifier qu'arrivait, en sa personne, celui que les prophètes avaient annoncé comme le Purificateur du Temple. Ce faisant, il s'engageait encore un peu plus dans la crise qui le conduirait à la mort. L'événement qui était fort parlant dans l'ambiance du temps a développé de bonnes racines dans la Tradition évangélique puisqu'il compte parmi les pièces que l'on retrouve dans la quadruple Tradition. Mais chacun l'a traité à sa manière. Matthieu et Marc lui ont gardé sa place première. Luc, qui a une autre conception des rapports du Temple et de Jésus, n'en a pas accentué l'importance. Jean l'a situé lors du premier contact de Jésus avec la Ville pour signifier déjà combien, dès le début, la mort pascale de Jésus marquait sa destinée.

*
* *

Ce qui est à découvrir et à faire découvrir à partir de cette page d'évangile porte donc d'une part sur la personne de Jésus et le culte qui lui convient, d'autre part sur la foi en lui et la manière de la vivre.

La personne de Jésus se montre ici sous un triple aspect.

C'est face à son Père dont l'amour le dévore que Jésus apparaît tout d'abord. Il ne supporte pas que les intérêts des hommes voilent la pureté de la relation filiale qu'il vit en plénitude et à laquelle il est venu les convier tous en frères.

C'est aussi face aux hommes pour qui il restera toujours difficile à saisir dans la totalité de son mystère. Pour le peuple de Dieu, il est le Messie sans qu'on ait à exiger de lui de signes conventionnels. Pour tous, il se constitue en « sanctuaire » : c'est en lui, en lui seulement, que se fait la rencontre avec l'authentique présence de Dieu.

La personne de Jésus apparaît enfin dans son humanité. C'est en elle en effet que tout se joue, aussi bien dans sa fréquentation quotidienne des hommes, car il se révèle comme un Maître de Sagesse, que dans le drame de la Croix, puisque son corps de crucifié est encore sanctuaire pour les chrétiens ou, également, dans l'illumination de la Résurrection.

Quant au vrai culte chrétien, il y a bien des manières de vivre la réalité du Christ Temple de Dieu. Paul en a souvent dégagé les applications pratiques (1 Co 3,16; 6,19 par exemple). Jean ramène au centre, au Saint des Saints qui n'est plus un lieu mais Quelqu'un à découvrir principalement dans la parole qui accompagne tout geste liturgique.

La vraie foi ne peut provenir que de l'appel adressé par le Seigneur à chacun pour qu'il devienne son disciple. Sans cela, il est facile de se figurer « voir » les signes que Jésus fait, tout en devenant en réalité aveugle (9,39).

Cette foi se développe par une réflexion qui va et vient du présent vécu dans le Christ au « souvenir » ou méditation active de l'Écriture.

Quant à la manière de vivre cette foi c'est peut-être dans ce cadre que la question de la violence inévitable peut être approfondie.

R. V.

Quatrième dimanche
Jean 3,14-21

LE CADUCÉE SAUVEUR OFFERT A TOUS[1]

[14] « Et comme Moïse éleva le serpent dans le désert, ainsi faut-il que soit élevé le Fils de l'homme, [15] afin que quiconque croit ait, par lui, la vie éternelle.

[16] Car Dieu a ainsi aimé le monde qu'il a donné son Fils Unique, afin que quiconque croit en lui ne périsse pas mais ait la vie éternelle. [17] Car Dieu n'a pas envoyé son Fils dans le monde afin de juger le monde mais afin que soit sauvé le monde par lui. [18] Qui croit en lui n'est pas jugé, qui ne croit pas est déjà jugé, car il n'a pas cru au nom du Fils Unique de Dieu.

[19] Mais tel est le jugement : que la lumière est venue dans le monde et les hommes ont aimé les ténèbres plus que la lumière, car leurs œuvres étaient mauvaises, [20] Car quiconque accomplit des (choses) viles hait la lumière et ne vient pas à la lumière de peur que ne soient dénoncées ses œuvres. [21] Mais qui fait la vérité vient à la lumière afin que ses œuvres soient manifestées, parce qu'elles ont été faites en Dieu. »

1. Synopse § 78.

Peut-on, à propos de la déclaration qui ouvre ce texte (v. 14), se servir de l'image du caducée héritée de la mythologie grecque ? A-t-il un rapport avec la symbolique biblique, inspirée des récits des Nombres (21,4-9) et repris par le livre de la Sagesse (Sg 16,6-7) ? La péricope offre d'autres aspects plus importants.

Le commencement est abrupt, abstrait, voire hiératique. On se souviendra qu'il y a là seulement la dernière partie de l'entretien de Jésus avec Nicodème et que c'est l'ensemble du chapitre 3 qui réalise l'unité littéraire du texte. Les mots et les thèmes sont parmi les plus familiers du langage johannique : vie éternelle et jugement, lumière et ténèbres, vérité et mal, foi et refus de foi...

Le ton n'est pas celui des paroles mêmes de Jésus. Il convient plutôt aux réflexions élaborées par l'évangéliste, méditant les enseignements du Maître.

Enfin, le passage ne semble pas tenir compte de ce que Jésus s'adresse à un « maître en Israël »; rien, hormis la mention initiale du serpent de l'Exode, ne se réfère à l'univers juif. En revanche, les allusions au monde et à l'humanité tout entière sont abondantes (cinq ou six versets). Que signifient cette absence et cette présence ? Pour qui est dressé, en Jésus Fils de Dieu, le signe du salut ?

*
* *

a) Un mot-crochet, « homme », *relie l'entretien avec Nicodème* (3,1) *au sommaire de conclusion de l'activité de Jésus, à Jérusalem*, lors de la première Pâque (2,23-25). Un tel procédé, facile et fréquent, indique à la fois du nouveau et de l'identique dans le progrès général de la pensée. Ce sommaire fournit un « panoramique » sur les croyants de la Ville, nombreux certes, mais non reconnus comme tels par Jésus; il ne s'agit pas d'une opinion tout humaine, aussi élaborée qu'incertaine, mais d'un acte péremptoire de la science de celui « qui sait ce qu'il y a dans chaque homme ».

L'homme présenté (3,1) sur ce fond en « gros plan » est pour ainsi dire connu avant qu'il entre en scène. Quelle que soit la distinction de sa référence : pharisien, membre du Sanhédrin — la plus haute cour juive — Maître en Israël; quelle que soit sa sympathie pour le rabbi de Galilée (voir 7,48-50; 19, 39), il est classé parmi ceux dont la croyance n'est pas reconnue comme authentique. Cette personnalité brillante, représentative des milieux influents du judaïsme, fait auprès de Jésus une démarche comparable à celle qu'avait effectuée auprès du Baptiste une commission officielle d'enquête (1,19-28). Dans les deux cas, l'ignorance de l'identité intime et de l'œuvre filiale de Jésus est stigmatisée (1,26 et 3,10-11). Les Juifs ne parviennent pas à la connaissance de la vraie foi, quelle qu'en soit par ailleurs leur approche tâtonnante, voire bienveillante (3,2). Leur incrédulité est déjà mise en accusation et le procès entre eux et Jésus commence, avec pour cadre : Jérusalem, le Temple, la Pâque.

Les principaux griefs de ce procès se retrouvent dans l'ensemble de l'entretien avec Nicodème. Jésus reproche aux notables d'Israël une double déficience. Ils n'ont pas su lire clairement les signes qu'il a accomplis au milieu d'eux. Dans la meilleure des hypothèses, celle de Nicodème, ils ne parviennent à découvrir en Jésus qu'un « homme » venu de la part de Dieu et assisté de sa présence (3,2; voir 2,20; 12,37). Or ces signes, lus de façon correcte, devraient rendre manifestes la présence du Règne de Dieu (3,3), l'autorité divine de Jésus (10,37) et sa Gloire (2,11; voir 15,24). Les amis de Nicodème n'ont pas su non plus lire assez bien la Loi, ils n'ont pas connu l'annonce de la nouvelle naissance issue de l'Esprit de Dieu et prévue pour les temps messianiques (Ez 36,25-27). Malgré leur travail poursuivi avec passion, persévérance et motivation, ils n'ont jamais appris de la Bible la voix et le dessein de Dieu dont les paroles ne les habitent pas (5,38-39; 8,47.51). L'indiscutable sympathie de Nicodème pour Jésus ne l'entraîne pas au-delà d'une visite de nuit, comme s'il avait peur que ses œuvres ne soient vues au grand jour par ses collègues (v. 20). Beaucoup d'autres notables partageront cette attirance envers Jésus mais ne franchiront pas pour autant le seuil de la vraie foi... et pour la même raison que Nicodème (12,42-43).

Puis, du procès des Juifs l'auteur passe à celui du monde comme s'il s'agissait d'un unique procès (voir un passage analogue dans le Prologue 1,10-11). Le grief principal est ici la haine de la Lumière

(3,20; 7,7). Cette haine atteindra également les disciples lorsqu'ils seront devenus les témoins du mystère pascal (comparer 3,11-14 à 15,18-21).

Enfin, au-delà de l'agitation du procès historique, il y a le dessein du Père auquel rien n'échappe et dont le dynamisme est l'amour pour le monde, l'humanité juive et non juive (10,16; 11,52), samaritaine (4,22) et grecque (12,20-32); bref, tout homme est un fils de Dieu (11,52):

Les voyages de Jésus qui font immédiatement suite à la péricope (3,22s) n'ont pas d'autre but que de rassembler les enfants dispersés (3,27s; 4,34s; 5,24s; 6,35s; 7,37s; 8,12; 11,52).

Le passage qui retient ici l'attention apparaît lié à ce contexte d'une double manière :

— Est dénoncé le refus, par une catégorie de personnes déterminées, du témoignage que Jésus présente sur lui-même (comparer 3,11; 1,11; 5,31s; 8,13). Ce refus laisse entrevoir celui qui sera opposé au témoignage de l'Église lorsqu'elle proclamera la mort et la résurrection de Jésus (comparer 3,11-14 à 15,20 s).

— L'élévation du Fils de l'homme (v. 14), qui sera explicitement imputée aux Juifs à deux reprises (8,28; 12,32.34) avec un sens équivalent aux annonces de la Passion dans les Synoptiques et qui l'a déjà été implicitement (2,19), apparaît comme un dénouement provisoire du procès. En fait, tout leur échappe dans ce dénouement puisque ladite élévation devient source de vie pour tous les hommes (3,15; 12,32).

b) Un certain nombre de commentateurs s'accordent à distinguer trois parties dans l'*organisation littéraire* de l'entretien avec Nicodème (vv. 1-8; 9-15; 16-21) et, à l'intérieur de chacune, un volet sur la révélation divine et un sur l'attitude humaine. Il est curieux de noter que les commentateurs parviennent à ce découpage, à quelque demi-verset près, en partant de critères fort différents. En voici quelques exemples.

— Si l'on choisit de partir de la personne de Jésus, on constate qu'il parle à la première personne du singulier dans la première partie (3,18); dès les premiers versets de la seconde partie un passage s'opère du « Je » au « Nous »; enfin, dans la troisième partie, il est parlé de lui à la troisième personne.

Corollairement, la personne de Nicodème fournit l'interlocuteur unique de Jésus dans toute la première partie; puis, son individualité s'efface au profit d'un collectif juif; enfin, dans la troisième partie, il disparaît complètement au bénéfice du monde.

— Si l'on choisit de partir des différents intérêts théologiques du texte, on découvre que la première partie présente la nouvelle naissance, nécessaire pour entrer dans le Royaume de Dieu, et œuvre de l'Esprit; la seconde, le mystère du Fils de l'homme; la troisième, le dessein du Père. Dans cette visée on peut parler de plan trinitaire et le rapprocher volontiers de celui de l'hymne paulinienne (Ep 1,3-14) bien que, dans cette dernière, l'ordre d'intervention des trois personnes divines soit inverse.

Corollairement, la foi à l'œuvre de l'Esprit, au mystère pascal du Fils de l'homme et au dessein du Père, est sollicitée de Nicodème, des Juifs, de l'humanité tout entière.

En tenant compte de ces apports, on pourrait présenter l'ensemble de la structure, selon le tableau qui figure page suivante.

Cette organisation appelle quelques remarques. Dans le troisième volet, l'ordre des parties est inversé par rapport au schéma des deux premiers. Sans doute cette inversion permet-elle une bonne inclusion (3,19-21) avec le début de l'entretien (3,1-2) :

a — Nicodème : (v. 1) de nuit : (v. 2a) vient à Jésus	a′ — Tout homme qui fait le mal ne vient pas à la lumière : (v. 20) qui fait la vérité vient à la lumière : (v. 21a)
b — C'est de la part de Dieu que tu es venu en Maître : (v. 2b)	b′ — La lumière est venue dans le monde : (v. 19)
c — Faire les signes que tu fais si Dieu n'est pas avec toi : (v. 2c)	c′ — Ses œuvres sont faites en Dieu : (v. 21b)

LA NOUVELLE NAISSANCE (œuvre de l'Esprit) (1,1-8)	LE TÉMOIGNAGE (élévation du Fils) (vv. 9-15)	EXPOSÉ (dessein du Père) (vv. 16-21)
1) Attitude de l'homme • Nicodème vient de nuit • Les signes ne l'ont pas conduit à la vraie foi : (vv. 1-2)	1) Attitude des Juifs • L'ignorance du Maître en Israël • Le témoignage refusé par les Juifs et l'ensemble des gens qui resteront incrédules : (vv. 9-11)	2) Attitude du monde • Ceux qui préfèrent les ténèbres ont haï la lumière; ils n'ont pas cru au Fils Unique de Dieu : (vv. 18b-20) • Ceux qui ont cru (vv. 18a-21)
2) La Révélation apportée par Jésus : • Nouvelle naissance • Royaume de Dieu • Œuvre de l'Esprit (vv. 3-8)	2) Témoignage de Jésus et des siens : • Le Fils de l'homme venu du ciel • Nécessité de son élévation, réalité du dernier Exode : (vv. 12-15)	1) Exposé du Dessein du Père : • Sa source : l'amour pour l'humanité • Son but : donner la vie • Son médiateur : Le Fils envoyé et livré • Le moyen d'accès : la foi (vv. 16-17)

On est donc parti de Nicodème qui vient de nuit et se trouve en face de la lumière : le discours de Jésus qui éclipse le Maître en Israël dont la voix disparaît (vv. 11-18). Ainsi ressort son invitation à choisir entre la nuit et la lumière.

On peut remarquer encore que le troisième volet est un véritable sommaire de théologie johannique et détachable. On le retrouve d'ailleurs en substance en deux autres endroits (1,1-17; 12,46-48).

Cependant, une autre raison peut avoir motivé l'inversion.

Dans les références originales de l'élévation du serpent, la puissance salvifique de Dieu est immédiatement mise en relation avec le geste de Moïse. Jean, fidèle à ses sources, aurait donc conservé la même association (entre v. 15 et v. 16).

Une progression ascendante traverse les trois volets concernant la révélation faite par Jésus et sa communauté. Elle conduit de l'entrée dans le Royaume par l'Esprit au dessein du Père, en passant par l'élévation du Fils de l'homme. Il en va de même sur le plan des répercussions humaines : plus la lumière est grande et plus celui qui la refuse s'enfonce dans les ténèbres. Ainsi part-on de la foi mal éclairée de Nicodème pour aboutir à la condamnation des Juifs, en passant par l'incrédulité.

*
* *

Les deux progressions, de la révélation faite par Jésus et des attitudes qu'elle entraîne pour l'homme, étant si intimement liées l'une à l'autre, elles peuvent s'étudier simultanément. C'est donc en approfondissant les *deux points majeurs du texte :* élévation du Fils de l'homme et dessein de Dieu d'amour pour le monde, qu'au fur et à mesure seront vues leurs répercussions pour les hommes.

1. La première affirmation importante fournie par le texte concerne le pouvoir d'attraction de Jésus élevé de terre, un pouvoir tel que ceux qui regardent sa personne trouvent en lui la vie.

— Le titre de « Fils de l'homme[2] » décerné à Jésus se retrouve chez Jean aussi bien que chez les Synoptiques. Mais ici, l'auteur en parle de manière originale, en l'associant à l'évocation du serpent que Moïse[3] éleva sur un bâton.

Réalité importante de l'Exode dans le désert, cette élévation annonçait comme toutes les autres ce qui devait venir. Mise sous l'autorité de Moïse, elle appartient à la première des étapes du Salut,

2. VTB, *Fils de l'homme*, N.T., I 2.
3. VTB, *Désert*, A.T., I 3; *Exode*, N.T., 3; *Signe*, N.T., I 2.

celle qui n'est que la « figure » de la seconde et définitive avec Jésus (voir 1,17).

Or, dès la première ambassade juive auprès de Jean-Baptiste, (1,19-28) il est dit que le « Chemin du Seigneur », celui du nouvel et définitif Exode, est inauguré. Par la suite, ce « Chemin » a reçu plusieurs qualifications : Chemin du Messie (1,34.41.50) ou de l'Époux en recherche de son épouse (1,51 ; 2,1-11 ; 3,29). La nouvelle image du serpent élevé permet sans doute à l'évangéliste de suggérer une autre nuance ; grâce à cette élévation, le Chemin du Seigneur devient le Chemin du salut, exprimé chez Jean par l'expression « vie éternelle »[4].

Cependant, si le Christ élevé de terre est le Chemin du salut pour tous, il faut encore pour que ce salut devienne effectif que les hommes tournent le regard vers lui, comme il était déjà demandé pour le serpent du désert. Or ici intervient un douloureux changement de situation : à Moïse qui éleva le serpent se substituent ceux qui tiennent sa place, Juifs et Pharisiens, dont l'infidélité (5,45s), les amène à élever le Fils de l'homme (8,28 ; voir 2,19). Dès le début, ils se sont exclus du Chemin (1,19s); ils ne sont bientôt plus soumis qu'à la dynamique du mal (8,44s) et ils ne pourront pas bénéficier de la source de vie, que le Fils de l'homme trouve moyen de faire jaillir de lui lorsqu'il est élevé en croix (19,34). En revanche, de même que celui qui regardait le serpent élevé était sauvé de la mort (Sg 16,6-7), de même l'homme qui regarde le Fils de l'homme élevé (19,37), ou encore qui accepte le témoignage de ceux qui l'ont vu (19,35 ; 3,11-14), reçoit[5] la vie (3,15) ; il est libéré de la mort causée par le péché (1,30.36).

— Dans le même passage du Livre de la Sagesse, l'auteur renseigne encore sur la source ultime du salut, transmis par l'intermédiaire du serpent. L'animal, en airain, ne possédait aucune efficacité propre. Cela méritait d'être dit après que l'on fut tenté de le considérer sinon avec idolâtrie du moins avec superstition. Il n'était qu'un symbole de la puissance de Dieu. Cette réflexion paraît avoir

---

4. VTB, *Vie*, IV 2.
5. VTB, *Foi*, N.T., IV § 3 ; *Voir* N.T., I 2.3.

retenu l'attention de Jean, comme nous l'avons déjà souligné, au point de modifier l'ordre de l'organisation du texte. Après avoir évoqué le signe du Salut par excellence, l'élévation du Fils, il poursuit aussitôt sur le rôle initiateur de Dieu.

Aussi fidèle que soit la liaison johannique à sa référence sapientielle, elle n'en permet donc pas moins à l'auteur de marquer l'inouïe nouveauté de la relation entre le signe du salut et celui qui en a l'initiative, le Père. Tandis qu'une distance infranchissable séparait du Seigneur le serpent d'airain, distance égale à celle qui sépare les choses d'en-bas de celles d'en-haut (3,12), il n'y en a plus aucune entre le Fils de l'homme et Dieu. Dès le verset 13 l'évangéliste rappelle l'origine céleste de ce Fils et, par le jeu du parallélisme synonymique (entre les versets 14 et 16), celui qui est le Fils Unique de Dieu est à identifier au Fils de l'homme. Aussi bien, entre le signe et Dieu il y a parfaite homogénéité, parfaite égalité (5,18s). Maintenant, sans aucun risque d'idolâtrie ou de superstition, le signe peut dire de lui-même : « quand je serai élevé de terre, j'attirerai tous les hommes à moi » (12,32 ; 19,37), autrement dit : je ne suis pas seulement signe de salut, mais la réalité du salut en personne ; la vie que j'offre à tous n'est pas seulement pour plus tard, mais elle peut commencer dès à présent ; ou encore : je suis bien un homme terrestre et ce que je dis concerne tous les hommes dans leur condition terrestre, mais ce que je dis à ce sujet dépasse ce que l'homme peut atteindre par lui-même dans cette condition, c'est une vie d'un autre ordre que toutes celles qu'il peut imaginer que je lui offre, et dès à présent.

En cela, Jean fait progresser la notion de Fils de l'homme qu'il partage par ailleurs avec les Synoptiques. Chez ceux-ci apparaissent deux registres ; le Fils de l'homme est envisagé tantôt dans son activité terrestre et tantôt dans son activité de juge céleste. Jean associe les deux perspectives : le Fils de l'homme est le crucifié et l'exalté. C'est une perspective propre à cet évangéliste de relever l'intime association : mort-glorification. C'est le même terme « élevé » *(upsotenai)* qui traduit à la fois « être élevé » sur la croix et « être élevé » à la droite de Dieu : le Christ unit dans sa personne deux natures ; il est l'Homme-Dieu.

En outre, le parallélisme entre les versets 14 et 16 autorise un ultime degré d'approfondissement sinon une deuxième version de l'élévation du Fils de l'homme. Grâce au contexte, le lecteur sait par qui il a été élevé. De cet événement, l'historien peut étudier les circonstances, les causes profondes, etc. Mais, au-delà des conjonctures « terrestres », l'évangéliste atteint à la réalité invisible de cette élévation : le Père donnant son Fils Unique. Ce titre (en grec : *monogénès*) appliqué à Jésus ne se trouve que chez Jean. Il a été repris par les chrétiens dans leur *Credo :* « en Jésus-Christ son Fils unique ». Cette filiation unique vient d'une parfaite unité dans l'amour : « unique » est synonyme de « bien-aimé »[6], non sans suggérer un rapprochement avec un autre fils unique, Isaac, tendrement chéri par son père Abraham et pourtant livré par ce dernier au sacrifice (voir 1,18; 3,35; 19,17 comparés à Gn 22,2.16). Ainsi, puisque c'est en réalité le Père qui donne son Fils Unique, les hommes ne pourront rien contre celui-ci[7] tant que l'Heure ne sera pas venue (7,30; 8,20).

Mais l'évangéliste le sait : il est une catégorie de Juifs, celle dont Nicodème est le type, qui ne sont pas ouverts à la venue du Fils. Il faut dénoncer leur attitude. En passant au « vous » (3,12), le dialogue les vise et, par-delà la personne de Nicodème, il atteint les incrédules de tous les temps qui agiront comme eux. Comme de coutume, le quatrième évangéliste aime bien, derrière un personnage historique, entrevoir tous ceux du même type qui peuvent exister.

Ainsi, en un premier temps, les hommes du genre de Nicodème apparaissent comme affrontés à un drame : connaissant quelque chose de Jésus, ils ne peuvent plus agir comme si cela n'était pas. Il leur faut se prononcer sur lui : l'accueillir ou le rejeter.

2. Voici qui introduit au deuxième élément central fourni par le texte et relatif à l'amour extrême manifesté au monde par Dieu : « Dieu a tant aimé le monde qu'il lui a donné son Fils »; expression qui, pour être mieux comprise, demande d'analyser d'abord les cinq illustrations qu'en donne l'auteur.

6. VTB, *Fils de Dieu*, N.T., I 3.
7. VTB, *Dessein de Dieu*, N.T., I 1.

— « Dieu ne veut pas que l'homme périsse » (v. 16). Jean reprend tout un courant prophétique (Ez 18,23.32; 33,11) et sapientiel (Sg 1,13; 12,19) non seulement pour l'avaliser mais surtout pour l'enrichir à la lumière définitive apportée par le mystère du Fils de l'homme. Certes, il partage la doctrine de la Sagesse : Dieu n'a pas fait la mort puisqu'il a tout créé pour que tout subsiste (Sg 1,13-14); or, la mort existe, son auteur et sa cause sont bien connus. Face à cette réalité, sages et prophètes n'ont pas de solution. Tout autre est devenue la situation de l'humanité depuis que le péché pourvoyeur de mort a été pris en charge par l'Agneau de Dieu (1,30.36), ôté quand le Fils a été élevé.

La racine de la mort étant extirpée du monde, la volonté du Créateur ne rencontre plus d'obstacle et l'homme ne périra plus (6,39s; 10,28;11,26). Il lui est seulement demandé de croire[8].

— « Dieu veut que l'homme vive » (v. 16). Aux multiples développements de l'Ancien Testament sur ce second thème, d'ailleurs corollaire du premier, l'évangéliste substitue son analyse de la nature de la vie que Dieu veut maintenant donner. Éternelle, elle s'identifie à la jouissance du Royaume (comparer 3,15-16 à 3,3.5). Aussi bien elle n'est plus de l'ordre de la première création; elle n'est plus une vie d'en-bas, transmise par génération charnelle (3,4), mais une vie d'en-haut, donnée au baptême (3,3.5.7.8) par l'Esprit, après que le Fils ait été élevé. Face à elle, Juifs et non-Juifs sont soumis aux mêmes exigences de foi et de sacrement pour une nouvelle naissance, tous ceux qui vivent de cette vie nouvelle constituent une famille unique, celle des enfants de Dieu (1,12).

— « Dieu ne veut pas condamner le monde » (v. 17). Cette troisième illustration ne manque pas, elle non plus, de références dans l'Ancien Testament (Ez 18,23; Os 11,8; 13,5; Ps 103...). Cependant, Jean paraît y ajouter deux nuances qui, pour n'être pas entièrement nouvelles, n'en sont pas moins spécifiques de la restauration de la création. Tout d'abord, si les textes de l'Ancien Testament mettaient cette volonté en relation quasi exclusive avec Israël, laissant dans un vague no man's land le reste de l'humanité, l'évan-

8. VTB, *Salut*, N.T., I 1a.

géliste étend sans aucune ambiguïté possible la relation de cette volonté à l'ensemble de l'humanité. Ensuite, le jugement[9] pris en mauvaise part de condamnation n'est pas pour autant aboli, il se déplace simplement. Dorénavant, il n'est plus à concevoir comme un acte extérieur à l'homme mais comme la chose propre de cet homme qui, de lui-même, a pris une attitude insuffisante ou négative face aux signes de Jésus (2,24; 3,2), à son témoignage (3,11) ou à celui de sa communauté (3,11-14). La condamnation comme la mort sont des réalités extérieures et étrangères au Royaume de Dieu, celui de la nouvelle Création[10], elles constituent « les ténèbres » (v. 19). Tout se passe comme si le Fils de l'homme n'avait aucun rôle vis-à-vis de ceux qui refusent la lumière : ils sont un monde en dehors de lui. De ce point de vue, on peut dire que sa mission de juge est devenue inutile car, finalement, c'est l'homme qui se juge lui-même, en optant pour ou contre l'amour manifesté par Dieu. En revanche, chez celui qui accueille la Lumière, tout est éclairé par elle.

— « Dieu veut sauver le monde, en son Fils Unique » (v. 17). La vie et le salut sont des réalités intérieures et spécifiques du Royaume. Prises ensemble, elles peuvent être désignées sous le même terme de lumière (vv. 19-21); cependant le salut donne accès à la Vie comme la condamnation donne accès à la mort. N'ayant plus le rôle de justicier du monde que lui attribuait une tradition (Dn 7,26; 11,24; voir Mt 16,27), le Messie que Dieu envoie et donne n'aura plus qu'un rôle de Sauveur universel : c'est lui le Sauveur du monde (4,42), livrant sa vie pour ses brebis non seulement celles de la nation d'Israël, mais celles du « monde »[11].

C'est donc à « quiconque » qu'est adressé l'appel à croire et à entrer dans la vie éternelle. La suite de l'évangile montrera effectivement comment cet amour n'est plus limité au seul Israël, comme au temps du serpent d'airain, mais qu'il s'étend aux Samaritains chez lesquels Jésus est proclamé « Sauveur du monde » (4,42), « aux Grecs » (12,20-32), « aux étrangers » (10,16; 11,52).

Tout homme, quelle que soit son identité morale ou ethnique,

9. VTB, *Jugement*, N.T., II 2.
10. VTB, *Lumière et ténèbres*, N.T., I 2.
11. VTB, *Nations*, N.T., III 1b; *Monde*, N.T., I 2; II Intr.

quel que soit son tissu de relations est, religieusement parlant, un fils
égaré. S'il accueille la foi, le voilà rassemblé dans le troupeau du
vrai Pasteur (11,52; 10,16). Cette visée universaliste est une caractéristique du quatrième évangile et des écrits johanniques (1 Jn 2,2).
Nous sommes loin d'une conception ésotérique du salut réservé à
quelques-uns, telle la conception de certaines sectes de l'époque, à
commencer par celle de Qumrân.

Enfin, Dieu veut être en communion avec l'homme « à l'œuvre »
(v. 21). Trop souvent ou trop longtemps, les chrétiens ont parlé
de la vie éternelle au moyen d'un langage ou d'images plus proches
du nirvâna bouddhique que de la conception johannique. Pour le
quatrième évangéliste, la vie éternelle est une vie dynamique débor-
dant dans une activité et non un plat repos. Dieu « travaille toujours »
et ses enfants aussi, comme « son Fils » (5,17). A maintes reprises
l'Ancien Testament avait proposé à l'homme de « marcher en présence de Dieu », « d'agir devant sa face », gage d'efficacité de toute
activité humaine (Am 5,24; Mi 6,8; Is 30,15; Tb 4,6; 13,6). Cependant cet idéal, pourtant clairement entrevu et sincèrement désiré,
n'a pas toujours pu être réalisé. Il s'exprime davantage en prière
de demande (Ps 139,23-24) qu'en constat de réussite; plus en perspective prophétique (Os 2,21), qu'en pratique historique. Maintenant, les conditions de travail étant changées, l'évangéliste entrevoit
sa réalisation chez celui qui n'est plus seulement « en présence de
Dieu » ou « devant sa face », mais « en Dieu » (v. 21), en profonde
communion avec lui (1 Jn 1,6). Et les œuvres[12] qu'il lui est donné
d'accomplir sont de même nature que celles de l'Envoyé; elles
peuvent même être plus grandes encore (14,12).

Ces cinq illustrations, toutes en relation avec l'élévation du Fils
de l'homme, soulignent la modalité nouvelle de l'amour de Dieu
pour l'humanité. Non seulement il y a restauration du projet initial
de Dieu, mais encore naissance d'un monde tout autre, issu de
l'Esprit : le Royaume de Dieu, déjà là et donné à quiconque croit,
où la loi adamique du travail loin d'être abolie devient invitation
à travailler aux œuvres faites en Dieu.

12. VTB, *Œuvres*, N.T., I 3.

Deux verbes éclairent cette nouvelle modalité. Joints aux cinq caractéristiques précédentes, ils permettent de comprendre tout le sens de la parole : « Dieu a ainsi aimé le monde qu'il a donné son Fils Unique » (v. 16). Ce sont les verbes « aimer » et « donner »[13] qui traduisent toute l'action de la Rédemption. Ces verbes sont employés ici à l'indicatif aoriste, mode et temps qui expriment en grec une action considérée comme purement et simplement sous son aspect d'action. Autrement dit, ils font ressortir le caractère absolu, décisif, de l'amour de Dieu et l'identité de cet amour avec la personne de Jésus : il en est le « don » même. Ce don est celui du Fils incarné mais aussi, d'après le contexte, s'offrant dans sa mort. Il s'agit donc du grand acte d'amour du Père pour le monde quand il donne son Fils élevé en croix, le cœur ouvert pour les hommes.

*
* *

L'étude de la construction littéraire et du genre du passage a montré que cette troisième partie du dialogue de Jésus avec Nicodème ne relevait pas du reportage, mais du genre « sommaire théologique » : Nicodème, aussi bien que sa question précise, ont disparu de l'horizon littéraire; Jésus n'est plus celui qui parle, seul (3,1-10) ou avec sa communauté (3,11 s), mais celui dont on parle à la troisième personne. Le style est réflexif et quasi hiératique : les thèmes, fortement colorés par la théologie johannique ont une portée fondamentale et universelle. Nous avons affaire certainement à une création originale de l'auteur et de son milieu, animés par l'Esprit, enseignant toute vérité sur le dessein de Dieu (14,26).

La tâche de la *critique historique* est donc moins de chercher à savoir si Jésus de Nazareth a pu ou non parler ainsi, que de s'attacher à apprécier l'homogénéité de cette création johannique par rapport à ce que Jésus exprimait de lui-même et de sa mission. Or la substance de ce sommaire théologique de Jean correspond manifestement au portrait qui est fait de Jésus dans l'ensemble de la tradition évangélique et en particulier de la tradition synoptique,

13. VTB, *Rédemption*, N.T., 5a; *Don*, N.T., 1.2; *Amour*, N.T., 1.

qu'il s'agisse du dessein de Dieu ou qu'il s'agisse de la réponse de l'homme.

C'est d'abord à travers son attitude que Jésus révèle le dessein de Dieu, spécialement par son attitude à l'égard des hommes les plus éloignés de la vie religieuse officielle : Publicains, Samaritains et même étrangers. Ce comportement fait question aux observateurs toujours minutieux et souvent mal intentionnés que sont les scribes ; Jésus est amené à en rendre compte et, ce faisant, il manifeste son intelligence du dessein de Dieu : Je suis venu appeler les pécheurs (Mc 2,17) ; je suis venu chercher et sauver ce qui était perdu (Lc 19, 10). Le geste de Jésus s'opposant à l'impétuosité de ses disciples est fort significatif de la conscience de sa mission universelle de Salut ; d'ailleurs, en ajoutant à ce verset : « car le Fils de l'homme n'est pas venu perdre les âmes des hommes, mais les sauver », la tradition manuscrite ne s'y est pas trompée (Lc 9,55).

Pour ce qui est du mystère pascal, véritable centre du dessein de Dieu, citons simplement le *logion* fameux : « Le Fils de l'Homme lui-même n'est pas venu pour être servi mais pour livrer sa vie en rançon pour la multitude » (Mc 10,45 ; Mt 20,28).

Quelle réponse demande une telle attitude ? Conscient d'être envoyé par Dieu pour venir chercher la multitude et livrer sa vie pour elle, Jésus sollicite continuellement et invariablement la foi de l'homme (Mc 5,36 ; 9,23 ; 11,23 ; 15,32 ; Lc 8,50, etc.).

Si la réponse est positive, l'homme devenu croyant voit s'ouvrir devant lui la route du salut (Mc 16,16) ; si elle est négative, l'homme incrédule débouche sur la condamnation (Mc 16,17).

En outre, si l'on accepte le parallèle entre les « ténèbres » au sens johannique dont les Pharisiens sont parmi les premiers animateurs (8, 12-13 ; 9,39-41 ; 12,42) et « le levain des Pharisiens » des Synoptiques — vis-à-vis duquel Jésus met en garde — (Mc 8,15), on retrouve le même obstacle à surmonter pour vivre dans la Lumière, dans la Foi.

Ainsi donc ces quelques références synoptiques, loin d'être exhaustives, permettent à la critique historique de mesurer le bien-fondé de l'homogénéité des développements théologiques du quatrième évangile par rapport à l'expression que Jésus donnait de sa Personne, du dessein de Dieu et des exigences présentées à l'homme.

*
* *

C'est à une option fondamentale, qui ne s'opère pas sans un combat intérieur dramatique, que *ce texte invite* en définitive.

Ce qu'il présente, aux hommes, c'est le sens ultime que leur vie peut prendre, seul capable de combler leur aspiration à un bonheur sans fin. Par-delà toutes les techniques ou idéologies dans lesquelles l'homme met son espoir de salut, pour lui-même et pour l'humanité, Jésus se donne comme la seule réponse définitive. Par la manière dont il conduit sa vie et parle, il se présente comme une question provocante. Il invite à croire à la révélation qu'en lui se trouve quelque chose de plus que dans les autres hommes : le don de l'amour de Dieu pour eux. Nul autre que lui n'a osé offrir une telle prétention, présentée en outre dans des moyens d'apparence si humble. Donner sa vie avec amour en étant élevé de terre comme un pauvre, tel est le signe que Dieu ne veut pas la perte de l'homme mais sa vie, ne veut pas sa condamnation mais son salut. L'œuvre par excellence de l'homme sur terre est de s'élever ainsi à l'image de celui qui lui a montré la voie et auquel il fait confiance. Voilà la seule œuvre vraiment durable de sa vie qu'il est invité à accomplir.

Toute personne peut être affrontée un jour ou l'autre à ce choix : se prononcer pour ou contre une vie menée conformément à l'amour tel que Jésus l'a révélé. C'est alors le combat des Nicodème de tous les temps.

Mais aujourd'hui, cet accueil de la révélation ou du don de l'amour de Dieu en Jésus-Christ devrait passer par l'intermédiaire de ses témoins dans l'Église. Les tergiversations des Nicodème ne sont donc pas dues qu'à leur manque de courage mais aussi parfois aux déformations qu'ils ont sous les yeux. Le texte de l'Évangile interpelle donc les membres de l'Église pour qu'ils prolongent au mieux la mission de Jésus, en particulier en ne prononçant pas de jugement sur les hommes. Qu'ils manifestent envers tout homme, par-delà sa race, sa civilisation, ses options, son histoire, un regard allant au fils de Dieu aimé en Jésus; qu'ils prolongent le dialogue avec ceux qui sont attirés par le côté humain de celui-ci sans en percevoir encore la source.

R. B.

Cinquième dimanche
Jean 12,20-33

ÉLEVÉ DE TERRE POUR ATTIRER LE MONDE[1]

²⁰Or il y avait quelques Grecs, de ceux qui étaient montés afin d'adorer pendant la fête. ²¹Ceux-ci vinrent à Philippe de Bethsaïde de Galilée, et ils le priaient en disant : « Seigneur, nous voulons voir Jésus. » ²²Philippe vient et (le) dit à André. André et Philippe viennent et (le) disent à Jésus.

²³Jésus leur répond en disant : « L'heure est venue que soit glorifié le Fils de l'homme. ²⁴En vérité, en vérité, je vous (le) dis : si le grain de blé, tombant en terre, ne meurt pas, il demeure seul; mais s'il meurt, il porte beaucoup de fruit. ²⁵Qui aime sa vie la perdra, et qui hait sa vie en ce monde la gardera pour la vie éternelle. ²⁶Si quelqu'un me sert, qu'il me suive, et où je suis, là aussi sera mon serviteur. Si quelqu'un me sert, mon Père l'honorera. ²⁷Maintenant, *mon âme est troublée*. Et que dirai-je ? Père, sauve-moi de cette heure ? Mais (c'est) pour cela (que) je suis venu à cette heure! ²⁸Père, glorifie ton Nom. » Vint alors une voix du ciel : « Et j'ai glorifié et de nouveau je glorifierai. »

²⁹La foule, qui se tenait (là) et avait entendu, disait qu'il y avait eu un (coup de) tonnerre. D'autres disaient : « un ange lui a parlé. » ³⁰Jésus répondit et dit : « Ce n'est pas pour moi qu'il y a eu cette voix, mais pour vous. ³¹Maintenant, c'est le jugement de ce monde; maintenant, le Prince de ce monde sera jeté bas. ³²Et moi, quand j'aurai été élevé de la terre, j'attirerai tout à moi. » ³³Or, il disait cela pour signifier de quelle mort il allait mourir.

1. Synopse § 309.

Au seuil de la Passion, l'évangile semble recommencer. Des hommes, des Grecs cette fois, retrouvent la démarche des premiers disciples au bord du Jourdain; de proche en proche, ils parviennent à voir Jésus. Au moment où ces prémices des Nations s'approchent de lui, la voix du Père se fait entendre comme au jour du Baptême. Jésus pourtant ne pense qu'à l'heure qui approche. Pour que vienne au jour le fruit du grain tombé en terre, par quelle mort doit-il lui-même passer?

Les paroles de Jésus et le ton général de la péricope font penser à la scène de Gethsémani, à cette agonie que le quatrième évangile n'intégrera pas au récit de la Passion. Enfin, une fois de plus, les mêmes mots reparaissent : le « monde », le « jugement », le « Fils de l'homme »... mais à l'approche du drame ils prennent une résonance nouvelle.

✳
✳ ✳

a) *Le passage se trouve* dans la partie de l'évangile de Jean consacrée à la dernière Pâque (11,55—19,42) et qui comprend trois parties : la marche vers la mort (11,55—12,50), le dernier repas (13—17,26), la Passion (18—19,42).

On peut y relever une série de symétries, antithétiques pour la plupart, relatives aux foules et à Jésus.

Les foules connaissent enthousiasme et déception.

Soulevées par l'attrait que Jésus exerce sur elles, ces foules se précipitent vers lui (11,56; 12,9.12.17.19). Mises devant la nécessité de la mort et de l'élévation du Fils de l'homme que leur révèlent la théophanie et son interprétation prophétique, elles sont amèrement déçues (12,34).

Le mouvement des foules vers Jésus a pour corollaire leur éloignement des autorités : grands prêtres et Pharisiens (12,10.12.19). Le point culminant est l'accueil triomphal de Jésus à Jérusalem (12,12-14), qui cause une vive inquiétude chez les Pharisiens (12,19) obligés de constater l'inefficacité des mesures policières prises par les grands prêtres (11,57; 12,10) et même de leurs propres censures (12,42).

234

Après le choc avec la lumière, ces mêmes foules, éloignées un temps de leurs chefs religieux officiels, les rejoignent définitivement, venant grossir le camp de l'incrédulité (12,37 s) : cela explique d'avance leur attitude générale durant les événements de la Passion.

Quant à Jésus, il se montre et il se dérobe. A tous ceux qui veulent le voir, Juifs et Grecs, il se manifeste sans restriction (11,56; 12,9. 13.18.21). Mais quand il aura montré le plus intime mystère du Fils de l'homme et après que la foule aura refusé de « voir », il se dérobera définitivement à leurs yeux (12,36), jusqu'au moment où élevé de terre il se montrera à nouveau (19,37).

Les deux repas qu'il prend, celui de Béthanie (12,1-11) et le « dernier » (ici la symétrie n'est plus antithétique mais progressive), éclairent le sens de son action. Le premier inaugure la dernière semaine terrestre de Jésus (12,1); l'onction de Marie renvoie à l'embaumement du corps de Jésus (12,7; 19,4), la présence de Lazare, mort et « réveillé » (12,1.9.17), suggère une autre mort et une autre résurrection. Le second repas inaugure le Premier jour des temps nouveaux et actualise mystérieusement ce que le premier annonçait aux yeux de l'auteur.

L'étude de ce contexte permet de faire un certain nombre de remarques.

Les antithèses montrent la place charnière occupée par le message dans la révélation du mystère du Fils de l'homme et de la nouvelle Pâque, ainsi que dans le refus des foules de le recevoir tel quel : « Ce langage-là est trop fort, qui peut l'écouter ? » (6,60).

Les lumières du texte sont décisives pour comprendre le dernier repas et toutes les fêtes de Pâques. Elles permettent de « voir » Jésus. La requête grecque adressée à Philippe (v. 20) est exaucée sans doute au-delà de toute attente (comparer 12,20 à 10,16). Un lien direct existe entre la gloire de Jésus due à sa Passion et le commencement de la réalisation universelle du salut.

Il n'est pas étonnant que l'auteur ait tenu à insérer ici la seule théophanie de tout son évangile : elle garantit les révélations essentielles qu'il fournit à cet endroit.

b) Dans son *organisation*, ce texte rassemble trois types d'éléments : un récit, un discours et une théophanie.

Bien qu'il ne nomme pas la Pâque juive, le récit (vv. 20-22) maintient dans l'ambiance de cette fête.

Parmi la foule des pèlerins (11,55; 12,9.12.18), l'auteur distingue un groupe non autochtone (11,55) mais « grec » et gagné lui aussi par l'attrait que Jésus exerce. La requête de voir Jésus présente deux caractéristiques : elle est transmise par les disciples et elle n'est pas limitée à la satisfaction d'un désir de curiosité (le verbe *oran* impliquant l'authenticité d'une recherche religieuse).

Le discours (vv. 23-28a) comporte trois parties :
— il s'ouvre sous le signe de l'Heure de la glorification (v. 23);
— puis il prend une comparaison : le grain de blé, et en tire la leçon (vv. 24-25), appliquant au disciple la loi de ce grain et celle de l'imitation de l'Heure de Jésus (v. 26);
— enfin, Jésus exprime son trouble et prie le Père (vv. 27-28a).

La théophanie se présente comme une voix du ciel, en réponse à la prière de Jésus (v. 28b).
Elle est suivie des réactions de la foule manifestant une incertitude sur ce qui se passe : coup de tonnerre? voix d'ange? (v. 29).
Puis Jésus donne l'explication : elle est le signe du « maintenant » du Jugement du monde et de la fin de la puissance de son Prince; un signe également de la glorification du Fils de l'homme (vv. 30-32).

Les deux premiers éléments de la structure, récit et discours, sont classiques chez l'auteur du quatrième évangile. En revanche, l'adjonction de la théophanie est tout à fait insolite. Mais il faut noter sa bonne insertion littéraire à cet endroit.
Le lien entre le récit et le discours (ou, si l'on veut, la réponse donnée par Jésus à la question des Grecs) est plus fondamental que formellement explicité : « voir » Jésus, c'est le servir — comme on doit servir Dieu —, c'est-à-dire le suivre à la manière des disciples, être avec lui là où il est, connaître son heure, comme le grain

de blé jeté en terre, comme celui qui hait sa vie en ce monde, non sans éprouver un trouble profond de l'âme.

Ainsi compris, ce lien fondamental se poursuit encore dans la troisième partie, la théophanie, et dans son interprétation prophétique : c'est en vertu de l'heure où il est glorifié par le Père que Jésus attire à lui et se fait « voir ». Comme dans le cas du discours avec Nicodème[2], on peut noter qu'à un certain moment, il n'est plus question des interlocuteurs (là, Nicodème, ici, les Grecs). Ce procédé est une manière propre à Jean pour placer à l'intérieur du récit sa propre réflexion à destination des chrétiens auxquels il s'adresse.

*

* *

Ce texte présente des *éléments importants* suivant deux lignes, l'une ayant trait à la révélation de Jésus sur lui-même et à la manière de l'imiter, l'autre à l'entrée des hommes dans cette révélation.

1. Jésus révèle qu'est venue l'heure de sa glorification. Il le dit clairement dans l'exorde de son discours (v. 23). Mais cette parole est illustrée de multiples manières dans l'ensemble du texte.

Tout d'abord, par les païens[3] qui viennent se présenter. Leur démarche intervient précisément au moment où arrive l'heure de la glorification de Jésus, c'est-à-dire de sa Passion et de sa Résurrection. Autrement dit, l'heure[4] du Fils de l'homme[5], ou sa gloire, est celle du salut qui commence à manifester son efficacité et son étendue universelle : les païens, en venant à Jésus, le glorifient. C'est là son triomphe (v. 33) beaucoup plus que celui, mal compris, des foules avec leurs rameaux (vv. 12-14).

La révélation que Jésus fait de son heure de glorification est illustrée ensuite par une brève parabole. Il s'y donne comme le grain de blé tombé en terre qui produit beaucoup de fruits. Cette

2. Voir étude précédente p. 220 et 224.
3. VTB, *Nations*, III 1b.
4. VTB, *Heure*, 2.3.
5. VTB, *Fils de l'homme*, N.T., I 2.

image illustre aussi le sens donné à la venue des païens vers Jésus. La terre, en effet[6], est une image évocatrice de l'univers. De même, le « fruit abondant »[7] n'exprime pas seulement le débouché de l'individu dans la vraie vie : il est lui aussi une image évocatrice du salut qui atteint tous les hommes (voir Dn 4,7-9).

Suivent alors plusieurs sentences de Jésus. L'une (v. 25) tire la loi des deux enseignements précédents : pour entrer dans la vraie vie, il faut passer par la mort en l'assumant. La vraie mort n'est pas la mort physique mais le refus de se donner, la fermeture stérile sur soi. La vie est communion et sa loi est l'amour[8]. Voici qui explique cette autre sentence : la loi de la vie, le chemin de la gloire, c'est d'imiter Jésus[9] dans le don concret qu'il fait de lui-même (v. 26), c'est devenir sauveur avec lui.

Vient enfin la déclaration la plus solennelle de Jésus concernant sa glorification par-delà le passage douloureux auquel il est confronté. Si Jean est, de tous les évangélistes, celui qui introduit le plus dans le mystère du Verbe, il est en même temps très attentif à nous faire toucher « la chair », c'est-à-dire l'humanité de ce Fils Unique : lui seul souligne sa fatigue (4, 6), son émotion et ses larmes (11,33-34) suscitées par l'amitié *(philia)*, son trouble ici à l'heure de sa Passion. Trouble profond, sans doute, dont le correspondant synoptique est l'agonie de Gethsémani, mais qui n'a rien du sentiment d'écrasement ou de désespérance d'un homme face à un sort inexorable. Ce trouble, quelque douloureux qu'il puisse être pour le Christ, est intimement et indissolublement lié dans la perspective johannique à la Gloire[10], c'est-à-dire à l'éclat de la présence divine : l'heure du trouble est également l'heure de la Gloire (v. 23), gloire reçue du Père (v. 28), et non pur fruit d'une victoire sur soi, gloire qui est manifestation de la souveraineté qui l'habite, adhésion pleinement consciente au dessein de salut universel de son Père.

Après une telle offrande de soi, Jésus se voit réconforté. Pour un

---

6. VTB, *Terre*, N.T., I 3.
7. VTB, *Fruit*, IV.
8. VTB, *Amour*, II, N.T., 3.
9. VTB, *Disciple*, N.T., 2b.
10. VTB, *Gloire*, IV 3.

tel moment, il faut bien une scène grandiose, rien moins qu'une « voix du ciel ». La construction est typiquement conforme à la conception johannique du Fils de l'homme qui scelle en sa personne la réconciliation de la condition terrestre avec le ciel, qui fait éclater sa divinité dans sa manière d'adhérer à la volonté de Dieu jusque dans la mort. En disant : « J'ai glorifié » (v. 28), la voix fait allusion aux signes déjà opérés par le Christ. Elle ajoute « je glorifierai encore » faisant allusion au Signe par excellence que va être sa Passion[11].

Reste à tirer la conséquence de cette glorification de Jésus : par sa mort il jettera dehors le Prince de ce monde. L'élévation du Fils de l'homme fait de lui le Grand Prêtre et le Roi de l'humanité tout entière (19,19 s). Avant elle, Satan dominait le « monde » (v. 31; voir 14,30; 16,11; 1 Jn 5,19), aliénant les hommes sous sa tyrannie (3,35; voir Mt 8,28; Lc 8,31). Avec elle (« maintenant », dit le texte, relevant ainsi l'importance de l'heure), il est « jugé », c'est-à-dire jeté dehors, condamné[12]. Il s'agit d'un moment décisif de l'histoire des hommes. Désormais libérés de cette puissance des ténèbres ils pourront commencer à regarder la lumière, la « voir » et la servir. Leur destin dépend de l'accueil fait à cet événement.

2. Deux catégories de personnes sont montrées dans leur accueil de la révélation concernant Jésus : les païens qui le «voient» (v. 21) et les foules qui ne comprennent pas (vv. 29-30).

Jean aime utiliser la trilogie : venir, voir, croire... Elle est présente ici, dans le contexte.

L'action de « venir » est abondamment évoquée (11,56; 12,9.12. 17.19...) avec l'ambiguïté habituelle des motivations : est-ce par curiosité (11,56) ? est-ce en raison du miracle (12,9) ? ou bien est-ce pour voir vraiment la Gloire du Fils (vv. 21.30) ?

L'action de « voir » : l'auteur du IVe évangile, au vocabulaire habituellement pauvre mais toujours subtil, utilise quatre verbes différents pour l'exprimer. Les deux premiers indiquent une action visuelle naturelle dont l'objet est immédiatement saisissable, tandis

11. VTB, *Salut*, N.T., I 1b.
12. VTB, *Jugement*, I 2.

que les deux autres signifient une perception, et dans certains contextes une jouissance, au-delà de la réalité physique et visible, de la réalité invisible et religieuse des choses : en ce dernier sens l'expression « voir le Royaume de Dieu » (Jn 3,3.5), est synonyme « d'entrer dans le Royaume ».

Or précisément, lorsque les Grecs demandent à être introduits par les disciples auprès de Jésus, Jean met sur leurs lèvres le verbe grec *oran* (exactement le même qu'en 3,3). Il ne s'agit donc plus d'une démarche de curiosité mais d'une démarche religieuse, en route vers l'invisible du mystère de Jésus. Cette démarche est déjà sous la mystérieuse influence de l'élévation du Fils de l'homme par laquelle il élève tous les hommes à lui.

L'auteur passe insensiblement de l'idée de « voir » à celle de « croire ». En effet, le « voir »[13] dont il s'agit implique un itinéraire de vérité, un chemin de vie fait de renoncement à la promotion individuelle mondaine (v. 25), de service de Jésus Fils Unique (v. 26 a), de « suite » à la manière des disciples (v. 26 a), de présence mutuelle sur la même route que lui (v. 26 b), route orientée vers l'Heure dont le disciple ne fera pas l'économie (v. 24); il s'agit enfin d'honneur, décerné par le Père à celui qui « voit » son Fils élevé (v. 26 c).

Enfin, pour parvenir à « voir » Jésus, les païens ont eu besoin de la médiation des disciples. Jean, relisant l'événement après coup et le traduisant pour des chrétiens, suggère aussi la nécessité du témoignage et de la prédication apostoliques pour mettre en contact avec la révélation de la personne de Jésus.

*
* *

Dans le texte de Jean lui-même, il convient de distinguer *le fait de la théophanie* de son expression littéraire.

L'évocation du tonnerre, la présence invisible et hypothétique d'un ange, la parole qui est confusément perçue et que Jésus doit interpréter en faveur de ceux qui sont là ou qui lisent l'évangile,

13. VTB, *Voir*, N.T., I2.

tout ceci relève du genre littéraire qui veut traduire la présence de Dieu à un événement exceptionnel.

Quant à cet événement, selon le texte lui-même, son incidence sur la conscience des témoins, champ d'investigation de l'historien, se réduit à fort peu de chose : l'audition d'un bruit déterminé. L'interprétation prophétique donnée par Jésus s'offre, elle, davantage à la recherche du croyant qu'à l'analyse de la science historique.

La comparaison avec les évangiles synoptiques aide à percevoir davantage le soubassement historique de ce texte. En effet, l'existence de théophanies et d'angélophanies dans la vie de Jésus de Nazareth a de solides points d'appui chez eux.

La théophanie accompagne le baptême de Jésus (Mt 3, 16-17 p) dont le souvenir est présent dans le témoignage de Jean-Baptiste (1,32-33), et la Transfiguration (Mt 17, 5 p ; 2 P 1,16-18) dont nous n'avons pas de correspondants littéraires directs dans le quatrième évangile (absence à noter).

L'angélophanie est mentionnée à l'issue des tentations du désert (Mt 4,11 et Mc 1,13 b), et à Gethsémani (Lc 22,43) que bien des synopses modernes rapprochent de notre texte en raison de quelques similitudes entre les récits synoptiques de l'Agonie et ce passage, par exemple : le trouble de Jésus devant l'Heure venue (Mt 26,38 ; Mc 14,34 à Jn 12,27), la prière de Jésus (Mt 26,39 ; Mc 14,35-36 ; Lc 22,41-42 à comparer à Jn 12,27), la réponse du ciel (angélophanie chez Lc 22,43 et théophanie chez Jn 12,28).

Ces derniers rapprochements, dont on ne saurait mésestimer la valeur, ne parviennent cependant pas à réduire la théophanie de Jn 12 à une réplique de l'angélophanie de Lc 22,43. Il ne paraît pas suffisant en effet de dire que le récit de Jean donne une interprétation plus théologique des faits. Il n'est pas impossible qu'il pense à une autre théophanie : celle de la Transfiguration. Il avait de bonnes raisons de s'en souvenir (voir Mt 17,1 où le Fils apparut dans sa Gloire et Lc 9,32, en comparant avec Jn 12,23.28, où il est glorifié par le Père ; voir de même Mt 17,5 en comparant à Jn 12,28-30 où théophanie et glorification sont destinées non pas à Jésus, comme le fut l'angélophanie de Gethsémani, mais aux disciples). Dans les deux passages de la Transfiguration et de l'Agonie, il s'agit bien d'écouter le Fils bien aimé (Mt 17,5) ou de le « voir », de le suivre (v. 26). Il s'agit également d'une intervention du Père destinée à fournir l'intelligence du mystère de la Mort et de la Résurrection (comparer Mt 17,9 à Jn 12,28-32).

Ainsi, la théophanie de Jean serait une synthèse théologique de deux événements : celui qui s'est déroulé à l'issue de la Transfiguration et celui qui s'est déroulé à l'issue de l'agonie de Gethsémani.

*
*   *

Ce texte lance aux hommes une *série d'appels* qui peuvent changer leur destin s'ils les accueillent.

Le Christ invite à voir en lui l'éclat de la présence de Dieu pour deux motifs intimement liés : sa manière d'assumer sa mort et l'attrait qu'un tel comportement ne cessera d'exercer sur les hommes de toutes les races et de tous les temps. Par la manière dont il est mort, lucidement et pour donner la vie parce qu'il la partage en plénitude avec un Autre appelé Dieu, il a ouvert le ciel. Autrement dit, venu au milieu des hommes pour en prendre la condition, il leur permet de voir à travers lui, quelque chose de Dieu. La foi n'est pas l'admiration de l'attitude humaine de Jésus, mais ce regard qui sait percevoir, dans sa mort glorieuse, une autre présence.

Le Christ invite ceux qui veulent le suivre à imiter son comportement dans les occasions de mort auxquelles ils sont affrontés.

La présentation du mystère de l'élévation du Fils de l'homme est actuelle : elle révèle que toute la tyrannie de l'esprit-du-mal est condamnée, vaincue dans cette élévation. Bref, ce qui est proposé à l'homme, ce n'est pas qu'une personne se substitue à lui, ce n'est pas un « salut paresseux », mais dans l'élévation du Fils de l'homme une invitation à être lui-même artisan de sa libération : il est appelé à la gloire par le sacrifice.

Cette invitation se présente à lui comme actuelle, à tout moment. Acte décisif réalisé une fois dans l'histoire, elle interpelle les hommes, leur lançant un appel à déboucher sur une vie totalement ouverte. Ce faisant, ils attireront à leur tour d'autres hommes.

Les réactions à cette révélation et à ces appels sont diverses. Deux sont retenues ici.

— Certains, par le fait qu'ils ont connu des amis de Jésus, prêtent attention à ce que celui-ci a fait et dit. Ils cherchent à l'approcher davantage pour comprendre le secret de sa personnalité, tout prêts à s'attacher à lui. Mais les « Grecs » d'aujourd'hui, c'est-à-dire les personnes n'ayant pas encore approché le Christ ont-ils près d'eux des amis de Jésus, qu'ils voient vivre ?

— D'autres, « des foules », demeurent dans une certaine incompréhension. Elles en restent surtout à l'extérieur, aux phénomènes étonnants qui entourent la personne de Jésus, illustrant ainsi combien c'est difficile de parvenir à « voir » qui il est. Il ne suffit pas qu'une révélation soit proclamée pour être reconnue.

R. B.

Dimanche de la Passion
Marc 14-15

POURQUOI CETTE MORT?[1]

Moins célèbre que celui de Matthieu ou de Jean, le récit de la Passion selon Marc n'en présente pas moins une perspective d'un ton propre : il met en évidence un portrait spécifique de Jésus tant en ce qui concerne sa souffrance que le mystère de sa personne.

Contrairement au reste de l'évangile, il donne une impression de cohérence, d'action suivie, et non de compilation de petits épisodes. Il occupe de plus une place très développée par rapport à l'ensemble : la cinquième partie de l'évangile de Marc, au point que tout ce qui précède apparaît presque comme son introduction. Enfin, il semble riche en précisions : lieux, chronologie, personnages...

Cependant, passée cette première impression, il frappe plutôt par sa sobriété. Que de détails aimerait-on savoir qu'il ne donne pas ! Quels étaient les mobiles de Judas ? à quelle bande appartenait-il ? cette succession d'audiences est-elle possible en l'espace d'une nuit comme le texte le laisse supposer ? pourquoi ces silences de Jésus ? quel a été finalement le motif réel de sa condamnation et comment sont partagées les responsabilités ? Bref, le lecteur éprouve l'impression de rester sur une énigme.

Vu avec le regard de la foi, le récit étonne également. Il peut sembler en effet surprenant que les chrétiens de la deuxième moitié du premier siècle se soient donné ces textes développés au possible, montrant le Christ malmené et entouré de disciples si peu glorieux,

---

1. En raison des nombreuses péricopes que contient le récit de la Passion, le texte de celles-ci est présenté au cours de l'étude, à l'endroit du commentaire qui se rapporte à lui.

alors qu'ils étaient en possession de la révélation définitive fournie par la Résurrection.

L'esprit reste interpellé par cette mort d'innocent vécue si librement. Le récit dit qu'il fallait que les Écritures s'accomplissent, donnant l'impression que Jésus était sous le coup d'un destin. Une mort vécue de la sorte reste une interrogation pour les hommes. De plus, d'autres que lui ont connu une mort aussi consciente et volontaire. Pourquoi donc donner à la sienne une importance unique ?

*

* *

Le *contexte* du récit de la Passion, c'est l'ensemble de l'évangile.

Dans un premier temps (1,1-8), Marc a montré en Jésus une puissance qui étonne mais dont il garde le secret. Dans la deuxième partie, depuis la confession de Pierre, un voile commence à être levé sur ce secret. Mais comme celui-ci avait trait à la révélation de l'identité de sa personne : Fils de l'homme glorieux, se manifestant Fils de Dieu par la mort qu'il vit, il ne pouvait être affirmé qu'à ce moment-là. Le récit de la Passion est donc l'aboutissement de tout le livre de Marc sur lequel il projette une clarté définitive : celui-ci est l'évangile de Jésus-Christ Fils de Dieu (1,1), ce qui est totalement révélé à la fin (14,61 ; 15,39).

Le récit est tout entier conduit de manière à montrer que cette mort n'est pas due au hasard. Marc le fait comprendre dès le premier récit de miracle (1,23-28). Il montre la vie de Jésus engagée très tôt sur une voie dangereuse. Il a posé de tels gestes et dit de telles paroles que, dans le contexte des autorités religieuses et de la passion politique des foules, il ne pouvait que multiplier autour de lui les oppositions les plus diverses. S'il a gardé le secret sur lui, c'est qu'il devait révéler une identité dépassant ce que peuvent comprendre les hommes par eux-mêmes et voulait éviter d'être esclave de la faveur populaire. Tout malentendu pouvait être lourd de conséquences. C'est ce qui apparaît dans le récit qui conduit le lecteur jusqu'à la crise ultime de la Passion. Dès les premières prédications de Jésus éclate une série de cinq conflits (2,1—3,6). Puis, c'est l'opposition de sa propre famille (3,20s.31-35) et des scribes (3,22-30). La « journée des paraboles » (4,1-32) est à nouveau l'occasion de manifester l'incompréhension des foules (4,11.33-34). Après les miracles (4,35—5,43) c'est le retour à Nazareth d'où Jésus est rejeté (6,1-6a) : la tension se fait de plus en plus vive. En montrant qu'elle s'aggrave, l'auteur veut attirer davantage l'attention sur le mystère de la personne de Jésus.

Viennent alors les conflits avec les élites qui animaient les foules, cette catégorie de Juifs pharisiens qui s'opposent à lui dès le début de la seconde partie de l'évangile (8,11-21). Alors, par trois fois, Marc (de même que les autres Synoptiques) rapporte des annonces de la Passion faites par Jésus lui-même. Cette présentation révèle une intention : l'auteur veut dire que la mort de Jésus n'est pas seulement un élément de sa mission, elle en est le point culminant, celui vers lequel converge toute sa vie et qui donne tout son sens à celle-ci (8,31-33; 9,30-32; 10,32-34). Ces trois annonces[2] répétées dans le même contexte d'incompréhension, veulent avertir le lecteur de l'imminence et du caractère déroutant pour la raison de la mort de Jésus, en même temps qu'elles mettent en relief la liberté avec laquelle il l'assume.

C'est dans l'état d'esprit de Serviteur que Jésus va affronter et vivre les heures redoutables qui approchent. En effet, il a utilisé souvent le titre de Fils de l'homme en le liant à un contexte de souffrance. Il suffit de rappeler un passage typique de cette manière de faire : « Comment est-il écrit du Fils de l'homme qu'il doit beaucoup souffrir et être méprisé ? » (9,12). Voilà une question à laquelle les disciples n'ont pas su répondre avant que la Résurrection les éclaire.

D'autre part, Jésus montre qu'il partage profondément la conviction populaire selon laquelle la carrière des prophètes en Israël doit s'achever sur une mort violente; il a conscience pour sa part d'avoir pris la relève et il sait donc sur quelle voie il s'est engagé. Cette pensée qui s'affirme à plusieurs reprises dans la Cène et la Passion, a été nettement exprimée avant ces derniers événements. Le texte le plus clair (10,45) dit : « Car même le Fils de l'homme

---

2. VTB, *Jésus-Christ*, I 3.

n'est pas venu pour être servi mais pour servir et donner sa vie en rançon pour beaucoup. » Dans les deux cas, il s'agit de « servir », de « donner sa vie », en « rançon » (en hébreu, c'est le sacrifice dit « *asham* », en grec : *lytron*) et ceci pour « beaucoup » (ici l'hébreu *rabbim* n'est exclusif de personne, à l'encontre du latin « *multis* »). C'est le même « *hyper pollôn* » qui se retrouve en 14,24, dans le récit de la Cène.

Au cœur de cette crise et de ces prédications, le lecteur est invité à suivre les apôtres à la montagne de la Transfiguration qui ouvre une lumière sur la Gloire cachée en Jésus et vers la manifestation de laquelle il marche. C'est un acheminement vers l'issue de la Passion qui débouche sur la Résurrection. Mais, pour l'instant, la crise empire. Elle aboutit à la guérison de l'aveugle de Jéricho (10,46-52) qui tient ici une place essentielle parce que cet aveugle, soutenu par l'accord tacite de Jésus, y crie avec insistance « Jésus, Fils de David, aie pitié de moi! » Désormais, il n'y a plus de secret messianique et les enfants peuvent chanter dans le Temple : « Hosanna au Fils de David »; Jésus les laisse faire. Le seul résultat de ces manifestations populaires sera de réveiller l'hostilité des autorités du Temple; contre elles la foule ne saura pas soutenir le héros qu'elle s'est choisi mais qu'elle ne comprend pas réellement, et il sera facile de la retourner contre lui... Si Jésus n'a pas eu beaucoup d'ennemis dans le peuple qui l'entoura, il n'a pas trouvé non plus chez lui beaucoup de véritables amis. Pour l'instant, la balance va pencher vers l'hostilité la plus entière au sein du troisième et plus important clan d'Israël, celui des prêtres et des Sadducéens. Marc montre, à la suite des conflits avec les Pharisiens, une série de controverses (11,27-33; 12,18-27.28-34.35-40) dans lesquelles Jésus les a affrontés. Elles acheminent immédiatement au récit de la Passion.

*

* *

On s'accorde à voir dans la Passion un *texte qui, dans son organisation,* assemble deux séries de récits : l'une plus sobre et plus schématique, l'autre comme un complément plus vivant et plus concret. Le tout pourrait se représenter de la manière suivante :

LA PASSION INTÉRIEURE

Prélude
  a) Le complot contre Jésus : 14,1-2
  b) L'onction prophétique : 14,3-9
  c) La trahison de Judas : 14,10-11
A) LE REPAS D'ADIEUX
  a) Préparatifs de la Pâque : 14,12-16
  b) Annonce de la trahison de Judas : 14,17-21
  c) Institution eucharistique : 14,22-25
B) VERS LA SOLITUDE TOTALE
  a) Annonce du reniement de Pierre : 14,26-31
  b) L'agonie à Gethsémani : 14,32-42

LA PASSION PHYSIQUE

Prélude : Arrestation de Jésus : 14,43-52
A) LE JUGEMENT
  a) Le Procès religieux : 14,53-65
  b) Reniement de Pierre : 14,66-72
  c) Le procès civil 15,1-15
B) L'EXÉCUTION DU JUGEMENT
  a) Outrages à Jésus-Roi : 15,16-20
  b) Chemin de croix et crucifiement : 15,21-33a
  c) Mort de Jésus : 15,33-41
  d) Ensevelissement : 15,42-47

Au point de vue narratif, l'aspect dramatique de l'événement est mis en relief par le vide qui se fait petit à petit autour de Jésus : Judas s'éloigne, les trois dorment, tous s'enfuient, Pierre lui-même renie. Jésus apparaît dans la plus grande des solitudes.

Dans la succession des séquences, l'auteur utilise un procédé qui lui est cher et qui consiste à disposer « en sandwich » deux récits tels que, par exemple, les annonces de la trahison de Judas, du reniement de Pierre, etc. Ce procédé est sans doute à la fois littéraire et théologique. Il maintient l'attention en haleine et met en relief la corrélation de différents épisodes dont la succession risquerait de faire perdre le fil profond qui les relie.

Au plan d'ensemble, les deux groupes de récits sont organiquement liés, non seulement par un ordre chronologique, mais par une unité interne ; le premier montre comment Jésus a commencé par vivre intérieurement sa Passion, le second en présente la réalisation physique. Tous les deux sont précédés d'un prélude : dans un cas, le complot et l'onction ; dans l'autre, l'arrestation. Dans les deux interviennent un certain nombre de références à l'Écriture. Bref, il s'agit, d'un récit du genre théologico-historique.

I

LA PASSION INTÉRIEURE[3]

PRÉLUDE

En prélude à la Passion, l'auteur présente trois épisodes : le complot, l'onction de Béthanie, l'annonce de la trahison de Judas. Ils sont l'occasion d'introduire le lecteur au cœur du drame, en suggérant qu'il a pour Jésus une signification qui doit être proclamée à tous les hommes.

Ce texte introductif aux événements de la Passion laisse apparaître nettement sa *structure* en sandwich : entre deux épisodes (14,1-2 et 10-11) qui se suivent, directement ordonnés au complot contre Jésus, s'insère celui de l'onction à Béthanie (14,3-9) qui veut en donner le sens ultime. La pointe de l'ensemble est dans la finale (14,7-9) de ce passage intermédiaire.

Le tout est introduit par la mention : « deux jours avant la fête » (14,1). Cette expression tire son importance de sa signification théologique beaucoup plus que de son indication chronologique. Elle veut dire que tout ce qui a trait à la mort de Jésus fait partie de « la fête ». Pâque étant essentiellement la fête de la libération, c'est vis-à-vis de celle-ci que la mort de Jésus prend tout son sens.

---

3. A partir d'ici et jusqu'à la partie consacrée à « l'historicité », l'étude suivra la méthode présentée page 11, avec une certaine souplesse. A chaque section, seuls les éléments dominants seront retenus..

a) Le complot contre Jésus[4]

Matthieu	Marc 14,1-2	Luc	Jean
26 [1]Et il arriva, quand Jésus eut fini tous ces discours, (qu') il dit à ses disciples :			
[2]« Vous savez que dans deux jours	[1]Or c'était	22 [1]Or approchait la fête des Azymes	11 [55]Or était proche
la Pâque	la Pâque	celle dite Pâque	la Pâque des Juifs...
	et les Azymes dans deux jours		
arrive et le Fils de l'homme est livré pour être crucifié »			
[3]Alors les grands prêtres et les anciens du peuple se rassemblèrent	et les grands prêtres et les scribes	[2]et les grands prêtres et les scribes	11 [47]Les grands prêtres et les Pharisiens rassemblèrent le Sanhédrin, et ils disaient : « Que faisons-nous ?... »
dans le palais du Grand Prêtre, qui (était) dit Caïphe			[49]L'un d'eux, Caïphe, étant Grand Prêtre de cette année là... [53]A partir de ce jour

4. Synopse § 312.

Matthieu	Marc	Luc	Jean
[4]et			
ils décidèrent	cherchaient	cherchaient	ils décidèrent
ensemble	comment,	comment	
qu'ils	s'étant		
s'empareraient	emparés		
de Jésus	de lui		
par ruse	par ruse,		
et (le)	ils (le)	ils le	qu'ils le
tueraient.	tueraient.	supprimeraient.	tueraient.
[5]Mais	[2]Car	Car	
ils disaient :	ils disaient :		
« Pas	« De peur que,		
pendant la fête,	pendant la fête,		
afin qu'il	il n'y ait		
n'arrive pas			
		ils craignaient	
un tumulte	un tumulte		
parmi le			
peuple. »	du peuple. »	le peuple.	

En signalant l'existence d'un complot, l'évangéliste montre que la mort de Jésus s'inscrit dans un plan. Lorsqu'il présente la préparation de ce complot, Marc est différent de Luc qui n'en dit mot, et de Matthieu qui en parle bien mais sans précision. Lorsqu'il insiste sur la « ruse » de ceux qui ont formé le projet d'amener Jésus à la mort, il précise qu'ils s'emparent de lui par peur qu'une émeute ne s'ensuive. Voilà qui relève à la fois la popularité de Jésus et la nécessité d'une trahison pour faire aboutir le plan, ce qui suggère déjà le rôle à venir de Judas.

b) L'onction prophétique[5]

Matthieu	Marc 14,3-9	Luc	Jean
			12 [1]Six jours avant la Pâque,
26 [6]Or, comme Jésus se trouvait à Béthanie,	[3]Et comme il était à Béthanie,	7 [40]Jésus lui dit :	Jésus vint à Béthanie,
dans (la) maison de Simon le lépreux,	dans la maison de Simon le lépreux,	« Simon... »	
			où était Lazare, que Jésus avait réveillé des morts.
		[36]Or, un des Pharisiens lui demandait de manger avec lui.	[2]Ils lui firent là un repas, et Marthe servait; Lazare était l'un de ceux
	alors qu'il était à table,	Et, étant entré dans la maison du Pharisien, Il s'étendit.	qui étaient à table avec lui.
[7]une femme	une femme	[37]Et voici une femme	[3]Marie,
		qui était pécheresse dans la ville! Et ayant su qu'il était à table chez le Pharisien,	
vint à lui, ayant un vase en albâtre	vint, ayant un vase en albâtre	ayant apporté un vase en albâtre	prenant une livre

5. Synopse § 313.

Matthieu	Marc	Luc	Jean
de parfum	de parfum de nard pur	de parfum,	de parfum de nard pur
très précieux,	de grande valeur. Ayant brisé le vase en albâtre,		de grand prix,
et elle (le) versa sur sa tête, alors qu'il était à table.	elle (le) lui versa sur la tête.		
		[38]et se tenant en arrière, à ses pieds, pleurant, elle commença à lui arroser les pieds de ses larmes et (les) essuyait	oignit les pieds de Jésus et essuyait ses pieds
		avec les cheveux de sa tête, et baisait ses pieds et (les) oignait de parfum.	avec ses cheveux.
			Et la maison s'emplit de la senteur du parfum.
[8]Mais en voyant (cela),	[4]Mais		[4]Mais
			Judas Iscariote, l'un de
les disciples	certains		ses disciples, celui qui allait le livrer,
furent indignés,	s'indignaient entre eux :		
disant :			dit :
« En vue de quoi ce gaspillage ?	« En vue de quoi ce gaspillage de parfum s'est fait ?		[5]« Pourquoi
[9]Car cela pouvait être	[5]Car ce parfum pouvait être		ce parfum ne fut-il pas

Matthieu	Marc	Luc	Jean
vendu	vendu		vendu
bien cher	plus de		
	trois cents		trois cents
	deniers		deniers
et donné	et donné		et donné
à des pauvres. »	aux pauvres. »		à des
			pauvres ? »
	Et ils		
	la rudoyaient.		
			[6]Il dit cela, non qu'il se souciât des pauvres, mais parce qu'il était voleur, et que, ayant la bourse, il dérobait ce qu'on y mettait.
[10]Mais	[6]Mais		
(le) sachant,			
Jésus leur dit :	Jésus dit :		[7]Jésus dit :
	« Laissez-la,		« Laisse-la,
« Pourquoi	pourquoi		
tracassez-vous	la tracassez-vous ?		
cette femme ?			
Car elle	Elle		
a accompli	a accompli		
une bonne			
œuvre	une bonne œuvre		
pour moi.	sur moi.		
			qu'elle le garde
			pour le jour
			de mon
			ensevelissement.
[11]Car toujours	[7]Car toujours		[8]Car
les pauvres	les pauvres		les pauvres
			toujours
vous (les) aurez	vous (les) aurez		vous (les) aurez
avec vous,	avec vous,		avec vous,
	et quand vous		
	(le) voudrez vous		
	pourrez leur		
	faire du bien ;		
mais moi, vous	mais moi, vous		mais moi, vous
ne m'aurez pas	ne m'aurez pas		ne m'aurez pas
toujours.	toujours.		toujours. »

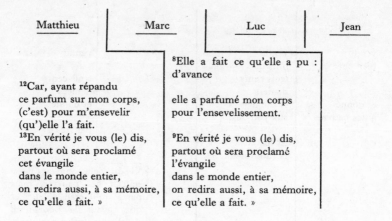

Matthieu	Marc	Luc	Jean

[Marc]
[8]Elle a fait ce qu'elle a pu :
d'avance

elle a parfumé mon corps
pour l'ensevelissement.

[Matthieu]
[12]Car, ayant répandu
ce parfum sur mon corps,
(c'est) pour m'ensevelir
(qu')elle l'a fait.
[13]En vérité je vous (le) dis,
partout où sera proclamé
cet évangile
dans le monde entier,
on redira aussi, à sa mémoire,
ce qu'elle a fait. »

[Marc]
[9]En vérité je vous (le) dis,
partout où sera proclamé
l'évangile
dans le monde entier,
on redira aussi, à sa mémoire,
ce qu'elle a fait. »

Ce récit de l'onction à Béthanie présente une particularité : il contient deux réflexions des convives du repas auxquelles répondent deux remarques de Jésus. Aussi, certains ont cru y voir un assemblage de deux récits, au moins pour les vv. 4 à 8; ce qui donnerait ceci :

Mais certains s'indignaient
entre eux :
« En vue de quoi
ce gaspillage de parfum
s'est fait ? »

« Ce parfum pouvait être
vendu trois cents deniers
et donné aux pauvres.

Mais Jésus dit :
« Pourquoi la tracassez-
vous ?

Laissez-la,
car les pauvres, vous les
aurez toujours avec vous ;

Elle a accompli une
bonne œuvre sur moi :
d'avance elle a parfumé
mon corps
en vue de l'ensevelissement. »

mais moi,
vous ne m'aurez
pas toujours. »

A défaut de savoir, avec certitude, si le texte est, ou non, l'assemblage de ces deux récits, cette observation permet de mettre en relief les deux intentions, apologétique et christologique, qu'il contient.

En effet, dans les remarques du premier type apparaît le désir de répondre aux critiques que certains Juifs ont pu faire aux chrétiens : celui que vous dites Messie est mort sans même les honneurs dus au commun des mortels. La réponse rend nulle une telle critique en précisant que ces honneurs ont été reçus par avance. L'ensevelissement[6] d'un mort faisait partie des bonnes œuvres qu'un Juif pieux ne manquait pas d'accomplir et dont on peut trouver un catalogue en Tobie (1,1-20, voir spécialement 16-20; 4,3-19).

Par la suite, la présentation de cet épisode aux chrétiens a dû conduire les prédicateurs à souligner sa signification pour les disciples de Jésus dans la suite des temps. C'est l'objet des remarques de deuxième type. En disant, lui seul, que la femme « brisa le vase » (v. 3) et que l'entourage « la rudoyait », Marc insiste sur la grandeur de l'action accomplie par la femme et sur l'inintelligence de ceux qui assistent à la scène. Lorsque, toujours lui seul, il ajoute : « quand vous le voudrez vous pourrez faire du bien aux pauvres » (v. 7), il ne veut pas contredire l'identification faite par ailleurs (voir 9,41) entre le Christ et les pauvres, mais mettre davantage en relief l'aspect prophétique du geste de cette femme. Elle annonce le rôle des chrétiens : proclamer à travers le monde par qui la Bonne Nouvelle du salut a été réalisée[7].

On peut remarquer que l'enseignement donné par Jésus l'est « dans une maison », expression qui rejoint tout à fait chez Marc le sens de « mise à l'écart »[8], autrement dit de révélation messianique réservée à certains disciples. A présent que Jésus est mort et ressuscité, non seulement il n'y a plus rien à garder secret, mais c'est la mission propre de l'Église de divulguer la révélation, ce que faisait déjà sans le savoir cette femme. L'expression « proclamer l'évangile dans le monde entier » (v. 9) annonce l'axe majeur de la prédication postpascale selon Marc (voir 1,1; 16,15). En insistant sur le geste de la femme, il veut rappeler aux chrétiens auxquels il s'adresse toute l'importance de leur mission : tout geste de leur part fait pour celui et au nom de celui en qui ils croient la Bonne Nouvelle réalisée est une annonce du Christ, même si aux yeux de certains, il paraît être du gaspillage.

---

6. VTB, *Sépulture*, 2.
7. VTB, *Onction*, I 2.
8. Voir étude du deuxième dimanche de Carême, p. 192.

c) La trahison de Judas[9]

Matthieu	Marc 14,10-11	Luc
		22 [3]Or Satan entra
26 [14]Alors (l')un des Douze, celui dit		
Judas	[10]Et Judas	en Judas, celui appelé
Iscariote,	Iscarioth,	Iscariote,
	l'un des Douze,	du nombre des Douze.
étant parti	s'en alla	[4]Et s'en étant allé,
		il parla
auprès des	auprès des	avec les
grands prêtres,	grands prêtres	grands prêtres
		et (les) chefs
		(des) gardes
[15]dit :		
« Que voulez-vous me donner,		
		(pour savoir)
et moi	afin	comment
je vous le livrerai ? »	de le leur livrer.	le leur livrer.
Ceux-ci	[11]Ceux-ci,	
	en l'écoutant,	
	se réjouirent	[5]Et ils s'en réjouirent
	et promirent	et convinrent
lui *pesèrent*	de lui donner	de lui donner
trente pièces d'argent.	de l'argent.	de l'argent.
		[6]Et il acquiesça,
[16]Et de ce moment	Et	et
il cherchait	il cherchait	il cherchait
	comment le livrer	
le bon moment	au bon moment.	le bon moment
afin de le livrer.		de le leur livrer
		à l'insu de la foule.

9. Synopse § 314.

Ce petit épisode vient clore les indications concernant le projet de mise à mort de Jésus. Deux versets suffisent, chacun revenant sur le mot « livrer », le plus important de ce passage. Important tout d'abord parce qu'il révèle le mauvais traitement subi par Jésus qui sera effectivement livré à la police (14, 46), puis au Grand Prêtre (14, 53), aux outrages des gardes (14, 65), à Pilate (15,1), à la foule (15,15...) enfin.

Mais il y a plus : derrière ce mot se profile tout le dessein de Dieu tel qu'il a été mis en évidence par les premiers chrétiens, relisant après Pâques la mission du Serviteur qui a « livré » sa vie (Is 53,12). Le même mot revient chez les trois Synoptiques; il est davantage mis en relief chez Matthieu et moins chez Luc. Mais chez Marc, il correspond particulièrement à un aspect essentiel de tout son évangile.

Deux fois il intervient dans les annonces de la Passion (9,31; 10,33), dont la fonction est précisément de relever le sens de la mort et, d'une certaine manière, la nécessité de cette mort, dans le plan de Dieu[10]. C'est ce qui est dit de même à Gethsémani : lorsque Jésus vient d'affirmer son accord de volonté avec son Père, il précise : « L'heure est venue, voici : le Fils de l'homme est livré » (14, 41)[11]. Ainsi, derrière le geste de Judas[12], il faut voir Dieu lui-même qui livre son Fils. C'est ainsi qu'il veut sauver les hommes : en entrant dans les mailles de leurs intrigues, respectant ce qu'ils sont lorsqu'ils s'enfoncent dans le mal; alors même qu'ils ne s'en doutent pas, Dieu peut ainsi, tout en les laissant jouer librement, faire tourner ces événements en un sens positif. Voilà son plan mystérieux, dépassant ce que la raison livrée à elle-même pourrait concevoir.

On se trouve d'une part en face d'un engagement de Dieu qui va jusqu'aux dernières limites du don qu'il peut faire de lui-même dans son Fils et, d'autre part, devant un aveuglement de l'homme qui l'entraîne au refus. L'expression que Marc a en propre pour désigner la démarche du traître a peut-être une nuance symbolique. Il dit : « s'en alla auprès des grands prêtres », manière de suggérer sans doute qu'il devient un contre-disciple puisque être disciple c'est « suivre » ou « aller » auprès de.

10. VTB, *Dessein de Dieu*, N.T., I 1.
11. VTB, *Sacrifice*, N.T., I.
12. VTB, *Ami*, 2; *Nuit*, N.T., 1.

A) LE REPAS D'ADIEU

Le processus du complot étant mis en place, il reste à voir les derniers instants de Jésus et, tout d'abord, l'ultime repas qu'il prend avec les siens. Cette Cène est présentée en trois parties, la seconde relative à la trahison de Judas (vv. 17-21) étant en sandwich entre les deux autres consacrées aux préparatifs (vv. 12-16) et aux gestes « signes » de l'Eucharistie (vv. 22-25).

a) Préparation de la Pâque[13]

Matthieu	Marc 14,12-16	Luc
26 [17]Or, le premier	[12]Et le premier	
		22 [7]Or vint
(jour) des Azymes,	jour des Azymes, quand on immolait la Pâque,	le jour des Azymes, où il fallait immoler la Pâque.
	ses disciples	
les disciples s'approchèrent de Jésus,		
		[8]Et il envoya Pierre et Jean, disant : « Étant partis, préparez-nous la Pâque, afin que nous (la) mangions. »
disant : « Où veux-tu	lui disent : « Où veux-tu que nous en étant allés	[9]Ils lui dirent : « Où veux-tu
que nous te préparions (à) manger la Pâque ? »	nous préparions pour que tu manges la Pâque ? » [13]Et il envoie deux de ses disciples	que nous préparions ? »

13. Synopse § 315.

Matthieu	Marc	Luc
[18]Il dit :	et leur dit :	[10]Il leur dit :
		« Voici,
« Allez	« Allez	comme vous entrerez
dans la ville,	dans la ville;	dans la ville,
	et viendra	viendra
	à votre rencontre	à votre rencontre
chez un tel,	un homme	un homme
	portant une cruche	portant une cruche
	d'eau.	d'eau.
	Suivez-le,	Suivez-le
	[14]et là	dans la maison
	où il entrera	où il pénétrera,
et dites-lui :	dites	[11]et vous direz
	au propriétaire que :	au propriétaire
		de la maison :
'Le Maître dit :	'Le Maître dit :	'Le Maître te dit :
Mon temps est proche,		
chez toi	Où est ma salle,	Où est la salle,
je fais la Pâque	où je mangerai la Pâque	où je mangerai la Pâque
avec mes disciples.' »	avec mes disciples ?'	avec mes disciples ?'
	[15]Et lui	[12]Et celui-là
	vous montrera	vous montrera
	une salle-haute,	une salle-haute,
	grande,	grande,
	garnie de coussins,	garnie de coussins;
	toute prête;	
	et là préparez (tout)	là préparez (tout). »
	pour nous. »	
[19]Et les disciples	[16]Et les disciples	
	partirent	
	et vinrent à la ville,	
	et ils trouvèrent	[13]S'en étant allés,
firent	comme	ils trouvèrent
comme	comme	comme
leur ordonna Jésus	il (le) leur dit	il (le) leur avait dit
et préparèrent la	et préparèrent	et préparèrent
la Pâque.	la Pâque.	la Pâque.

Le récit des préparatifs du dernier repas est en rapport avec la Pâque[14] : celle-ci est mentionnée quatre fois explicitement (vv. 12.13. 14.16) et une fois implicitement (v. 15), bref à tous les versets. Il faut donc relier le sens de ce qui se passera au cours de ce repas à ce contexte pascal, c'est-à-dire à la célébration par excellence de la libération : Jésus célèbre sa Pâque à l'occasion de celle des Juifs.

Le texte semble présenter le fait et son interprétation messianique. On peut en effet le dédoubler en deux récits cohérents :

Le premier jour des Azymes les disciples disent : « Où veux-tu que nous te préparions à manger la Pâque ? » Il dit : « Allez dans la ville,	Quand on immolait la Pâque, il envoie deux de ses disciples et leur dit : « Comme vous entrerez dans la ville, viendra à votre rencontre un homme portant une cruche d'eau ; suivez-le et là où il entrera
chez un tel, et dites-lui : Le maître dit : chez toi je fais la Pâque avec mes disciples ;	dites au propriétaire : Où est ma salle où je mangerai la Pâque avec mes disciples ? Et lui vous montrera une salle haute, grande, garnie de coussins,
là, préparez tout pour nous. » Et les disciples vinrent à la ville et préparèrent la Pâque.	toute prête. » Ils partirent et ils trouvèrent comme il le leur avait dit.

Dans le premier récit, l'initiative vient des disciples et ce sont eux qui préparent le repas[15] ; Jésus ne leur donne aucun signe, mais la décision qu'il a prise et il se donne le titre familier de « maître ».

Quant au second récit, on n'a pas manqué de relever le rapprochement qu'il suggère avec celui qui suit l'intronisation de Saül comme

14. VTB, *Pâque*, I, 1 ; II.
15. VTB, *Repas*, III.

roi (1S10,1-7) : une rencontre prévue à l'avance est donnée à celui-ci comme signe de sa royauté.

L'intention de l'auteur de faire ressortir la qualité royale de Jésus est soulignée par le fait que la structure de l'ensemble du texte reprend celle du cortège messianique, le jour des Rameaux. On peut voir :

— en Marc 11 :
  — présentation et envoi des disciples : v. 1;
  — parole de Jésus qui leur donne un signe : vv. 2-3;
  — les disciples font comme il a dit : vv. 4-6.
— de même ici, en Marc 14 :
  — présentation et envoi des disciples : vv. 12-13a;
  — parole de Jésus et signe indiqué : vv. 13b-15;
  — les disciples font comme il a dit : v. 16.

Bref, la préparation de la Pâque présente Jésus faisant une entrée messianique. La grandeur de sa personne éclate et les événements qui se déroulent montrent à quel point ils révèlent le plan de Dieu : Jésus peut dire « ma salle » (v. 14) et « toute prête » (v. 15). Il apparaît également n'agissant pas seulement à titre individuel mais aussi comme membre de la communauté qu'il constitue avec les siens, car il est dit : est prête « pour nous » (v. 15).

b) Annonce de la trahison de Judas[16]

Matthieu	Marc 14,17-21	Luc	Jean
26 [20]Or, le soir	[17]Et le soir	22 [14]Et lorsque l'heure fut venue,	
venu, il était à table avec les douze disciples.	venu, il arrive avec les Douze.	il se mit à table, et les apôtres avec lui.	
[21]Et tandis	[18]Et tandis qu'ils étaient à table		
qu'ils mangeaient,	et qu'ils mangeaient,		13 [21]Ayant dit ces (choses) Jésus fut troublé en (son) esprit et rendit témoignage
il dit : « En vérité,	Jésus dit : « En vérité,		et dit : « En vérité, en vérité,
je vous dis : l'un de vous me livrera. »	je vous dis : l'un de vous me livrera, *celui qui mange avec moi.* »		je vous dis : l'un de vous me livrera. »

[22]Les disciples se regardaient les uns les autres, ne sachant de qui il parlait. [23]Un de ses disciples était à table, sur le sein de Jésus, celui que Jésus aimait. [24]Simon Pierre lui fait signe et lui dit : « Dis quel est celui dont il parle. » [25]Celui-là, se penchant alors sur la poitrine de Jésus,

[22]Et,	[19]Ils commencèrent à s'attrister		
fort attristés, ils commencèrent			

16. Synopse § 317.

Matthieu	Marc	Luc	Jean
à lui dire, un chacun : « Serait-ce moi, Seigneur ? »	et à lui dire l'un après l'autre : « (Serait-ce) moi ? »		lui dit : « Seigneur, qui est-ce ? »
23Mais lui, répondant, dit :	20Mais lui leur dit : « L'un des Douze,		26Jésus répond :
« (Celui) qui a plongé	(celui) qui plonge		« C'est celui pour qui je plongerai la bouchée
avec moi la main	avec moi (la main)	22 21« Mais voici, la main de celui qui me livre (est) avec moi sur la table,	
dans le plat, celui-ci me livrera.	dans le même plat		et la lui donnerai. »
24Le Fils de l'homme s'en va comme il est écrit de lui; mais malheur à cet homme-là par qui le Fils de l'homme est livré ! Mieux eût été pour lui qu'il ne naisse pas, cet homme-là ! »	21Parce que le Fils de l'homme s'en va comme il est écrit de lui; mais malheur à cet homme-là par qui le Fils de l'homme est livré ! Mieux (eût été) pour lui qu'il ne naisse pas, cet homme-là ! »	22parce que le Fils de l'homme part selon ce qui a été arrêté, mais malheur à cet homme-là par qui il est livré ! »	
			Et, plongeant la bouchée, il (la) prend et (la) donne

Matthieu	Marc	Luc	Jean
[25]Prenant la parole, Judas,			à Judas (fils) de Simon Iscariote.
qui le livrait, dit : « Serait-ce moi, Rabbi ? » Il lui dit : « Tu l'as dit. »			
		[23]Et eux commencèrent à se demander entre eux lequel donc d'entre eux était (celui) qui allait faire cela.	
		[3]Satan entra en Judas...	[27]Et, après la bouchée, alors entra en lui Satan.

Jésus lui dit donc : « Ce que tu fais, fais-le vite. » [28] Mais cela, aucun de ceux qui étaient à table ne comprit pourquoi il lui disait. [29]Car certains pensaient, puisque Judas avait la bourse, que Jésus lui dit : « Achète ce dont nous avons besoin pour la fête », ou qu'il donne quelque chose aux pauvres. [30]Prenant donc la bouchée, celui-là sortit. Or c'était la nuit.

Le retour sur la trahison de Judas trouve dans le cadre du repas d'adieux toute sa signification, fournie d'ailleurs explicitement dans le dernier verset (v. 21) : il fallait que Jésus soit livré pour réaliser le plan de Dieu. Tel est le sens de la référence à l'Écriture : « Comme il est écrit de lui. » Le récit s'arrête là chez Marc (comme chez Luc), tandis que chez Matthieu et Jean l'accent se déplace sur la désignation du traître (Mt 26,25 ; Jn 13,26). La raison est choquée de voir Jésus trahi et livré aux puissances du mal à l'œuvre dans certains hommes. C'est ainsi pourtant que se réalise le plan de Dieu, car c'est là qu'est manifesté un amour qui ne s'arrête devant rien pour aller sauver ce qui est perdu.

Voilà le lecteur invité à ne pas juger Judas d'après des normes psychologiques, mais dans les vues théologiques de la révélation biblique. C'est un fait qu'il y a des hommes comme Judas, dans l'humanité. Dieu n'a pas fabriqué un Judas pour le trahir ni voulu condamner quelqu'un à ce rôle. Il s'est simplement inséré dans la condition humaine pour l'assumer jusques et y compris en prenant sur lui les conséquences du péché qu'elle véhicule. Son plan est réaliste et qui s'en choquerait n'aurait pas le sens de son amour révélé dans l'Écriture comme devant passer par là.

Des raisons peuvent expliquer l'attitude des traîtres et ils demeurent l'objet de l'amour infini de Dieu, Jésus étant mort pour tous (14,24), eux compris bien sûr. Rien n'est dit ici sur leur destin éternel ; rien non plus sur le suicide de Judas. La perspective est purement théologique et relative à l'action présente. Mais il est possible de juger la situation visible dans laquelle se mettent les traîtres : malheureux sont-ils, et non maudits[17], de se couper du Christ en cette vie. C'est le plus grand malheur qui puisse leur arriver (14,21). Cette recommandation prend toute sa force lorsqu'elle est adressée à des chrétiens que les persécutions peuvent conduire à trahir leur maître. Elle devrait stimuler non seulement ceux de ce temps-là, mais aussi ceux de tous les temps, à tenir devant les sollicitations des hommes de leur entourage qui vivent sans Dieu.

17. VTB, *Malédiction*, V.

c) Institution eucharistique[18]

Matthieu	Marc 14,22-25	Luc	1 Co

22 [15]Et il leur dit : « J'ai désiré d'un (grand) désir manger cette Pâque avec vous avant de souffrir; [16]car je vous dis que je ne la mangerai jamais plus jusqu'à ce qu'elle soit accomplie dans le royaume de Dieu. » [17]Et ayant reçu une coupe, ayant rendu grâce, il dit : « Prenez ceci et partagez entre vous; [18]car, je vous (le) dis, je ne boirai pas dorénavant du produit de la vigne jusqu'à ce que le royaume de Dieu soit venu. »

Matthieu	Marc	Luc	1 Co
			11 [23]... Le Seigneur, Jésus, la nuit où il fut livré,
26 [26]Or tandis qu'ils mangeaient, Jésus,	[22]Et tandis qu'ils mangeaient,	[19]Et,	
ayant pris du pain et ayant prononcé la bénédiction,	ayant pris du pain, ayant prononcé la bénédiction,	ayant pris du pain, ayant rendu grâces,	prit du pain, [24]et, ayant rendu grâces,
(le) rompit et, (l')ayant donné aux disciples, dit :	il (le) rompit et (le) leur donna	il (le) rompit et (le) leur donna,	(le) rompit
« Prenez, mangez,	et dit : « Prenez,	disant :	et dit :
ceci est mon corps. »	ceci est mon corps. »	« Ceci est mon corps, qui est donné pour vous. Faites ceci en mémoire de moi. »	« Ceci est mon corps, qui (est) pour vous. Faites ceci en mémoire de moi. »
[27]Et, ayant pris une coupe	[23]Et ayant pris une coupe,	[20]Et la coupe de même après le repas,	[25]Et de même la coupe après le repas,

18. Synopse § 318.

Matthieu	Marc 14,22-25	Luc	1 Co
et ayant	ayant		
rendu grâces,	rendu grâces,		
il (la)	il (la)		
leur donna,	leur donna,		
	et ils en burent		
	tous.		
disant :	[24]Et il leur dit :	disant :	disant :
« Buvez-en tous,			
[28]car ceci est	« Ceci est	« Cette coupe	« Cette coupe
mon *sang*	mon *sang*	(est)	est
		la nouvelle	*la nouvelle*
de l'alliance,	*de l'alliance,*	*alliance*	*alliance*
		dans	dans
		mon sang,	mon sang :
qui est répandu	qui est répandu	qui est répandu	
pour beaucoup	pour beaucoup.	pour vous. »	
en rémission			
de péchés.			

Ceci, faites-le, chaque fois que vous boirez, en mémoire de moi. [26]Car, chaque fois que vous mangerez ce pain et que vous boirez cette coupe, vous annoncerez la mort du Seigneur

Matthieu	Marc 14,22-25	Luc	1 Co
[29]Or	[25]En vérité,	[18]« Car	
je vous (le) dis,	je vous dis	je vous (le) dis,	
je ne boirai	que je ne boirai	je ne boirai	
pas désormais	plus	pas	
		dorénavant	
de ce produit	du produit	du produit	
de la vigne	de la vigne	de la vigne	
jusqu'à	jusqu'à	jusqu'à ce que	jusqu'à ce qu'
ce jour-là	ce jour-là		
où je le boirai	où je le boirai,		
avec vous,			
nouveau,	nouveau,		
dans le royaume	dans le royaume	le royaume	
de mon Père. »	de Dieu. »	de Dieu	
		soit venu. »	il soit venu. »

Le récit de la trahison de Judas étant venu rappeler ce que Jésus a vécu intérieurement au cours du repas, viennent alors *les gestes ainsi que les paroles* qui les accompagnent, accomplis par lui en cette circonstance.

Quatre versets seulement suffisent pour transmettre ce moment essentiel du testament de Jésus[19]! C'est dire qu'il est donné beaucoup plus pour sa signification que pour la description de ce qui s'est passé.

On peut relever, dans sa composition, la place étonnante du v. 24 : l'explication du vin qui est le sang[20] de Jésus vient après que les disciples ont bu à la coupe. De plus, la lecture des vv. 23 et 25 de Marc à la suite l'un de l'autre ferait rejoindre la succession présentée par Luc (22,17-18). Visiblement le texte reflète une construction où devaient exister des paroles relatives à la Pâque juive, qui se sont estompées au profit des paroles relatives à l'Eucharistie[21] telles qu'elles ont pris forme dans les communautés chrétiennes post-pascales, comme en témoigne la comparaison avec le texte fourni par Paul (1 Co 11,23-26).

Liée à ce que l'auteur a écrit des préparatifs du repas, cette observation amène à dire qu'il présente cet événement sous son double aspect. Dans sa préparation, il est pascal au sens juif de cette fête et, dans son déroulement, il a un sens nouveau, chrétien. Autrement dit, le texte de l'institution de l'Eucharistie fournit le sens de la nouvelle Pâque qui est libération et constitution d'un peuple nouveau par le don que Jésus fait de sa vie. Ce texte est constitué essentiellement de deux éléments et d'une conclusion.

— geste du pain [22] accompagné d'une parole : v. 22;
— geste du vin[23] accompagné d'une parole : vv. 23-24;
— ouverture sur l'avenir : v. 25.

Les deux gestes sont déjà significatifs par eux-mêmes. Mais ils ne prennent toute leur portée qu'avec les paroles qui les accompagnent.

19. VTB, *Adieux*, N.T., 1.
20. VTB, *Sang*, N.T., I.
21. VTB, *Eucharistie*, II 1. 2; III 3.
22. VTB, *Pain*, I, II.
23. VTB, *Vin*, II 2b

Partager un repas signifie créer une communauté d'hommes établis dans une parenté profonde. Mais le temps de la préparation de Pâque était, de plus, la période de l'année pendant laquelle les Juifs pensaient que serait instauré le Royaume messianique rassemblant dans l'unité tous les hommes, rassemblement annoncé par l'image symbolique du festin. C'est sur cette toile de fond qu'il faut comprendre les gestes et paroles de Jésus.

En ce qui concerne le pain, Marc (comme Matthieu) n'insiste pas tant sur son lien avec le sacrifice de Jésus que sur le fait qu'il est nourriture. En effet, il relève seulement l'indication : « ceci est mon corps », sans préciser : « donné pour... ». Autrement dit, ce qu'est, pour la communauté, la présence actuelle de Jésus, le pain eucharistique le sera dorénavant. Bref, le sens premier de l'identification pain-corps est de relever la formation d'une communauté, par la présence de Jésus. Des hommes divisés, dispersés à travers le monde, il veut faire une communauté rassemblée dans l'unité. Le « prenez » qui introduit la parole est une invitation à entrer dans le mouvement d'amour du Christ, qui établit une communion entre eux et avec le Père.

Quant au vin, il est mentionné avec plusieurs traits spécifiques. C'est avec lui qu'est souligné le sens sacrificiel du repas pris avec Jésus. Il est appelé « sang de l'alliance »[24] par allusion au sang du sacrifice de l'Alliance contractée par Moïse (Ex 24,1-8). La parole qui accompagne le don du vin le relie donc à la mort prochaine de Jésus. C'est son sang qui constituera le lien des hommes avec Dieu dans l'Alliance nouvelle à laquelle il donne consistance par le don de sa vie. Ce don est accompli en faveur de « beaucoup », hébraïsme qui veut signifier la multitude sans limites. Le « pour » indique la motivation de la mort et, par conséquent, ce qui lui donne toute son efficacité : elle est en vue de l'humanité tout entière.

Pain et vin ont donc, en fin de compte, la même signification. En exprimant la communion avec Dieu qu'il offre ainsi aux hommes de cette double manière, Jésus ne fait que rendre son don plus expressif.

24. VTB, *Alliance*, N.T., I; *Corps du Christ*, II 1.2; *Sacrifice*, N.T., I 1; *Eucharistie*, V 1; *Serviteur*, III 1; *Peuple* C 1.

Restent l'introduction et la conclusion qui accompagnent ces gestes.

Dire que Jésus « prononce la bénédiction »[25] ne signifie pas seulement qu'il récite une formule mais qu'il bénit Dieu, c'est-à-dire qu'il fait retour à lui de tout ce qui va suivre.

Enfin vient la parole qui donne congé à la Pâque et la relie aux célébrations de la communauté postpascale (v. 25). Jésus a établi l'alliance nouvelle par un geste posé une fois pour toutes dans l'histoire. Mais ce geste était seulement « signe » de la réalité à venir. Le « vin nouveau » est le symbole de la joie des temps eschatologiques accomplis par sa mort glorieuse. C'est donc celle-ci qui est le point de départ d'une existence nouvelle possible pour tous les hommes. L'Eucharistie est la réalité, dans le monde, qui les invite à engager leur véritable avenir, procurant à leur vie sa seule espérance définitive. Le rôle de la communauté des disciples, prolongée aujourd'hui dans celle des chrétiens est d'être le pont entre cette réalité posée une fois dans l'histoire et la communauté des hommes à rassembler dans l'unité jusqu'à la fin des temps.

25. VTB, *Bénédiction*, IV 2; *Action de Grâces*, N.T., 1.2.

B) VERS LA SOLITUDE TOTALE

Après le repas d'adieux à la fois si sobre et si riche, l'évangile suit Jésus dans les dernières heures de sa passion intérieure : l'annonce du reniement de Pierre, l'agonie à Gethsémani.

a) Annonce du reniement de Pierre[26]

Matthieu	Marc 14,27-31	Luc	Jean
26 [31]Alors Jésus leur dit : « Vous tous, vous serez scandalisés à cause de moi en cette nuit;	[27]Et Jésus leur dit : « Tous, vous serez scandalisés;		
			16 [32]« L'heure vient, et elle est venue,
il est écrit, en effet : *Je frapperai le pasteur et les brebis du troupeau seront dispersées.*	car il est écrit : *Je frapperai le pasteur et les brebis seront dispersées.*		où vous serez dispersés... »
[32]Mais après m'être réveillé, je vous précéderai en Galilée. » [33]Prenant la parole, Pierre lui dit :	[28]Mais après m'être réveillé, je vous précéderai en Galilée. » [29]Pierre lui déclara :	22 [33]Il lui dit : « Seigneur,	13 [37]Pierre lui dit : « Pourquoi

26. Synopse § 336.

Matthieu	Marc	Luc	Jean
		je suis prêt à aller avec toi	ne puis-je te suivre à présent ?
			Je donnerai ma vie pour toi. »
		et en prison et à la mort. »	
« Si tous sont scandalisés, à cause de toi, moi je ne serai jamais scandalisé. »	« Même si tous sont scandalisés, du moins pas moi ! »		
34Jésus lui déclara :	30Et Jésus lui dit :	34Mais il dit :	38Jésus répond : « Tu donneras ta vie pour moi ?
« En vérité	« En vérité		En vérité, en vérité,
je te (le) dis,	je te (le) dis, toi, aujourd'hui,	« Je te (le) dis, Pierre,	je te (le) dis,
en cette nuit, avant que le coq chante,	cette nuit, avant que le coq chante	le coq ne chantera pas aujourd'hui	le coq ne chantera pas
	deux fois,		
trois fois tu m'auras renié. »	trois fois tu m'auras renié. »	que trois fois tu n'aies renié	que tu ne m'aies nié trois fois. »
		me connaître. »	
35Pierre lui dit :	31Mais lui parlait de plus belle :		
« Et dussé-je mourir avec toi, non, je ne te renierai pas. » Et tous les disciples dirent de même.	« Dussé-je mourir avec toi, non, je ne te renierai pas. » Et tous en disaient autant.		

Jean situe la prédiction de la défection de Pierre et des disciples à deux endroits et Luc s'accorde avec lui pour un, tandis que Matthieu et Marc rassemblent ces deux réflexions en un seul épisode. Ils relèvent ce qui a trait moins aux disciples qu'au rôle prophétique de Jésus et à sa solitude entre l'annonce (14,26s) et sa réalisation (14,50s). Par la mention des psaumes récités (14,26) Marc rappelle le cadre pascal[27] des événements dont il parle.

Des liens littéraires et théologiques unissent ces deux épisodes. Pierre y tient une place qu'il n'a à aucun autre endroit de l'évangile. Dans le premier est annoncée l'infidélité des disciples dont il fait partie; dans l'autre, cette infidélité est montrée au moment où elle commence à se manifester. D'un bout à l'autre la crise apparaît imminente.

Dans la *scène qui concerne Pierre*[28], trois thèmes apparaissent : la dispersion, le scandale[29], le reniement. La présence du responsable du petit troupeau et la citation de Zacharie en donnent le lien majeur : ils sont centrés sur le thème du troupeau. De plus, au cœur de cet ensemble, paraît l'allusion à la Galilée après la Résurrection. Ainsi est rendue manifeste la réalisation du plan de Dieu à travers la crise qui vient et qui accomplit les annonces des prophètes : voici arrivé le pasteur[30] qui supprime les divisions entre les hommes pour les rassembler et qui, en même temps, établit une communauté solidement attachée à lui. Cette communauté sera ainsi, auprès des hommes, signe de ce plan et invitation à y entrer.

Sachant que ce texte est d'abord destiné aux chrétiens de Rome à un moment où leur communauté est en butte à la persécution et menacée de dispersion, voire de reniement, on devine sans mal sa portée. C'est une leçon de fidélité qui est donnée : ce peut être, pour eux, un stimulant de savoir que les apôtres sont eux aussi passés par là : aujourd'hui, avec la présence du Ressuscité, il doit être possible de tenir jusqu'au martyre s'il le faut.

27. VTB, *Pâque*, II.
28. VTB, *Pierre* (saint), 1.
29. VTB, *Scandale*, I 1.
30. VTB, *Pasteur et troupeau*, N.T., 1.

b) L'Agonie à Gethsémani[31]

Matthieu	Marc, 14,32-42	Luc
26 [36]Alors Jésus vient avec eux à un domaine dit Gethsémani et il dit aux disciples : « Asseyez-vous là tandis que, m'en étant allé, je prierai là-bas. »	[32]Et ils viennent à un domaine dont le nom (était) Gethsémani et il dit à ses disciples : « Asseyez-vous ici tandis que je prierai. »	22 [40]Arrivé en ce lieu, il leur dit : « Priez, pour ne pas entrer en tentation. »
[37]Et, prenant avec (lui) Pierre et les deux fils de Zébédée, il commença à (ressentir) tristesse et angoisse.	[33]Et il prend Pierre et Jacques et Jean avec lui, et il commença à (ressentir) effroi et angoisse.	
[38]Alors il leur dit : « Mon âme est triste, à mort! Restez ici et veillez avec moi. »	[34]Et il leur dit : « Mon âme est triste, à mort! Restez ici et veillez. »	
[39]Et, étant allé un peu en avant, il tomba sur sa face, priant	[35]Et, étant allé un peu en avant, il tombait à terre et il priait pour que, s'il est possible, l'heure passât (loin) de lui.	[41]Et il s'éloigna d'eux d'environ un jet de pierre et, ayant fléchi les genoux, il priait,

31. Synopse § 337.

Matthieu	Marc	Luc
et disant : « Mon Père, s'il est possible, que passe (loin) de moi cette coupe ! Cependant, non pas comme je veux mais comme tu (veux). »	[36]Et il disait : « Abba, Père, tout t'(est) possible, emporte cette coupe (loin) de moi ! Mais non pas ce que je veux mais ce que tu (veux). »	[42]disant : « Père, si tu veux, emporte cette coupe (loin) de moi ! Cependant, que non ma volonté mais la tienne se fasse. »

[43]Or lui apparut, (venant) du ciel, un ange qui le réconfortait. [44]Et, en proie à l'anxiété, il priait plus intensément. Et sa sueur devint comme des gouttes de sang tombant à terre.

Matthieu	Marc	Luc
[40]Et il vient vers ses disciples et il les trouve endormis et il dit à Pierre : « Ainsi, vous n'avez pas pu veiller une heure avec moi ? [41]Veillez et priez pour ne pas entrer en tentation : l'esprit (est) ardent mais la chair (est) faible. » [42]De nouveau, pour (la) deuxième (fois), s'en étant allé, il pria en disant : « Mon Père,	[37]Et il vient et il les trouve endormis et il dit à Pierre : « Simon, tu dors ? Tu n'as pas pu veiller une heure ? [38]Veillez et priez pour ne pas entrer en tentation : l'esprit (est) ardent mais la chair (est) faible. » [39]Et de nouveau, s'en étant allé, il pria en disant les mêmes paroles.	[45]Et, s'étant levé de la prière, étant venu vers ses disciples, il les trouva assoupis de tristesse. [46]Et il leur dit : « Pourquoi dormez- vous ? Levez-vous, priez pour ne pas entrer en tentation. »

Matthieu	Marc	Luc
si cette (coupe) ne peut passer sans que je la boive, que soit faite ta volonté ! » [43]Et étant venu, de nouveau,		
	[40]Et, de nouveau, étant venu,	
il les trouva endormis, car leurs yeux étaient appesantis.	il les trouva endormis, car leurs yeux étaient alourdis. Et ils ne savaient pas que lui répondre.	

[44]Et, les ayant laissés, s'en étant allé, il pria pour (la) troisième (fois)
en disant les mêmes paroles, de nouveau.

Matthieu	Marc	Luc
[45]Alors il vient	[41]Et il vient la troisième (fois)	
vers ses disciples et il leur dit : « Désormais, dormez et reposez-vous.	et il leur dit : « Désormais, dormez et reposez-vous. C'en est fait.	
Voici, l'heure approche et le Fils de l'homme est livré aux mains des pécheurs. [46]Levez-vous ! Allons ! Voici, il approche celui qui me livre. »	L'heure est venue ; voici, le Fils de l'homme est livré aux mains des pécheurs. [42]Levez-vous ! Allons ! Voici, celui qui me livre approche. »	

Le récit de la Transfiguration a déjà permis d'esquisser plusieurs traits spécifiques de celui de l'agonie à Gethsémani : présence de trois disciples (v. 33) représentant tout le groupe, mention « qu'ils ne savaient pas que lui répondre » (v. 40). Dans un cas, l'heure de la glorification était en quelque sorte anticipée; dans l'autre elle est « venue ». Le but du récit est donc de montrer le commencement de la manifestation définitive de l'identité de Jésus et de sa mission : inaugurer la fin des temps.

Le texte révèle une composition complexe. C'est ainsi qu'il comporte en quelque sorte deux commencements : il débute avec plusieurs disciples (v. 32), puis recommence avec trois (v. 33); Jésus s'éloigne manifestement trois fois de ses disciples (vv. 35.39. 40), la troisième étant seulement sous-entendue, etc. Cependant, il est possible de déceler une structure globale.

PRÉSENTATION :

Jésus et les disciples à Gethsémani   }
Prière   } v. 32

Jésus et trois disciples   }
Effroi et angoisse   } v. 33
Appel à veiller   ] v. 34

VA-ET-VIENT :

— Éloignement de Jésus : v. 35a
— Prière de Jésus : conformité à la volonté du Père
    concernant la coupe : vv. 35b-36
— Retour près des disciples endormis;
    parole à Pierre, veiller : v. 37
    à tous : veiller pour ne pas être tentés : v. 38

— Éloignement de Jésus   }
— Prière   } v. 39

— Retour près des disciples qui ne savent   }
    que répondre :   } v. 40

— Troisième retour;   ] v. 41
    dormez, l'heure est venue   }
    Non plus « veillez », mais   } v. 42
    « Levez-vous ».   }

Ce que cette composition fait apparaître, surtout si on se rappelle les apports fournis par le récit de la Transfiguration, ce sont deux moments importants : celui du plus grand abattement de Jésus qui est en même temps celui de sa plus grande adhésion au Père, et celui de l'incompréhension des disciples. Le contraste est total entre Lui et eux.

Lui est affronté à l'acceptation de la coupe (v. 36) c'est-à-dire du passage par la mort[32] et de la « livraison aux mains des pécheurs » (vv. 41-42) pour faire sien le châtiment dû à leurs actes. Ainsi est supprimée toute cause de colère entre Dieu et eux.

Seul peut faire cela celui qui vit en communion avec Dieu, qui aime comme Dieu aime. Et c'est ce que montre cette scène toute centrée sur la prière (vv. 32.35) et l'union de volonté avec le Père (vv. 35-36). Le premier aspect est davantage développé chez Marc; mais il se trouve également présent chez les deux autres Synoptiques. A cet endroit, Marc présente en effet la particularité de rapporter la prière de Jésus dans la langue maternelle de celui-ci (*Abba* : v. 36), chose rare dans l'évangile. C'est une façon d'insister sur l'intimité de Jésus avec son Père. De plus, cela tranche sur la manière dont les Juifs s'adressaient à Dieu. Il leur arrivait de dire « Père » *Ab* mais pas *Abba*[33] terme qui ne désignait que le père selon la chair. Le mot de Jésus est donc très fort, il révèle son secret : il se sait habité par un lien unique avec Dieu. La manière dont il reste sûr de lui, dont il conduit sa vie, allant au-devant des événements, choisissant les heures, témoigne de sa parfaite identité de volonté avec Dieu. Voilà qui conduit à révéler qui il est lui-même : pour affronter ainsi le mal, le péché et la mort avec tant d'aplomb malgré le combat horrible à mener, ne faut-il pas qu'il soit Dieu ?

Après la crise de Jésus surmontée dans l'adhésion au Père, il reste à relever celle des disciples. Face à cette heure cruciale, où se joue le destin de l'humanité, où le Fils de l'homme commence à révéler plus pleinement qui il est, ils « dorment » (vv. 37.40) alors qu'il leur est conseillé de « veiller » (vv. 34.37-38) et de « prier » (v. 38). Dormir[34] c'est « entrer en tentation » (v. 38), se désolidariser

32. VTB, *Angoisse*, 2; *Coupe*, 3; *Mort*, N.T., II 1.
33. VTB, *Fils de Dieu*, N.T., I 1.
34. VTB, *Sommeil*, II.

et veiller[35] c'est garder une foi active. L'abandon de la foi est l'unique tentation à laquelle le Seigneur a prescrit à ceux qui accueillent le Royaume de demander de ne pas succomber (voir Mt 6,13; Lc 8,13; 9,62).

La consigne de « veiller », donc de rester activement fidèle, est donnée fréquemment aux communautés auxquelles l'évangile est destiné. Les épîtres en témoignent (voir 1 Th 5,6; 1 Co 16,13; Col 4,2; 1 P 5,8; Ap 3,2). Le récit de l'agonie, outre la révélation qu'il apporte sur Jésus et le destin de l'humanité face au péché, livre donc une leçon de vigilance à ceux qui ont commencé à le suivre et, d'une manière plus particulière, aux responsables de la communauté chrétienne. Jusqu'à l'heure où chacun a répondu à l'appel à suivre le Seigneur en mourant radicalement à lui-même, toute défection reste possible.

Enfin, l'attitude des disciples met en relief le point auquel Jésus a vécu ce moment dans la solitude[36]. Il s'est mis à l'écart du gros de leur groupe (v. 33), puis il s'est éloigné des trois qu'il a choisis (v. 35); de plus, ces trois dorment (v. 37). Dans l'absence de toute aide humaine extérieure, son adhésion à son Père apparaît ainsi la plus libre qui puisse être, donc la plus chargée d'amour. C'est ce qui la rend si victorieuse du mal et lui permet d'être source efficace de salut pour l'humanité.

---

35. VTB, *Veiller*, II 1.
36. VTB, *Solitude*, II 1.

II

LA PASSION PHYSIQUE

Voici l'heure venue. L'arrestation clôt la préparation intérieure de Jésus à sa mort et elle ouvre son déroulement dans les faits.

PRÉLUDE : ARRESTATION DE JÉSUS[37]

Matthieu	Marc 14,43-52	Luc	Jean
			Judas aussi, 18[2] qui le livrait, connaissait le lieu parce que souvent Jésus y était venu avec ses disciples.
[47]Et, comme il parlait encore, voici (que)	[43]Et aussitôt comme il parlait encore, arrive	[47]Comme il parlait encore, voici une foule, et le dénommé	
Judas, l'un des Douze, vint, et avec lui une foule nombreuse avec des glaives et des bâtons, de la part des grands prêtres	Judas, l'un des Douze, et avec lui une foule avec des glaives et des bâtons, de la part des grands prêtres	Judas, l'un des Douze, venait devant eux.	[3]Judas donc, ayant pris la cohorte et des gardes de la part des grands prêtres et des Pharisiens,
et des anciens	et des scribes et des anciens.		

37. Synopse § 338.

282

Matthieu	Marc	Luc	Jean
du peuple.			vient là avec des lanternes et des torches et des armes.
[48]Or celui qui le livrait leur donna un signe, disant : « Celui que je baiserai, c'est lui; emparez-vous de lui. »	[44]Or celui qui le livrait leur avait donné un signe convenu, disant : « Celui que je baiserai, c'est lui; emparez-vous de lui et emmenez-le sous bonne garde. »		
[49]Et aussitôt s'avançant vers Jésus, il dit : « Salut, Rabbi », et il lui donna un baiser. [50]Mais Jésus lui dit : « Ami,	[45]Et aussitôt arrivé, s'avançant vers lui, il dit : « Rabbi », et il lui donna un baiser.	Et il s'approcha de Jésus pour lui donner un baiser. [48]Mais Jésus lui dit : « Judas, par un baiser tu livres le Fils de l'homme! »	
fais ta besogne. » Alors, s'avançant, ils mirent les mains sur Jésus et s'emparèrent de lui.	[46]Mais eux mirent les mains sur lui et s'emparèrent de lui.	[49]Ceux qui (étaient) autour de lui voyant ce qui allait se produire,	[4]Jésus donc, sachant tout ce qui allait lui arriver,

Matthieu	Marc	Luc	Jean

sortit et leur dit : « Qui cherchez-vous ? » [5]Ils lui répondirent : « Jésus le Nazôréen. » Il leur dit : « C'est moi. » Judas aussi, qui le livrait, se tenait avec eux. [6]Quand il leur dit : « C'est moi », ils reculèrent et tombèrent à terre. [7]Il les interrogea de nouveau : « Qui cherchez-vous ? » Ils dirent : « Jésus le Nazôréen. » [8]Jésus répondit : « Je vous ai dit que c'est moi. Si donc c'est moi que vous cherchez, laissez ceux-là partir. » [9]Afin que fût accomplie la parole qu'il avait dite : « Ceux que tu m'as donnés, je n'en ai perdu aucun. »

Matthieu	Marc	Luc	Jean
		dirent : « Seigneur, frapperons-nous du glaive ? »	
[51]Et voici (que) un de ceux qui (étaient) avec Jésus, étendant la main dégaina son glaive et, ayant frappé le serviteur du Grand Prêtre, lui enleva l'oreille.	[47]Or l'un des assistants, ayant dégainé son glaive, frappa le serviteur du Grand Prêtre et lui enleva l'oreille.	[50]Et l'un d'eux frappa le serviteur du Grand Prêtre et lui enleva son oreille droite.	[10]Simon-Pierre, ayant un glaive, le tira et frappa le serviteur du Grand Prêtre et lui coupa l'oreille droite. Le serviteur avait nom Malchus.
[52]Alors Jésus lui dit :		[51]Mais, prenant la parole Jésus dit : « Laissez; cela suffit. »	[11]Jésus dit à Pierre :
« Remets ton glaive à sa place,			« Jette le glaive au fourreau.

car tous ceux qui prennent le glaive périront par le glaive. [53]Ou penses-tu que je ne puisse faire appel à mon Père et il me fournirait maintenant plus de douze légions d'anges ? [54]Comment donc s'accompliraient les Écritures, qu'il doit en être ainsi ? »

Matthieu	Marc	Luc	Jean
26 [42]« Si cette (coupe) ne peut passer			La coupe
			que m'a donnée le Père,
sans que je la boive, que soit faite ta volonté! »			ne la boirai-je pas ? »
		Et, ayant touché l'oreille, il le guérit.	
[55]En cette heure-là,			
	[48]Et, prenant la parole,		
Jésus dit aux foules :	Jésus leur dit :	[52]Jésus dit à ceux qui s'étaient portés contre lui, grands prêtres et chefs (des gardes) du Temple et anciens :	
« Comme contre un brigand vous êtes sortis avec glaives et bâtons pour me saisir!	« Comme contre un brigand vous êtes sortis avec glaives et bâtons pour me saisir!	« Comme contre un brigand vous êtes sortis avec glaives et bâtons!	
			18 [20]« C'est en public (que) j'ai parlé au monde.
Chaque jour,	[49]Chaque jour j'étais près de vous	[53]Alors que chaque jour j'étais avec vous	Toujours
			j'ai enseigné à la synagogue et dans le
dans le Temple,	dans le Temple,	dans le Temple,	Temple

Matthieu	Marc	Luc	Jean
j'étais assis à enseigner	à enseigner,		où tous les Juifs se réunissent; et je n'ai rien dit en cachette. »
et vous ne vous êtes pas emparés de moi. »	et vous ne vous êtes pas emparés de moi. Mais	vous n'avez pas porté les mains sur moi. Mais c'est votre heure et le pouvoir des Ténèbres. »	16, 4a « ... lorsque viendra leur heure... »
56'Tout cela est arrivé afin que soient accomplies les Écritures des prophètes. Alors tous les disciples, l'abandonnant, s'enfuirent.	(c'est) afin que soient accomplies les Écritures. » 50Et, l'abandonnant, ils s'enfuirent tous. 51Et un jeune homme le suivait,		

n'ayant pour tout vêtement qu'un drap, et ils s'emparent de lui. 52Mais lui, laissant le drap, s'enfuit tout nu.

286

Ce récit comporte les éléments suivants :

Le cadre de la scène : v. 43
Les faits :
La trahison de Judas : vv. 44-45
L'arrestation de Jésus : v. 46
Les réactions :
D'un disciple : v. 47
De Jésus : vv. 50-52
L'épilogue : vv. 50-52

Contrairement aux autres évangélistes, Marc ne développe ni ce qui a trait au baiser de Judas, ni la réaction des disciples. Tout son récit semble conduit pour mettre en évidence le côté brutal de la Passion de Jésus. Les faits sont clairs : Jésus a été « livré » (v. 44); on « s'est emparé de lui » sans qu'il ait eu le temps de dire seulement un mot (vv. 45-46) et on « l'emmène sous bonne garde » (v. 44). Telle est la pointe caractéristique de Marc.

Quant aux réactions, celle relative au glaive dégainé (v. 47) n'a rien de typique ici et il conviendra mieux de s'y attarder chez Matthieu ou Luc. L'important, pour le deuxième évangéliste, est bien davantage dans la parole prononcée par Jésus (vv. 48-49). Il se dit traité comme un brigand, appréhendé sans interrogation comme un criminel, alors qu'il est innocent. Voilà qui renseigne sur les mauvaises intentions de ceux qui le font arrêter; d'autre part et surtout, cela montre qu'il réalise les Écritures. Une telle fin n'est pas due au hasard : elle répond à un plan divin, incompréhensible peut-être pour la raison, mais tracé en filigrane dans l'Ancien Testament, particulièrement dans les Poèmes du Serviteur (voir Is 53,12). C'est la seule et unique fois, dans l'évangile de Marc, que cette montée à Jérusalem pour enseigner au Temple prend (du fait de cette référence aux Écritures) un sens messianique. Ce qui a valeur de symbole : Jérusalem est le lieu où Jésus accomplit son destin.

Là-dessus, il est laissé dans la solitude (v. 50), une solitude que Marc renforce plus que les autres avec un détail non rapporté pour le pittoresque mais bien pour en relever le caractère tragique pour Jésus et, peut-être, symbolique pour le jeune homme; il est un être nu tant que Jésus ne l'a pas sauvé (vv. 51-52).

A) LE JUGEMENT

La Passion de Jésus constitue elle-même un récit en deux parties : le jugement et son exécution. Des deux, la première revêt une importance particulière d'une part parce que la deuxième ne fait qu'en découler ; d'autre part parce que le jugement est l'occasion de clore le procès commencé dès le début de la vie publique de Jésus et de proclamer le plus officiellement possible, ainsi que de manière définitive, les titres qui expriment son identité.

Ce sont des raisons d'ordre juridique qui sont invoquées pour obtenir le procès de Jésus. Mais, celui-ci, en étant porté devant les diverses autorités religieuses et civiles permet, par le fait même, à la proclamation que Jésus fait de son identité, d'être mise davantage en relief.

Le procès religieux est rapporté comme une audience solennelle devant le Grand Prêtre et tout le Sanhédrin (vv. 53-64), audience suivie :

d'outrages à Jésus (v. 65)
et du reniement de Pierre (vv. 66-72).

a) Le procès religieux[38]

Matthieu	Marc 14,53-65	Luc	Jean
26 [57]Mais eux,	[53]Et		18 [12]La cohorte et le tribun et les gardes des Juifs
s'étant emparés de Jésus		22[54]L'ayant saisi,	saisirent Jésus et le lièrent
l'emmenèrent	ils emmenèrent Jésus	il le menèrent	[13]et le menèrent
		et l'introduisirent	
chez Caïphe le Grand Prêtre,	chez le Grand Prêtre,	dans la maison du Grand Prêtre.	chez Anne d'abord;

il était, en effet, le beau-père de Caïphe, qui était Grand Prêtre cette année-là. [14]Caïphe était celui qui avait conseillé aux Juifs : Il vaut mieux qu'un seul homme meure pour le peuple.

Matthieu	Marc 14,53-65	Luc	Jean
	et tous les grands prêtres		
où les anciens et les scribes se rassemblèrent.	et les anciens et les scribes se réunissent.		
[58]Or Pierre	[54]Et Pierre,	Or Pierre	[15]Or Simon-Pierre et un autre disciple
le suivait de loin	de loin, le suivit	suivait (de) loin	suivai(en)t Jésus. Ce disciple était connu du Grand Prêtre
jusqu'à	jusqu'à l'intérieur		et il entra avec Jésus
la cour du Grand Prêtre et, étant entré à l'intérieur,	dans la cour du Grand Prêtre		dans la cour du Grand Prêtre
			[16]Pierre

38. Synopse § 339; 342; 343.

Matthieu	Marc	Luc	Jean

se tenait à la porte, dehors. Cet autre disciple, qui était connu du Grand Prêtre, sortit donc et parla à la portière et introduisit Pierre. [17]La servante, la portière, dit à Pierre : « Toi aussi, n'es-tu pas des disciples de cet homme ? » Lui dit : « Je n'(en) suis pas. »

Matthieu	Marc	Luc	Jean
		[55]Comme ils	[18]Les serviteurs et les gardes,
		avaient arrangé du feu	ayant fait (un feu) de braises,
		au milieu de la cour	
			car il faisait froid,
		et qu'ils étaient assis ensemble,	étaient là
			et se chauffaient;
il s'assit	et il était assis ensemble	Pierre s'assit	Pierre aussi était
		au milieu	
avec les gardes,	avec les gardes et se chauffait à la flambée.	d'eux.	là avec eux et se chauffait.
pour voir la fin.			

Ici, Lc v. 56 à 62 et Jn v. 19 à 27 mettent les reniements de Pierre et l'interrogatoire par Anne, suivi chez Luc tout seul (v. 63-65) de la scène d'outrages à Jésus prophète.

§ 342

Matthieu	Marc	Luc	Jean
		22 [66]Et quand le jour fut arrivé, se réunit l'assemblée des anciens du peuple, grands prêtres et scribes, et ils	

Matthieu	Marc	Luc	Jean
	l'emmenèrent à leur Sanhédrin,		
59Or les grands prêtres et le Sanhédrin tout (entier) cherchaient un faux témoignage contre Jésus en vue de le faire mourir; **60**et ils n'en trouvèrent pas, beaucoup de faux témoins s'étant approchés.	**55**Or les grands prêtres et tout le Sanhédrin cherchaient un témoignage contre Jésus pour le faire mourir, et ils n'en trouvaient pas; **56**car beaucoup témoignaient faussement contre lui et leurs témoignages n'étaient pas d'accord.		
Finalement, deux, s'étant approchés,	**57**Et certains, se levant, témoignaient faussement contre lui en disant :		
61dirent : « Cet (homme) a déclaré : Je puis détruire le Temple de Dieu et en trois jours le rebâtir. »	**58**« Nous l'avons entendu dire : Je détruirai ce Temple fait de main d'homme et en trois jours j'en rebâtirai un autre non fait de main d'homme. » **59**Mais même ainsi leur témoignage n'était pas d'accord.		2 **19**« Détruisez ce Temple, et en trois jours je le relèverai.»
62Et, s'étant levé, le Grand Prêtre lui dit : « Tu ne réponds rien ?	**60**Et, s'étant levé, au milieu, le Grand Prêtre interrogea Jésus, disant : « Tu ne réponds rien ?		

Matthieu	Marc	Luc	Jean
Qu'attestent ces (gens) contre toi ? » [63]Mais Jésus se taisait.	Qu'attestent ces (gens) contre toi ? » [61]Mais lui se taisait et ne répondit rien.		
Et le Grand Prêtre lui dit : « Je t'adjure, par le Dieu Vivant, de nous dire si tu es le Christ, le Fils de Dieu. »	De nouveau le Grand Prêtre l'interrogeait et lui dit : « Es-tu le Christ, le Fils du Béni ? »	[67]disant : « Si tu es le Christ, dis(-le-) nous. »	10 [24]« Si tu es le Christ, dis(-le) nous ouvertement. »
[64]Jésus lui dit :	[62]Jésus dit :	Il leur dit : « Si je vous (le) dis, vous ne croirez pas, [68]et si je vous interroge, vous ne répondrez pas.	[25]Jésus leur répondit : « Je vous (l')ai dit et vous ne croyez pas.. »
« Tu (l')as dit. D'ailleurs, je vous (le) dis, désormais vous verrez le Fils de l'homme siégeant à la droite de la Puissance et venant sur les nuées du ciel. »	« Je (le) suis, et vous verrez le Fils de l'homme siégeant à la droite de la Puissance et venant avec les nuées du ciel. »	[69]Mais dorénavant le Fils de l'homme sera siégeant à la droite de la Puissance de Dieu. »	

Matthieu	Marc	Luc	Jean
		[70]Ils dirent tous : « Tu es donc le Fils de Dieu ? » Il leur déclara : « Vous dites que je (le) suis. »	[36b] « ...Je suis Fils de Dieu. »
[65]Alors le Grand Prêtre déchira ses vêtements en disant :	[63]Mais le Grand Prêtre, déchirant ses tuniques, dit :	[71]Mais ils dirent :	[36b] «...Vous dites : Tu blas-phèmes... »
« Il a blasphémé!			
qu'avons-nous encore besoin de témoins ? Voilà, à l'instant, vous avez entendu	« Qu'avons-nous encore besoin de témoins ? [64]Vous avez entendu	« Qu'avons-nous encore besoin de témoignage ? Car nous-mêmes avons entendu de sa bouche. »	
le blasphème! [66]Que vous (en) semble ? » Mais eux, répondant, dirent : « Il est passible de mort. »	le blasphème! Que vous (en) paraît-il ? » ·Mais eux tous décrétèrent qu'il était passible de mort.		

§ 343

[67]Alors	[65]Et quelques-uns commencèrent	22 [63]Et les hommes qui le gardaient	
ils lui crachèrent au visage	à cracher sur lui	se jouaient de	

293

Matthieu	Marc	Luc	Jean
		lui,	
		(le) frappant,	
	et à	[64]et, l'ayant	
	couvrir d'un	couvert d'un	
	voile	voile,	
	son visage		
et le	et à le		
souffletèrent;	souffleter		
d'autres		ils	
le giflèrent,			
		l'interrogeaient,	
[68]disant :	et à lui dire :	disant :	
« Fais-nous	« Fais	« Fais	
le prophète,	le prophète! »	le prophète!	
Christ!			
quel est celui		Quel est celui	
qui t'a frappé ? »		qui t'a frappé ? »	
			18 [22]Comme
			il disait cela,
	Et les gardes		un des gardes
			qui se tenait
			(là),
	le traitèrent		donna
	(avec) des gifles.		une gifle à
			Jésus
			en disant :
			« (C'est) ainsi
			(que) tu
			réponds
			au Grand
			Prêtre ? »
		[65]Et ils	
		disaient,	
		l'injuriant,	
		beaucoup	
		d'autres (choses)	
		contre lui.	

La scène du procès religieux se déroule en trois parties, la question et la réponse centrales apparaissant comme pièces maîtresses de l'ensemble car Jésus dévoile publiquement son identité et en dit même davantage qu'il ne lui en est demandé. Cet ensemble comprend les éléments suivants :

DÉLIBÉRATIONS

> Faux témoignages : vv. 55-59
> (dont une partie importante sur le Temple : v. 58)
> Question du Grand-Prêtre : v. 60
> Silence de Jésus : v. 61

AVEU

> Nouvelle question : « Es-tu le Christ ? » : v. 61
> Réponse affirmative de Jésus
> et développement : v. 62

RÉACTIONS

> Du Grand Prêtre : vv. 63-64ab
> De tous, entraînés par lui : v. 64c

Du point de vue de la forme, le récit présente une série de contrastes. L'inclusion qui l'ouvre et le ferme (vv. 55 et 64) en donne le sens : du côté des accusateurs l'intention est de condamner Jésus à mort[39]. Mais la manière dont le débat se passe aboutit au résultat inverse. Des dépositions faites, une est retenue : sur le Temple[40] mais sans parvenir à l'accord des témoins (vv. 56-59). Le Grand Prêtre interroge alors Jésus qui proclame clairement sa messianité et sa filiation divine[41] (v. 61), ainsi que sa glorification prochaine[42] (v. 62). Contrairement à ce que l'on pourrait attendre, il s'ensuit une réprobation générale.

Des quatre récits des évangélistes consacrés à l'audience devant le Sanhédrin, celui de Marc est le plus développé : chez Luc il n'est pas fait mention de comparution de témoins, et chez Jean l'interrogatoire est très réduit. Marc développe le procès de Jésus pour faire

---

39. VTB, *Jugement*, N.T., I 1; *Procès de Jésus*, III 1.
40. VTB, *Temple*, N.T., 1.2.
41. VTB, *Jésus-Christ*, II 1a.
42. VTB, *Nuée*, 4.

éclater davantage la révélation de son identité; il est seul à rapporter :
« Es-tu le Christ ? — Je le suis. »

Quant au fond, ce récit mérite de retenir l'attention en ce qui concerne les paroles et l'attitude de Jésus ainsi que les réactions qu'elles entraînent.

a) Lorsque, à la question : « Es-tu le Christ (ou Messie)? » (v. 61), Jésus répond : « Je le suis », sa réponse est claire. En effet, dans la mentalité de l'époque, ce titre était réservé au personnage que Dieu donnerait à son peuple à la fin des temps. Cette identité avait été cachée dès le début de l'évangile pour éviter les fausses interprétations. Mais à présent, dans le contexte de la mort prochaine, elle peut être proclamée ouvertement et sans ambiguïté.

Et, comme pour relever davantage la qualité unique de sa personne, à ce titre est joint celui de : « Fils du Béni » (v. 61), tournure équivalente à « Fils du Dieu Béni »[43] utilisée de préférence pour éviter de prononcer ce nom. Pour Jésus, cette appellation équivaut à se dire « Messie » : c'est une manière de revendiquer les attributs du rejeton de David tels qu'ils sont exprimés depuis Nathan (2S7,14; Ps 89,27; 2,7; voir aussi Sg 2,18).

Pour les destinataires de Marc, il s'agit véritablement de l'affirmation d'une filiation divine[44]. De toute manière, pour pouvoir répondre affirmativement à une telle question, il faut avoir conscience d'être Dieu. Le fait que Marc a réservé cette révélation pour cet endroit de son évangile (en 11,33 il refuse encore de le faire), alors que les autres n'ont pas hésité à le faire plus tôt (Jn 1,41...), montre que c'est là que se trouve la clé et la raison d'être de son livre. Non seulement cette révélation est devenue possible, mais elle va être le motif de la condamnation: il faut que Jésus soit mis à mort en tant que Messie, car c'est ainsi qu'il se manifestera Fils de celui qu'il appelle « Père ». Pour révéler celui-ci, il est nécessaire qu'il se montre uni à lui dans une même volonté, signe du surcroît d'amour qui les habite et qui lui donne d'assumer si librement sa mort. Tel est, du moins, le sens que les lecteurs chrétiens de Marc peuvent mettre dans son récit. Pour les Juifs, le titre de Messie, Fils du

43. VTB, *Messie*, N.T., I 2.
44. VTB, *Fils de l'homme*, N.T., I 1 a.b.; *Fils de Dieu*, N.T., I 1.

Béni, pouvait évoquer le Messie-Serviteur. L'on voit, en effet le passage de l'un à l'autre terme opéré dans le livre de la Sagesse, à propos d'Isaïe 53 : la qualité de ce Fils de Dieu est l'accord de volonté et non la gloire. C'est par la première de ces qualités vécue jusqu'à assumer la mort qu'il montre comment accomplir le dessein de Dieu de rassembler les hommes. Ainsi, ce titre de Fils de Dieu, très important dans la perspective théologique propre à Marc (voir principalement 1,11 ; 9,7), trouve ici son sommet dans la solennité où il est présenté.

A ces deux titres, Messie et Fils de Dieu, en est adjoint un autre : celui de « Fils de l'homme » (v. 62). De telle sorte, c'est vraiment toute l'identité de Jésus qui est dévoilée en ce moment crucial de sa mort. Deux autres textes apparaissent chez Marc, relatifs à l'annonce de la venue du Fils de l'homme (voir 8,38 ; 13,26). Tous les trois sont une manière d'annoncer sa gloire, autrement dit sa Résurrection, dans la perspective de Dn 7,13-14 ; ce qui d'ailleurs est également une manière d'annoncer sa mort comme imminente.

La parole : « Vous verrez... » s'adresse donc aux Juifs présents. Mais elle est vraie encore pour les lecteurs chrétiens de l'Évangile. Car c'est à toutes les générations de tous les pays et de tous les temps que la révélation du Christ ressuscité est offerte et peut être contemporaine de qui l'accueille.

Il faudrait encore relever le « silence » (v. 61) que Jésus observe. C'est une manière, pour l'évangéliste qui le relate, de relever la dignité et la grandeur humaine de l'accusé, mais aussi son « secret » c'est-à-dire la présence divine qui l'habite et qui ne peut être perçue avant de s'être révélée par la Résurrection.

b) Les réactions face à cette révélation sont, sur le moment, diverses.

On trouve tout d'abord de faux témoins[45]. Ils le sont en ce sens que Jésus n'a pas dit : « Je détruirai le Temple » (v. 58), mais : « Détruisez ce Temple[46] et je le rebâtirai », allusion à sa propre vie

45. VTB, *Témoignage*, N.T., I 1.
46. VTB, *Temple*, N.T., I 1.

humaine qui va être vouée à la mort par les Juifs eux-mêmes. Ce qui est relevé dans ces faux témoignages c'est l'incompréhension des adversaires. Ils pouvaient, dans le contexte politique où ils étaient, penser que Jésus avait des prétentions de violence et de destruction. Mais le sens des paroles de Jésus était à comprendre autrement, à savoir qu'il venait pour faire éclater le vieil ordre des choses (comme les outres avec du vin nouveau : 2,22); avec lui le temps des réalités nouvelles et définitives est arrivé. Marc insiste : le temple nouveau ne sera pas « fait de main d'homme » (v. 58).

Après les faux témoins, voilà le Grand Prêtre. Sa réaction montre qu'il a compris le sens de la parole de Jésus. Mais comme celle-ci n'est sans doute pas claire pour tout le monde, il se livre à une petite scène pour emporter l'adhésion (vv. 63-64) et tout le Sanhédrin fait chorus. Survient alors une scène d'outrages (v. 65). Jésus est condamné à mort pour sa prétention prophétique[47]. Comme Jérémie (26,1-11) il a annoncé la ruine du Temple, comme lui il mérite la mort. Outre le côté douloureux qu'il comporte, cet épisode souligne le caractère de Messie-prophète de Jésus. Même tournée en dérision, c'est son identité qui est proclamée.

Pour mettre le comble à l'isolement de Jésus, il ne restait plus qu'à être témoin du reniement du premier de ses disciples (vv. 66-72) relaté dans la péricope qui suit.

Marc, plus que les autres, insiste sur cette défection. Il la décrit de manière croissante : « il niait » (imparfait qui indique la répétition : v. 70), « il commença à maudire et à jurer » (v. 71), appelant Jésus « cet homme » (v. 71); enfin, c'est le comble, il s'enfuit (v. 72).

---

47. VTB, *Prophète*, II 2.

b) Reniements de Pierre[48]

Matthieu	Marc 14,66-72	Luc	Jean
[69]Or Pierre était assis dehors,	[66]Et, Pierre étant en bas,		
dans la cour; et s'approcha de lui	dans la cour, vient		
		22 [56]Or	
une servante	une des servantes	une servante,	18 [17]La servante, la portière,
	du Grand Prêtre; [67]et voyant Pierre	le voyant	
		assis à la flambée	
	qui se chauffait, l'ayant regardé,	et l'ayant dévisagé,	
en disant :	elle dit :	dit :	dit à Pierre :
« Toi aussi, tu étais avec Jésus le Galiléen. »	« Toi aussi, tu étais avec le Nazarénien, Jésus. »	« Celui-là aussi était avec lui. »	« Toi aussi, n'es-tu pas des disciples de cet homme ? »
[70]Mais il nia devant tous en disant :	[68]Mais il nia en disant :	[57]Mais il nia en disant : « Femme,	Lui dit :
« Je ne connais pas	« Je ne connais	je ne le connais pas. »	« Je n'(en suis) pas. »
	ni ne comprends		
ce que tu dis. »	ce que tu dis. »		
			18 [25]Or Simon Pierre était là, et se chauffait.
[71]Comme il était sorti vers le porche,	Et il sortit dehors vers le vestibule		

48. Synopse § 344.

Matthieu	Marc	Luc	Jean
	et un coq chanta.		
	[69]Et	[58]Et un court (moment) après,	
une autre	la servante	un second,	
le vit	l'ayant vu,	l'ayant vu,	
et dit	commença à dire de nouveau	déclara :	Ils lui dirent :
à ceux (qui étaient) là :	à ceux qui se tenaient auprès :		
« Celui-ci	« Celui-ci	« Toi aussi,	« Toi aussi,
était	est	tu es	n'es-tu pas
avec Jésus	(un) d'entre eux.»	d'entre eux. »	de ses
			disciples ? »
le Nazôréen. »			
[72]Et	[70]Mais	Mais	
de nouveau	de nouveau		
il nia	il niait.		Lui nia
avec serment :		Pierre déclara :	et dit :
		« Homme,	
« Je ne connais		je n'(en)	« Je n'(en)
pas l'homme. »		suis pas. »	suis pas. »
[73]Un peu après,	Et un peu après,	[59]Et à environ une heure d'intervalle	
	de nouveau,		
ceux qui	ceux qui	un autre	[26]Un des serviteurs du Grand Prêtre, parent de celui à qui Pierre avait coupé l'oreille,
se tenaient (là) s'approchant,	se tenaient auprès		
		insistait	
dirent à Pierre :	disaient à Pierre :	en disant :	dit :
« Vraiment,	« Vraiment,	« En vérité,	« Ne t'ai-je pas vu
toi aussi,		celui-ci aussi	
tu es	tu es	était	
			dans le jardin,
d'entre eux	d'entre eux	avec lui	avec lui ? »
et en effet	et en effet	et en effet	

Matthieu	Marc	Luc	Jean
ton parler te trahit. »	tu es Galiléen. »	il est Galiléen. »	
			[27]De nouveau, Pierre nia.
		[60]Mais Pierre	
[74]Alors il commença à maudire et à jurer :	[71]Mais il commença à maudire et à jurer :		
		dit : « Homme, je ne connais pas ce que tu dis. »	
« Je ne connais pas l'homme. »	« Je ne connais pas cet homme que vous dites. »		
Et aussitôt	[72]Et aussitôt, pour (la) seconde (fois)	Et à l'instant,	Et aussitôt
		comme il parlait encore,	
un coq chanta.	un coq chanta.	chanta un coq. [61]Et, s'étant retourné, le Seigneur regarda Pierre, et Pierre	un coq chanta.
[75]Et Pierre se souvint du mot de Jésus	Et Pierre se souvint du mot,	se souvint de la parole du Seigneur,	
	comme lui avait dit Jésus :	comme il lui avait dit :	
ayant dit : « Avant qu'un coq chante	« Avant qu'un coq chante deux fois,	« Avant qu'un coq chante aujourd'hui	
trois fois tu m'auras renié. »	trois fois tu m'auras renié. »	tu m'auras renié trois fois. »	
Et, sortant dehors, il pleura amèrement.	Et, s'enfuyant, il pleurait.	[62]Et, sortant dehors, il pleura amèrement.	

c) Le procès civil[42]

Matthieu	Marc 15,1-15	Luc	Jean
	[1]Et aussitôt, le matin,	22 [66]Et quand le jour fut arrivé,	
27 [1]Le matin étant arrivé			
tinrent	ayant préparé	se réunit	
un conseil	un conseil,	(l'assemblée)	
contre Jésus			
tous les	les		
grands prêtres	grands prêtres		
et les anciens	avec les anciens	des anciens	
du peuple		du peuple,	
		grands prêtres	
	et les scribes	et scribes,	
		et ils	
		l'emmenèrent	
	et tout		
	le Sanhédrin,	à leur Sanhédrin.	
afin de le faire mourir.			
[2]Et,		23 [1]Et, toute leur assemblée s'étant levée,	
l'ayant lié, ils	ayant lié Jésus		
		ils	18 [28]Ils
(l')emmenèrent	l'emportèrent	le menèrent	mènent Jésus de chez Caïphe
et (le) livrèrent à Pilate, le gouverneur.	et (le) livrèrent à Pilate.	devant Pilate.	au prétoire.
			C'était le matin. Et eux-mêmes n'entrèrent pas dans le prétoire afin de ne pas se souiller mais de (pouvoir) manger la Pâque.

49. Synopse § 345; 347; 348; 349.

§ 347

Luc	Jean
[2]Ils commencèrent à l'accuser,	[29]Pilate sortit donc dehors vers eux et dit : « Quelle accusation portez-vous contre cet homme ? » [30]Ils répondirent et lui dirent : « Si celui-ci n'était pas un malfaiteur, nous ne te l'aurions pas livré. »
disant : « Nous avons trouvé celui-ci excitant notre nation à la révolte, et empêchant de donner les tributs à César, et se disant être Christ, Roi. »	
	[31]Pilate leur dit : « Prenez-le, vous-mêmes, et jugez-le selon votre Loi. » Les Juifs lui dirent : « Il ne nous est pas permis de tuer quelqu'un. » [32]Afin que fût accomplie la parole de Jésus qu'il avait dite, pour signifier de quelle mort il allait mourir. [33]Pilate entra de nouveau dans le prétoire et il appela Jésus.

Matthieu	Marc	Luc	Jean
27 [11]Jésus fut placé devant le gouverneur et le gouverneur l'interrogea, disant : « Tu es le roi des Juifs ? »	[2]Et Pilate l'interrogea : « Tu es le roi des Juifs ? »	[3]Pilate l'interrogea, disant : « Tu es le roi des Juifs ? »	« Tu es le roi des Juifs ? » [34]Jésus répondit :

« Dis-tu cela de toi-même ou d'autres te l'ont-ils dit de moi ? » [35]Pilate répondit : « Est-ce que je suis Juif ? Ta nation et les grands prêtres t'ont livré à moi. Qu'as-tu fait ? » [36]Jésus répondit : « Ma royauté n'est pas de ce monde. Si ma royauté était de ce monde, mes gardes auraient combattu pour que je ne sois pas livré aux Juifs. Mais ma royauté n'est pas d'ici. » [37]Pilate lui dit : « Donc, tu es roi ? »

Matthieu	Marc	Luc	Jean
Mais Jésus	Mais lui, lui répondant,	Mais lui, lui répondant,	Jésus répondit :

Matthieu	Marc	Luc	Jean
déclara : « Tu (le) dis. »	dit : « Tu (le) dis. »	déclara : « Tu (le) dis. »	« Tu dis que je suis roi ;

je suis né pour cela et je suis venu dans le monde pour cela : que je rende témoignage à la vérité. Quiconque est de la vérité écoute ma voix. » [38a]Pilate lui dit : « Qu'est-ce que la vérité ? »

Matthieu	Marc	Luc	Jean
[12]Et, tandis qu'il était accusé par les grands prêtres et anciens, il ne répondit rien.	[3]Et l'accusaient beaucoup les grands prêtres.		19 [9b]Mais Jésus ne lui donna pas de réponse.
[13]Alors Pilate lui dit :	[4]Pilate de nouveau l'interrogeait :	23 [9]Il l'interrogeait avec force paroles,	[10]Pilate dit donc :
	« Tu ne réponds rien ?		« Tu ne me parles pas ?... »
« Tu n'entends pas tout ce qu'ils attestent contre toi ? »	Vois tout ce dont ils t'accusent ! »		
[14]Et il ne lui répondit pas, sur aucun point, si bien que le gouverneur était très étonné.	[5]Mais Jésus ne répondit plus rien, si bien que Pilate était étonné.	mais lui ne lui répondit rien.	
		[10]Se tenaient là les grands prêtres et les scribes, l'accusant violemment.	

Luc	Jean
[4]Pilate dit aux grands prêtres et aux foules : « Je ne trouve aucun motif (de condamnation) en cet homme. » [5]Mais eux insistaient en disant qu'il soulève le peuple, enseignant par toute la Judée, et ayant commencé par la Galilée jusqu'ici.	[38b]Et ayant dit cela, il sortit de nouveau vers les Juifs et leur dit : « Je ne trouve aucun motif (de condamnation) en lui. »

§ 348 Ici, Luc ajoute (v. 6 à 12) l'épisode de Jésus envoyé à Hérode et renvoyé à Pilate.

§ 349

Luc	Jean
23 [13] Or Pilate, ayant convoqué les grands prêtres et les chefs et le peuple, [14]leur dit : « Vous m'avez présenté cet homme comme excitant le peuple à la révolte, et voici, moi, ayant instruit (l'affaire) devant vous, je n'ai trouvé en cet homme aucun motif (de condamnation) (pour ce) dont vous l'accusez; [15]mais Hérode non plus, car il nous l'a renvoyé. Et voici, rien de digne de mort n'a été fait par lui. [16]L'ayant donc châtié, je le relâcherai. »	19 [4]Et Pilate sortit de nouveau dehors et leur dit « Voici, je vous le mène dehors afin que vous sachiez que je ne trouve en lui aucun motif (de condamnation). »

Matthieu	Marc	Luc	Jean
[15]Or, à chaque fête, le gouverneur	[6]Or, à chaque fête	[17]Or il	[39]« C'est pour vous une coutume
avait coutume		avait obligation, à chaque fête	

Matthieu	Marc	Luc	Jean
de relâcher à la foule un prisonnier celui qu'ils voulaient.	il leur relâchait un prisonnier, celui qu'ils réclamaient.	de leur relâcher (quelqu')un.	que je vous relâche (quelqu')un pendant la Pâque.
¹⁶Or ils avaient alors un prisonnier fameux, dénommé Jésus Barabbas.	⁷Or le dénommé Barabbas était enchaîné avec les émeutiers qui avaient commis un meurtre dans l'émeute. ⁸Et la foule, étant montée, commença à demander selon (ce) qu'il faisait pour eux.		
¹⁷Comme ils étaient rassemblés, Pilate leur dit : « Qui voulez-vous que je vous relâche : Jésus Barabbas ou Jésus, qui (est) dit Christ ? »	⁹Or Pilate leur répondit en disant : « Voulez-vous que je vous relâche le roi des Juifs ?»		Voulez-vous que je vous relâche le roi des Juifs ? »
¹⁸Il savait,	¹⁰Il connaissait,		

Matthieu	Marc	Luc	Jean
en effet, que (c'était) par jalousie (qu')ils le livrèrent.	en effet, que (c'était) par jalousie (que) les grands prêtres l'avaient livré.		
[19]Or, tandis qu'il siégeait au tribunal, sa femme lui envoya dire : « (Qu'il n'y ait) rien entre toi et ce juste; car aujourd'hui j'ai beaucoup souffert dans un songe à cause de lui. »			
[20]Or les grands prêtres et les anciens persuadèrent les foules	[11]Or les grands prêtres excitèrent la foule		
		[18]Ils s'écrièrent tous ensemble, disant : « A mort cet (homme)!	[40]Ils crièrent de nouveau, disant : « Pas cet (homme),
qu'elles demandent Barabbas mais qu'elles perdent Jésus.	pour qu'il leur relâche plutôt Barabbas.	mais relâche-nous Barabbas. »	mais Barabbas. »
		[19]Celui-ci	Or Barabbas
	avait été jeté en prison pour une émeute survenue dans la ville et (pour) meurtre.		était un brigand.
[26b] Quant à Jésus l'ayant fait flageller, il (le) livra pour qu'il fût crucifié.	[15b] Et il livra Jésus, l'ayant fait flageller, pour qu'il fût crucifié.		19 [1]Alors Pilate prit Jésus et le fit flageller.

Matthieu	Marc	Luc	Jean
		23 [11]Hérode,	[2]Et
[27]Alors	[16]Or	avec	les soldats,
les soldats...	les soldats...	la soldatesque...	
[28]Et l'ayant			
dévêtu			
	[17]et ils		
ils lui mirent	le revêtent		
une chlamyde			
écarlate	de pourpre		
	et ils		
	lui mettent,		
[29]et,			ayant tressé
ayant tressé	(l')ayant tressée,		une couronne
une couronne	une couronne		d'épines,
d'épines,	épineuse.		(la) mirent
ils (la) mirent			sur sa tête
sur sa tête...			et ils
		... (l')ayant	l'enveloppè-
		enveloppé	rent
			d'un manteau
		d'un habit	pourpre;
		splendide,	
		le renvoya	
		à Pilate.	
... Ils se	[18]Et ils		[3]et ils
jouèrent	commencèrent		venaient à lui
de lui,			
disant :	à le saluer :		et disaient :
« Salut,	« Salut,		« Salut,
roi des Juifs! »	roi des Juifs! »		le roi des
			Juifs! »
[30]...et ils	[19]Et ils lui		et ils lui
frappaient	frappaient		donnaient
sur sa tête.	la tête...		des gifles.
		[13]Or Pilate...	[4]Et Pilate
			sortit
			de nouveau
			dehors
		[14]leur dit :	et leur dit :
		« ...et voici, moi	« Voici, je vous
		ayant instruit	le mène
			dehors
		(l'affaire)	

Matthieu	Marc	Luc	Jean
		devant vous,	afin que vous sachiez
		je n'ai trouvé	que je ne trouve
		en cet homme aucun motif (de condamnation) (pour ce) dont vous l'accusez... »	en lui aucun motif (de condamnation). »
			[5]Jésus sortit dehors, portant la couronne épineuse et le manteau pourpre. Et il leur dit : « Voici l'homme. »
		[20]De nouveau, Pilate	[12]Dès lors Pilate
	[12]Pilate, de nouveau, répondant,		
[21] Répondant, le gouverneur leur dit :	leur disait :	leur adressa la parole,	
« Qui voulez-vous des deux que je vous relâche ? »			cherchait
		voulant relâcher Jésus.	à le relâcher.
Ils dirent : « Barabbas. » [22] Pilate leur dit : « Que ferai-je donc de Jésus qui (est) dit Christ ? »	« Que ferai-je donc (de celui) que vous dites le roi des Juifs ? »		
			[6] Quand ils

Matthieu	Marc	Luc	Jean
			le virent, les grands prêtres et les gardes
Tous	[13]Mais eux	[21]Mais eux	crièrent,
	crièrent de nouveau :	clamaient,	
disent : « Qu'il soit		disant :	disant :
crucifié ! »	« Crucifie-le ! »	« Crucifie-le ! Crucifie-le ! »	« Crucifie ! Crucifie ! »
[23a]Il déclara :	[14a]Pilate leur disait :	[22]Il leur dit pour la troisième (fois) :	Pilate leur dit :
« Qu'a-t-il donc fait de mal ? »	« Qu'a-t-il donc fait de mal ? »	« Qu'a donc fait de mal cet (homme) ?	
			« Prenez-le vous-mêmes et crucifiez-le,
		Je n'ai trouvé en lui aucun motif de mort.	car moi, je ne trouve en lui aucun motif (de condamnation). »
		Je le relâcherai donc après l'avoir châtié. »	

> [7]Les Juifs lui répondirent : « Nous avons une Loi, et selon la Loi, il doit mourir, parce qu'il s'est fait Fils de Dieu. » [8]Pilate, donc, lorsqu'il eut entendu cette parole, eut davantage peur, [9]et il entra dans le prétoire de nouveau et il dit à Jésus : « D'où es-tu ? »

Matthieu	Marc	Luc	Jean
27 [12]Et tandis qu'il était	15 [3]Et		

Matthieu	Marc	Luc	Jean
accusé	l'accusaient beaucoup		
par les grands prêtres et anciens,	les grands prêtres.		
			Mais Jésus ne lui donna pas de réponse.
il ne répondit rien.			
[13]Alors Pilate lui dit :	[4]Pilate de nouveau l'interrogeait : « Tu ne réponds rien ?		[10]Pilate dit donc : « Tu ne me parles pas ?
« Tu n'entends pas tout ce qu'ils attestent contre toi ? »	Vois tout ce dont ils t'accusent ! »		

Ne sais-tu pas que j'ai pouvoir de te relâcher et (que) j'ai pouvoir de te crucifier ? » [11]Jésus répondit : « Tu n'aurais aucun pouvoir contre moi s'il ne t'avait été donné d'en haut. Pour cette (raison), celui qui m'a livré a un plus grand péché que toi. » [12]Dès lors, Pilate cherchait à le relâcher. Mais les Juifs crièrent, disant : « Si tu relâches cet (homme), tu n'es pas ami de César. Quiconque se fait roi s'oppose à César. » [13]Pilate, ayant entendu ces paroles, mena Jésus dehors et s'assit sur le tribunal au lieu dit Lithostrôton, en hébreu Gabbatha. [14]C'était (la) Préparation de la Pâque —, c'était environ la sixième heure. Et il dit aux Juifs : « Voici votre roi. »

Matthieu	Marc	Luc	Jean
[23b]Mais eux, plus fort, criaient,	[14b]Mais eux, plus fort, crièrent :	[23]Mais eux insistaient à grandes clameurs, demandant	[15]Ceux-là crièrent :
disant :			
			« A mort, à mort !
« Qu'il soit crucifié ! »	« Crucifie-le ! »	qu'il fût crucifié. Et leurs clameurs gagnaient en violence.	Crucifie-le ! »
			Pilate leur dit :

Matthieu	Marc	Luc	Jean
			« Crucifierai-je votre roi ? » Les grands prêtres répondirent : «Nous n'avons pas de roi, sinon César. »

[24]Voyant que rien ne servait, mais qu'il s'ensuivait plutôt du tumulte Pilate, ayant pris de l'eau, se lava les mains en présence de la foule, en disant : « Je suis innocent de ce sang ; à vous de voir ! » [25]Et tout le peuple, répondant, dit : « Que son sang (soit) sur nous et sur nos enfants ! »

Matthieu	Marc	Luc	Jean
	[15]Pilate voulant contenter la foule,	[24]Et Pilate prononça qu'il fût fait droit à leur demande.	
[26]Alors il leur relâcha Barabbas.	leur relâcha Barabbas	[25]Il relâcha celui qui avait été jeté en prison pour émeute et meurtre, qu'ils demandaient ;	
Quant à Jésus l'ayant fait flageller, il (le) livra pour qu'il fût crucifié.	et livra Jésus, l'ayant fait flageller, pour qu'il fût crucifié.	quant à Jésus, il (le) livra à leur volonté.	[16a]Alors il le leur livra pour qu'il fût crucifié.

Le procès devant Pilate se présente, après celui du Sanhédrin, comme l'aval juridique d'une décision déjà prise, mais il est aussi pour l'évangéliste l'occasion de manifester quelques intentions théologiques importantes. Contrairement au précédent, ce procès est présenté par les quatre évangélistes selon la même structure, Luc et Jean y introduisant cette fois des développements plus importants que Matthieu et Marc : les préoccupations des uns et des autres sont en effet différentes, dans leur relation des deux procès. La scène se présente sous la forme de deux parties bien distinctes.

Jésus est livré à Pilate par les Juifs (v. 1)

INTERROGATOIRE

- Question posée à Jésus : « Tu es le Roi des Juifs ? » : v. 2a
- Réponse de Jésus : v. 2b
- Accusation des prêtres : v. 3
- Silence de l'accusé : vv. 4-5a
- Étonnement de Pilate : v. 5b

TOURNANT DANS LE PROCÈS (vv. 6-7)

— L'affrontement de Pilate avec la foule :
- La foule, excitée par les prêtres, refuse la libération de Jésus « Roi des Juifs » et demande celle de Barabbas : vv. 8-11
- Elle exige la crucifixion de Jésus « Roi des Juifs » : vv. 12-14

— LE DÉNOUEMENT DU DRAME :
Pilate cède, Jésus est livré et flagellé : v. 15

Une telle construction semble avoir pour but de mettre en relief le titre royal[50] de Jésus et le rôle secondaire de Pilate par rapport aux accusations des chefs et des prêtres. Dans la première partie de l'audience, en effet, on remarque une certaine similitude de construction avec le récit du procès devant le Sanhédrin. Dans un cas comme dans l'autre il y a : question, réponse, accusation, silence de Jésus.

L'interrogatoire de Pilate met en évidence les accusations des grands prêtres. Quant à la seconde partie, la foule[51] tient la place principale, motivée par les mêmes inspirations.

50. VTB, *Roi*, N.T., Intr., I 2.
51. VTB, *Jérusalem*, N.T., I 1.

Cette présentation révèle des intentions théologiques et sans doute apologétiques.

L'intention théologique est de relever l'importance du titre[52] de Jésus qui entraînera sa condamnation. Puisqu'il vient de révéler qu'il est le Messie, le secret est levé et doit être proclamé à la face du monde dont Pilate est le représentant. Lequel Pilate restera, par l'intermédiaire du credo chrétien, universellement connu. Six fois dans ce passage, Jésus est dit « Roi des Juifs » (c'est-à-dire « Messie ») et ce titre figurera dans une inscription apposée à la croix sur laquelle il sera cloué (v. 26). Ainsi est promulguée et divulguée publiquement à tous, par Jésus lui-même (v. 2) ou par Pilate (vv. 9.12), en attendant que ce soit par les païens eux-mêmes (v. 18), quelle est sa vraie identité.

Le sens de ce titre « Roi des Juifs » exprimant la dignité de Jésus, sa prétention d'être en relation étroite avec Dieu, est relevé encore par l'attitude de silence de Jésus (comme lors de son procès religieux) et par l'étonnement que cette attitude inspire à Pilate. L'usage était que les prisonniers se défendent. Ce qui explique la surprise du procurateur. Mais, dans la pensée de l'évangéliste, ce mot d' « étonnement » (v. 5) contient un sens beaucoup plus fort que la simple réaction psychologique. Il exprime la réaction devant une puissance mystérieuse. Le silence de Jésus n'est ni mépris, ni tactique, ni déroute, mais choix libre; il est dû au secret qu'il cache et qui est la présence de la divinité en lui. C'est sa manière d'interpeller les hommes.

Aux chrétiens pour lesquels il écrit, Marc veut aussi suggérer l'attitude de Serviteur (voir Is 53,7) : l'attitude d'adhésion au dessein mystérieux du Père observée par Jésus. Mais sa préoccupation est peut-être, en même temps, apologétique. Ce n'est pas d'aujourd'hui que les discussions ont commencé sur le rôle politique de Jésus. Dès l'âge apostolique est apparue l'opinion qu'il fut crucifié à cause de son activité politique. Marc répond en quelque sorte : « Non, le motif de la condamnation est religieux », et de plus : « le pouvoir romain n'y a qu'une responsabilité d'exécution ». Voilà ce qu'il était opportun de dire en une période où les chrétiens commençaient à être accusés d'être une force subversive dans l'Empire.

52. VTB, *Roi*, N.T., I 2.

B) L'EXÉCUTION DU JUGEMENT

a) Outrages à Jésus Roi[53]

Matthieu	Marc 15,16-20	Luc	Jean
²⁷Alors	¹⁶Or	23 ¹¹Hérode, avec	19 ²Et
les soldats du gouverneur,	les soldats	la soldatesque...	les soldats,
prenant avec (eux) Jésus	l'emmenèrent		
	à l'intérieur de la cour, ce qui est		
dans le prétoire, rassemblèrent contre lui	le prétoire, et ils convoquent		
toute la cohorte.	toute la cohorte.		
²⁸Et, l'ayant dévêtu,	¹⁷Et		
		(l')ayant enveloppé	
ils lui mirent une chlamyde	ils le revêtent	d'un habit	
écarlate	de pourpre	splendide...	
²⁹et,	et ils lui mettent,		
ayant tressé une couronne d'épines,	(l')ayant tressée, une couronne épineuse.		ayant tressé une couronne d'épines,
ils (la) mirent sur sa tête			(la) mirent sur sa tête et ils l'enveloppèrent d'un manteau pourpre;
et un roseau dans sa main droite.			
Et, s'agenouillant devant lui,	¹⁸Et		et ils venaient à lui

53. Synopse § 350.

Matthieu	Marc	Luc	Jean
ils se jouèrent de lui, disant : « Salut,	ils commencèrent à le saluer : « Salut,	et s'étant joués (de lui)...	et disaient : « Salut, le roi des Juifs ! »
roi des Juifs ! » ³⁰Et, crachant sur lui, ils prirent le roseau et ils frappaient sur sa tête.	roi des Juifs ! » ¹⁹Et ils lui frappaient la tête		Et ils lui donnaient des gifles.
	avec un roseau et ils crachaient sur lui et, fléchissant les genoux, ils se prosternaient (devant) lui.		
³¹Et, quand ils se furent joués de lui, ils lui ôtèrent la chlamyde et lui remirent ses vêtements et l'emmenèrent pour (le) crucifier.	²⁰Et, quand ils se furent joués de lui, ils lui ôtèrent le (manteau de) pourpre et lui remirent ses vêtements et le mènent dehors afin qu'ils le crucifient.		

La scène d'outrages fait transition entre le jugement et son exécution. Sa fonction est semblable à celle qui suit le procès religieux. Outre la souffrance supportée par Jésus, elle permet de souligner, même sous forme de dérision, son identité de Messie non plus prophète, mais roi.

Une fois de plus Jésus est montré « Roi des Juifs » (v. 18), mais pas de la manière attendue par les hommes : il se présente en Messie souffrant sans rendre le mal pour le mal; bref, il est déroutant.

b) Chemin de croix et crucifiement[54]

Matthieu	Marc 15,21-32a	Luc	Jean
[32]En sortant,			
		[26]Et comme ils l'emmenaient,	[16b]... Ils prirent donc Jésus;
	[21]Et		
ils trouvèrent un homme	ils requièrent un (homme) qui passait,	ayant pris un (homme),	
de Cyrène, du nom de Simon;	Simon de Cyrène,	Simon de Cyrène,	
	le père d'Alexandre et de Rufus, qui venait des champs,	qui venait des champs,	
ils le requirent pour qu'il prît	pour qu'il prît	ils lui imposèrent	[17a]et, chargé lui-même
sa croix.	sa croix.	la croix à porter derrière Jésus.	de sa croix,
		[27]Or le suivait	

une nombreuse multitude du peuple et de femmes qui se frappaient (la poitrine) et se lamentaient sur lui. [28]S'étant tourné vers elles, Jésus dit : « Filles de Jérusalem, ne pleurez pas sur moi, plutôt pleurez sur vous-mêmes et sur vos enfants. [29]Car voici, des jours viennent où l'on dira : ' Heureuses les stériles, et les ventres qui n'ont pas enfanté, et (les) seins qui n'ont pas nourri. ' [30]Alors on commencera à *dire aux montagnes :* ' *Tombez sur nous* ', *et aux collines :* ' *Couvrez-nous* '. [31]Car si l'on fait cela du bois vert, qu'adviendra-t-il du sec ? » [32]Ils menaient aussi deux autres malfaiteurs, avec lui, (pour) être exécutés.

§ 352

Matthieu	Marc	Luc	Jean
[33]Et, parvenus à un lieu dit Golgotha,	[22]Et ils le portent au lieu Golgotha,	[33] Et quand ils parvinrent au lieu	[17b]il sortit vers le lieu dit

54. Synopse § 351; 352; 353.

Matthieu	Marc	Luc	Jean
c'est (-à-dire) lieu dit du Crâne,	c'est (-à-dire), traduit : lieu du Crâne.	qui (est) appelé Crâne,	du Crâne, ce qui se dit en hébreu Golgotha,
[34]ils lui *donnèrent* à boire du vin mêlé *de fiel;* et, ayant goûté, il ne voulut pas boire.	[23]Et ils lui donnaient du vin (mêlé) de myrrhe, mais il n'(en) prit pas.		
[35a] Or, l'ayant crucifié,... [38]Alors sont crucifiés avec lui deux brigands, l'un à droite et l'autre à gauche.	[24a]Et ils le crucifient... Et avec lui ils crucifient deux brigands, l'un à droite, et l'autre à sa gauche.	ils l'y crucifièrent, et les malfaiteurs, l'un à droite, l'autre à gauche.	[18]où ils le crucifièrent et avec lui deux autres, (un) de-ci (un) de-là, et au milieu, Jésus.
		[34]Jésus disait : « Père, remets-leur, car ils ne savent pas ce qu'ils font. »	
			[24b]...afin que l'Écriture fût accomplie :
[35b]*ils partagèrent* ses *vêtements* en *tirant*	[24b]et *ils partagent* ses *vêtements* en les *tirant*	En *partageant* ses *vêtements,* ils tirèrent	*Ils se partagèrent mes vêtements, et mon habit* ils (le) *tirèrent*

Matthieu	Marc	Luc	Jean
au sort.	*au sort :* qui prendrait quoi ?	*au sort.*	*au sort.*
[36]Et, s'étant assis, ils le gardaient là.			
	[25]C'était la troisième heure, et ils le crucifièrent.		
			[19]Pilate
	[26]Et il y avait l'inscription	[38]Il y avait une inscription	écrivit aussi une pancarte et la mit
[37]Et ils mirent au-dessus de sa tête		sur lui :	sur la croix;
son motif (de condam-nation), (ainsi) écrit :	de son motif (de condam-nation) (ainsi) inscrite :		il y était écrit :
« Celui-ci est Jésus,		« Celui-ci (est)	« Jésus le Nazaréen,
le roi des Juifs. »	« Le roi des Juifs. »	le roi des Juifs. »	le roi des Juifs. »

[20]Cette pancarte, beaucoup de Juifs (la) lurent parce que le lieu où Jésus fut crucifié était proche de la ville. Et c'était écrit en hébreu, en latin, en grec. [21]Les grands prêtres des Juifs disaient à Pilate : « N'écris pas : le roi des Juifs, mais que celui-là a dit : ' Je suis (le) roi des Juifs. '» [22]Pilate répondit : « Ce que j'ai écrit, je l'ai écrit. »

Matthieu	Marc	Luc	Jean
[38]Alors sont crucifiés avec lui	[27]Et avec lui ils crucifient		[18b]...et avec lui
		[33b]...et	
deux brigands, l'un à droite et l'autre à gauche.	deux brigands, l'un à sa droite, et l'autre à sa gauche.	les malfaiteurs, l'un à sa droite, l'autre à gauche.	deux autres, (un) de-ci (un) de-là,

Matthieu	Marc	Luc	Jean
			et, au milieu, Jésus.

[23]Les soldats, lorsqu'ils eurent crucifié Jésus, prirent ses vêtements et firent quatre parts, une part pour chaque soldat, et la tunique. Or la tunique était sans couture, tissée tout d'une pièce à partir du haut. [24]Ils se dirent donc entre eux : « Ne la déchirons pas, mais tirons (au sort) qui l'aura. » Afin que l'Écriture fût accomplie :

Matthieu	Marc	Luc	Jean
[35b]*Ils partagèrent* ses *vêtements*	[24b]Et *ils partagent* ses *vêtements*	[34b]En *partageant* ses *vêtements,*	*Ils se partagèrent mes vêtements, et mon habit*
en *tirant au sort.*	en les *tirant au sort :* qui prendrait quoi ?	*ils tirèrent au sort.*	*ils (le) tirèrent au sort. Les soldats firent cela.*
		[35]Et le peuple était là, *regardant.*	
[39]Or les passants l'injuriaient, *hochant leurs têtes* [40]et disant : « (Toi) qui détruis le Temple et en trois jours (le) rebâtis,	[29]Et les passants l'injuriaient, *hochant leurs têtes* et disant : « Hé! (toi) qui détruis le Temple et le rebâtis en trois jours,		
sauve-toi toi-même, si tu es fils de Dieu, et descends de la croix! »	[30]sauve-toi toi-même, descendant de la croix! »		
[41]Pareillement aussi les grands prêtres, se jouant	[31]Pareillement aussi les grands prêtres, se jouant	Or *se moquaient*	

Matthieu	Marc	Luc	Jean
		aussi	
	entre eux	les chefs,	
avec les scribes	avec les scribes,		
et anciens			
disaient :	disaient :	disant :	
[42]« Il en a	« Il en a	« Il en a	
sauvé d'autres ;	sauvé d'autres ;	sauvé d'autres ;	
lui-même	lui-même		
il ne peut	il ne peut	qu'il	
(se) sauver.	(se) sauver.	se sauve	
		lui-même,	
		si celui-ci	
	[32a]Le Christ,	est le Christ	
		de Dieu,	
		l'Élu. »	
Il est roi	le roi		
d'Israël ;	d'Israël,		
qu'il descende	qu'il descende		
maintenant	maintenant		
de la croix	de la croix,		
	pour que		
	nous voyions		
et nous croirons	et croyions ! »		
en lui !			
[43]*Il s'est*			
confié en Dieu ;			
qu'il le délivre			
maintenant,			
s'il s'intéresse			
à lui !			
Car il a dit :			
'*Je suis*			
Fils de Dieu !' »			
		[36]Or	
		les soldats aussi	
		se jouèrent	
		de lui,	
		s'approchant,	
		lui présentant	
		du vinaigre	
		[37]et disant :	
		« Si tu es	
		le roi des Juifs,	
		sauve-toi	

Matthieu	Marc	Luc	Jean
		toi-même ! »	
	²⁶Et il y avait	³⁸Il y avait aussi	¹⁹Pilate
	l'inscription	une inscription	écrivit aussi une pancarte et la mit sur la croix;
³⁷Et ils mirent au-dessus de sa tête son motif (de condamnation) (ainsi) écrit : « Celui-ci est Jésus,	de son motif (de condamnation) (ainsi) inscrite :	sur lui : « Celui-ci (est)	il y était écrit : « Jésus le Nazôréen,
le roi des Juifs. »	« le roi des Juifs. »	le roi des Juifs. »	le roi des Juifs. »

§ 353

Matthieu	Marc 15,32b	Luc
⁴⁴De la même manière, aussi les brigands qui étaient crucifiés avec lui l'insultaient.	³²ᵇAussi ceux qui étaient crucifiés avec lui l'insultaient.	L'un des malfaiteurs suspendus (à la croix) l'injuriait : « N'es-tu pas le Christ ? Sauve-toi

toi-même, et nous. » ⁴⁰Répondant, l'autre, l'admonestant, déclara : « Tu n'as même pas la crainte de Dieu alors que tu es dans la même condamnation. ⁴¹Et nous, (c'est) avec justice, car nous recevons le digne (prix) de ce que nous avons fait, mais celui-ci n'a rien fait de malhonnête. » ⁴²Et il disait : « Jésus, souviens-toi de moi quand tu viendras dans ton royaume. » ⁴³Et il lui dit : « En vérité, je te (le) dis, aujourd'hui avec moi tu seras dans le Paradis. »

La scène capitale de la mort est ouverte (v. 21) et conclue (vv. 40-41) par la mention de personnes dont les noms sont indiqués : cela souligne que l'histoire du salut s'est inscrite dans la vie concrète des hommes. Puis, Marc fournit un détail extrêmement rude et qui peut modifier chez certains chrétiens l'image qu'ils se font du « chemin de croix », habitués qu'ils sont aux récits de Luc et de Jean. Le deuxième évangéliste ne se contente pas de montrer Simon de Cyrène portant la croix. Il dit que Jésus « est porté » lui-même. Par cette expression l'auteur pourrait insinuer que Jésus est soutenu et pas seulement conduit. De toute manière il veut dire que le supplicié est épuisé physiquement. Cependant, voulant rester conscient jusqu'au bout, celui-ci refuse l'anesthésiant (v. 23) qui lui est offert.

Les vêtements[55] du condamné sont alors tirés au sort, réalisation des paroles du psaume (22,19), et lui-même est crucifié (vv. 24-25). Son identité est signalée par une tablette sur laquelle est inscrit le motif de sa condamnation : « Roi des Juifs » (v. 26). C'est le procès civil qui trouve ici son accomplissement.

Le lecteur attentif aux situations symboliques aura remarqué, chemin faisant, comment s'inaugure le monde nouveau apporté par ce « Roi » : deux brigands sont placés « l'un à sa droite et l'autre à sa gauche » (v. 27), aux places que demandaient les fils de Zébédée (10,37). Voilà donc les premiers candidats au poste de « ministres » du Royaume, tout autres que les hommes ne les avaient imaginés.

L'issue du procès civil est alors évoquée par les réactions[56] des passants (vv. 29-30) qui rappellent celles des faux accusateurs (14, 58), puis celles des chefs des grands prêtres et scribes (vv. 31-32 a) qui reprennent l'accusation du Sanhédrin (14,61-62), et enfin celles des deux larrons (v. 32 b). L'impression est que Jésus est abandonné par tous ou, du moins, incompris d'eux.

---

55. VTB, *Vêtement*, II 3.
56. VTB, *Rire*, 1.

c) Mort de Jésus[57]

Matthieu	Marc 15,33-41	Luc	Jean
[45]A partir de	[33]Et, quand il fut	[44]Et c'était déjà environ	
la sixième heure	la sixième heure	la sixième heure et	
l'obscurité se fit sur tout le pays	l'obscurité se fit sur le pays tout entier	l'obscurité se fit sur le pays tout entier,	
jusqu'à la neuvième heure.	jusqu'à la neuvième heure.	jusqu'à la neuvième heure, [45]le soleil s'étant éclipsé. Le rideau du Temple se déchira par le milieu.	
[46]Vers la neuvième heure Jésus clama en un grand cri, disant : « *Eli, Eli, lema sabachtani ?* » c'est(-à-dire) : « Mon Dieu, mon Dieu, pourquoi m'as-tu abandonné ? » [47]Certains de ceux qui se tenaient là disaient en l'entendant : « Il appelle Elie, celui-ci ! »	[34]Et, à la neuvième heure Jésus clama en un grand cri : « *Elôi, Elôi, lama sabachtani ?* c'est(-à-dire), traduit : « Mon Dieu, mon Dieu, pourquoi m'as-tu abandonné ? » [35]Et certains de ceux qui se tenaient auprès disaient en l'entendant : « Voilà qu'il appelle Elie ! »		
			[28]Après cela, Jésus sachant que tout est achevé désormais, pour que l'Écriture

57. Synopse § 355.

Matthieu	Marc	Luc	Jean
			s'accomplît, dit : « J'ai *soif*. » ²⁹Un vase était là, plein de vinaigre.
⁴⁸Et aussitôt l'un d'eux, ayant couru et pris une éponge (l')ayant imbibée	³⁶Quelqu'un ayant couru, ayant rempli une éponge		Une éponge pleine
de *vinaigre* et fixée à un roseau, lui *donnait* à *boire*. ⁴⁹Mais les autres dirent : « Laisse ! Voyons si Elie vient le sauver ! »	de *vinaigre*, (l')ayant fixée à un roseau, lui *donnait* à *boire*, disant : « Laissez ! Voyons si Elie vient le descendre. »		du *vinaigre*, (l')ayant fixée à de l'hysope, ils l'approchèrent de sa bouche.
			³⁰Quand il eut pris le vinaigre,
⁵⁰Mais Jésus, de nouveau, ayant clamé à grand cri,	³⁷Mais Jésus, ayant jeté un grand cri,	⁴⁶Et, ayant crié à grand cri, Jésus dit :	Jésus dit : « C'est achevé ! » Et, penchant la tête,
		« Père, *dans tes mains je remets mon esprit.* » Ayant dit cela,	
laissa partir (son) esprit.		il expira.	il rendit l'esprit.
	expira.		

Matthieu	Marc	Luc	Jean
[51]Et voilà (que) le rideau du Temple se déchira en deux, du haut en bas;	[38]Et le rideau du Temple se déchira en deux, du haut en bas.		
et la terre trembla, et les rocs se fendirent, [52]et les tombeaux s'ouvrirent et de nombreux corps de saints endormis s'éveillèrent; [53]et sortis des tombeaux après son éveil (d'entre les morts), ils entrèrent dans la ville sainte et se manifestèrent à bien (des gens).			
[54]Mais le chef-de-cent	[39]Mais le centurion qui se tenait en face de lui,	[47]Mais le chef-de-cent,	
et ceux qui, avec lui, gardaient Jésus, ayant vu	ayant vu qu'il avait ainsi expiré,	ayant vu	
le tremblement de terre et ce qui se passait, eurent très peur, disant : « Vraiment celui-ci était *Fils de Dieu.* »	dit : « Vraiment cet homme était *Fils de Dieu.* »	ce qui s'était passé glorifiait Dieu en disant : « Réellement cet homme était *juste.* »	
		[48]Et toutes les foules qui étaient venues assister à ce spectacle, ayant vu ce qui s'était passé, s'en retournaient en se frappant la poitrine.	

Matthieu	Marc	Luc	Jean
[55]Mais il y avait là	[40]Mais il y avait aussi	[49]Mais *se tenaient* *à distance*	19 [25]Mais se tenaient près de la croix de Jésus :
		tous *ses amis*,	
de nombreuses femmes regardant à distance, qui avaient suivi Jésus depuis la Galilée, le servant,	des femmes regardant à distance,	et des femmes qui l'avaient suivi depuis la Galilée, voyant cela.	
[56]parmi lesquelles il y avait	parmi lesquelles		
			sa mère, et la sœur de sa mère, Marie, la (femme) de Clopas,
Marie de Magdala, et Marie, mère de Jacques	Marie de Magdala, et Marie, mère de Jacques le petit		et Marie de Magdal-
et de Joseph, et la mère des fils de Zébédée.	et de Joset, et Salomé,		

[41]qui le suivaient et le servaient lorsqu'il était en Galilée, et beaucoup d'autres, qui étaient montées avec lui à Jérusalem.

Le récit montre à nouveau tous les titres de Jésus et proclame ainsi son identité au moment précis de sa mort. On ne peut davantage mettre en évidence le caractère déroutant de cette révélation de l'Homme-Dieu alors même qu'il est le plus abaissé[58]. La réaction humaine serait d'attendre qu'à ce dernier instant il fasse quelque chose, qu'il descende de sa croix et évite le pire, inaugurant de suite le monde nouveau qu'il prétend apporter. Mais l'expérience de la mort faisant partie de la destinée humaine, le plan de Dieu est que Jésus l'assume, passe par cette issue pour montrer précisément qu'il en est le maître et que le monde nouveau auquel il invite est atteint au-delà du monde matériel et non en-deçà.

C'est en allant jusque-là qu'il se montre uni à la volonté du Père, qu'il manifeste aux hommes jusqu'où va sa solidarité avec lui, preuve d'un amour sans limites. A ce moment de rupture avec tout ce qui faisait physiquement et psychologiquement sa vie humaine s'opère la volonté de Dieu exprimée par les expressions bibliques du « jugement » dont des images cosmiques sont le signe (voir So 1,15 ; Jl 2,10 ; 3,3 ; Am 8,9) : ici celle des ténèbres. Elles signifient donc qu'avec la mort de Jésus arrive le Jour du Seigneur[59] annoncé dans l'Ancien Testament. Cependant, les prophètes faisaient allusion à plusieurs phénomènes alors que l'auteur n'a retenu ici que les ténèbres. On peut donc se demander s'il ne veut pas suggérer le nouvel Exode, car c'est ainsi qu'il en a été dans le premier (voir Ex 10,22), les trois jours de ce temps-là étant devenus ici trois heures. C'est à ce moment que Jésus clame sa douleur humaine extrême dans une prière à son Père. Dans cette prière dite en araméen, sa langue maternelle rarement mentionnée (v. 34), il se dit abandonné, en détresse, passant par où passent tous les hommes, mais non désespéré, confiant au contraire, comme l'indique la finale du psaume qu'il exhale (Ps 22,23-30). L'épisode sur le quiproquo au sujet des paroles du psaume « Eloï, Eloï » (« Mon Dieu, mon Dieu ») interprété par les assistants comme un appel à Élie, le prophète considéré comme assistant les saints à l'heure de leur mort, renforce la description de l'impuissance de Jésus à « descendre » (v. 36) de la croix.

58. VTB, *Mort*, N.T., II 1.2.
59. VTB, *Lumière et Ténèbres*, N.T., I 2 ; *Jugement*, N.T., I 1.

La mort même de Jésus est relatée de la manière la plus sobre qui soit : « il expira ». Mais au moment où il expire(v. 37) est manifestée aussitôt la déchirure du voile du Temple (v. 38), symbole de la ruine du Temple lui-même (voir 14,58). Ainsi est mis en évidence le rapport existant entre la destruction de son corps et celle du Temple ; un ordre des choses est donc aboli par sa mort : celui de l'homme enfermé dans ses propres limites et dans son péché. Mais, par la manière dont il a vécu les événements jusqu'au bout, Jésus a vaincu ce péché et pris la place du Temple comme instrument de salut offert aux hommes.

Le signe qu'il n'y a pas interruption mais succession dans cette rupture est fourni par la profession de foi de l'officier païen (v. 39) réalisant les prophéties (voir Is 56,7) qui annonçaient la montée des païens au nouveau Temple de la fin des temps. « Vraiment, cet homme était Fils de Dieu[60] » voilà la révélation de tout l'Évangile, de la vie de Jésus, mais plus encore de sa mort. C'est par elle que le voile est définitivement levé sur sa personne. Tout s'achève comme il était annoncé (1,1 ; 15,39). L'évangéliste a dit tout ce qu'il avait à dire. Il révèle que telle est bien son intention, en précisant que la proclamation de l'officier romain est venue du fait qu'il a vu « que Jésus a ainsi expiré » (v. 39), c'est-à-dire de façon extraordinaire, révélatrice de quelque chose d'autre, d'immortel en lui (voir Sg 3,1 ; 4,10). Matthieu et Luc ont une visée d'ensemble quelque peu différente qui leur fait attribuer le revirement de cet homme aux phénomènes ou aux circonstances qui ont entouré l'événement.

Le côté désolant de cette mort dans l'incompréhension est encore renforcé, chez Marc, par la finale de cet ensemble, relative aux femmes. Comme Matthieu et Luc, il dit qu'elles viennent de Galilée ; comme Matthieu seul, il mentionne qu'elles « regardaient à distance » (v. 40). Mais Matthieu, et Luc encore davantage, insistent sur le fait qu'elles le suivaient depuis la Galilée. Marc, en revanche, dit qu'elles le suivaient « lorsqu'il était » (v. 41) en Galilée, insinuant, surtout du fait qu'elles se tiennent « à distance », qu'elles ne le suivent plus. Le contraste est flagrant : d'un côté l'accueil reçu du païen, de l'autre plus un seul disciple de Jésus présent, seulement des femmes, qui elles-mêmes ne « suivent » plus.

---

60. VTB, *Fils de Dieu*, N.T., I 1.

d) L'ensevelissement[61]

Matthieu	Marc 15,42-47	Luc	Jean
27 [57]Le soir étant arrivé,	[42]Et le soir étant déjà arrivé, comme c'était (la) Préparation — ce qui est (la) veille du sabbat —,		19 [38]Après cela
vint un homme riche, d'Arimathie, dont le nom (était) Joseph,	[43]étant venu, Joseph d'Arimathie, notable conseiller,	23 [50]Et voici un homme du nom de Joseph, qui était conseiller, homme bon et juste, [51]— celui-ci ne s'était associé ni à leur dessein ni à leurs actes— d'Arimathie, ville des Juifs,	Joseph d'Arimathie,
qui, lui aussi,	qui, lui aussi, attendait le royaume de Dieu,	qui attendait le royaume de Dieu;	
s'était fait disciple de Jésus;			étant disciple de Jésus, mais caché, par crainte des Juifs,
	s'étant enhardi,		
[58]celui-ci, venant à Pilate, réclama	entra chez Pilate et réclama	[52]celui-ci, venant à Pilate, réclama	demanda

61. Synopse § 357.

Matthieu	Marc	Luc	Jean
			à Pilate d'enlever
le corps de Jésus. Alors Pilate	le corps de Jésus. [44]Pilate s'étonna qu'il fût déjà mort et, ayant appelé le centurion, il lui demanda s'il était déjà mort. [45]Et, (l') ayant su par le centurion,	le corps de Jésus.	le corps de Jésus. Et Pilate
commanda qu'il (lui) fût remis.	il octroya le cadavre à Joseph.		(le) permit.
		Ils vinrent donc et enlevèrent le corps. [39]Nicodème vint aussi, qui était venu à lui de nuit, précédemment, portant un mélange de myrrhe et d'aloès, d'environ cent livres.	
[59]Et,	[46]Et, ayant acheté un linceul, l'ayant descendu,	[53]Et, (l')ayant descendu	
ayant pris le corps,			[40]Ils prirent le corps de Jésus et le lièrent
Joseph le roula dans un linceul propre	il (l')enveloppa dans le linceul	il le roula dans un linceul	
		de bandelettes, avec les aromates, selon qu'il est coutume aux Juifs d'ensevelir. [41]Or, au lieu où il avait été crucifié, il y avait un jardin, et dans le jardin	
[60]et le mit dans son tombeau	et le mit dans une tombe	et le mit dans une tombe	un tombeau

Matthieu	Marc	Luc	Jean
(tout) neuf			(tout) neuf
qu'il avait	qui avait été		
taillé	taillée	coupée	
dans le roc;	du roc	dans la pierre	
		où	dans lequel
		personne	personne
		encore	encore
		n'avait été placé.	n'avait été mis.
et, ayant roulé	et il roula		
une grande pierre	une pierre		
à la porte	contre la porte		
du tombeau,	du tombeau.		
il s'en alla.			
			[42]Là donc, à cause de
		[54]Et c'était (le) jour de	
		(la) Préparation,	la Préparation des Juifs,
		et (le) sabbat commençait à luire.	
			comme le tombeau était proche, ils mirent Jésus.
[61]Or il y avait là	[47]Or		
Marie de Magdala	Marie de Magdala		
et l'autre Marie,	et Marie (mère) de Joset		
		[55]Or les femmes qui étaient venues de Galilée avec lui, ayant suivi (Joseph),	
assises	regardaient	regardèrent	

Matthieu	Marc	Luc	Jean
en face du sépulcre.	où il avait été mis.	le tombeau et comment fut mis son corps.	
		[56]Et, revenues, elles préparèrent aromates et parfums. Et, le sabbat, elles se reposèrent, selon le commandement.	

Après les deux épisodes précédents, la scène de l'ensevelissement semble avoir pour fonction de préparer à la Résurrection. Il s'agit de montrer que Jésus est véritablement mort : le fait a été constaté par les autorités officielles. Marc insiste sur ce point comme aucun des autres évangélistes (vv. 44-45). Joseph[62] vient réclamer le corps (*soma*, v. 43) de Jésus et on lui remet le cadavre (*ptoma*, v. 45). Ces détails ont une valeur apologétique indéniable à l'adresse des critiques de la fin du premier siècle (et de tous les temps) pour lesquels Jésus n'aurait vécu de la mort que l'apparence. Mais ils ont, en même temps, un autre but : orienter vers la Résurrection.

En effet, si Jésus n'a pas connu qu'une simple mort apparente, cela dit toute la puissance que révèle la vie nouvelle en laquelle il se trouve à présent. D'autres éléments préparent également à cette révélation. Après tant d'isolement et d'abandons, Jésus a commencé à être entouré de marques d'attention. On ne pouvait en rester à la mort. Déjà elle a montré sa fécondité par l'accueil reçu du centurion (v. 38). Ici elle achemine à un retournement de situation : au lieu de la pègre, voilà un « notable conseiller », « qui attendait le Royaume de Dieu » (v. 43). Enfin, la mention de la pierre qui roule et la mention des femmes, celles-là mêmes qui viendront pour oindre le cadavre et feront la découverte de l'événement surprenant... tout invite le lecteur à ne pas en rester à la mort de Jésus sans penser à ce qui a suivi.

62. VTB, *Sépulture*, 2.

*
* *

L'étude du récit de la Passion montre donc à quel point il répond à une construction intentionnelle : mettre en évidence qu'elle est l'événement révélateur de la personne de Jésus venu librement pour porter le salut aux hommes et inviter le lecteur à reconnaître le Christ, Roi des Rois, Fils de Dieu. Faut-il conclure de cette constatation, que cet ensemble a été élaboré de toutes pièces par les chrétiens et qu'il ne permet pas de *rejoindre ce qui s'est passé historiquement?*

Les raisons abondent qui demandent de répondre par la négative à une telle question.

1. Pris de manière globale et relative tant au contexte politico-religieux qu'à la conscience de Jésus, les textes permettent de rejoindre quelque chose de la situation historique dans laquelle il s'est trouvé.

La manière dont il est montré qu'il s'est attiré des ennemis correspond à ce que l'on peut savoir des mouvements zélotes, pharisiens et sadducéens. Les uns voulaient obtenir qu'il se compromette sur le plan politique en se présentant comme un messie libérateur par l'usage de la force. Ils ont été irrités de trouver au contraire un messie humble, préoccupé avant tout de prétentions spirituelles. Les autres, plus disposés à accueillir un messie de ce genre, étaient trop rigides sur la pratique de la Loi pour admettre qu'elle soit transgressée par Jésus qui, tant par son attitude que par ses paroles, faisait passer l'amour de l'homme avant toute observance. Les derniers enfin étaient les adversaires de beaucoup les plus acharnés, car ils voyaient Jésus capable d'ébranler leur position sociale et de saper leur situation matérielle : ils étaient en effet tout-puissants et grands propriétaires. C'est ainsi que la tradition rabbinique rapporte que les gens de la maison d'Anne « se livraient à un trafic florissant des surplus des offrandes, se révélant ainsi comme des spéculateurs en bourse sans scrupules ».

Jésus n'ignorait rien de tout cela. Il n'y a donc pas à s'étonner que l'évangile le montre à plusieurs reprises conscient de marcher vers la mort. La liberté qu'ils lui attribuent éclate lorsque ses actes sont replacés dans un tel cadre politico-religieux, mais aussi lorsqu'ils sont comparés à ce que dit la littérature de l'époque. Une telle comparaison montre en effet que Jésus maniait les thèmes du messianisme avec une extrême liberté. Il usait, bien sûr, des expressions et des images connues de tout le monde, mais il le faisait d'une manière paradoxale qui dut surprendre très fortement ceux qui l'écoutaient : on n'en a pas d'autre exemple dans la littérature juive de son époque. C'est ainsi qu'il lia, on l'a déjà remarqué, le titre de Fils de l'homme à un contexte de souffrance. Rappelons seulement un passage typique de cette manière de faire (9,12) : « Comment est-il écrit du Fils de l'homme qu'il doit beaucoup souffrir et être méprisé ? » Voilà une question à laquelle les disciples n'ont pas su répondre avant que la Résurrection n'ouvre leurs yeux : pour eux comme pour le judaïsme ambiant, ce titre était précisément l'antidote de la situation toujours mesquine du peuple de Dieu en ce monde. Le titre de Fils de l'homme ne fut pas le seul à être transformé sur les lèvres de Jésus. Les disciples eurent aussi la surprise d'entendre que l'Époux leur serait un jour enlevé, et qu'alors ce serait pour eux le temps du deuil (2,20). Aucun esprit de ce temps-là n'aurait osé toucher de la sorte à l'une des plus belles images messianiques, une de celles qui exprimaient le mieux la joie des jours à venir. Si l'on joint à cela des observations concernant le texte de citations bibliques que Jésus utilise, on s'aperçoit qu'il ne renvoie jamais à la Septante mais à des formes beaucoup plus proches de l'hébreu; cela signifie que ces textes ne sont pas des interpolations dues à des mains chrétiennes : celles-ci transcrivent d'ordinaire la Septante, comme on peut s'en apercevoir dans les citations qui sont dues à l'initiative des évangélistes. Certes, la critique littéraire pourra à l'intérieur même des paroles attribuées à Jésus déceler ici ou là des retouches apportées par les rédacteurs ou l'usage chrétien des textes, mais elle n'hésite pas à affirmer la haute antiquité de leur fond et l'essentiel de leurs expressions. Nous avons donc en elles une série de témoignages précieux sur la pensée de Jésus en face de sa propre mort.

Cette certitude acquise, une autre question se pose : à partir de quel moment, Jésus parla-t-il de sa mort prochaine, et cela permet-il de savoir à partir de quand il eut, en sa conscience humaine, la conviction que les choses évolueraient ainsi ?

Au sujet de la première question, on s'accorde à reconnaître que la présentation, faite par les auteurs, d'un tournant dans la vie de Jésus articulé autour de la confession de Pierre à Césarée n'est pas un pur agencement littéraire mais qu'elle doit correspondre à ce qui s'est passé effectivement.

Deux raisons au moins appuient ce fait. D'une part il fallait que Jésus ait déjà assez cheminé avec ses apôtres et que ceux-ci aient été amenés à se poser la question de son identité pour qu'il puisse les faire aller plus loin dans la découverte du secret de sa personne. D'autre part, il fallait avoir suffisamment transgressé certains tabous de l'époque et irrité la susceptibilité des autorités religieuses pour en être venu au point d'être menacé par elles. Or c'est précisément ce qui s'est passé la dernière année de Jésus alors que, pour fuir la police du Temple qui l'épiait, il était parti avec ses apôtres à l'étranger, aux sources du Jourdain, là où Pierre va proclamer sa foi.

Cependant, si c'est à partir de ce moment que Jésus a commencé à parler aux siens de sa fin tragique, il peut très bien en avoir eu conscience avant. Il a partagé en effet la conviction de ses contemporains selon laquelle la carrière d'un prophète se termine sur une mort violente. C'est ce qui est arrivé à Jean-Baptiste dont il a conscience d'avoir pris la relève. Mais une telle conscience n'entraîne pas nécessairement de prévoir en détail la manière dont les faits se passeront. Ainsi, il a pu songer que, mourant comme un malfaiteur, il n'aurait pas les honneurs de la sépulture comme le suggère sa parole à la femme qui a oint ses pieds à Béthanie (14,8). Ainsi, de même, sa parole aux fils de Zébédée sur « la coupe qu'ils boiront » avec lui (10,39) laisse peut-être à entendre qu'il prévoyait leur mort avec la sienne. Or, des deux, seule celle de Jacques sera violente, et bien après celle de Jésus.

Que ces déclarations ne se soient pas vues confirmer par les faits est une marque sérieuse de leur authenticité. On ne voit pas pourquoi les disciples auraient inventé après coup des paroles dépassées par les événements. Jésus a donc prévu sa mort, pressenti son déroulement, décidé du moment où il irait au-devant des risques qui la déclencheraient, mais a découvert les détails en les vivant. L'histoire qu'il a vécue n'a pas été une sorte de théâtre où tout se déroule suivant un mécanisme monté d'avance.

Ainsi donc, même si les disciples ont retransmis les récits concernant la passion de Jésus suivant une certaine construction celle-ci repose sur des événements dont les contours se voient nettement.

Le fait qu'ils ont eu lieu et que les chrétiens aient tenu à eux révèle à quel point ils jugeaient important de dire que le Christ auquel ils croyaient n'était pas un mythe, mais une personne qui a traversé l'histoire en la prenant dans toute sa réalité.

2. Ces considérations générales étant valables pour l'ensemble du récit, il reste à voir les *questions particulières d'historicité* qu'il pose.

a) En ce qui concerne l'arrestation de Jésus, ce que rapporte Marc se retrouve, au moins quant au fond, en accord avec ce que disent les autres évangélistes. Il permet de s'en tenir à ce qu'a comporté d'essentiel cet événement : une brève tentative de résistance que Jésus arrête aussitôt ; à la suite de laquelle les disciples se dispersent et Jésus reste aux mains de la police. Celle-ci n'a pas besoin d'être nombreuse : prendre un innocent non armé et par surprise demande peu d'hommes et d'armes. Les glaives et les bâtons (14,43) apparaissent tout à fait de circonstance, dans ce contexte, tels des détails provenant de témoins.

b) *Le procès de Jésus* est, de tous les passages de la Passion, celui qui n'a pas cessé de soulever des objections.

— Sur certains éléments, Marc n'est pas d'accord (ainsi que Matthieu d'ailleurs) avec ce que disent Luc ou Jean ; sur d'autres, ceux-ci fournissent plus de renseignements que lui. Cela sera vu en son temps. Mais, à s'en tenir aux éléments fondamentaux qu'il rapporte, la critique qui leur est faite porte sur l'apparence de deux jugements séparés, et pour des crimes différents : l'un devant les Juifs pour un motif religieux, l'autre devant Pilate pour un délit politique. La critique vient de deux tendances différentes.

Les uns veulent atténuer la charge qui semble peser sur les chefs juifs et prêter le flanc à des développements antisémitiques. D'où la tendance à dire : cette présentation s'explique à l'époque de persécution où le récit est écrit. L'auteur veut souligner que, depuis leur fondateur, les chrétiens n'ont rien de politiquement subversif à l'égard du pouvoir romain : le conflit de leur maître a été surtout religieux.

Les autres répugnent à l'idée d'un portrait de Jésus trop « spirituel », non engagé politiquement. D'où la tendance à faire de lui quelqu'un ayant accepté des compromissions avec les Zélotes et ayant été condamné pour son action révolutionnaire.

Les objections avancées par de telles positions reviennent à dire qu'on voit mal comment deux procès peuvent avoir eu lieu dans le court délai d'une douzaine d'heures, si on suit la chronologie fournie par Marc. Les autres veulent faire davantage droit au portrait de Pilate offert par des auteurs tels que Philon ou Flavius Josèphe qui le montrent plus féroce qu'il ne paraît chez les évangélistes.

— Il est possible de répondre au moins en partie à ces objections.

Pour ce qui est du temps occupé par le procès, si des raisons inclineraient à faire penser qu'il est trop bref, d'autres en revanche peuvent être invoquées en faveur de la précipitation. Il fallait faire vite pour ne pas attendre un rebondissement possible de la foule et pour avoir fini avant l'ouverture du sabbat : après, la fièvre accompagnant habituellement les préparatifs d'une telle journée aurait troublé celle-ci.

Quant au portrait de Pilate, on peut se douter que les historiens nommés plus haut, Juifs tous deux, en ont fourni une image grossissant son caractère inamical à l'égard des leurs ou, du moins, ont retenu cet aspect et non d'autres, plus positifs, du procurateur. Par ailleurs, dans sa proclamation de l'innocence de Jésus on peut aussi bien lire une pointe d'inimitié à l'égard des chefs juifs : n'était-ce pas, pour lui, une manière de contredire l'autorité suprême ?

Pour ce qui est des pouvoirs dont aurait joui le Sanhédrin, preuve qu'il n'est pas condamnable puisqu'il n'en a pas usé, rien ne permet de prétendre qu'ils existaient. Les indices que l'on possède feraient plutôt penser le contraire. Le Conseil supérieur des prêtres était composé de soixante et onze membres qui peuvent n'avoir pas tous été convoqués. Il comportait des éléments favorables à Jésus, tel Joseph d'Arimathie; mais la majorité, sadducéens anciens grands prêtres et quelques scribes pharisiens, lui était hostile. Sa compétence s'exerçait dans la dépendance du pouvoir établi. Elle a donc varié avec celui-ci et l'on discute pour savoir jusqu'où elle s'étendait à l'époque de la condamnation de Jésus. Sous Hérode, on sait qu'elle avait été réduite à peu de chose... Des indices font penser que les procurateurs romains lui avaient rendu son autorité sur les sujets juifs, en se réservant le droit de la peine capitale, sauf en certaines villes dont rien n'indique que Jérusalem faisait partie. Parfois les Romains toléraient que l'on passe outre à cette loi. Mais ici, dans le cas de Jésus, les chefs avaient intérêt, vis-à-vis de la foule, à s'abriter derrière une condamnation légale. La meilleure manière était de le faire inculper pour délit politique. Le procès devant le Sanhédrin s'explique dès lors comme destiné à faire paraître ce qui pourra être présenté comme tel à l'autorité légale. Ainsi en va-t-il de bien d'autres procès préfabriqués que fournit l'histoire, lorsque des chefs veulent se débarrasser d'un adversaire gênant. Les deux jugements s'expliquent très bien, la part dominante de responsabilité revenant au Conseil des prêtres. Le Talmud, ce commentaire (au IIIe siècle) de la Mishna (ou explication de la Bible), ne parle que d'une condamnation de Jésus et il s'agit de celle prononcée par les Juifs. Voilà qui est formel et rejoint l'avis unanime des évangélistes sur ce point, alors qu'ils divergent sur d'autres. Et puis il y a la tradition chrétienne. En tout premier se trouve Paul de Tarse qui, quelques années après la mort de Jésus, reproche à ses frères juifs d'avoir « mis à mort » celui-ci (1 Th 2,15). Si Marc ne mentionne pas le nom du Grand Prêtre Caïphe qui, avec Anne, porte la plus grande part de responsabilité, c'est peut-être qu'il veut insinuer la complicité de l'ensemble du Conseil.

Il reste cependant que nous ne sommes pas en possession du compte rendu de l'interrogatoire. Celui-ci a eu lieu en araméen et ce que nous en avons est en grec. De plus, quel témoin a pu en rendre compte ? On ne peut donc connaître à la lettre les paroles historiques qui s'y sont prononcées. Marc est celui qui fournit le plus de détails. Il en transmet la substance. Deux accusations ont été retenues contre Jésus : il a menacé de détruire le temple et de le rebâtir en trois jours, et il s'est dit Messie. L'évangéliste pense que la première est fausse car Jésus avait dit qu'il en rebâtirait un « non fait de main d'homme ». De plus, il souligne plus nettement que les autres le désaccord des témoins : détail important quand on le replace dans le contexte historique de l'époque. En effet, le principe était qu'il fallait la concordance d'au moins deux témoignages pour faire la preuve du bien-fondé d'une affirmation. Quant à la messianité, il est difficile de savoir en quels termes exacts elle a été exprimée, car la parole qui la concerne est celle qui révèle le plus d'élaboration théologique de la part des évangélistes, à l'intention des chrétiens auxquels ils s'adressent. Néanmoins, ce qui est assuré, c'est le fait, si ce n'est la forme. Les chefs juifs ne pouvaient avoir conscience que Jésus était le Fils du Béni au sens de « Fils de Dieu » que ce titre a pris après Pâques, mais ils le pouvaient au sens de Fils de l'homme, donc juge de la fin des temps.

— Plusieurs détails relatifs au procès devant Pilate trouvent leur sens quand on les replace dans le cadre des lieux et de l'époque. Des archéologues italiens ont retrouvé en 1961, à Césarée, une inscription de son nom prouvant qu'en cette ville Pilate avait sa résidence principale. A l'occasion de Pâques, en raison de l'afflux de nombreux pèlerins et des troubles qui ne manquaient pas de survenir dans l'atmosphère surchauffée de ces journées, il montait à Jérusalem et logeait soit à l'Antonia (forteresse à l'angle nord-ouest du Temple, où des fouilles ont remis à jour le dallage), soit à son palais sous la Tour dite « de David » et qui n'a pas encore été fouillée. Des découvertes sont donc toujours possibles. On n'est pas au courant, par des textes autres que l'Évangile, de l'usage de libérer un prisonnier à l'occasion du sabbat pascal. Mais on imagine facilement, dans le contexte politico-religieux de l'époque, les complots fomentés dans la foule contre le pouvoir établi. La naissance de « front de libération » ne date pas d'aujourd'hui. Aussi Marc parle-t-il de deux terroristes qui ont été pris avec leur fameux chef Barabbas, en disant qu'il avait commis un meurtre dans « l'émeute », comme s'il s'agissait d'un événement récent connu de tous. Dans ce contexte, en présentant Jésus comme ayant des ambitions politiques, les grands prêtres favorisaient l'hypothèse selon laquelle Jésus aurait trempé dans ce complot. Aussi l'on comprend le propos de Pilate : « Voulez-vous que je vous relâche le roi des Juifs ? » Mais la foule suivait des meneurs qui l'entraînaient à scander : « Barabbas ». Là aussi, le phénomène classique dans des événements de ce genre est un indice du réalisme historique du récit. Pilate est enfin accusé de trahir César. Il n'y avait pas de meilleure manière d'emporter son adhésion : on sait en effet qu'il a expérimenté ce qu'il en coûte d'être dénoncé de ce côté.

Le geste de se laver les mains est passé dans l'usage courant, à la suite de Pilate, avec le sens de « je n'y suis pour rien ! » Mais, de son temps, ce geste signifiait « l'affaire est réglée ». C'est du sang que la décision va faire couler que le chef se lave en quelque sorte. Le geste a un sens très grave.

— Tous les détails qui suivent s'inscrivent ainsi dans les usages de l'époque : la flagellation pour rompre le corps du supplicié et entraîner plus sûrement sa mort sur la croix, les buissons destinés au feu et dont on tire les épines pour en tresser une couronne... Faut-il évoquer le lieu du calvaire et du tombeau ? Celui-ci a subi des dommages au temps de l'invasion perse (Ve siècle) avant d'être détruit au pic par un sultan en 1009. Pas question de le retrouver. Mais, au quatrième siècle, avec l'impératrice Hélène, les chrétiens firent raser le temple élevé par les Romains deux siècles plus tôt, parce que c'était là que le Christ mourut. Les luttes qui n'ont cessé à cet endroit ou à propos de lui depuis ces temps lointains ne sont-elles pas une preuve de l'historicité du fait ? Le crucifiement est relaté d'une manière qui cadre avec ce que l'on sait de l'usage de l'époque. Pour servir de leçon à la population, de même qu'aujourd'hui en certains pays on pend sur la place publique, on faisait passer le supplicié dans les rues, emportant le morceau horizontal de sa croix : une lourde poutre en bois ; il avait au cou une tablette portant l'inscription de son identité. Le crucifiement est connu comme un mode d'exécution commun à plusieurs pays du Proche-Orient ancien, mais pratiqué surtout par les Romains. C'était la peine la plus brutale et réservée aux esclaves et aux brigands. Il était de coutume d'offrir une boisson enivrante en guise d'anesthésiant et que les exécutants se partagent les vêtements du supplicié. Le roseau (15,36) était répandu dans toutes les maisons et servait à de multiples usages. Le fait que les femmes soient groupées à part des hommes (15,40), révèle un détail pris sur le vif, correspondant aux mœurs du temps et du pays.

Quand on sait que la critique littéraire demande de situer la rédaction de l'évangile aux années 65-70 et à Rome, on ne peut imaginer un auteur inventer tant de détails, dont il est possible de voir la justesse historique, sans qu'ils reposent sur des sources remontant à des témoins des faits eux-mêmes.

c) Sur le reste des événements de la Passion quelques réflexions encore.

— L'histoire ne fournit pas de renseignements au sujet des mobiles de Judas. Il n'y a donc pas à lui inventer quelque rôle précis de complicité au profit de telle tendance ou de tel groupe. L'argent a joué un rôle dans son acte mais il peut très bien ne pas avoir été l'élément essentiel. Des cas de ce genre sont fréquents dans l'histoire du crime. Ce qu'elle enseigne même c'est que les exécutants à gages trempent dans une affaire à un plan subalterne. Ils sont victimes de leur vie mal équilibrée tandis que les vrais responsables, qui sont épargnés, sont les instigateurs pour le compte desquels ils ont travaillé.

— Plus importants sont les problèmes soulevés par le récit de l'institution de l'Eucharistie. La question historique qui se pose est de savoir si elle a eu lieu au cours d'un repas pascal ou non. En effet, Marc (suivi, en cela, par Matthieu et Luc) la présente au cours d'un dîner préparé comme un repas pascal (14,12-16). Jean, au contraire, dit que le vendredi, lendemain du jour de cette institution, les Juifs n'ont pas encore mangé la Pâque (Jn 18,28).

Mais les découvertes faites ces deux dernières décennies, notamment à Qumrân, ont appris que le calendrier officiel n'était pas rigoureusement observé par tous. On peut donc comprendre que dans le climat de la préparation de la Fête, Jésus a anticipé et pris avec ses disciples un repas auquel il a donné, la veille, l'atmosphère et la solennité d'un repas pascal, ses paroles et ses gestes lui donnant une nouvelle signification.

Reste un certain nombre de détails correspondant parfaitement au cadre historique : la désignation de la maison où manger, en suivant un porteur d'eau. Habituellement, cette fonction est accomplie par les femmes. Qu'il y ait un homme à remplir ce rôle à cet endroit connu de Jésus, le rend facilement repérable. Il était au service d'un ami de Jésus qui avait mis une pièce à la disposition de celui-ci au point qu'il pouvait dire « ma » salle (14,14). Les coussins (14,15) sont une allusion à l'absence de meubles, les convives s'asseyant sur le sol, s'aidant seulement de dossiers ou d'accoudoirs. La structure habituelle au repas se retrouve : il n'y a qu'un seul plat dans lequel les participants plongent la main pour se servir (14,20), il n'est pas fait usage de couteau, le pain est rompu (14,22), on se passe la coupe de l'un à l'autre, et le tout se termine par des psaumes (14,26).

Enfin, la question importante à propos de cet épisode concerne les paroles prononcées par Jésus. Les plus solidement attestées par les premiers chrétiens sont pour le pain : « ceci est mon corps » (« ma chair » précise Jean) et, pour le sang : « ceci est mon sang de l'alliance ». A partir de là, chacune des traditions a porté ses propres développements.

Bref, l'étude du récit de la Passion a montré, au début, qu'il était tout autre chose qu'un reportage pris sur le vif : une interprétation théologique des événements. Mais un examen approfondi a révélé en lui une mine de précisions historiques. La Passion et la mort de Jésus ne relèvent pas du mythe : elles portent la marque de son passage dans une histoire, un temps et des lieux biens réels.

*
* *

Chemin faisant, à propos de chacun des épisodes, les *invitations* que le récit lance au croyant ont été relevées. Il peut être opportun d'en reprendre certaines en conclusion.

Marc présente une Passion qui insiste sur le choc des faits et proclame cet événement avec un but évident d'amener ses lecteurs à croire à la divinité de Jésus à travers son comportement. Par lui, il a révélé le secret de sa personne et sauvé l'humanité de son péché.

L'évangéliste n'attend pas la Résurrection pour attester l'instauration d'une ère nouvelle : c'est à la mort de Jésus qu'il en marque le début.

De cette vision de foi découle la conception de la vie chrétienne, le « sens de la croix » ou de « la mort » qu'il livre aux croyants. L'espoir de bonheur indéfectible ne conduit pas le chrétien à fuir la réalité douloureuse et humiliée de toute vie humaine. Il l'invite au contraire, à s'appliquer à rejoindre dans sa réalité humble et déconcertante la présence secrète mais décisive de Dieu. Pour cela Marc montre Jésus faisant l'expérience réelle de la mort et la transformant, libre par rapport à elle, s'y livrant par adhésion à Dieu et par amour du monde.

C'est avant tout le refus des responsables du peuple que Jésus affronte dans sa mort. Mais il y a aussi la trahison de l'ami (14,20) et l'abandon des proches (14,26-31). Enfin, par l'autorité romaine, les nations se font complices de son rejet.

Jésus va mourir sans avoir apparemment mené à bien l'œuvre pour laquelle il est venu. Si un homme a vécu avec la conscience d'une mission à accomplir, c'est bien lui (1,38; 2,17; 3,13-19; etc.). Or la faveur populaire se révèle inconstante, la fidélité des Douze fragile et leur compréhension limitée. Il semble que la nuit va tomber pour Jésus sur un chantier où tout reste à faire...

La Passion est également pour Jésus l'heure de l'épreuve de la foi : le récit de Gethsémani est à éclairer par celui de la Tentation. Le soutien de Dieu semble manquer à son Christ : les adversaires ne manquent pas de le souligner (15,29-32). « Mon Dieu, mon Dieu, pourquoi m'as-tu abandonné ? »

A de multiples signes enfin, l'évangile montre que Jésus a vu approcher la mort comme cette brutale réduction à l'impuissance qu'elle est pour tout homme, ce coup d'arrêt de toutes les entreprises, ce dépouillement de toutes les capacités de rencontre et d'action, ce « pas toujours » (14,7), ce « jamais plus » (14,25), ce « désormais, c'est fait » (14,41). La mort a été pour Jésus ce déchirement de sa vie d'homme : « Il commença à ressentir effroi et angoisse, il leur dit : Mon âme est triste, à mort » (14,34).

Si la mort a été pour Jésus comme pour tout homme une violence subie, l'évangile montre avec insistance et précision comment, par la puissance de l'Esprit, il a transformé la nécessité en liberté, l'événement en décision, la passion en action.

Sa mort, Jésus la voit venir de loin. Bien plus, il se met délibérément en marche vers elle et par là s'assure le pouvoir d'en définir lui-même le sens.

Cela, l'évangile le manifeste en relevant avec soin ce qu'on peut appeler « les annonces de sa Passion par Jésus » (8,31; 9,30; 10,32). Mais au fil des dernières pages se découvre sous une lumière croissante le visage de Jésus face à la mort. C'est la parabole des vignerons homicides (12,8); c'est l'interprétation funéraire de l'onction à Béthanie (14,3). C'est surtout la Cène où il proclame par ses actes ce retournement du destin qu'exprimera en paroles l'évangile selon Jean : « Ma vie nul ne me l'enlève, mais je la donne de moi-même » (Jn 10,18).

Au milieu de ses disciples désemparés, face à ceux qui l'arrêtent, devant ses juges, soit par son silence, soit par ses affirmations, Jésus se montre le maître des événements dont il semble la victime. Plus que par le calcul des adversaires tout est commandé par la libre fidélité à sa mission. Il est trahi et livré, mais d'abord il se donne.

Or c'est dans la mort que la liberté d'un homme se révèle surtout. La mort symbolise et rassemble de fait toutes les limites de la liberté humaine : elle réduit l'homme à l'inaction et au silence. Aussi la plus grande victoire de la liberté est-elle de faire de la mort elle-même un acte et une parole, la preuve de l'amour.

Jésus entre librement dans la mort. Il reste à dire que cette liberté est la liberté du croyant. Ce n'est pas une liberté fermée sur elle-même mais qui s'abreuve à la source de la foi et s'inscrit dans l'horizon des « miséricordes » de Dieu.

Jésus est livré. Jésus se livre. Mais plus profondément, il est livré selon le dessein de Dieu et il se livre entre les mains de Dieu. S'il est libre face aux événements, s'il s'engage librement dans la mort, c'est parce que, dans la puissance de la foi, il ne cesse de vivre face à Dieu, de marcher devant Dieu, d'aller à son Père et de vivre de Lui.

Que la liberté de Jésus dans la mort soit ainsi habitée par la foi, l'évangile le révèle sans équivoque. Quand Jésus, dans la parabole des vignerons homicides envisage ouvertement sa propre mort, il la voit dans une initiative de son Père (12,6). Dans tout ce qui lui arrive, il discerne l'accomplissement du mystérieux projet de Dieu que les Écritures laissent déchiffrer au croyant (14,19). S'il n'est pas seulement livré mais se livre lui-même, c'est parce que toute la force de sa liberté dérive de la conscience qu'il a d'être, en réalité, livré par son Père. Il se donne parce que d'abord il se sait donné. En cela est révélé comment la liberté provient de la foi et la foi, tout entière, de la grâce.

C'est pourquoi la Cène du Christ qui est le sacrement de sa liberté dans la mort, est d'abord « acte de reconnaissance » du dessein du Père, c'est-à-dire « action de grâces » (14,22-23).

Pour celui qui, dans la foi, se reconnaît livré par Dieu, selon le dessein de son amour, l'action de grâces trouve sa forme parfaite dans la remise de soi-même à Dieu.

Il resterait à indiquer que cette coïncidence entre la mort, la liberté et la foi est, pour l'homme, la source du salut puisqu'elle est le lieu de la grâce dans sa vie. Il suffirait d'entendre que le sang de la croix, étant celui de l'action de grâces, est aussi celui de l'Alliance, répandu pour la multitude (14,24).

G. B.

QUATRIÈME PARTIE

TEMPS DE PÂQUES

Vigile Pascale
Marc 16,1-8

NOUVELLE SURPRENANTE[1]

Matthieu	Marc, 16, 1-8	Luc	Jean
28 [1]Or,		24 [1]Or	20 [1]Or,
après le sabbat,	[1]Et, le sabbat étant passé, Marie de Magdala et Marie (mère) de Jacques et Salomé achetèrent des aromates afin de venir l'oindre.		
à l'aurore du premier (jour) de (la) semaine,	[2]Et très tôt, le premier (jour) de la semaine,	le premier (jour) de la semaine, de très bonne heure,	le premier (jour) de la semaine,
Marie de Magdala et l'autre Marie vinrent voir le sépulcre.	elles viennent à la tombe comme le soleil se levait.	elles vinrent à la tombe,	Marie de Magdala vient au tombeau, tôt, comme il faisait encore sombre,
		portant les aromates qu'elles avaient préparés.	

1. Synopse § 359.

349

Matthieu	Marc	Luc	Jean
	³Et elles se disaient entre elles : « Qui nous roulera la pierre hors de la porte du tombeau ? »		
²Et voilà : un grand tremblement de terre arriva, car un ange du Seigneur, étant descendu du ciel et s'étant approché,			
	⁴Et, ayant levé les yeux,		
		²Mais elles trouvèrent	et elle voit
roula la pierre	elles voient que la pierre	la pierre roulée	la pierre enlevée
	avait été roulée,	de (devant) le tombeau.	du tombeau.
	car elle était très grande.		
	⁵Et étant entrées dans le tombeau,	³Étant entrées,	20 ¹¹ᵇ... elle se pencha dans le tombeau
		elles ne trouvèrent pas le corps du Seigneur Jésus.	
		⁴Et il arriva, comme elles étaient perplexes à ce sujet,	
	elles virent un jeune homme	et voici, deux hommes se tinrent près d'elles	¹²et elle voit deux anges
et s'assit sur elle.	assis à droite,		assis,
³Son aspect était comme l'éclair et son vêtement blanc comme neige.	vêtu d'une robe blanche,	en habit éclatant.	en blanc,...

Matthieu	Marc	Luc	Jean
[4]Les gardes		[5]Comme elles	
tremblèrent de peur (devant) lui et devinrent comme morts.	et elles furent stupéfaites.	étaient saisies de peur,	
		et penchaient leur visage vers la terre,	
[5]Mais prenant la parole, l'ange dit aux femmes : « Ne craignez pas.	[6]Mais lui leur dit : « Ne soyez pas stupéfaites.	ils leur dirent :	[13]Et eux lui disent : « Femme, pourquoi pleures-tu ? »
Je sais en effet que vous cherchez Jésus,	Vous cherchez Jésus le Nazarénien,	« Pourquoi cherchez-vous	
le crucifié.	le crucifié ?		
		le Vivant parmi les morts ?	
			Elle leur dit :
	Il s'est éveillé (des morts),		
[6]Il n'est pas	il n'est pas	[6]Il n'est pas	« Ils ont enlevé
ici	ici.	ici,	mon Seigneur
car il s'est éveillé (des morts) comme il l'a dit.		mais il s'est éveillé (des morts) ;	
			et je ne sais
Venez, voyez le lieu où il gisait.	Voici le lieu où ils l'ont mis.		où ils l'ont mis. » [17]Jésus lui dit :
[7]Et, étant			

Matthieu	Marc	Luc	Jean
vite parties, dites à ses disciples	[7]Mais allez, dites à ses disciples		« ... mais pars vers les frères et dis-leur :
	et à Pierre		
		rappelez-vous comme il vous a parlé étant encore	
qu'il s'est éveillé des morts et voilà qu'il vous précède en Galilée; là, vous le verrez. Voilà, je vous (l')ai dit. »	qu'il vous précède en Galilée, là, vous le verrez comme il vous (l'a) dit. »	en Galilée	
		[7]disant	
	du Fils de l'homme qu'il doit être livré aux mains des hommes pécheurs, et être crucifié, et ressusciter le troisième jour. »		
			Je monte vers mon Père et votre Père, et mon Dieu et votre Dieu. »
		[8]Et elles se rappelèrent ses paroles,	
[8]Et, s'en étant allées vite du tombeau	[8]Et, étant sorties, elles s'enfuirent du tombeau, car les tenaient tremblement et trouble,	[9]et, étant revenues du tombeau,	

Matthieu	Marc	Luc	Jean
	et elles ne dirent rien à personne, car elles		
avec peur et grande joie,	avaient peur.		[18]Marie de Magdala
elles coururent		elles	vient,
l'annoncer		annoncèrent	annonçant
à ses disciples.		tout cela aux Onze et à tous les autres.	aux disciples :
			« J'ai vu le Seigneur » et qu'il lui a dit cela.
		[10]Or il y avait :	

Marie de Magdala, et Jeanne, et Marie (mère) de Jacques. Et les autres, avec elles, disaient cela aux apôtres. [11]Mais ces paroles leur parurent du radotage, et ils ne croyaient pas en elles.

Le récit de Marc, plus dépouillé que celui de Matthieu auquel les chrétiens sont davantage habitués, ne parle ni « d'ange qui descend du ciel », ni de « tremblement de terre », ni « d'éclair »... Mais sa sobriété ne le rend pas moins étonnant. Il n'est pas question d'un ange mais d'un « jeune homme » et les femmes, au lieu de courir annoncer la nouvelle aux disciples, ne « disent rien à personne ». Pourquoi le deuxième évangéliste présente-t-il une finale si brusque après une si heureuse nouvelle ?

Enfin, on sait que sont apparues, ces dernières années, des discussions au sujet de l'importance de la découverte du tombeau dans la naissance des apôtres à la foi au Ressuscité. Elle serait, dit-on, plus relative que ne l'enseignait une certaine apologétique développée plus particulièrement depuis deux siècles. L'étude du texte de Marc permet-elle d'éclairer ce point ?

*
* *

a) En abordant *l'étude du contexte* de ce passage, il est opportun de signaler que la finale (16,9-20), bien que tenue pour inspirée n'est cependant pas considérée comme due à l'auteur du second évangile. La question se pose donc de savoir si celui-ci avait mis ou pensait mettre une finale à cet endroit ou bien s'il avait voulu terminer son livre par les versets 1 à 8.

Dans l'impossibilité de trancher avec certitude, on constate, quoi qu'il en soit, que le passage ici étudié semble être une réplique de l'introduction (1,1-8). Le livre était ouvert sur une soudaine proclamation de la Bonne Nouvelle, l'irruption subite et bouleversante du Règne de Dieu dans l'histoire des hommes. Il est clos à présent sur l'événement qui montre cette annonce réalisée. Le « tremblement » et la « peur » sur lesquels se termine la péricope sont bien dans la note de l'ensemble de l'évangile. Tout du long, l'auteur a insisté sur le caractère du secret que cache la personne de Jésus quant à son identité (Fils du Dieu Béni) et à sa mission (Fils de l'homme appelé à sauver et rassembler les hommes par sa Passion). Lorsque cette révélation semblait poindre, il lui imposait silence

(1,24-25.34; 3,11-12) et si à d'autres moments c'était lui qui l'avait provoquée, c'était en la réservant à quelques privilégiés (4,10-13; 8,30-39; 9,6-10.32), lesquels d'ailleurs ne la comprenaient pas. Replacée dans ce contexte général, la conclusion fournie par l'épisode des femmes au tombeau (16,1-8) prend toute sa signification : Jésus est la Bonne Nouvelle du salut de Dieu offert aux hommes, mais il échappe à toute emprise. Mis en sa présence, l'homme est saisi, placé comme devant un mystère qui le dépasse et l'annonce de sa révélation ne suffit pas à le convaincre. Il lui faut, pour entrer dans ce mystère, attendre la rencontre avec le Christ lui-même. Voici donc le lecteur laissé face au Seigneur, déconcertant, et qu'il peut s'attendre à reconnaître. Jusqu'au bout Marc se montre ainsi fidèle à la ligne générale de présentation de la Bonne Nouvelle du Christ, dans son évangile.

Par ailleurs, ce récit apparaît clairement relié à trois épisodes antérieurs : celui de l'onction à Béthanie « parfumant d'avance le corps du Christ en vue de son ensevelissement » (14,8), celui de la crucifixion (15,40-41) et celui de l'ensevelissement (15,46). Ces indications font saisir le lien étroit à maintenir entre Passion et Résurrection, l'une n'allant pas sans l'autre.

Le caractère propre du texte de Marc ressort encore de la comparaison avec les autres Synoptiques.

Tout d'abord, on ne trouve chez lui ni les développements de Matthieu (28,2-4), ni ceux de Luc (24,3-4,6-7). Cet aspect révèle son souci d'emprunter au genre apocalyptique le minimum possible et d'éviter toute description de la Résurrection elle-même. Seul le fait est affirmé. Le temps du verbe employé en grec, l'aoriste, indique sa réalité pure et simple sans mention de quelque durée que ce soit. Marc invite, par voie de conséquence, à voir l'essentiel dans ce qu'il transmet en propre. Ce récit présente en effet des détails particuliers, entre autres : la mention de Salomé (v. 1), les questions que les femmes se posent (vv. 3-4), le titre de Jésus « le Nazarénien » (v. 6) et la mention de Pierre dont le nom est expressément cité (v. 7). Toutes ces particularités semblent relever le lien de la nouvelle bouleversante avec la réalité concrète du Jésus, homme connu dans l'histoire.

*
* *

b) Le texte présente une *organisation* très simple. Elle se décèle d'autant mieux qu'elle se retrouve sous-jacente aux récits des quatre évangélistes, malgré les particularités propres à chacun. On y trouve le mouvement suivant.

PRÉSENTATION DE LA SCÈNE : (temps, lieu, acteurs)
— Le sabbat étant passé
les femmes achètent des aromates
pour oindre le mort : v. 1
— Le premier jour
au lever du soleil
elles vont à la tombe : v. 2
— Elles se posent des questions : v. 3

AU TOMBEAU
— Les femmes découvrent la pierre roulée : v. 4
— Elles entrent dans le tombeau
voient un jeune homme et sont stupéfaites : v. 5

MESSAGE DU JEUNE HOMME

une parole : v. 6bc   une constatation : v. 6d

CONSIGNE DONNÉE : v. 7

rendez-vous   pour les disciples
en Galilée   dont Pierre

EFFETS : v. 8
— Les femmes sortent et s'enfuient
— Elles n'ont rien fait
— Elles ne disent rien
— Elles ont peur

L'observation de cette structure permet une série de remarques.

On peut noter la tension qui traverse le récit : au départ les femmes viennent pour faire quelque chose et elles parlent entre elles; au retour, elles sont parties sans rien faire et elles se taisent. On ne peut mieux mettre en relief la grandeur bouleversante de l'événement qui s'est produit dans l'intervalle, à savoir la révélation du message « Jésus le crucifié est éveillé des morts », élément dominant de l'ensemble. Autre contraste : c'est dans l'absence de ce qu'elles attendent qu'il leur est proposé de reconnaître une présence nouvelle.

Le second élément important est le rôle des femmes, important du début à la fin même s'il a changé en cours de route. Elles étaient les seules à avoir suivi le Maître jusqu'à sa mort, tous les disciples s'étant enfuis les uns après les autres parce qu'ils n'avaient pas compris qui était Jésus. Il est donc normal qu'elles se trouvent au tombeau. Mais, bien qu'elles aient approché de très près la révélation définitive du secret concernant Jésus, voilà qu'elles aussi ne comprennent pas et s'enfuient. Le lecteur a été conduit jusqu'à ce moment où il est laissé face à la Révélation définitive, avec la promesse d'un rendez-vous qui l'attend. Qu'il parte en Galilée, Jésus l'y précède, c'est dans sa rencontre existentielle qu'il comprendra.

Il convient donc d'être attentif à l'élément central du message. Cependant, si là se trouve l'essentiel, sa signification apparaît d'autant mieux qu'est mis en évidence un nouveau contraste. Il est typique en effet de voir que Marc est celui des trois Synoptiques qui développe le moins cette partie introduite chez Matthieu et Luc par davantage d'éléments empruntés aux symboles apocalyptiques (Mt 28,2-4;Lc 24,3). Chez le deuxième évangéliste au contraire la partie développée concerne des indications concrètes (vv. 1.3.4c). Ainsi donc, voilà le lecteur averti : le fait devant lequel se sont trouvées les femmes est révélateur d'une présence inouïe de Dieu; il paraît d'autant plus ahurissant que les hommes se meuvent sur un autre plan de réalités.

On aura reconnu dans cette structure l'utilisation du genre « annonce », avec ses éléments spécifiques : présentation de la scène, message divin, crainte, réaction des personnes interpellées. La proximité des récits d'apparitions amènerait des lecteurs à penser que les femmes ont eu des apparitions. Or, on le voit, le genre a pour but essentiel, ici, d'attirer l'attention sur la parole révélatrice, qui est au cœur de l'ensemble, et qui n'oriente pas vers des apparitions, mais vers la stupeur.

*
* *

1. Il convient de remarquer, tout d'abord, que la révélation centrale préparée par le fait que la pierre a été roulée est livrée

par un « jeune homme vêtu de blanc » et qu'elle entraîne de la « stupeur » (v. 5).

Le fait que la « pierre roulée » (ou « enlevée » selon Jean) est mentionnée chez les quatre évangélistes montre l'importance qu'il faut lui accorder. Chacun des auteurs a sa manière propre d'en montrer la fonction symbolique. Marc dit qu'elle « était très grande ». Il insiste ainsi sur le mur qui sépare l'homme de la révélation relative à la Résurrection. Seule la puissance de Dieu peut supprimer l'emprise de la mort qui pèse sur lui et enlever l'obstacle qui l'empêche de croire à cette Bonne Nouvelle.

Parler d'être « vêtu de blanc »[2] c'est évoquer un message céleste et l'arrivée des temps eschatologiques. Dire que les femmes sont « stupéfaites »[3], c'est souligner le caractère divin, déroutant pour la raison, du fait devant lequel elles se trouvent. L'évangéliste emploie pour cela un mot *(thambestaï)* qu'il est seul à utiliser dans tout le Nouveau Testament et qui signifie : être bouleversé, dépassé. Il lui est cher (voir 1,27; 9,15...) et correspond à un trait constant de son livre : l'Évangile n'est pas une invention des hommes mais une initiative de Dieu. Autrement dit, si la découverte du tombeau ouvert et vide peut être un fait étonnant, il n'en est pas pour autant révélateur. En lui-même, il pourrait être expliqué comme dû à une supercherie, un vol, etc... Ce n'est pas dans la continuité de la démarche humaine des femmes ou par leur raisonnement sur le fait constaté qu'il est possible de parvenir à la conviction que Jésus est ressuscité. Cette nouvelle ne peut venir que de Dieu; encore, lorsqu'elle est transmise, n'est-elle pas nécessairement comprise.

Que dit cette nouvelle ? Elle est exprimée sous la forme d'une antithèse où chacune des parties comporte deux éléments qui se répondent mutuellement. Elle est donnée dans des termes qui rappellent la prédication des disciples après la Pentecôte, lorsque la lumière de l'Esprit leur a définitivement ouvert les yeux (voir Ac 2,22-24; 4,10). Les lecteurs chrétiens du livre de Marc ne

2. VTB, *Blanc*.
3. VTB, *Crainte de Dieu*, I.

peuvent se tromper sur son intention lorsqu'il écrit ainsi : il met
en relief « la nouvelle » stupéfiante.

> Vous cherchez Jésus le Nazarénien,
>> le crucifié ?
>> Il s'est éveillé (des morts),
> Il n'est pas ici.

L'antithèse : « Le crucifié... s'est éveillé » rappelle l'essentiel
du message[4] : « il est mort et ressuscité » (voir Ac 2,23 s; 3,15;
4,10; 5,30; 10,39 s; 13,28-30). Les Grecs étant étrangers à toute
idée de résurrection, leur vocabulaire ne se trouvait pas offrir
aux auteurs inspirés le mot adéquat pour traduire la Résurrection
de Jésus. Aussi ceux-ci ont-ils pris le terme se rapprochant le
plus de leur conception biblique. Et l'on voit qu'il s'agit de tout
autre chose que d'une réanimation ou même d'une réutilisation
de la matière antérieure du corps dans une autre forme. Ce que
l'expression « s'est éveillé des morts » veut dire, c'est que Jésus
est passé directement de la vie matérielle, dans laquelle il était,
à la Vie éternelle.

Liée à l'autre expression « Jésus le crucifié », elle veut dire :
c'est le même Jésus que nous avons connu qui est Vivant, l'insistance portant sur l'identité de la personne, non sur sa condition
matérielle.

Lorsque l'évangéliste ajoute « Jésus le Nazarénien »[5], il associe
au premier nom qui désigne déjà la personne de Jésus considérée
sous l'angle humain, fils de Marie et de Joseph, un qualificatif
qui renforce encore cet aspect concret du Jésus de l'histoire. On
pourrait dire que la révélation concerne le Jésus « d'ici », ce qui
fait ressortir davantage ce qu'a d'étonnant sa condition nouvelle[6] :
« Il n'est pas ici. » Cette affirmation invite à croire que Jésus fait
désormais définitivement partie du monde eschatologique, c'est-à-
dire des réalités du monde de la vie à jamais. Il est dans une condi-

---

4. VTB, *Résurrection*, N.T., I 3.
5. VTB, *Jésus-Christ*, II 2.
6. VTB, *Jésus-Christ*, II 1a.

tion autre que celle de la matière et du temps (voir Dn 12,2 s), qui lui permet un nouveau mode de relation avec l'univers entier.

C'est lorsque la foi est donnée à cette Nouvelle bouleversante et d'aspect paradoxal que certains éléments commencent à trouver leur signification. Le message se termine en effet en disant : « Voici le lieu où ils l'avaient déposé » (6d). Ainsi ce n'est pas la constatation que les femmes ont faite qui les a amenées à croire en Jésus ressuscité, mais c'est l'annonce de cette nouvelle, si elles l'accueillent, qui leur rendra compréhensible leur constatation.

2. Avoir approché le mystère de si près entraîne, même s'il n'est pas encore compris, un retournement de la situation.

Pour en faire la découverte non plus sur une parole venant de Dieu mais existentiellement, les femmes ne doivent plus vouloir traiter Jésus seulement comme l'homme qu'elles ont connu, mais contribuer au rassemblement des disciples sous la conduite de Pierre en Galilée (v. 7). Manifestement ce passage montre qu'est venu le moment de réaliser ce que Jésus annonçait de son vivant, à savoir : après que les disciples auront été scandalisés par la Passion et après que Pierre aura même renié son maître (14,27-29), le Christ, par sa Résurrection, fera rentrer l'un en grâce et rassembler les autres avec lui sur la terre de Galilée. Ce sera le temps de la fin : autrement dit, c'est en Galilée que le message du Ressuscité commence à rayonner et sa force à se faire sentir.

Par ce verset, l'auteur détourne l'attention du tombeau ainsi que de la proclamation du kérygme et des femmes. Il oriente ses lecteurs vers une manifestation du Seigneur, en Galilée, à ses disciples. Ce sont ces dernières réalités qui donnent leur sens aux premières. La foi repose non sur le tombeau vide ou les dires des femmes, pas même sur le kérygme, bien que tous ces éléments puissent être des occasions de sa mise en route. Elle repose sur l'initiative du Seigneur, vécue en premier par ses disciples et en Galilée. Le nom de cette terre a une signification symbolique pour Marc. Il la mentionne douze fois dans son livre. C'est là que pour lui la vie de Jésus atteint son sommet. Dans un premier temps (17,23) il montre que c'est là qu'a retenti l'Évangile de Dieu, qu'ont été accomplis des signes de sa puissance, appelés les disciples et entraînées les foules. Puis il y a eu une retombée à Jérusalem (11-13). Maintenant revient le temps de la Galilée, pour la proclamation de l'Évangile de Dieu et du rassemblement d'un nouveau peuple. C'est le temps de la fin et la Galilée est la terre eschatologique. A sa manière, différente de Jean, Marc donne un enseignement semblable : c'est la mission de l'Église d'être dans le monde, d'y reconnaître et d'y faire reconnaître le Seigneur Ressuscité qui l'y précède.

Certains commentateurs pensent que cette mission des femmes mettrait en évidence une intention particulière de l'évangéliste. Il montrerait la foi en la Résurrection découlant, même pour elles, de l'expérience que les disciples et Pierre en particulier feront lors des apparitions. S'il est vrai que telle est la foi commune exprimée par les autres évangélistes aussi bien que dans le reste des écrits du Nouveau Testament, il n'en demeure pas moins qu'elle ne semble pas aussi clairement exprimée en Marc. Son évangile ne se terminant pas par des récits d'apparitions et étant tout entier centré sur l'irruption de la personne étonnante de Jésus dans l'histoire des hommes, il semblerait qu'il a plutôt conduit son récit jusqu'à la Résurrection dans cette perspective. Ses lecteurs sont mis face à cette personne et à la nouvelle qui donne le dernier mot sur elle, mais sans donner l'explication, en invitant plutôt à aller de l'avant, là où Jésus Vivant précède les hommes, pour le découvrir dans une rencontre.

Il est normal qu'un tel passage, même s'il donne envie d'être vécu, entraîne une révolution dans l'homme. Marc l'exprime par deux mots *(tromos* et *extasis)* qui signifient « tremblement » et « transport hors de soi » (v. 8).

✶
✶ ✶

Outre que le récit porte la marque personnelle du style et de la pensée de Marc, il s'inscrit *dans l'histoire* de son temps par plusieurs notations concrètes ou par son message.

C'est « le premier jour de la semaine » que les femmes vont au tombeau et non le « troisième jour ». Il s'agit visiblement d'une influence de la liturgie chrétienne, témoignant du renversement de calendrier déjà opéré dans les premières communautés au temps de la rédaction de l'évangile ou de ses sources. L'indication « voici le lieu où ils l'ont mis » (v. 6) est unique dans les évangiles. L'on s'est plu à y lire une allusion à une communauté rassemblée en pèlerinage sur le lieu du tombeau. Simple suggestion non assurée. Mais il reste cependant très vraisemblable que le récit est né à l'occasion de rassemblements, le dimanche, en souvenir de la victoire du Christ sur la mort manifestée par le tombeau ouvert.

Le message délivré par le jeune homme est une reprise du kérygme annoncé aux premières communautés depuis la Pentecôte. Il n'est pas concevable, dit tel quel, le matin de Pâques. On n'a pas affaire à des paroles comparables à celles d'un document enregistré sur le moment, mais à l'interprétation du fait transmis à des chrétiens à la lumière de l'Esprit. Quant à la Galilée certains voient, dans la manière dont elle est mentionnée, que Marc rappelle la nécessité d'échapper à l'emprise de la communauté mère de Jérusalem pour faire la rencontre du Christ.

Voici donc le récit resitué dans le milieu où il a été rédigé. Il est venu tardivement, après les textes relatifs aux apparitions à partir desquels les évangélistes sont unanimes à faire remonter la naissance de la foi au Ressuscité chez les apôtres. Par ailleurs, l'examen des autres textes du Nouveau Testament, particulièrement les Actes des Apôtres et les épîtres de Paul où la Résurrection est centrale, ne font pas mention du tombeau comme point de départ de la foi. Lorsqu'il est signalé, c'est pour mettre en évidence le passage de Jésus par la mort (1 Co 15,4; Ac 13,19). Faut-il en conséquence, n'attribuer au récit évangélique qu'une valeur légendaire ? Assurément non, et pour plusieurs raisons. Tout d'abord le fait est rapporté par les trois Synoptiques et remonte donc à une source ancienne dans la Tradition. Ensuite, il est porteur d'indications historiques. C'est ainsi qu'il mentionne le nom des femmes connues de l'histoire : Marie de Magdala (que l'on retrouve également chez Luc et Jean), Marie mère de Jacques (mentionnée également par Luc), Salomé. Celle-ci n'est nommée que par Marc, mais un regard porté sur la synopse montre qu'elle peut être « la mère des fils de Zébédée signalée par Matthieu ou « la sœur de Marie, mère de Jésus » mentionnée par Jean (19,25). Il en va de même pour le fait d'aller oindre avec des aromates et d'indiquer la présence d'une lourde pierre roulée pour fermer l'entrée du tombeau : faits pleins de véracité historique, parfaitement conformes aux habitudes du temps.

Les trois évangélistes répondent visiblement à des doutes émis sur le fait de la découverte du tombeau ouvert et vide. Jusque-là ce fait nécessaire et étonnant, mais secondaire par rapport à la proclamation du message pascal, n'avait pas été relevé parce qu'il était incontesté. Face aux objections qui apparaissent, les évangélistes répondent et concordent tous sur ce point, en livrant la source par laquelle le fait a été connu et constaté : les femmes. Ce point est d'autant plus assuré que leur foi est dite ne pas reposer que sur lui : elles n'ont eu ni illusion, ni exaltation, et ne veulent pas défendre le fondement d'une croyance; elles disent simplement ce qu'elles ont trouvé et comment elles n'ont pas compris sur le moment.

*
* *

L'*invitation* dominante du récit de Marc serait de respecter son point de vue particulier. D'autres aspects peuvent être relevés à propos du tombeau : il ne faudrait pas les mêler à la présentation qui est la sienne et qui est pleine d'actualité.

Le deuxième évangéliste, fidèle au portrait du Seigneur qu'il a présenté tout le long de son livre, place son lecteur en face du mystère de la personne du Seigneur. Mort ou ressuscité, il invite à croire en Lui.

Il est possible, après un grand attachement à la personne humaine de Jésus, d'approcher de très près son secret, possible également d'avoir connaissance de la parole révélée qui l'exprime, et pourtant, ne pas croire encore. Ce n'est pas la réflexion sur la vie ou les paroles de Jésus, même avec leurs côtés étonnants, qui y amènera. Aucune preuve n'est à la base de la foi. Celle-ci repose entièrement sur l'initiative du Christ lui-même, seul capable d'enlever l'obstacle qui empêche de croire.

Cependant, le lecteur n'est pas laissé sur une invitation à attendre cette initiative. Il lui est fixé un rendez-vous où elle pourra être vécue, en Galilée : c'est-à-dire sur la terre d'aujourd'hui, au-delà du monde de ses réalités habituelles, vers de nouveaux horizons.

La rencontre avec le Christ ainsi reconnu permet de faire le lien entre la vie humaine la plus réelle et le monde de cette vie nouvelle dans laquelle le chrétien croit le Seigneur présent actuellement. Croire Jésus vivant à jamais ce n'est pas seulement croire en un Jésus purement spiritualisé, retourné à son état divin, qu'il aurait laissé un moment, pour vivre en homme et transmettre la révélation. C'est croire que le Jésus Dieu, vivant actuellement, est le Jésus de l'histoire, de Nazareth, transformé, mais réellement lui-même. C'est donc savoir que par Lui toute l'histoire des hommes peut déboucher dans le monde de la vie à jamais.

Croire à cette Nouvelle est possible en référence à la communauté qui a pour mission de la découvrir présente dans le monde et de la lui révéler : elle est donc à la fois porteuse de révélation et chercheuse de la présence de cette révélation dans la vie des hommes. C'est elle, Pierre en son sein ayant un rôle pastoral propre, qui en vérifie le bien-fondé.

Enfin, cela ne se fait pas sans épreuve pour la raison. C'est au-delà de cette épreuve que tout l'humain se réordonne par rapport à la Nouvelle centrale qui dynamise la vie de ceux qui l'accueillent.

G.B.

Jour de Pâques
Jean 20,1-9

L'AMOUR FAIT VOIR[1]

Matthieu	Marc	Luc	Jean 20,1-9
28 ¹Or,	16 ¹Et,	24 ¹Or	¹Or,
après le sabbat,	le sabbat étant passé, Marie de Magdala et Marie (mère) de Jacques et Salomé achetèrent des aromates afin de venir l'oindre.		
à l'aurore du premier (jour) de (la) semaine,	²Et très tôt, le premier (jour) de la semaine,	le premier (jour) de la semaine, de très bonne heure,	le premier (jour) de la semaine,
Marie de Magdala et l'autre Marie vinrent voir le sépulcre.			Marie de Magdala
	elles viennent à la tombe	elles vinrent à la tombe,	vient au tombeau, tôt,
	comme le soleil se levait.		comme il faisait encore sombre,
		portant les aromates qu'elles avaient préparés.	

1. Synopse § 359; 360.

365

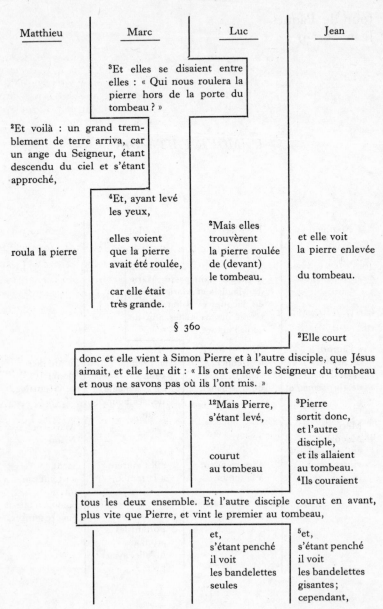

Matthieu	Marc	Luc	Jean
		³Et elles se disaient entre elles : « Qui nous roulera la pierre hors de la porte du tombeau ? »	
²Et voilà : un grand tremblement de terre arriva, car un ange du Seigneur, étant descendu du ciel et s'étant approché,			
	⁴Et, ayant levé les yeux,		
roula la pierre	elles voient que la pierre avait été roulée,	²Mais elles trouvèrent la pierre roulée de (devant) le tombeau.	et elle voit la pierre enlevée du tombeau.
	car elle était très grande.		

§ 360

²Elle court

donc et elle vient à Simon Pierre et à l'autre disciple, que Jésus aimait, et elle leur dit : « Ils ont enlevé le Seigneur du tombeau et nous ne savons pas où ils l'ont mis. »

| | | ¹²Mais Pierre, s'étant levé, | ³Pierre sortit donc, et l'autre disciple, et ils allaient au tombeau. |
| | | courut au tombeau | ⁴Ils couraient |

tous les deux ensemble. Et l'autre disciple courut en avant, plus vite que Pierre, et vint le premier au tombeau,

| | | et, s'étant penché il voit les bandelettes seules | ⁵et, s'étant penché il voit les bandelettes gisantes; cependant, |

Matthieu	Marc	Luc	Jean

il n'entra pas. [6]Simon Pierre vient alors, le suivant, et il entra dans le tombeau et il aperçoit les bandelettes gisantes [7]et le suaire qui était sur sa tête, non pas gisant avec les bandelettes mais roulé à part, dans un endroit. [8]Alors entra aussi l'autre disciple qui était venu le premier au tombeau, et il vit et il crut. [9]Car ils n'avaient pas encore compris l'Écriture, qu'il devait ressusciter des morts.

Le récit de Jean relatif à la visite du tombeau est d'un tout autre genre que celui des Synoptiques. Ici, pas question d'ange et, au lieu d'annonce de la Résurrection, trois personnages sont présentés : Marie-Madeleine qui pense à une violation de sépulture, Pierre qui n'a pas encore compris et un autre disciple plus perspicace que lui mais qui respecte sa primauté.

Ce texte a été interprété de maintes façons, en particulier sous l'angle historique et apologétique : les discussions n'ont pas manqué autour des bandelettes, du suaire ou encore de la primauté de Pierre. Ces points de vue ne sont peut-être pas sans intérêt, mais il convient de rechercher surtout le message plus important que ce passage veut transmettre.

*
* *

a) Du point de vue *contexte général*, l'épisode est situé dans la section de l'évangile de Jean qui présente le récit de la mort, de la Résurrection et de quelques-unes des apparitions du Christ (13—20).

A l'intérieur de cette section, un ensemble de textes sont centrés non pas sur une fête comme les ensembles précédents mais sur une semaine et son « premier jour » (v. 1). La conclusion de ce groupement, en même temps que de l'évangile tout entier, est que parmi les signes opérés par Jésus, « ces choses ont été mises par écrit pour que vous croyiez que Jésus est le Christ, le Fils de Dieu... » (20,30-31). Voilà qui éclaire déjà le sens à donner à ce passage.

De plus, comparé aux textes parallèles des Synoptiques, celui de Jean présente deux différences notables. D'une part, il résume dans ses deux premiers versets l'épisode concernant les femmes qui chez les Synoptiques en occupe huit à dix. D'autre part, la suite de son récit mentionne, comme Luc, la venue de disciples au tombeau ; mais, tandis que celui-ci se contente d'un verset et de la venue de Pierre seulement, Jean présente Pierre et un autre disciple dans une course et avec des réactions qui occupent 8 versets.

On peut donc déjà conclure que Jean reconnaît comme les Synoptiques le rôle d'annonciatrices tenu par les femmes, mais qu'il juge plus important dans la découverte du tombeau vide celui qu'ont rempli les deux disciples : Pierre et l'autre « que Jésus aimait ».

Une dernière constatation ne peut manquer de sauter aux yeux si le texte observé est placé dans l'ensemble du chapitre 20 de Jean : le récit concernant les deux disciples (vv. 3-10) est encastré à l'intérieur de celui relatif à Marie-Madeleine (vv. 1.11-18). Cette position semble renforcer encore l'intention de l'auteur d'accorder plus d'importance au rôle de Pierre et de son compagnon qu'à celui des femmes dans la découverte du tombeau vide et de son sens pour la foi.

b) Du *point de vue structure*, on aurait pu, au premier abord, discerner dans ce récit un mouvement en deux temps : l'un concernant Marie-Madeleine, l'autre Pierre et « le disciple que Jésus aimait ». L'on pourrait être tenté de les traiter isolément puisque le premier forme un tout indépendant chez les Synoptiques et que Matthieu et Marc ignorent le second. Mais l'étude de l'ensemble fait apparaître que chez Jean la visite si rapide de Marie-Madeleine sert d'introduction au récit des deux apôtres qui courent à leur tour. On pourrait la représenter de la manière suivante :

PRÉSENTATION (vv. 1-2)

    temps   : Le 1er jour de la semaine
                 comme il fait encore sombre
    acteur   : Marie-Madeleine
    surprise : La pierre roulée

COURSES :

    Marie court vers Pierre et le disciple ;
        elle ne « sait » pas
        et se pose la question d'une supercherie
    — Pierre et l'autre disciple courent : vv. 3-4a
        — L'autre disciple court plus vite : v. 4b-c

AU TOMBEAU :

        — L'autre disciple voit et n'entre pas : v. 5
    — Pierre entre et constate : vv. 6-7
        — L'autre disciple entre, voit et croit : v. 8

RÉFLEXION THÉOLOGIQUE SUR L'ENSEMBLE : v. 9

Très nettement, l'auteur accorde de l'importance à la course des trois acteurs : celle de Marie est déterminée par le désir de référer aux disciples et sa visite l'a laissée éplorée (20,11), au point où elle était en venant ; celle de Pierre l'a conduit à un simple constat matériel, car il n'a pas encore compris les Écritures ; et celle de l'autre disciple qui court plus vite, voit et croit. Le tout est conclu par une réflexion théologique d'ensemble dont il ne faut pas s'étonner qu'elle ne soit pas parfaitement cohérente avec le verset qui précède immédiatement : il y a changement de genre de l'un à l'autre.

C'est visiblement dans la dernière phrase que se trouve la pointe de tout le récit. Le chassé-croisé des deux disciples développé sur 6 versets doit avoir son importance, mais il est à considérer en référence à cette affirmation conclusive.

*

* *

Le récit de la visite au tombeau est l'occasion pour le quatrième évangéliste de mettre en relief *différents éléments* qui entrent en jeu dans l'accession des premiers témoins à la foi au Ressuscité.

1. Tout d'abord, la foi en la Résurrection ne repose sur aucune preuve matérielle, mais une rupture dans l'ordre habituel des choses peut être occasion de commencer à croire, pour celui que l'amour habite.

Par la réaction qu'il montre chez Marie, Jean insiste plus que les Synoptiques sur le tombeau (mentionné 7 fois dans le passage) qui, trouvé vide, est incapable par lui-même de faire croire.

Marie est venue « comme il faisait encore sombre » (v. 1) et non « comme le soleil se levait » (Marc), dit Jean sous une forme symbolique renforcée par la parole de la femme : « Nous ne savons pas » (v. 2). Savoir[2], chez le quatrième évangéliste, c'est accéder à la connaissance des événements à la lumière de la foi en étant instruits par le Père. Marie-Madeleine est donc au même stade de connaissance que la sœur de Lazare courant au tombeau de son frère (11,31). Attendant comme elle la transformation des Justes en un état de vie éternelle pour la fin des temps et de manière collective (11,24; voir Dn 12,1-3), elle pense immédiatement : « Il a été enlevé » (v. 2), et non pas « Il est ressuscité ».

Le vide du tombeau rompt seulement l'équilibre de ce à quoi elle s'attendait. Les faits l'interpellent mais ne la font pas croire.

Elle est invitée à dépasser le « voir » pour « croire », ce à quoi est parvenu l'autre disciple (v. 8). Ces expressions sont habituelles à la Bible et spécifiques du IVe évangile[3].

Le mot « voir » a dans l'Écriture le sens de voir matériellement et celui de voir dans la foi ou « en vision ». C'est ainsi que le Deu-

2. VTB, *Connaître*, N.T., 2.
3. VTB, *Voir*, A.T., II; N.T., I 2.

téronome dit : « L'homme ne peut pas me voir et demeurer en vie » (Dt 33,20) et Isaïe : « Mes yeux ont vu le Roi de Gloire » (Is 6,5). De même : « Dieu, nul ne l'a jamais vu » (1,18); « Ce que nous avons vu de nos yeux, ce que nos mains ont touché... » (1 Jn 1, 1-3) ou encore : « Ils virent sa gloire et crurent en lui » (2,11); ou bien Jésus, apprenant que Lazare est mort, déclare à ses disciples : « Je me réjouis pour vous de ce que je n'étais pas là, afin que vous croyiez » (11,15).

Voir un signe ne fait donc pas croire mais permet de commencer à croire. Ailleurs, Jean complétera la parole : « Il vit et il crut » par cette autre : « Heureux ceux qui n'ont pas vu et (qui) ont cru » (20,29), précisant par là que si la foi part de signes visibles, elle est cependant l'adhésion à l'invisible. Ici, il montre seulement l'importance des signes au stade de la naissance de la foi.

Plus que le tombeau vide d'ailleurs, c'est la disposition des linges qui semble avoir été pour ce disciple le signe d'une réalité nouvelle invisible. Par deux fois les bandelettes sont dites « gisantes » (vv. 5-6), c'est-à-dire à plat, à la différence du suaire, qui se tenait « roulé à part » (v. 7). Pour que cette disposition ait entraîné le disciple sur le chemin de la foi, il faut qu'elle lui soit apparue comme l'indice d'un ordre nouveau. Telle semble être la signification à laquelle l'auteur veut introduire. En rapprochant les détails qu'il livre à propos de Jésus, on ne peut manquer de penser en effet à ceux qu'il a décrits auparavant pour Lazare (11,44). Celui-ci sort, les linges fixés comme avant son ensevelissement, car il ne fait que de revenir au monde de la vie mortelle. Jésus, au contraire est passé dans le monde de la vie à jamais où plus rien ne retient lié.

Si ce disciple a été capable de se mettre ainsi sur le chemin de la foi au Ressuscité, la raison en est donnée par la présentation qui en est faite en contraste avec Pierre.

Appelé « le disciple que Jésus aimait » (v. 2), il distance Pierre[4] dans la course[5] au tombeau d'abord (vv. 3-4), dans sa mise en route sur le chemin de la foi ensuite (vv. 5-8). Pierre et ce disciple sont souvent présentés ensemble : à la Cène (13,24), dans la maison

4. VTB, *Pierre*, 2.
5. VTB, *Courir*, 2.

du Grand Prêtre (18,12-16). Toujours le second devance le premier et ce n'est pas pour le déprécier. Mais c'est une manière de montrer que, quelles que soient les responsabilités de chacun, l'amour est ce qui conduit à la foi en Jésus Vivant à jamais. Tout le chapitre final (21) viendra confirmer cette loi : le disciple que Jésus aimait sera le premier à reconnaître le Seigneur (21,7) et le second sera invité à aimer (21,15-17) avant de se voir confier la primauté sur le troupeau. A sa manière habituelle, le quatrième évangéliste a brossé ainsi en cet « autre disciple » (v. 3) un portrait type : tout « disciple bien-aimé » (v. 2) est celui qui suit Jésus sans retard et le reconnaît parce qu'il l'aime.

2. Si telles sont les occasions et les raisons qui peuvent mettre un disciple sur le chemin qui mène à la foi, ce chemin n'est atteint qu'au moyen d'autres étapes indispensables : l'Écriture, l'initiative personnelle du Ressuscité et la confrontation avec la communauté ecclésiale.

L'évangéliste précise que voir, au sens de la foi, c'est commencer à comprendre l'Écriture[6]. En effet il dit : « Car ils n'avaient pas encore compris l'Écriture... » (v. 9). Jean ne pouvait pas comprendre complètement certains points de l'Écriture tant qu'il n'avait pas vu le signe du tombeau vide (Ps 15,8-11 ; 2,7 ; Ac 2,24-31 ; 13,32-37 ; Os 6,2 ; Jon 2,1). Réciproquement, il n'aurait pas pu voir dans le tombeau vide un signe s'il n'avait pas eu l'Écriture. L'acte de foi est précisément cette action de l'Esprit agissant au cœur d'une personne pour lui faire reconnaître tout à la fois une réalité chargée de révélation et le sens de la Parole orientée vers cette réalité.

La source de cette unique révélation à deux faces (réalité et parole) est l'Esprit Saint[7]. C'est lui qui donne au croyant la certitude qu'il a raison de croire (16,7-11). La foi part d'événements historiques que des témoins ont « vus » mais la certitude définitive du chrétien lui vient finalement du témoignage de l'Esprit.

L'expression « comprendre l'Écriture » à propos d'un événement dont on découvre le sens dans un acte de foi n'est pas particulière

6. VTB, *Écriture*, IV.
7. VTB, *Esprit de Dieu*, N.T., II.

à Jean, elle est un aspect également cher à Luc. Mais Jean a une manière propre de la présenter. Le mot : « Comprendre », qui correspond dans son évangile aux deux verbes *ginôskô* et *oïda* sert à traduire la connaissance que l'homme a du Christ. Le premier indique plutôt l'entrée progressive dans cette connaissance et le deuxième une autre connaissance de type immédiat. Or, c'est ce deuxième verbe que Jean utilise ici lorsqu'il dit : « Ils n'avaient pas encore compris l'Écriture. » C'est sa façon à lui de traduire l'inintelligence, ou manque de foi des disciples, sur laquelle Marc insiste tant. Ils n'ont pas saisi l'Écriture et ils ne le peuvent pas tant qu'ils n'ont pas reçu l'Esprit, c'est-à-dire tant qu'ils n'ont pas fait l'expérience de l'initiative du Ressuscité en eux.

Reste que pour atteindre sa plénitude, l'expérience personnelle du Ressuscité comme la découverte du sens de l'Écriture et des événements interpellateurs de la vie, doivent s'authentifier dans le partage avec la communauté représentée ici par son responsable : Pierre. Même si celui-ci n'est pas au même point de découverte, la foi ne peut, cependant, s'exprimer contre lui : elle demande à respecter son rôle. Tel semble être le dernier aspect du sens à donner à cette course à deux où le plus prompt à croire laisse l'autre passer devant lui.

*
* *

Le milieu historique dans lequel ce texte a été rédigé se perçoit à plusieurs indices. On s'accorde communément à considérer que celui-ci dépend de la même source que son parallèle en Luc (24,12) et que l'auteur a davantage développée. Il fait face à des critiques qui expliquent par une supercherie le tombeau trouvé vide, ce qui, soit dit en passant, montre que ce n'est pas le fait qui est discuté mais seulement son interprétation. Jean répond d'abord par le même argument que les Synoptiques, en citant le témoignage des femmes. Bien qu'il ne nomme que Marie-Madeleine, il ne la suppose pas seule puisqu'elle dit : « Nous ne savons pas où ils l'ont mis » (v. 2). Il ajoute la mention des linges rangés qui constitue également un argument contre un vol possible, tout pillage étant habituellement accompagné de désordre. Les bandelettes et le suaire correspondent aux usages palestiniens de l'époque (19,40) : il ne s'agissait pas de linges enveloppant *(othonia)* le mort comme une momie, mais de rubans d'étoffes *(keiriaï)* servant à lier les bras ensemble et les jambes entre elles, un linge plus important passant autour de la tête et sous le menton.

Après avoir mentionné Pierre (24,12), Luc se contente d'une simple allusion à d'autres disciples : « Quelques-uns des nôtres sont allés de bonne heure au tombeau » (24,24). Lorsque l'auteur ajoute ici un développement sur le « disciple que Jésus aimait », il s'adresse à des communautés fondées par celui-ci. Elles étaient habituées à considérer Pierre et Jean comme des « colonnes » de l'Église (Ga 2,9) montant prier ensemble au Temple (Ac 3,1), souffrant pour le nom de Jésus et témoignant pour lui devant le Sanhédrin (Ac 4,1-22), imposant les mains et transmettant l'Esprit aux Samaritains convertis par Philippe (Ac 8,14-17). Ainsi, Jean est considéré comme ayant joué à l'origine de la foi au Ressuscité un rôle aussi grand que Pierre. Il n'y a sans doute pas trace ici de polémique au sujet de la primauté de Pierre, reconnue par toutes les communautés de ce temps-là, et de la primauté de la foi. Plus particulièrement, le texte présente le rôle éminent d'un apôtre, rempli dans un sens ecclésial.

Reste la question de ce qui s'est passé au tombeau. Tout ce qui vient d'être dit permet de percevoir les éléments d'historicité livrés par le texte : la visite de Madeleine, celle de Pierre et de l'autre disciple, la constatation du tombeau vide et de l'état ordonné des linges ; enfin, l'apport propre du quatrième évangéliste est le fait que cette constatation a été le point de départ de la foi au Ressuscité pour « le disciple que Jésus aimait ». Cependant, le lecteur moderne se méprendrait s'il pensait : le cadavre a disparu, donc sa matière est réassumée actuellement bien qu'autrement. L'évangéliste ne dit rien de cela.

Pour éviter cette déformation, certains diraient aujourd'hui : « Il n'est pas nécessaire que le cadavre disparaisse pour que soit manifesté qu'il est ressuscité. » Cette réflexion peut se comprendre comme une boutade de théologiens qui veulent corriger une conception trop « physiciste » de la Résurrection. En ce sens la remarque est juste : la Révélation ne dit rien quant à la façon dont la matière du corps de Jésus peut avoir été réassumée dans son état glorieux actuel. Mais l'expression est aussi malheureuse que la déformation qu'elle veut corriger. En effet, au niveau des témoins de l'événement, une raison au moins postule que la Résurrection ait comporté la disparition du cadavre du Christ. Vu ce que les apocalypses leur avaient appris, les apôtres avaient besoin, pour se poser la question de l'entrée de Jésus dans le monde eschatologique, d'un signe qu'il avait été « pris » par Dieu. Ce n'est cependant qu'avec les apparitions, la lumière de l'Esprit et de l'Écriture, qu'ils comprendront que le tombeau a ce sens de manifestation d'un acte de Dieu. Le tombeau vide a donc une valeur tout autre que celle d'une preuve : il est un des éléments plaçant devant un mystère qui est différent d'une réanimation, même d'une réanimation qui aurait comporté quelque chose « de plus » que celle de Lazare.

*
* *

Si le texte de Marc relatif à la visite des femmes au tombeau a été l'occasion d'amorcer une présentation du message pascal offert à la foi, *le récit de Jean invite* plutôt à considérer des éléments qui sont à l'origine de cette foi.

C'est un des aspects de la condition humaine que tout événement ou attitude, à la fois cache ou révèle plus que les sens ne peuvent voir. Déjà un simple geste ne livre sa pleine signification qu'à celui qui sait, à travers lui, aller plus loin que l'acte matériel qu'il constitue. En l'ayant connu dans son humanité, le disciple bien-aimé avait atteint à cette connaissance intérieure de Jésus. C'est pourquoi le fait non évident par lui-même du tombeau vide a agi sur lui, à la manière d'un signe le mettant sur le chemin de la foi. Ainsi peut-il en aller de même pour les hommes en recherche du sens de certains événements qu'ils vivent.

C'est l'amour qui est le stimulant pour faire découvrir ou aller plus vite et plus loin dans cette découverte. C'est lui qui fait vraiment connaître le fond de ces événements.

Détenir une autorité dans l'Église ne dispense pas de vivre ce type de connaissance et ne donne pas le privilège d'y exceller plus que d'autres. Bien des disciples, dépourvus de cette primauté, peuvent être les premiers en amour et les plus prompts à reconnaître la présence du Christ ressuscité dans tel événement insolite. Néanmoins, ce doit être toujours en accord avec ceux qui dans l'Église ont mission d'authentifier leur expérience.

La perception qu'un événement est révélateur de la présence invisible de Jésus ne se fera cependant que s'il est vécu en voyant sa correspondance avec l'Écriture. Avoir une connaissance purement verbale ou intellectuelle de celle-ci ne suffit pas à en donner l'intelligence. Il faut l'avoir découverte actualisée dans la vie, ce qui suppose de lire à la fois l'événement et l'Écriture à la lumière de l'Esprit. C'est lui qui donne cette intelligence sûre et intuitive du lien entre les deux. C'est de son témoignage intérieur et non d'évidences sensibles ou rationnelles que vient en dernier ressort, pour les chrétiens d'aujourd'hui comme pour les apôtres, la certitude de la foi.

G.B.

Deuxième dimanche
Jean 20,19-31

LA MISSION DU CHRIST
CONFIÉE A L'ÉGLISE[1]

[19]Comme c'était le soir, ce jour-là, le premier de (la) semaine, et les portes étant fermées là où étaient les disciples, par peur des Juifs, Jésus vint et se tint au milieu et leur dit : «Paix à vous! » [20]Ayant dit cela, il leur montra ses mains et son côté. Les disciples se réjouirent en voyant le Seigneur.

[21]Jésus leur dit de nouveau : « Paix à vous! Comme le Père m'a envoyé, moi aussi je vous envoie. » [22]Et, ayant dit cela, il souffla et leur dit : « Recevez (l') Esprit Saint. [23]Ceux à qui vous remettrez les péchés, ils leur seront remis; (et) ceux à qui vous (les) retiendrez ils (leur) seront retenus. »

[24]Thomas, l'un des Douze, qui (est) appelé Didyme, n'était pas avec eux lorsque vint Jésus. [25]Les autres disciples lui disaient : « Nous avons vu le Seigneur. » Mais lui leur dit : « Si je ne vois à ses mains la marque des clous, et si je ne mets ma main à son côté, je ne croirai pas. » [26]Et, après huit jours, de nouveau, ses disciples étaient à l'intérieur, et Thomas avec eux; Jésus vient, les portes étant fermées, et se tint au milieu et dit : « Paix à vous! » [27]Puis il dit à Thomas : « Porte ton doigt ici et vois mes mains et porte ta main et mets(-la) à mon côté, et ne sois plus incrédule, mais croyant. » [28]Thomas répondit et lui dit : « Mon Seigneur et mon Dieu. » [29]Jésus lui dit : « Parce que tu m'as vu, tu crois. Heureux ceux qui n'ont pas vu et (qui) ont cru. »

[30]Jésus fit encore beaucoup d'autres signes devant ses disciples, qui n'ont pas été écrits dans ce livre. [31]Mais ces (choses) ont été mises par écrit afin que vous croyiez que Jésus est le Christ, le Fils de Dieu, et afin qu'en croyant vous ayez la vie en son nom.

1. Synopse § 365; 367; 368; 369.

Par son côté piquant, l'épisode relatif à Thomas risque de retenir toute l'attention. Pourtant, le texte contient deux apparitions : une aux disciples et une à Thomas. Cette imbrication a sa raison d'être et chaque épisode éclaire l'autre.

De plus, Jésus transmet l'Esprit aux disciples et les envoie en mission le soir même du jour de Pâques. Une telle présentation semble contredire celle des Synoptiques. Elle révèle certainement chez le quatrième évangéliste une intention importante.

∗
∗ ∗

a) Replacé dans l'ensemble du livre, et si l'on tient compte que le chapitre 21 est un complément, le passage apparaît comme la conclusion de tout le quatrième évangile.

Situé à cette place, son sens s'éclaire si l'on voit comment il reprend en inclusion un certain nombre de données annoncées dès le chapitre 1. Au « commencement » du Prologue (1,1) semble répondre le « premier jour de la semaine » (20,1) de la nouvelle Création (20,22). A l'annonce de Jean-Baptiste : « C'est lui qui baptise dans l'Esprit Saint » (1,33) reprise par Jésus dans son discours d'adieux (14,16-18.26) répond la réalisation : « Recevez l'Esprit Saint » (20,22). A la crainte éprouvée par les apôtres le soir du jeudi saint et à la promesse de paix de Jésus (14,1.27) répondent à présent leur peur des Juifs et la paix que Jésus leur porte (vv. 19.21) ; à la joie annoncée ce même soir (16,20-24), celle qui envahit à présent les disciples (v. 20) ; enfin, au côté transpercé (19,34) correspond le côté maintenant montré.

Ainsi, on pourrait considérer le IVe évangile comme un déroulement de la prédication du kérygme dans un cadre liturgique : accomplissement de l'Écriture (1 ; particulièrement 1,45) dans la personne de Jésus (2—12) se donnant dans sa Passion glorieuse (13—19), transmettant l'Esprit et le pardon des péchés à la communauté de ses disciples (chap. 20). Replacé dans cette composition d'ensemble, le passage prend toute sa dimension : il contient une réflexion sur l'œuvre globale du salut dans son accomplissement par Jésus.

Ce texte est immédiatement précédé et suivi par des épisodes qui achèvent de lui donner son éclairage particulier. La section qui l'introduit est consacrée à l'épisode de Marie-Madeleine, d'abord incrédule comme Thomas, puis absente lors de la visite des disciples au tombeau comme lui lors de l'apparition de Jésus aux Onze, comme lui encore déclarant sa foi sur une simple parole de Jésus. Dans les deux cas, il est question de passer du désir d'une présence physique de Jésus à celui de sa présence nouvelle, désormais perçue seulement dans la foi. Replacée dans ce contexte, la portée du deuxième épisode se trouve encore renforcée dans ce sens.

Enfin, ce passage est suivi de la conclusion de tout l'évangile : « Ces (choses) ont été mises par écrit afin que vous croyiez... » (v. 31) conclusion qui s'applique évidemment aussi à ce dernier texte. On est donc situé comme à un sommet qui introduit aux réalités les plus essentielles à la foi.

b) La structure de ce texte présente une *organisation tripartite* qui se retrouve dans le récit d'apparition aux Onze, chez Luc. Leur présentation comparée[2] (voir page suivante) permet de mieux faire ressortir les nuances propres à Jean.

Les ressemblances sont apparentes. Quant aux différences, elles se ramènent à ceci :

Chez Luc, la « mission » est un discours accompagné de promesse et qui se tiendrait par lui-même, indépendamment de la « reconnaissance »; chez Jean, au contraire, le second élément est intégré au premier et contient un acte.

Chez Luc, l'élément « reconnaissance » a pour fonction de montrer que le Ressuscité n'est pas un fantôme; chez Jean, de convaincre de l'identité de sa personne avec celui que les disciples ont connu en chair et en os.

Chez Luc enfin, l'incrédulité est mêlée à la joie et la reconnnaissance n'est pas immédiate; chez Jean au contraire, l'incrédulité est toute centrée sur Thomas, tandis que la reconnaissance est instantanée et la joie entière.

---

2. Empruntée au livre de Xavier Léon-Dufour, *Résurrection de Jésus et message pascal* (Paris, Seuil, 1971), p. 124.

Lc 24,34-53	Jn 20,19-29	
SITUATION		
à Jérusalem		à Jérusalem
		[19] [(26)] enfermés par peur des Juifs
Le soir de Pâques	Le soir de Pâques	huit jours après
les disciples et les compagnons	les disciples	avec Thomas
		[24] [25]incrédule
INITIATIVE		
[36]présence inattendue	présence inattendue	
(estè én mesô)	*(èlthen kai estè eis to meson)*	
« Paix à vous ! »	« Paix à vous ! »	
RECONNAISSANCE		
[37]Remplis de peur, ils pensent voir un esprit		
[39]*Jésus invite*	[20]Jésus montre	[27]*Jésus invite*
à voir		*à voir*
ses mains et ses pieds	*ses mains* et son côté	*ses mains* et son côté
« C'est bien moi ! »		
et *à le toucher*		et *à toucher*
Un esprit n'a pas chair et os comme moi		
		Ne sois
[41]*Joie* mais non-*foi*	Joie	*pas sans foi*
Il demande à manger	en voyant le Seigneur	[28]confession de Thomas
[43]et mange devant eux		Heureux qui croit sans avoir vu
MISSION		
[44]discours	[21]« Paix à vous ! »	
[44b-46]accomplissement des Écritures		
[47]prêcher en son nom		
(c) conversion	(a) envoi des disciples	
rémission des péchés		
[48](a) vous serez mes témoins		
[49](b) je vous envoie la Promesse	[22](b) acte : il souffle don de l'Esprit Saint	
Restez à Jérusalem !	[23](c) pouvoir de *rémission des péchés*	
SÉPARATION		
[50]Après avoir béni		
[51]il se sépara *(diestè)*		
[52]Ils retournèrent à Jérusalem pleins de joie...		

L'un et l'autre évangéliste doivent dépendre de la même source. Mais le texte de Jean manifeste à la fois plus de sobriété et plus d'élaboration théologique. L'auteur a voulu distinguer ce qui a trait à l'incrédulité de ce qui concerne la mission des disciples. Chaque scène devient ainsi, à la manière habituelle au quatrième évangéliste, le type même du sujet qu'il présente. Et tous les deux se trouvent cependant intimement liés par le cadre : lieu et temps liturgiques (vv. 19.26). Ainsi, les deux événements sont de portée ecclésiale.

Réservant pour une étude ultérieure[3] la partie du texte concernant la « mission », le reste de l'épisode présente deux parties :
— l'apparition à Thomas : vv. 24-29;
— la conclusion de l'évangile : vv. 30-31.

Le récit de l'apparition elle-même est organisé de la manière suivante :

RECONNAISSANCE :

Doute de Thomas
    et rôle de la communauté : vv. 24-25
Apparition de Jésus : v. 26a
    — Non reconnaissable : v. 26b
    — Initiative par une parole : v. 27
Foi de Thomas : v. 28

ÉPILOGUE

concernant Thomas : v. 29a
concernant tous les chrétiens : v. 29b.

Cette étude fait apparaître les aspects particuliers de la foi du disciple-type. Tour à tour sont présentés :
— l'acheminement à la foi, de Thomas;
— son entrée dans la foi;
— sa foi prototype de toutes celles à venir.

*
*   *

3. Voir plus loin, jour de la Pentecôte, pages 463 à 471.

Les *éléments principaux* du texte sont donc tous ordonnés autour de la foi et peuvent s'étudier sous trois aspects.

1. L'attitude de Thomas montre tout d'abord que si la foi est reçue par l'intermédiaire de la communauté, elle est cependant un acte personnel, critique.

Thomas est donné (v. 24) comme « l'un des Douze »[4] et ceux-ci sont mentionnés à deux reprises (vv. 24-25). Cette expression est rare chez Jean, ce qui invite à lui accorder toute l'importance du collège des apôtres dans l'éveil de la foi : c'est à cause de leur témoignage que Thomas s'est posé des questions (v. 25) et a été mis sur le chemin de la « reconnaissance » de Jésus.

De plus, ces Douze se rassemblent « huit jours plus tard » (v. 26). Cette indication, faisant suite à celle du « premier jour de la semaine » (v. 19) ou jour de Pâques, est certainement l'indice du cadre liturgique de la communauté naissante au cours duquel la catéchèse sur l'apparition à Thomas a pris sa forme. Elle est renforcée par un autre trait fourni par la salutation : « Paix à vous ! », en usage encore aujourd'hui dans les célébrations eucharistiques.

Tout ceci montre l'importance du rassemblement et de la célébration liturgique ainsi que du rôle de ses participants pour acheminer quelqu'un à entrer dans le mystère de Jésus Ressuscité.

Pour comprendre le cheminement de Thomas et le terme auquel il parviendra : croire sans voir, il faut observer d'où il part. Un autre passage peut éclairer ce point : celui de l'entretien de Jésus avec ses disciples, avant son départ (14,1-12). Thomas y apparaît comme ayant du mal à comprendre les deux sens que Jésus donne à certains de ses mots. C'est ainsi qu'il dit : « Où je vais, vous le savez et vous en connaissez la route », et Thomas reprend : « Seigneur, nous ne savons pas où tu vas, comment connaîtrions-nous la route ? » Or, Jésus parlait de la route qu'Il est. Ce caractère positif de Thomas se retrouve aussi dans sa réaction à ne penser qu'à la mort quand Jésus évoquait sa Gloire (11,15-16). Philippe

4. VTB, *Douze ; Disciples*, N.T., 1.

pose alors une question qui attire cette réponse : « Philippe, qui m'a vu a vu le Père ; comment peux-tu dire : montre-nous le Père ? Ne crois-tu pas ?... »

Ainsi, « voir » Jésus[5] c'est le voir humainement, en chair et en os, mais c'est surtout, par-delà ce qui est visible à l'œil, atteindre sa personne et la connaître en croyant à elle. Cette connaissance est donc en même temps une « reconnaissance ». Il arrive de côtoyer quelqu'un sans connaître profondément sa personnalité. Après coup, quand celle-ci est révélée soit par ce qui en est dit, soit par l'effet de son action sur les autres, elle devient mieux connue ; on peut même dire : elle est « reconnue ».

Jean associe constamment les deux termes « voir » *(oran)* et « croire » *(pisteuein)* pour faire ressortir cet aspect particulier de la foi qui est un « voir » à travers des faits concrets ou la personne même de Jésus. Elle est tout autre chose qu'une gnose ou une idéologie : c'est une foi en un Dieu fait homme. C'est tout le sens particulier qu'il donne au mot « témoin », *martys*, si fréquent dans son évangile. Ce qui fait les disciples « témoins », ce n'est pas seulement le fait d'avoir vu le Christ en chair et en os : cela est arrivé à d'autres qui sont passés à côté de lui sans reconnaître qui il était. Ce dont ils témoignent vient de leur attitude d'accueil qui, à travers les signes que Jésus accomplissait, leur a fait percevoir un appel à croire en lui. Ici, la foi de Thomas est résumée dans un mot qui englobe la totalité de son expérience : il a « vu » Jésus de son vivant, au sens le plus courant de ce mot, et il l'a vu, au sens de « reconnu », dans la foi après sa Résurrection.

2. La foi est mise en contact avec Jésus, un Jésus qui est Seigneur-Dieu, par l'accueil de sa parole.

Contrairement à ce que prédicateurs et théologiens avancent parfois un peu vite, le texte ne dit pas que Thomas a cru en faisant le geste qu'il demandait. Envisager cette manière démonstrative d'interpréter l'apparition serait aller dans la ligne lucanienne. Mais ce serait être infidèle à Jean pour qui Jésus est, depuis la Résurrec-

5. VTB, *Voir*, N.T., I 2.

tion, celui que l'on ne peut plus toucher, comme l'a montré le récit précédent consacré à Marie-Madeleine. Dans sa parole : « Porte ton doigt, etc. », Jésus rejoint seulement la préoccupation de Thomas et c'est le fait de se découvrir « vu » qui retourne l'apôtre, comme Nathanaël (1,48) et d'une autre manière comme Marie-Madeleine (20,16). C'est sur cette parole de Jésus qu'il pousse immédiatement son cri de foi : « Mon Seigneur et mon Dieu. »

Ce titre adressé à Jésus ne se retrouve nulle part ailleurs, ni dans Jean, ni dans les Actes, ni chez Paul. D'après les Actes, le mot « Seigneur »[6] *Kyrios* que les traducteurs de la Septante ont utilisé pour le nom propre de Dieu a été appliqué au Christ dans la prédication de l'Église, après la Pentecôte, quand les apôtres ont accédé à la foi définitive en sa divinité. Ici, l'évangéliste le reporte au temps qui précède la Pentecôte et il lui accole le titre de Dieu pour ne laisser aucun doute sur le sens de l'acte de foi de Thomas.

L'expression « mon Dieu », appliquée à Jésus, est plus étonnante. Certes, le Christ est dit « Dieu » ailleurs dans le Nouveau Testament (1 Tm 1,16; Col 1,15) et dans l'évangile de Jean (1,1). Mais c'est l'association « Seigneur-Dieu » qui est inhabituelle. Pour l'expliquer, il faut encore recourir à l'Ancien Testament. Elle s'y trouve fréquemment sous des formes du genre : « Seigneur, toi qui es Dieu » (2 S 7,28; Ps 30,2, etc.). Thomas applique donc au Christ un titre qui traduit sa divinité et qui, replacé dans le contexte johannique (5,23; 14,9...), pourrait se traduire « Mon Seigneur en qui je reconnais le Père ». L'apôtre ne peut exprimer plus totalement sa foi, et par le pronom possessif « mon », il ajoute une note personnelle à ce que la liturgie lui fait dire sous forme collective « Notre Seigneur et notre Dieu » (Ap 4,11).

3. *La foi est l'entrée dans la paix et le bonheur*, fruits de la Passion glorieuse.

Un lien étroit unit la « paix » que le Christ offre à ses disciples (v. 26) et le signe qu'il propose dans sa parole (v. 27). Saluer les apôtres par le mot « paix »[7] *(shalom)*, c'est utiliser l'expression la

6. VTB, *Seigneur.*
7. VTB, *Paix.*

plus courante, qui n'exprime pas qu'un sentiment mais le don des bénédictions de Dieu. Bien plus, depuis que la Résurrection a eu lieu, ce don porte la réalité de la promesse annoncée par Jésus (14,27; 16,33) et acquise par sa Passion glorieuse. C'est ce que souligne la mention des plaies aux mains et au côté (ce dernier mentionné par Jean, à la différence de Luc). La foi croit en l'unité de la personne du Crucifié et du Seigneur Vivant qui transmet l'Esprit. C'est en ayant pris ainsi la condition humaine qu'il communique son amour et sa paix à l'homme qui l'accueille par la foi.

Ainsi, Thomas ne reconnaît la divinité de Jésus à travers la manière dont il a vécu sa vie d'homme, y compris et surtout la mort, que lorsqu'il accepte la lumière qui lui est donnée par ce signe. On retrouve là un trait dominant du quatrième évangile, tout préoccupé de mettre en évidence que la foi naît d'une initiative gratuite du Christ mais qui, en même temps, demande à l'homme une démarche pour rejoindre cette initiative.

Alors intervient une béatitude[8] d'autant plus importante qu'elle est la seule mentionnée par Jean dans son évangile. « Heureux » : ce cri est appliqué à travers tout l'Ancien Testament aux hommes qui croient en Dieu et en sa présence à leur vie. Avec le Christ cette béatitude a pris tout son sens : c'est en lui, vivant maintenant à jamais, qu'est cette présence de Dieu. Heureux ceux qui l'accueillent par la foi.

Cette béatitude vise donc tous les hommes qui ont cru ou qui croiront, à commencer par les apôtres eux-mêmes, Thomas en particulier qui est englobé dans cette béatification. Il est dit en effet qu'il a « cru »; c'est ce qui le fait « heureux ». Tout l'épisode de la « reconnaissance » ne prend son sens qu'avec cette manière d'interpréter la béatitude qui le clôt. Mais cette donnée est fournie par Jean avec une dialectique qu'il faut éclairer. Il dit : « Parce que tu m'as vu, tu crois. Heureux ceux qui croient sans avoir vu. » Ceci est une manière de dire que la foi de Thomas est le prototype de celle de tous les chrétiens à venir. S'il en était autrement elle ne serait pas transmissible et perdrait son intérêt pour les hommes qui

8. VTB, *Béatitude ; Apparition*, 7.

n'ont pas connu Jésus en chair et en os. Sa foi et la leur ont donc quelque chose de commun et de différent.

Ce que Thomas a en commun avec l'ensemble des chrétiens, c'est qu'il n'a pas eu de preuves, au sens que l'on donne à ce mot aujourd'hui dans le langage courant, mais une parole. Or, dans le langage biblique, attribuer une parole à Dieu c'est affirmer la réalité de sa présence perçue par-delà toute représentation, dans la foi.

Ce qui est différent c'est, outre l'intensité de l'action de Jésus en lui et de sa réponse à cette action, ce qu'il avait à croire : ce Jésus vivant maintenant dans une condition non matérielle comme avant est le même qu'il a connu en chair et en os et qui a été crucifié. Comme dans tout acte de foi, ce n'est pas seulement son intelligence qui s'ouvre à une lumière mais tout son être qui y adhère. Ses sens ayant connu Jésus et cherché à le reconnaître ont reçu un rejaillissement de la foi sur eux, correspondant à cette situation particulière. Thomas fait partie de ce groupe dont Jean dit : « Nous avons vu sa gloire » (1,14) : « nous » n'est ni un pluriel de majesté, ni une désignation de tous les hommes; il désigne le petit groupe des témoins oculaires de l'existence terrestre de Jésus qui l'ont « reconnu » ensuite vivant à jamais. C'est cette reconnaissance intégrant et dépassant l'expérience propre de leurs sens qui est spécifique de la foi des disciples. Depuis, la foi des chrétiens ne peut leur faire reconnaître Jésus qu'à travers ce que les apôtres leur en ont dit. Elle repose sur cette expérience première.

Reste l'enseignement fourni par l'épilogue. Il s'adresse à des chrétiens et résume pour eux, en quelque sorte, tout le message du quatrième évangile en vue de les aider à progresser dans leur foi. Il est contenu dans les mots : signe, croire, Christ, Fils de Dieu, vie.

*
* *

Plusieurs éléments permettent de situer le texte dans *le milieu historique* de sa rédaction finale.

L'auteur s'adresse à des communautés composées essentiellement de personnes n'ayant pas fait elles-mêmes l'expérience d'apparitions et devant croire sans avoir jamais connu le Christ en chair et en os. Il s'agit de leur montrer que, par la foi, elles participent de manière pleine et entière à la même joie que les apôtres : si l'expérience de ceux-ci est différente du fait de leur situation historique, elle n'en a pas moins comporté un acte de foi semblable.

Le texte s'enracine dans une célébration de la communauté. Il révèle comment, à la fin du premier siècle, les chrétiens accordaient un intérêt à des temps (le dimanche), des lieux et des formules («Paix à vous») liturgiques maintenus encore de nos jours. Le sens du rassemblement dominical est donc de « reconnaître » sans cesse le Seigneur.

Le simple fait que l'épisode soit rapporté en cinq versets et qu'il le soit avec une construction théologique si apparente suffit pour dire que l'auteur n'a pas eu l'intention de fournir des précisions détaillées sur l'événement. Il en livre seulement la substance et d'une manière qui présente un trait commun à toutes les autres proclamations de la foi primitive : les apôtres ont conscience d'avoir cru sur des initiatives de Jésus qu'ils ont perçu comme vivant, à travers des événements de leur vie. En particulier, cette identification de Jésus vivant avec le Jésus qu'ils avaient connu auparavant et qui est mort se retrouve attestée, à sa manière, dans un texte parallèle de Luc (24,36-43). C'est cette expérience d'un caractère unique qui a fondé leur foi qui, elle-même à son tour, fonde celle des chrétiens. C'est ce dont témoigne la plus ancienne prédication recueillie par Paul (1 Co 15,3).

En outre, si l'auteur présentait des hommes au tempérament porté à l'exaltation, ce qu'il dit pourrait être suspecté. Or il montre un Thomas au caractère réaliste, résistant à toute crédulité, invitant ainsi davantage à croire à l'authenticité du fait.

Enfin, il faut noter l'apport de ce passage pour notre connaissance historique du crucifiement du Christ. Le corps du supplicié pouvait être lié ou cloué. C'est seulement par le récit de l'apparition à Thomas que nous savons lequel de ces deux procédés a été utilisé dans le cas de Jésus. On a découvert en 1968, dans un cimetière au nord-est de Jérusalem, le squelette d'un crucifié datant d'environ 2 000 ans. Pour la première fois des clous étaient retrouvés dans le sarcophage; l'usage signalé par l'évangéliste trouve ainsi une confirmation dans le domaine des faits.

*

* *

Tout *cet épisode invite le chrétien* à réfléchir sur la foi : elle est
« reconnaissance » d'un être vivant mais invisible; elle suppose une
démarche personnelle et l'accueil du témoignage des premiers
disciples; enfin, elle est source du vrai bonheur pour l'homme.

Déjà sur le plan humain, toute relation avec une personne suppose
une certaine foi. Il n'est pas pensable de vouloir vérifier toutes ses
paroles. Pour accorder cette confiance, il suffit d'avoir des signes
qu'elle peut être accordée. Dans le cas de Jésus, le signe qu'il a
donné est celui de sa vie et de sa mort menées en conformité parfaite
avec son Père. C'est ainsi qu'il se révèle Seigneur-Dieu. Cela exige
chez le disciple qui l'accueille ainsi un dépassement de toute représentation sensible. Même ceux qui l'ont connu physiquement ont dû
se défaire des images qu'ils en avaient gardées. Qu'un homme aussi
positif et réticent que Thomas ait fait lui aussi ce pas encourage les
chrétiens de tous les temps sans cesse menacés de cette incroyance
qui enferme Jésus dans une représentation.

Appartenant à un groupe où tous ont commencé à croire, Thomas
rappelle à tout chrétien né ou vivant dans une situation semblable
que la foi est avant tout démarche et expérience personnelles. Il est
normal que l'homme refuse de s'engager sur un dire des autres
tant qu'il n'a pas éprouvé, en lui-même, l'initiative du Ressuscité. Le
contraire serait conformisme ou religion sociologique, mais pas la foi.

En plus de cette expérience qui est celle de l'Esprit jailli du cœur
de Jésus, la foi de celui qui croit repose sur le témoignage des
premiers disciples transmis aujourd'hui par la communauté ecclésiale. L'homme qui cherche non pas comment il en est venu à
croire mais le fondement de sa foi trouvera toujours le fait que des
hommes ayant connu Jésus le disent Ressuscité. Ce caractère
ecclésial de la foi rappelle également à ceux qui auraient du mal à
accueillir l'avis général de la communauté, et qui se trouveraient
ainsi « en crise », à la vivre en l'exprimant au sein même de cette
communauté, l'écoute de la Parole du Seigneur dans le rassemblement liturgique devant être un élément de lumière.

G. B.

Troisième dimanche
Luc 24,35-48

PRÉSENCE DU RESSUSCITÉ
ET MISSION DE L'ÉGLISE[1]

[35]Et ils racontaient ce (qui s'était passé) sur le chemin, et comment il avait été reconnu d'eux à la fraction du pain.

[36]Or, comme ils disaient cela, lui se tint au milieu d'eux et leur dit : « Paix à vous ! » [37]Stupéfaits et saisis de peur, ils pensaient voir un esprit. [38]Et il leur dit : « Pourquoi êtes-vous troublés, et pourquoi des doutes montent-ils dans votre cœur ? [39]Voyez mes mains et mes pieds : C'est moi-même ! Touchez -moi et voyez : un esprit n'a ni chair ni os, comme vous voyez que j'(en) ai. » [40]Et ayant dit cela, il leur montra ses mains et ses pieds. [41]Et comme ils ne croyaient pas encore, à cause de la joie, et qu'ils étaient étonnés, il leur dit : « Avez-vous ici quelque aliment ? » [42]Eux lui donnèrent une part de poisson grillé. [43]Et, (l')ayant prise, il (la) mangea devant eux.

[44]Il leur dit : « Telles sont les paroles que je vous ai dites étant encore avec vous : il faut que s'accomplisse tout ce qui est écrit de moi dans la Loi de Moïse et les Prophètes et les Psaumes. » [45]Alors il leur ouvrit l'esprit à l'intelligence des Écritures. [46]Et il leur dit : « Ainsi il est écrit que le Christ souffrirait et ressusciterait des morts le troisième jour, [47]et que serait proclamé en son nom le repentir pour la rémission des péchés à toutes les nations à commencer par Jérusalem. [48]Vous en êtes témoins. [49]Et voici (que) j'envoie sur vous la promesse de mon Père. Mais vous, restez dans la ville jusqu'à ce que vous ayez revêtu la force d'en-Haut. » [2]

---

1. Synopse § 364; 365; 366.

2. Replacée dans la suite du chapitre, la péricope liturgique paraît assez curieusement découpée : elle débute par la conclusion de l'épisode précédent (v. 35) et s'achève avant la conclusion de l'ensemble qui va jusqu'au verset 49. Aussi inclurons-nous ce dernier dans notre étude.

Ce passage de Luc n'est peut-être pas aussi connu que celui d'Emmaüs qui le précède. Il ne possède pas la même force suggestive. Il n'a pas non plus le relief du texte johannique qui en paraît le plus proche, à savoir la péricope sur le doute et la confession de foi de Thomas.

Il peut paraître surprenant que les disciples aient peur de voir un esprit ; Résurrection et Esprit ne sont-ils pas liés ? Comment faut-il donc comprendre le sens que l'auteur donne à son insistance sur la réalité du Ressuscité ?

Où trouver d'ailleurs l'unité du texte ? Ne semble-t-il pas composé de deux parties, l'une plus narrative (vv. 36-43), l'autre constituée uniquement par un discours (vv. 44-49) ?

Le texte revient trois fois sur l'intelligence des Écritures, il en dit la nécessité, en donne le résultat. Mais comment le Christ a-t-il transmis cette intelligence à ses disciples, et comment y accéder nous-mêmes ?

*

* *

a) Pour terminer son évangile, Luc a groupé dans *le cadre d'une seule journée* tous les épisodes dont il estimait devoir laisser trace :

— la visite des femmes au tombeau et l'annonce de la Résurrection (24,1-11),

— la visite de Pierre au même lieu et sa perplexité (24,12),

— l'épisode des disciples d'Emmaüs (24,13-35),

— l'apparition de Jésus à ses disciples (vv. 36-49),

— l'Ascension de Jésus et son nouveau mode de présence à ses disciples (24,50-53).

A quel moment de la journée est situé l'épisode étudié dans le passage retenu ici ?

Sans discuter le cadre chronologique de ce « jour le plus long » de tout l'Évangile, il faut noter qu'en rattachant explicitement ce récit à celui qui le précède (v. 36a), le rédacteur établit dans tout le chapitre un certain dynamisme et fait mieux ressortir une progression capitale : Jésus apparaît à ses disciples et il insiste pour qu'on ne le tienne pas pour un « esprit ». Depuis le début de la matinée il est annoncé comme vivant, mais son nouveau mode de présence est à découvrir : au tombeau, quoique vivant, il est absent. Puis, on découvre que sa présence est celle d'un ami qui ne se laisse pas saisir et retenir (disciples d'Emmaüs); bientôt enfin, on découvrira qu'il est présent à ses disciples en étant disparu pour toujours à leurs yeux.

Le passage prend son relief dans ce contexte. Il aide à comprendre le nouveau mode de présence de Jésus Ressuscité. Celui-ci est identiquement le même, mais autrement.

Sur un autre point le changement qui s'opère au fil des versets est considérable : tout d'abord les apôtres ne croient pas à la présence de Jésus en personne, la même que celle qu'ils ont connue en chair et en os (v. 41). On retrouve ici la réaction des Onze (v. 11) qui ne voulaient pas ajouter foi aux paroles des femmes, et la perplexité de Pierre (v. 12). Ces deux épisodes sont d'ailleurs repris dans ce que les disciples disent à l'inconnu sur la route d'Emmaüs. Dans ce chapitre, il n'y a pas de profession de foi explicite des disciples, alors que Jean y revient de plusieurs manières. C'est leur attitude au retour du mont des Oliviers (24,52-53) qui montre toute leur foi. Le passage de l'incrédulité à la foi s'est-il fait au cours de la rencontre dont Luc parle ici ? Il ne le dit pas, mais il procède comme si cette « conversion » allait de soi.

Sur un troisième point Luc prolonge les pistes ouvertes plus haut et les fait déboucher sur du nouveau. L'ange auprès des femmes, Jésus lui-même pour Cléophas et son ami, ont insisté sur la nécessité de s'ouvrir au mystère pascal du Christ, et Jésus a particulièrement attiré l'attention sur l'intelligence des Écritures. Les deux thèmes, voisins l'un de l'autre, se nouent ici; les paroles de Jésus (v. 44) rappellent de très près celles du message céleste (24,6-7). Cependant il est plus explicite sur les Écritures qu'avec les disciples d'Emmaüs : à Moïse et aux prophètes sont ajoutés les Psaumes.

Mais un point nouveau important est donné par Jésus : les Écritures n'annoncent pas seulement le drame de la mort et de la résurrection du Christ. Elles présentent un appel à la repentance et à la foi qu'il va falloir proclamer à tout l'univers. On notera la composition du groupe auquel Jésus adresse l'exhortation : quand les femmes ou les disciples d'Emmaüs étaient seuls, il n'était pas question de mission, c'est à la communauté réunie autour des Onze que ce nouveau message s'adresse.

La mission étant maintenant révélée, il reste à la réaliser. Elle le sera par des témoins animés d'une force venue d'en-haut, puissance donnée par le Père et par Jésus et que, pour l'instant, il s'agit d'attendre (v. 49).

Ainsi, tout ce passage s'inscrit dans un contexte beaucoup plus large ; le troisième évangile s'achève sur une histoire ouverte : on s'attend au rebondissement promis, nouvelle étape pour laquelle les disciples auront puisé dans cette rencontre avec Jésus la foi et la joie qui les caractérisent (24,50-53). Cette rencontre est une sorte de plaque tournante ; les passages précédents révèlent toutes leurs virtualités : ici s'établit la foi apostolique en la Résurrection de Jésus-Christ. Cette page est aussi un tremplin : ici se prépare la mission universelle au souffle de l'Esprit.

b) Le mouvement qui caractérise ce passage vient d'être mis en lumière. C'est encore ce même dynamisme missionnaire qui *a donné forme au texte*. Cela apparaît à la manière assez curieuse dont il est composé.

A première vue, il semble fait de deux parties sans grand rapport entre elles : une apparition de reconnaissance (vv. 36-43) et un discours sur le mystère de la Résurrection avec la mission qui en découle (vv. 44-48). La première utilise, à l'intention de milieux de culture grecque, des éléments d'origine palestinienne : des études récentes l'ont montré. Ils mettent particulièrement en évidence la réalité du Ressuscité, en le présentant comme étant celui qu'ils ont connu en chair et en os. La seconde annonce tous les thèmes qui formeront la trame des discours apostoliques du Livre des Actes. Mais dans les deux cas on a affaire à une composition de l'évangéliste et non à un compte rendu descriptif des faits.

Le récit d'apparition réunit deux gestes : celui par lequel Jésus donne à voir ses membres et celui où il mange, deux gestes qui se retrouvent en Jean (20,20 et 21,5), mais séparés. De plus, le récit ne comporte pas de conclusion et le lecteur se trouve placé devant une importante ellipse quand il passe du verset 43 au verset 44.

Le discours de Jésus semble pareillement fait d'une accumulation de paroles reliées par des formules d'introduction (vv. 44 et 46) de style différent et sans qu'il y ait de l'une à l'autre un progrès sensible. La suite des versets 45-49 présente d'ailleurs un certain nombre de « cassures » qui font songer davantage à une compilation qu'à une composition proprement dite.

Si chacune des deux parties du texte garde donc une originalité, aucune ne se suffit à elle-même comme il en serait pour une parabole ou un récit de miracle. Ceci amène à penser que le rédacteur a utilisé ici un certain nombre d'éléments puisés dans la tradition évangélique qu'il a ordonnés selon une unité qui lui est personnelle. Or ce procédé de composition est classique dans les écrits bibliques : c'est constamment que sont rapprochés autour d'un thème commun des actes et des paroles, les premiers précédant les secondes. Il semble qu'ici ce soit le cas : l'apparition pose un geste du Christ que sa parole éclaire. Il est surprenant en effet de lire au début du verset 44 l'affirmation : « telles sont les paroles... » car on ne sait à première vue à quel dialogue perdu se référer. En fait, Jésus fait allusion à ce qui vient de se passer, à sa présence, à ses gestes. C'est de tout cela qu'il va révéler le sens.

Telle est la version lucanienne des apparitions de mission. En Matthieu (28,16-20) et en Jean (20,19-29) se retrouvent des éléments semblables, mais ils y sont traités différemment. Matthieu reste très schématique et il insiste sur les responsabilités confiées aux apôtres assurés de la présence du Christ parmi eux jusqu'à la fin des temps. Jean a reporté le thème du doute sur le seul Thomas et il a inversé l'ordre des présentations, faisant passer l'investiture des missionnaires avant la scène de la reconnaissance du Ressuscité.

La manière dont Luc a disposé sa page est donc révélatrice de ses intentions :

Il attache une importance particulière à la reconnaissance du Ressuscité par l'ensemble de la communauté. Cette reconnaissance doit porter sur toutes les dimensions du mystère du Christ, dont la présence actuelle se relie à ce qu'elle avait été physiquement, en Palestine, et dont le sens est révélé dans les Écritures. Mais elle n'est qu'un préalable à ce que Luc regarde comme le sommet de son évangile : l'ouverture sur la proclamation universelle de la foi au Ressuscité.

*

* *

Si cette présentation est juste, il est possible de retenir comme *points essentiels* du texte trois éléments étroitement coordonnés : une réflexion sur la présence du Ressuscité, une invitation à l'intelligence du mystère du Christ et un appel à la mission universelle.

1. On a relevé que la présence de Jésus au milieu des siens était l'élément moteur de l'ensemble de ce que Luc dit de la Résurrection du Christ.

Elle s'inscrit dans une dialectique dont les temps principaux sont :
— Une présence perçue par le biais d'une absence dont on souffre, d'une manière qui rend aveugle à cette nouvelle situation;
— une présence dans un aspect qui se perçoit de manière surprenante et passagère, au-delà de la réalité physique;
— une présence définitive dans l'absence totale d'aspect physique, absence qui n'a rien à voir avec la première puisqu'elle est ouverte à l'accueil de l'Esprit d'en haut, promesse du Père et don du Fils.

Cette question de la présence de Jésus aux siens[3] est certainement l'un des thèmes principaux de la pensée apostolique. On la retrouve sous des formes diverses dans le Nouveau Testament, notamment à travers l'évolution des discours après la Cène, en Jean. La présentation ici n'en est pas encore au point où elle parvient dans le sommet du quatrième évangile (14,16-21), avec la présence intime du Père, du Fils et de l'Esprit dans la personne du croyant. Mais elle s'en rapproche et fait songer à cette autre parole : « Il vous est bon que je m'en aille... » (Jn 16,7).

C'est dans le cadre de cette évolution de la pensée du Nouveau Testament ainsi que dans ce contexte d'affirmation et de négation

3. VTB, *Présence de Dieu*, N.T., I, II.

— dans ce double mouvement par lequel le Christ se révèle présent et identique à la personne que les disciples ont connue physiquement, mais qui les invite à présent à le percevoir dans une condition nouvelle — qu'il faut situer l'insistance de l'évangéliste sur les aspects réalistes de la présence actuelle de Jésus [4].

Luc procède ainsi pour répondre à une difficulté du monde grec. Celui-ci n'avait pas de considération pour le corps, et la mort ne pouvait lui apparaître que comme une libération, une « spiritualisation » qui n'a rien de commun avec celle de la pensée chrétienne. C'est pourquoi Jésus est présenté demandant avec insistance qu'on ne le prenne pas pour un « esprit ». Voilà qui est très loin de la Lettre dans laquelle Paul déclare que « le Seigneur est Esprit » (2 Co 3,17-18). Il faut donc aller au-delà de la matérialité des mots pour comprendre le texte de Luc.

En fait, la difficulté n'est pas propre aux Grecs et l'ensemble des traditions évangéliques sur la Résurrection de Jésus utilise le thème de l'incrédulité des Onze, thème qui ressort d'autant mieux qu'il rejoint l'envie dont font preuve les disciples d'Emmaüs, les saintes femmes et Marie-Madeleine, de se saisir de Jésus quand ils le reconnaissent; thème mis également en valeur par le fait que les disciples peuvent avoir partagé l'opinion assez répandue dans les cercles religieux d'Israël en faveur de la résurrection des morts. Or, même avec ces prédispositions, les Onze ne se fient pas facilement à ce qu'ils voient : quelle est alors la valeur des démarches de Jésus ? Trois points la mettent en évidence.

Pourquoi avoir retenu le mot hébreu *shalom*, salutation traditionnelle et fréquente? Sinon parce qu'elle revêtait en la circonstance la plénitude de son sens : paix qui vient de la complète victoire sur la mort et de la surabondance de la vie.

Que signifie l'allusion aux mains et aux pieds, ceux-ci tenant la place du « côté » dans l'épisode de Thomas (Jn 20,27) ? La parole ne semble pas avoir l'importance théologique qui se trouve dans ce texte parallèle. Tout simplement, elle appuie l'appel à l'authentification : « C'est moi-même. »

L'allusion à la manducation est plus importante[5]. Elle rejoint à sa manière le geste d'Emmaüs. A Emmaüs c'est Jésus qui offre et

4. VTB, *Apparitions*, 4b.
5. VTB. *Repas*, III.

ne consomme pas. Ici, c'est lui qui reçoit et qui mange et, bien que le texte ne dise pas que les apôtres aient ce soir-là mangé avec le Seigneur, on peut songer à la déclaration de Pierre à Corneille : « Nous qui avons mangé et bu avec lui... » (Ac 10,41). Pour Luc, ce qui compte est moins le geste matériel de manducation que la signification profonde d'une nourriture prise en commun. S'il n'y a ici aucune mention même indirecte de l'Eucharistie, l'ambiance est bien celle de ces repas où a été découverte la nouvelle présence du Ressuscité et qui en marqueront pour toujours l'atmosphère.

2. En ces paroles, Jésus invite en premier lieu à réfléchir et à entrer dans l'intelligence du mystère pascal. La Résurrection n'est pas un phénomène isolé qui doit convaincre par son propre poids ; elle n'est pas à regarder comme un acte magique, une intrusion du monde inconnu dans celui des hommes. S'il en était ainsi, il serait difficile d'aller plus loin que la stupéfaction des disciples et de dépasser leur incroyance initiale. Au contraire, tout invite à pénétrer dans l'intelligence de ce mystère et Luc sait désormais la chose possible. Moins durement que Marc, mais réellement tout de même, il avait montré comment les apôtres restaient, avant Pâques, arrêtés devant certains gestes de leur maître. Maintenant, on peut et il faut comprendre. En montrant par deux fois Jésus se faire l'exégète de sa propre vie (dans l'épisode d'Emmaüs et ici), Luc manifeste toute l'importance du travail de réflexion théologique opéré dans l'Église à l'époque où il écrit, et il montre les voies d'accès à cette réflexion.

La première voie qu'il fait suivre est celle du « souvenir »[6]. Le terme ne se trouve pas ici avec son sens technique, mais Jésus renvoie ses disciples aux paroles qu'il avait dites quand il était encore avec eux (v. 44). Il est difficile de dire de manière précise auxquelles il fait allusion : les trois annonces classiques de la Passion et peut-être d'autres paroles.

Mais l'évangéliste ne peut laisser croire que Jésus renvoie, au

6. VTB, *Mémoire*, 1.4.

soir de Pâques, à un recueil qui serait déjà écrit ; aussi est-ce plutôt à un souvenir global qu'il faut penser. L'important est que, pour lui, il y a continuité entre ce que fut Jésus avant Pâques et ce qu'il est maintenant ; sa présence a changé de mode, mais c'est la même personne et le même dessein qui continuent. Il ne faut pas dissocier le Jésus de l'histoire du Christ de la foi : aucun n'est compréhensible sans l'autre, puisqu'il s'agit du même.

Cela ne suffit pas encore. Les paroles auxquelles renvoie Jésus n'étaient pas closes sur elles-mêmes ; elles appelaient à leur tour un horizon plus large éclairé par les Écritures (v. 45)[7]. Et c'est elles que, selon une expression assez rare dans le Nouveau Testament, il faut comprendre.

Quelles Écritures ? Là comme à Emmaüs, Luc n'a pas gardé le détail de l'entretien du maître Jésus. On sait seulement qu'il fait appel à l'ensemble du Canon de l'Ancien Testament, et les Psaumes y ont une bonne place. Il est possible d'en savoir davantage en examinant de plus près le langage des Actes et principalement de leurs discours (on y trouve cités : Dt 18,16-19 ; 21,23 ; Os 6,1 ; Is 52,13 ; Ps 2). Mais ici il importe surtout de souligner le principe que Jésus donne pour cette lecture : « Les Écritures parlent de moi. » C'est en lui que les Écritures, si variées, trouvent leur unité ; vers Lui elles montent en annonçant sa mort et sa résurrection ; à travers Lui elles proclament aussi le mystère de l'Église, annonciatrice universelle de la foi en Jésus-Christ.

Enfin, s'il est fait appel à toutes les Écritures, on peut penser que Luc vise spécialement ce qu'on peut appeler le « dossier du Serviteur », c'est-à-dire le groupe de textes formé principalement des poèmes du Serviteur et d'un ensemble de psaumes qui chantent sa destinée[8].

Ce n'est pas seulement la mention de la souffrance et de l'exaltation du Christ qui fait dire cela. C'est aussi qu'en ces textes se trouve constamment un souci missionnaire. Le Serviteur est dès l'origine un prédicateur ; il doit porter la véritable foi aux contrées les plus lointaines et c'est dans ce service de la Parole qu'il rencontre la

7. VTB, *Écriture*, IV.
8. VTB, *Accomplir*, N.T., I.

souffrance et méritera l'exaltation et la rédemption universelles. De même, la plupart des psaumes qui partent de la souffrance du juste s'achèvent en le montrant en train de proclamer à tous ses frères les merveilles de la miséricorde de Dieu (voir tout spécialement la finale du Ps 22).

C'est ainsi sans doute que l'Écriture annonce d'un même mouvement le mystère du Christ et la mission de l'Église[9].

3. La mission[10] de l'Église apparaît donc comme la préoccupation centrale de Luc en ce passage. Mais il la présente en des termes d'une densité telle que les commenter serait faire appel à l'ensemble de son œuvre et de sa pensée. On en indiquera les grands axes qui se croisent aux versets 46-49.

La mission est d'abord « proclamation ». Alors que pour Matthieu (28,20), elle est enseignement et formation, pour Jean (20,17), libération du péché et accès à la nouvelle création; pour Luc (v. 46), au centre de tout se situe la Parole proclamée (le « *kérygme* »). C'est peut-être que la Parole est le meilleur instrument de communion.

Mais que proclamer? La *metanoia*, c'est-à-dire le changement[11] : la Parole, qui est dynamisme, a pour effet de mettre en mouvement ceux qu'elle touche; elle les met en marche vers la rémission des péchés; elle enlève toute lourdeur et prépare au Seigneur ce peuple bien disposé que chantait le vieillard Zacharie aux premières pages de ce même évangile.

Dans ces conditions, que vient faire la mention « en commençant par Jérusalem » (v. 47)? Est-ce simple rappel du plan général de l'œuvre de l'évangéliste au moment où celle-ci prend un tournant décisif?

Il y a plus : en plaçant Jérusalem au centre de son livre et de l'histoire de la course de la Parole, Luc a choisi la Ville qui est le symbole de la présence de Dieu en ce monde. Jésus a marché vers cette ville, c'est là que par son sacrifice il a changé le cours du

9. VTB, *Serviteur de Dieu*, II 2; III 1.
10. VTB, *Mission*, II, III; *Apparitions*, 4c.
11. VTB, *Pénitence-conversion*, III 1.

destin de l'humanité. Il a donné un autre visage à cette présence de Dieu. C'est cela qui s'est passé à la Résurrection : désormais, c'est dans l'Esprit donné par le Christ ressuscité que les hommes peuvent rejoindre la Présence de Dieu ; Jérusalem prend les dimensions de l'univers et son privilège est étendu à toutes les nations.

Voilà ce que réalise la course apostolique jusqu'au bout du monde : tout être ouvert à la Parole du Christ se tourne vers Dieu et se trouve en sa présence.

Qui va travailler à une œuvre pareille ? Luc en voit les ouvriers sous un double aspect.

En la communauté rassemblée il aperçoit les témoins (v. 48) de toutes ces choses[12]. Il s'agit donc d'un témoignage collectif, celui de toute l'Église groupée autour des Onze. Il s'agit d'un témoignage qui porte à la fois sur des événements, la mort et la résurrection de Jésus, et sur le sens nouveau que prend l'histoire du monde, sens qui est saisi dans l'intelligence des Écritures.

Cette proclamation se fait « au nom de Jésus » : de lui elle tire sa validité et son efficacité. Il en est ainsi parce qu'il est, lui seul, l'authentique Serviteur de Dieu, à la fois source et objet de la mission. Celle-ci a pour but de faire partager aux hommes du monde entier les biens qu'il est venu apporter. Mais il n'agit pas seul et il ne laisse pas les siens partir à travers le monde sans soutien : il répand sur les témoins son Esprit (v. 49), promesse du Père, don qui vient d'en haut par le Ressuscité.

Il est frappant de voir le Père, le Fils et l'Esprit liés à l'instauration de la mission ; ils se trouvent également nommés en Matthieu et en Jean. Mais Luc garde sa perspective propre : l'Esprit est avant tout la force qui soutient les missionnaires[13]. Déjà s'annoncent la Pentecôte et le mouvement qu'elle entraînera.

*
* *

L'histoire de la formation de ce texte est complexe. Son ultime rédaction s'est problablement faite en fonction de communautés

12. VTB, *Témoin*, N.T., III 1.
13. VTB, *Esprit de Dieu*, N.T., IV.

proches des cercles johanniques, vu les points de contacts littéraires et théologiques qu'il présente avec le récit de l'apparition
aux Onze chez Jean (voir Jn 20,19-20).

Cependant, si des rapprochements sont possibles, chacun de ces
récits évangéliques possède sa physionomie propre : en l'occurrence,
la page de Luc demeure dominée par la perspective de la mission.
Les deux textes doivent dépendre d'une tradition commune
forgée à partir de plusieurs coordonnées. Parmi celles-ci figure,
certes, le souci de parler aux Grecs un langage qui tienne compte de
leurs difficultés propres en face de la Résurrection. Mais l'examen
de la sentence sur « l'esprit qui n'a pas de chair ni d'os » révèle un
enracinement en terrain palestinien aussi bien qu'en milieu hellénistique.

Même si cette parole est due à des raisons apologétiques en
fonction de ce milieu, l'ensemble du texte s'appuie sur des thèmes
fortement enracinés dans la tradition apostolique ancienne comme
ceux du doute des disciples ou des repas pris avec le Ressuscité.
Il se rattache radicalement à la confession de foi paulinienne
rappelée en 1 Co 15, « il est apparu à Céphas puis aux Douze ».
Ses éléments ont pris naissance dans la pratique eucharistique des
communautés primitives (thème du repas) et ils explicitent la
conviction fondamentale des Apôtres dès les premiers temps :
c'est du Seigneur Jésus qui s'est montré Vivant à eux qu'ils tiennent
la mission d'annoncer « à toutes les nations le repentir en vue de la
rémission des péchés » (v. 47).

*
* *

Ce texte apparaît maintenant plus riche qu'il ne semblait. En
reprenant les points centraux qui ont été dégagés, on peut sans
peine en connaître les *implications actuelles.*

En fait, telle qu'elle est, cette page n'est pas destinée à une
première proclamation de la Résurrection. Elle est écrite pour
des communautés déjà établies dans la foi au Ressuscité, mais

qui ont besoin d'un certain nombre de remises en question. C'est seulement par la communauté entière rassemblée autour des Onze que le Christ ressuscité se laisse pleinement appréhender. C'est dans ces conditions qu'il lui confie sa mission.

Les communautés chrétiennes d'aujourd'hui devraient être avant tout au service de la mission universelle confiée à l'ensemble de l'Église et, aux yeux de Luc, c'est la mission qui fait l'Église.

Dans l'Église type que présente Luc, la réflexion sur les événements et sur les Écritures tient une très grande place; il en donne un véritable statut et les chrétiens ont, par elle, à être témoins du sens que prend le monde en Jésus-Christ. Comment s'exerce au milieu d'eux cette responsabilité et que font-ils du « devoir d'intelligence » ? Quelle place tiennent les Écritures en cette relecture de la vie en Jésus-Christ ?

La présence du Ressuscité est apparue comme l'événement qui a bouleversé la communauté et lui a fait découvrir sa véritable vocation : comment cet événement peut-il rejoindre le chrétien d'aujourd'hui ? Quelle part tient le réalisme de la présence du Christ qui a pris la condition des hommes pour s'établir dans un monde de vie à jamais ? Les chrétiens n'ont-ils pas une manière trop éthérée de concevoir l'emprise de la Résurrection sur leur vie ? Rejoignent-ils la personne du Ressuscité à travers les sacrements, particulièrement celui du repas du Seigneur au cours duquel il leur offre son « corps » ? Ces sacrements les insèrent-ils dans un dynamisme tout orienté vers la mission ?

R.V.

JÉSUS DONNE VIE
A UNE NOUVELLE COMMUNAUTÉ[1]

[11]Je suis le bon Pasteur. Le bon Pasteur donne sa vie pour les brebis. [12]Le mercenaire, qui n'est pas pasteur, dont les brebis ne sont pas siennes, voit le loup venir et abandonne les brebis et s'enfuit; et le loup les ravit et les disperse; [13]parce qu'il est un mercenaire et n'a pas souci des brebis. [14]Je suis le bon Pasteur et je connais les miennes et les miennes me connaissent, [15]comme le Père me connaît et que je connais le Père, et je donne ma vie pour les brebis.

[16]Et j'ai d'autres brebis qui ne sont pas de cet enclos; celles-là aussi je dois les mener et elles entendront ma voix et il y aura un seul troupeau, un seul pasteur. [17]Pour cette (raison) m'aime le Père, que je donne ma vie afin de la prendre de nouveau. [18]Nul ne me l'enlève, mais je la donne de moi-même. J'ai pouvoir de la donner et pouvoir de la reprendre. (C'est) ce commandement (que) j'ai reçu de mon Père. »

1. Synopse § 263

Accueillir la Parole sur « le Pasteur » demande à l'homme moderne de dépasser le malaise qu'il peut éprouver en face d'une image d'un autre âge et sans signification pour lui. Avant tout, la Bible — et, dans les évangiles, très particulièrement Jean — utilise des symboles pour transmettre un enseignement très réaliste. Pour comprendre le sens des évangiles, il faut chercher quel contenu les termes de ce genre ont pris au cours de l'histoire d'Israël.

D'ailleurs, même sans remonter si loin, un simple regard sur les mots qui accompagnent ici l'image principale du « Pasteur » fait naître l'intérêt par le ton d'intimité qu'ils manifestent : il est question de « Bon » Pasteur, de « donner », « d'aimer », de « connaître », de faire « un ».

Si cette image et ces mots semblent occuper une place centrale, le texte en présente cependant d'autres qui paraissent également importants, notamment l'image des brebis qui ne sont pas de l'enclos et qui doivent finalement ne faire qu'un seul troupeau. Il sera donc bon de chercher quel est le lien entre ces éléments.

*
* *

a) La péricope concernant « le Bon Pasteur » est constituée de 21 versets, divisés en trois sections (1-10; 11-18; 19-30) par la liturgie pour en livrer une partie chaque année de son cycle triennal. Avant de s'arrêter à l'une de celles-ci il est donc nécessaire de voir *le contexte* et la structure de l'ensemble des trois.

Ce texte, propre à Jean, est situé dans son évangile à la fin de la section de la Fête des Tentes (7—10). Celle-ci s'est ouverte alors qu'une véritable crise éclatait, manifestant une division entre ceux qui accueillent Jésus et ceux qui le refusent (7,12-13. 31-32. 43-44. 45-52). Au cœur de cette section, l'épisode de l'aveugle-né (chap. 9) a montré que l'hostilité des chefs religieux à l'égard de Jésus allait croissant.

Suivant un procédé de composition cher à Jean : présentation de faits, suivie de discours qui font réfléchir sur eux, l'entretien du chapitre 10 apparaît comme une réflexion où est dénoncée l'attitude des chefs d'Israël dans les événements relatés depuis le début de la section. Le lecteur est ainsi invité à lire cette page en rapport avec la Passion prochaine.

Plusieurs indications montrent de manière explicite le lien de l'épisode du « Bon Pasteur » avec ce qui précède. Tout d'abord, il est introduit au moyen de la formule « En vérité, en vérité, je vous le dis », qui n'arrive habituellement qu'à l'intérieur et non au commencement d'un discours. Cette place indique que le passage ainsi introduit est soudé au précédent.

Ensuite, on trouve au cours de la parabole des références explicites (10,19-21 et 24-25) à la guérison de l'aveugle-né, en des paroles qui reprendront pratiquement la discussion arrêtée en Jn 9,39-41.

Les liens avec ce qui suit sont également apparents. C'est ainsi que le texte comporte cette parole : « Jésus est venu pour que ses brebis aient la vie et l'aient en abondance » (v. 10). Après une telle déclaration viendra l'épisode de Lazare montrant Jésus donneur de Vie (11,25). Pratiquement, le passage sur le « Bon Pasteur » apparaît comme une transition entre l'épisode de l'aveugle-né, qui donne un enseignement sur le Christ Illuminateur, et celui de Lazare, sur le Christ Vivificateur.

Enfin, la conclusion du récit du « Bon Pasteur » (10,22-39) se trouve dans la section sur la Fête de la Dédicace, à l'intérieur de laquelle il constitue l'introduction à l'épisode de Lazare.

b) Le récit se donne lui-même comme étant *du genre « parabole »*[2]. Or celui-ci comporte les éléments suivants : image empruntée à la vie, utilisée à un certain moment de la comparaison avec un sens énigmatique qui veut inviter à s'élever à un plan spirituel; incompréhension de certains auditeurs qui sont pourtant visés (la parabole est le plus souvent polémique); habituellement une leçon finale où se loge la « pointe »; parfois, à défaut, une explication. En même temps qu'il appelle ses destinataires à la conversion, le but de ce genre est de donner un certain enseignement sur

---

2. VTB, *Parabole*, Intr., II 2.

le Royaume; et les images principales se rapportent habituellement à la personne même de Jésus.

c) Comme toujours chez Jean, ce texte apparaît *très structuré*. Il est facile d'y distinguer deux temps : celui de l'énoncé d'une parabole (10,1-6) et celui de son explication (10,7-30). Mais les deux parties se répondent et montrent tout un mouvement progressif dans le développement du discours. Il se présente ainsi :

UNE PARABOLE (vv. 1-5)
— Contenant trois images :
  « la porte »
  « le pasteur »
  « ses brebis ».
— Incomprise des auditeurs (v. 6).

SON EXPLICATION :
— Reprenant deux images que Jésus s'attribue dans son rôle vis-à-vis des brebis :
  « Je suis la porte » (vv. 7-10),
  « Je suis le bon Pasteur » (v. 11),
  et qui sont occasion de montrer :
  Le contraste du Pasteur avec le mercenaire (v. 12)
  Sa mission : connaître et donner sa Vie (vv. 14-15)
       universelle et œcuménique (v. 16)
  Le fondement de cette mission :
       la communion avec le Père (vv. 17-18)
— Discussion (vv. 19-26)
— Explication de la troisième image :
  « Mes brebis » (vv. 27-30).

La structure du texte montre comment l'évangéliste utilise ce genre et donc quelles sont ses intentions.

Tout d'abord, ici, le texte ne présente pas de conclusion ni par conséquent de « pointe ». Ceci renforce le côté énigmatique de la parabole et souligne à quel point ses destinataires sont fermés à son enseignement.

A la place de la conclusion se trouve une explication qui, des trois images présentées apparemment de valeur égale dans la comparaison, retient comme principale celle du « Bon Pasteur »...

Celle-ci est, en effet, développée en huit versets alors que chacune des autres n'en occupe que quatre.

A la suite de l'explication des deux premières images le texte subit une rupture apparente. On trouve là une discussion qui est la reprise de celle qui a suivi la guérison de l'aveugle-né. En fait en montrant le refus de certains Juifs d'accueillir la parole de Jésus, elle est un moyen d'introduire à l'explication sur la dernière image des brebis.

L'étude de la composition de l'ensemble du texte fait donc voir comment le passage étudié ici concernant le Bon Pasteur occupe la place centrale et comment tout l'ensemble prend son sens par rapport à elle.

A s'en tenir à la composition de cette seule partie, on y découvre les éléments suivants :

PREMIER TEMPS :

Jésus affirme être « le Bon Pasteur » (v. 11).
Face aux mauvais bergers que sont les chefs religieux du peuple de son époque (v. 12).

DEUXIÈME TEMPS :

Jésus dit les grandes caractéristiques de la fonction pastorale :
Donner sa vie pour son troupeau (vv. 14-15).
Opérer un rassemblement œcuménique, c'est-à-dire l'unité de tous les hommes dans leur diversité (v. 16).

CONCLUSION :

Jésus donne la raison profonde de cette mission : sa vie de communion pleinement libre avec le Père (vv. 17-18).

On se trouve devant une véritable synthèse de théologie pastorale : tous les éléments essentiels s'y trouvent mentionnés et unifiés.

*
* *

Trois *éléments principaux* relatifs au « Bon Pasteur », à « celui qui donne sa vie » et « qui rassemble le troupeau dans l'unité » sont mis en relief.

1. L'ensemble de ce passage appartient au genre d'auto-révélation fréquent chez Jean, c'est-à-dire de parole introduite par la formule « Je suis ». Ainsi, on se trouve devant une révélation concernant la personne de Jésus et sa mission : « Je suis le Bon Pasteur [3] ».

Cette image du pasteur remonte au milieu originel de l'histoire biblique. Associée en Babylonie au titre de Roi, elle a été appliquée en Israël à Moïse premier pasteur d'hommes (Is 63,11; Ps 77,21), puis à David (2 S 5,2; Ps 78,70 s), et surtout à Dieu lui-même dont ils ne sont que les représentants (Gn 48,15 s; Is 40,11; Ps 23; 80,2...).

A partir de l'Exil, on en est venu à dénoncer les mauvais pasteurs qui avaient entraîné la division (nord-sud) puis la dispersion d'Israël et à proclamer plus que jamais Dieu pasteur suprême (Jr 31,10; Ez 34,23). Le retour de captivité a commencé à paraître comme un prélude au grand rassemblement : d'Israël d'abord, mais aussi des autres peuples autour de lui. Les prophètes annonçaient alors une étape décisive dans ce rassemblement par le Roi Messie, Dieu lui-même (Mi 5,3; Za 13,7-9).

Ainsi, en disant : « Le Bon Pasteur, c'est moi », Jésus émet la prétention de remplir le rôle du Messie. C'est un droit exclusif qu'il réclame : il est « Le » Pasteur, celui qui vient « rassembler dans l'unité les enfants de Dieu dispersés » (11,51 s).

Pour faire ressortir ce rôle de rassembleur, le récit offre en antithèse l'image du « mercenaire ». Il se distingue des voleurs et des brigands dont il est question auparavant (v. 1). Plus que quelqu'un qui ferait le mal, il désigne celui qui ne prend pas parti pour ses brebis jusqu'à perdre sa vie pour les sauver. C'est ainsi qu'il les laisse être « dispersées » (10,12 reprenant Ez 34,5s.12) par les dangers extérieurs.

---

3. VTB, *Pasteur*, Intr.; A.T. 1.2.; N.T.; Intr., 1.

2. Ce qui fait la différence entre le Bon Pasteur et le mercenaire c'est donc le lien profond et unique qui l'unit à ses brebis.

Il est profond parce qu'il établit une communauté de vie entre le Pasteur et les brebis, exprimée dans le texte par le mot « connaître »[4] qui revient quatre fois dans les vv. 14-15. Il s'agit de tout autre chose qu'une simple notion intellectuelle : une relation existentielle, dynamique. L'expression revient dans l'Ancien Testament notamment pour expliquer les relations de Dieu avec son peuple. C'est son plan d'être « connu » de son peuple (Ez 37,13) et aussi des autres (Ez 36,23).

Là encore, le Christ émet donc la prétention d'accomplir une prérogative divine et il peut, à l'instar de Dieu dans l'Ancien Testament vis-à-vis de son peuple, utiliser pour les brebis, des pronoms personnels : elles sont « miennes ». Ainsi se trouve exprimée la communion, la rencontre personnelle de deux êtres qui atteignent à une intimité et à une solidarité qui sont proprement la Vie[5]. Pour connaître l'intimité de Dieu, les chrétiens n'ont donc qu'à regarder celle que le Christ révèle avoir avec les hommes en donnant par amour sa vie pour eux.

Il accomplit ainsi la mission du Serviteur qui, en Isaïe, est décrit comme celui qui doit apporter la connaissance (40,1.3; 49,6; 50,4) et qui pour cela en vient à donner sa vie (53,10.12).

C'est précisément en « donnant sa vie » que le Bon Pasteur établit un lien unique avec les brebis, lien qui fait de lui un Médiateur unique. En effet, d'une part il est intimement lié au Père avec qui il partage la Vie et d'autre part il assume la condition humaine jusqu'au bout et dans l'amour. C'est ainsi qu'il établit une communauté de vie entre les hommes et Dieu. Connaissance du Père et approfondissement de son intimité avec lui, connaissance des hommes et don de sa vie pour eux sont une seule et même action considérée sous deux faces différentes.

---

4. VTB, *Connaître*, Intr.; N.T. 2.
5. VTB, *Vie*, Intr.; IV 2.3.; *Communion*, Intr.

3. Jésus fait ensuite sans doute allusion à la parole de Jérémie :
« Je rassemblerai le reste de mes brebis » (23,3), et à celle d'Ezéchiel : « Il n'y aura qu'un seul Pasteur pour eux tous » (37,24).
Parlant ainsi, les prophètes envisageaient la réunion des deux
royaumes divisés. Mais, avec le temps, on en était venu à attendre
cette réunification comme un signe de la venue du Messie et de
la formation du peuple eschatologique auquel se joindraient toutes
les nations (Ez 38,16-23 ; Ps 2,9 ; Is 49,6).

Jésus se présente comme accomplissant cette attente : en donnant sa vie, il veut établir dans l'unité[6] les enfants de Dieu dispersés (11,52).

La mission du Pasteur est donc non seulement de transmettre
la plénitude de la Vie, mais aussi d'étendre cette transmission
à tous les hommes sans distinction. Il ne s'agit pas d'un rassemblement extérieur dans l'uniformité, comme les brebis dans un enclos,
car Jésus fait disparaître précisément cette image de l'enclos
Comme il arrive souvent chez Jean, la parole dite se situe à deux
niveaux : d'une part, celui de la situation de Jésus lorsqu'il parle
à son entourage ou à ses disciples, et d'autre part au niveau du
développement que l'évangéliste donne à cette parole pour les
chrétiens auxquels il s'adresse (voir 4,35-38 ; 12,20-24 ; etc.). Ici,
on retrouve, avec l'image des brebis dans l'enclos, la parole de
Jésus qui s'adresse aux siens, qui sont déjà l'Église en germe, mais
ne peuvent la concevoir qu'à la manière judaïque. L'image des
autres brebis qui viennent de partout, ne veut pas dire que les
païens viendront rejoindre dans l'enclos le groupe précédent, mais
que l'universalisme se fera par la disparition de l'enclos.

Le nouveau point de rassemblement n'est pas un cadre mais
l'amour révélé en Jésus et proclamé par sa Parole[7] ou « voix »
entendue par ces autres brebis (v. 16). Entre ces deux temps (celui
des brebis dans l'enclos et celui des brebis qui viennent de partout)
est intervenu l'événement du don de sa vie par Jésus, c'est-à-dire
sa Mort et sa Résurrection. C'est d'elles qu'est née l'Église. C'est
donc cette foi au même Pasteur et à la même Parole qui opère le
rassemblement des personnes adhérant à lui par le dedans.

6. VTB, *Unité*, III.
7. VTB, *Parole de Dieu*, N.T., II ; *Foi*, N.T., IV.

4. Alors qu'habituellement dans l'évangile le Christ ne cesse de dire qu'il ne fait rien de lui-même (5,19), il insiste ici sur la part d'initiative qui lui revient.

Deux mots résument cette initiative et cette liberté : « don » et « pouvoir »[8]. Jésus indique que c'est son adhésion libre, sa communion d'amour au plan du Père, qui fait l'efficacité et la réussite de sa mission de salut. Sa mort n'a pas été, comme pour les prophètes qui l'ont précédé, la conséquence inéluctable de sa mission. Elle a été délibérément envisagée, assumée, parce que tel était le plan prévu par Dieu pour sauver les hommes par un acte concret le plus révélateur d'amour. Cette unité entre Jésus et son Père est parfaite parce qu'elle est libre et va jusqu'au bout de l'accueil de l'autre et du don de soi; c'est ce qui la rend indéfectible et unique.

*

* *

La parabole manifeste une composition systématique et schématique due à l'évangéliste. A partir de l'allusion au mercenaire, certains pensent que le récit a été *écrit pour répondre à un besoin des communautés* auxquelles il était destiné.

Elles n'étaient sans doute pas à l'abri du danger de voir leur unité menacée par le manque de vigilance de leur responsable ou du danger de se refaire bercail au lieu de rester œcuméniquement ouverte. Il se serait agi, pour l'auteur face à cette situation, de rappeler l'ultime fondement de l'unité de l'Église et sa mission : l'unique Pasteur et Sauveur, Jésus, par la communion qui l'unit indissolublement à son Père dans le don qu'il a fait de sa vie pour tous.

Mais si la mise en forme est de l'évangéliste le fond remonte à Jésus, même quant à l'image, comme la comparaison avec les textes synoptiques permet de le voir. Marc et Matthieu présentent aussi Jésus comme le berger (Mc 6,34; Mt 9,36; 15,24); Luc, de son côté, le montre également dans le milieu des bergers dès sa naissance (Lc 2,8) et il rapporte de lui la parabole de la « brebis

8. VTB, *Don*, N.T., Intr.; *Puissance*, V 2.

perdue ». Tout contribue à authentifier le fondement à partir duquel Jean a mis en forme ce passage.

*
* *

Le texte ne met pas en évidence telle ou telle attitude de l'homme, mais il invite d'abord et avant tout à <u>accueillir la révélation</u> que Dieu fait de lui-même en la personne de son Fils, uni à Lui et aux hommes au point de partager leur condition jusque dans la mort vécue et offerte librement et dans l'amour.

A travers Jésus, Dieu se révèle en recherche des hommes pour partager avec eux sa Vie, en une communauté de liens profonds, d'intimité et de solidarité.

Sa volonté est que cette communauté soit ouverte et atteigne des hommes de tout peuple, milieu, culture... rassemblés non pas dans l'uniformité, mais dans une unité qui peut englober leur diversité parce qu'elle est due à une adhésion intérieure. Par sa Mort et sa Résurrection il a voulu donner vie à une Église qui ne soit plus un bercail comme la communauté de l'Ancien Testament mais un rassemblement œcuménique universel : une unité dans la pluralité par une communion d'amour autour de la Parole de l'unique Sauveur. Ainsi appartiennent au troupeau des brebis dont le lien avec le Christ commence de façon intérieure, avant de se manifester par une appartenance visible à l'Église.

A la suite du Christ, l'Église qui est appelée à poursuivre sa mission pastorale est interpellée par cette parabole : elle est provoquée à redécouvrir, particulièrement chez ceux qui exercent en elle une responsabilité, le sens de ses rapports avec les hommes. La charge et la responsabilité qui lui sont données exigent qu'elle exerce sa mission non comme une puissance, mais comme étant attractive par l'amour qu'elle manifeste, par sa vie intérieure, sa manière de se donner et sa liberté.

G.B.

Cinquième dimanche
Jean 15,1-8

LA COMMUNAUTÉ A LAQUELLE JÉSUS DONNE VIE[1]

(Avant de passer de ce monde à son Père, Jésus dit à ses disciples :)

[1]« Je suis le véritable cep et mon Père est le vigneron. [2]Tout sarment, en moi, ne portant pas de fruit, il l'enlève; et tout (sarment) portant du fruit, il le purifie afin qu'il porte plus de fruit. [3]Déjà vous êtes purs à cause de la parole que je vous ai dite.

[4]Demeurez en moi et moi en vous. Comme le sarment ne peut porter de fruit par lui-même, s'il ne demeure sur le cep, ainsi vous non plus si vous ne demeurez en moi. [5]Je suis le cep, vous les sarments. Qui demeure en moi et moi en lui, celui-là porte beaucoup de fruit, parce que hors de moi vous ne pouvez rien faire.

[6]Si quelqu'un ne demeure pas en moi, il est jeté dehors comme le sarment et il sèche et on les rassemble et on (les) jette au feu et ils brûlent. [7]Si vous demeurez en moi et que mes paroles demeurent en vous ce que vous voudrez, demandez(-le) et (cela) vous arrivera. [8]En cela mon Père est glorifié, que vous portiez beaucoup de fruit et deveniez mes disciples.

1. Synopse § 329.

Ce passage commence par une auto-révélation de Jésus : « Moi, je suis le véritable cep », comme la Parole sur le « Bon Pasteur » (le vrai Berger). Cette identité suggère l'existence de ressemblances entre les deux passages. Les liens entre les sarments et la Vigne offrent peut-être quelque chose de semblable à ceux qu'ont présentés les brebis et le Pasteur. Même s'ils amènent quelques aspects nouveaux le rapprochement permet de se douter qu'il doit être question d'un approfondissement de la réalité Église.

Le vocabulaire de ce passage frappe à la fois parce qu'il est quantitativement très évocateur : presque à chaque ligne on trouve les expressions « porter du fruit » et « demeurer », et parce qu'il comporte des mots johanniques qui ne sont pas inconnus : « véritable », « parole », « gloire ».

Le Père joue ici le rôle du vigneron. Est-ce nouveau par rapport à ce que disent les évangiles synoptiques ? cela ajoute-t-il quelque chose ?

Le texte identifie explicitement Jésus à la vigne, le Père au vigneron, les disciples aux sarments qui portent du fruit, mais il ne dit pas qui représentent les sarments desséchés et stériles. Peut-on reconnaître, d'après ce que l'on sait du quatrième évangile, quelles personnes sont visées à travers cette comparaison ?

*
* *

Le passage *se trouve dans le grand ensemble* sur la dernière Pâque (11,55—19,42) au cœur de la section consacrée au dernier repas (13—17,26) après le lavement des pieds et les adieux (13-14) et immédiatement avant la prière de Jésus (chap. 17).

Prises séparément ces unités forment indiscutablement un tout dont le lien est théologique avant d'être littéraire.

a) La première unité se termine par trois déclarations de Jésus du type de celles qui concluent habituellement les récits et discours johanniques : « Je ne m'entretiendrai plus avec vous » (14,30); « Levons-nous », sous-entendu : de table (14,31 a); « Partons d'ici », sous-entendu : du jardin des oliviers (14,31 b). Or l'unité qui fait suite constitue un long discours de Jésus (chap. 15 et 16) dont le climat n'est pas celui qui concluait le chapitre précédent. Ainsi il apparaît qu'il n'y a pas de lien littéraire entre ces deux unités et l'on peut penser que la seconde aurait été introduite après coup, peut-être par la même main qui a inséré la deuxième conclusion de l'évangile (chap. 21).

En revanche, le lien théologique entre ces deux unités est visible : le symbolisme de la vigne s'inscrit très bien dans le contexte d'un repas. Ainsi peut-on formuler cette autre hypothèse : les chapitres 15 et 16 seraient une sorte de paraphrase du discours précédent, une deuxième couche rédactionnelle. L'on sait que ce procédé est habituellement utilisé dans les textes johanniques, pour mettre, à la suite du plan historique où se place la parole de Jésus (ici : une condamnation des mauvais sarments que sont les chefs juifs et l'annonce de la fin...), une explication pour les chrétiens. Par-delà le hiatus apparent entre les chapitres 14 et 15, on entrevoit une juxtaposition au sens symbolique très fort : face au mauvais plant que se montre être Israël en la personne de ses chefs, Jésus est la vraie Vigne.

Le sens du passage est également en parfaite harmonie avec l'exhortation qui lui fait suite (15,9-17), où l'allégorie affleure particulièrement (15,16). Allégorie et exhortation concourent toutes deux aux mêmes fins : persuader les disciples de la nécessité de leur union au Christ (vv. 4-7.9-10) afin de prier efficacement (vv. 7b et 16) et de porter du fruit pour la gloire du Père (vv. 2.4.5.8 et 12.13.17).

b) Le texte présente un élément précieux pour repérer comment il *est organisé*. Il s'agit d'un refrain qui revient sept fois en huit versets : « porter du fruit ». Ce refrain peut servir de point d'appui aux différents « cercles » d'explication.de la pensée de l'auteur, selon le procédé de « l'évolution concentrique » qui lui est si cher, l'ultime « cercle » révélant comme d'habitude la pointe visée.

Autour de ce refrain, l'organisation peut se représenter schématiquement.

INTRODUCTION (ou argument) : v. 1
La vraie Vigne et le Vigneron.

DÉVELOPPEMENT sur les vrais disciples;
contraste entre « celui qui porte des fruits »
et « celui qui n'en porte pas ».
— Le premier est émondé pour qu'il porte encore davantage de fruits;
— le second est retranché (vv. 2-3);
— le premier ne peut porter du fruit qu'en demeurant dans le Fils,
— le second qui ne demeure pas en Lui est condamné au feu (vv.
4-6); la prière du premier est absolument efficace, et nécessaire
(v. 7).

CONCLUSION

Le fruit que porte le disciple est la Gloire du Vigneron (15,8)
et exprime la plénitude de son appartenance au Cep (15,1), autrement dit; il est de la « suite » de Jésus (15,8).

Ainsi donc tout comme son contexte particulier, ce passage
présente une structure « en évolution concentrique » qui souligne
la tension du disciple vers la Gloire du Père, dans une communauté
vitale avec le Fils qui s'épanouit dans « sa suite » : la prière (v. 7)
et l'amour ou *agapè* (vv. 9-10).

Un autre tableau peut représenter le contraste entre bon et
mauvais sarment.

Le sarment vivant : le disciple, v. 5b	Le sarment mort : l'incrédule, v. 2c
La taille : la purification, v. 3a	La coupe : le rejet du Royaume, v. 6
Les fruits : œuvre d'agapè, vv. 12-17.	Le feu : la condamnation, v. 6.

La pointe de l'allégorie est sans conteste sa conclusion : la Gloire
du Père procurée par le disciple du Fils portant beaucoup de
fruit. Ce n'est pas sans raison que l'on appelle la deuxième partie
du IVe évangile (12—20) le « Livre de la Gloire », par opposition
à la première partie (chap. 1 à 11), le « Livre des Signes ».

c) Pour comprendre le sens que Jean donne à ce *genre allégorique*,
il convient de le comparer à ce qu'il est dans l'Ancien Testament
et chez les Synoptiques.

L'image de la vigne est empruntée à l'Ancien Testament : les prophètes l'ont d'abord employée, et plus tard les milieux apocalyptiques et sapientiaux.

Isaïe compare Israël à une vigne dégénérée (5,1 ss), Jérémie à une vigne bâtarde (2,21 ; 5,10 ; 6,9), et Ezéchiel qualifie le bois de la vigne de « bon à être brûlé » (15,1-8 ; 17,3-10) : les sarments se sont peu à peu desséchés, ils ont fini par périr et avec eux la vigne entière (Jérusalem). Tous utilisent cette image pour affirmer l'Amour de Dieu pour Israël, amour agissant qui n'a rien omis pour que sa vigne Israël porte un fruit abondant.

Dans les oracles messianiques, la restauration d'Israël est comparée à un arbre qui « porte du fruit » (Os 14,6-9), à une « plantation » (Am 9,15 ; Is 61,3) ; et l'apocalypse d'Isaïe entrevoit à travers le voile de l'espérance une vigne « délicieuse », « gardée nuit et jour par le Seigneur » (Is 27,2-3) et qui « fructifie » (Is 27,6). Telle était l'espérance messianique pour le jour du Seigneur, mais sans soupçonner que le Messie s'identifierait à cette vigne.

Quant à la tradition sapientielle, elle identifie la Sagesse à la Vigne qui communique la Vie (Si 24,17-20).

Tout ceci permet de voir ce qu'apporte en propre l'allégorie transmise dans Jean. Le contenu du mot vigne, au sens de vignoble (de l'Ancien Testament), s'est resserré jusqu'à ne plus exprimer qu'un unique Cep : le Fils, Sagesse de Dieu. Il communique la Vie à un nouveau peuple, en communion avec lui : la multitude des sarments, c'est-à-dire de ses disciples.

Comparer l'utilisation johannique du thème de la vigne avec celle des Synoptiques permettra de voir l'originalité de l'allégorie en Jean : en quoi elle est semblable et en quoi elle diffère.

Les ressemblances ne manquent pas.

La vigne est identifiée au Royaume des Cieux dans la Parabole des ouvriers envoyés à la vigne (Mt 20,1-8) ou encore au Royaume de Dieu (exception faite en 21,43). Jean traduit la même réalité par le verbe « demeurer » dans le Fils Unique (vv. 4.5.6.7). En outre, ni dans les Synoptiques ni dans le quatrième évangile la Vigne n'est identifiée au « Royaume du Père », réalité eschatologique (voir Mt 25, 34 ; Jn 15,1-8 où les sarments sont bien dans leur situation d'êtres en devenir) : l'Église, désignée sous l'image de la Vigne, n'est pas une réalité purement eschatologique mais bien une réalité historique en cheminement.

La Vigne est la « propriété » de Dieu, c'est-à-dire du Père (Mt 20,1-8; 21,33-41 p), De même en Jean (v. 1) c'est le Père qui est le Vigneron. Notons cependant que dans la tradition synoptique Dieu envoie travailler à sa Vigne sans y aller directement lui-même, tandis que dans la tradition johannique le Père assume lui-même l'ouvrage du vigneron.

La Vigne est destinée à produire du fruit, c'est sa raison d'être (Mt 21,33-41, texte très dépendant d'Is 5,1-7). De cette nécessité de production, l'allégorie fait ici un leit-motiv (vv. 2.4.5.8). Notons encore deux précisions johanniques : le fruit est une manifestation de la Gloire du Père et sa nature est de l'ordre de l'*agapè*.

Mais les différences entre Jean et les Synoptiques sont plus radicales que les ressemblances. Deux d'entre elles sont très nettes et très importantes.

Les Synoptiques ne traitent le thème que sous le mode parabolique destiné à éclairer soit le conflit qui oppose les « Juifs » aux païens entrant dans la Vigne de Dieu (Mt 20,1-8, conflit qui paraît réglé en Jn 15); soit le « scandale » devant le refus des grands prêtres et Anciens à travailler la Vigne et l'acceptation des « brebis perdues d'Israël » à œuvrer dans cette Vigne (Mt 21,28-31); soit enfin la passation de la gérance de la Vigne des chefs religieux d'Israël « à un Peuple qui lui fera produire ses fruits » (Mt 21,33-41). Cette problématique paraît ici bien dépassée dans son ensemble.

Dans la tradition synoptique, le Fils n'est qu'envoyé à la Vigne : l'envoyé par excellence, sans doute, mais qui demeure absolument distinct du vignoble, comme tous les autres envoyés qui l'ont précédé. Jean, au contraire, n'hésite pas à identifier le Fils à la Vigne. Jésus est non seulement l'Envoyé, mais il concentre en lui la Vigne du Père : Plant Unique, il réduit à l'unité le vignoble aux multiples pieds. La perspective de l'Ancien Testament est radicalement dépassée depuis que le Verbe s'est fait chair.

Ainsi, Jean utilise des données semblables à celles des Synoptiques, mais il les transforme : il les intériorise et les voit réalisées en la personne de Jésus.

*
* *

Trois éléments importants émergent dans ce passage : Jésus, le Père, le disciple.

1. La parole « je suis le véritable cep »[2] souligne l'importance de la personne et du rôle de Jésus. Elle pourrait plus littéralement encore se traduire : « C'est moi, la Vigne, la Vraie. »

Ce dernier attribut est à interpréter à la lumière du sens habituel qui lui est donné dans le quatrième évangile quand il vient qualifier l'expression quasi technique : « C'est moi, le Vrai... » Ainsi, de même que le Verbe Incarné est le Vrai Pain descendu du ciel (chap. 6) par opposition à la manne du temps de Moïse qui n'était que la figure de la vraie nourriture (l'Eucharistie), de même le Verbe Incarné est le Véritable Cep par opposition à la Vigne, l'Israël Ancien, figure seulement de la Vigne à venir, c'est-à-dire de la communauté messianique (Is 61,3) et finalement de l'Église.

Dans tous ces cas, l'adjectif « Véritable » ne dit pas seulement l'accomplissement parfait de ce qui n'était que « figure » dans l'Ancien Testament, mais il implique encore une dimension divine résultant de l'Incarnation du Verbe : le Pain, la Porte, le Berger ... la Vigne, réalités du Temps de l'accomplissement, participent à la divinité du Fils depuis qu'il s'est fait chair.

L'expression « la Vigne, la Vraie » n'est pas attribuée à Jésus par pure comparaison ou par métaphore : Jésus est réellement la Vigne, l'Israël Nouveau, l'Église, source de vie organique dans une union vitale.

Dans la parabole du Bon Pasteur, Jésus s'était déclaré « le parfait Berger » et il se distinguait des brebis. L'attention portait non sur le troupeau mais sur le Pasteur et les brebis individuelles. Ici, l'allégorie, sans supprimer aucunement la distinction entre la vigne et les sarments, souligne la parenté vitale du Pasteur et

2. VTB, *Vigne*, Intr.; 3.

des brebis : non seulement elles trouvent en lui le point de départ de leur vie mais elles ne vivent qu'en étant intégrées à lui au point de ne plus faire avec Lui qu'un seul organisme vivant. La communauté que Jésus vient instaurer n'a pas d'autonomie en dehors de lui. Il est sa vie, sa sève.

2. Le Père est à l'origine (v. 1) et au terme (v. 8) de la vie du cep. C'est lui qui coupe le sarment stérile, comme il émonde le vigoureux, ou exauce la prière du disciple.

Déjà dans l'Ancien Testament Isaïe (5,1-7) attribuait au Seigneur un rôle comparable à celui du vigneron. Ainsi, il n'est pas question de séparer la Vigne chrétienne de la Vigne du « Seigneur tout-puissant » : la Vraie Vigne de Dieu, divinisée par l'envoi du Fils Unique, est la communauté de tous ceux qui le « suivent » et s'attachent à lui comme des sarments à un cep.

La Gloire du Père, manifestée déjà par l'Heure personnelle du Fils, doit l'être encore par les disciples de son Envoyé qui continuent à porter le fruit de leur Maître : l'Amour.

3. Etre disciple ou non, une telle éventualité est d'une très grande importance.

En effet, dans la théologie johannique, le « Nouvel Israël » n'est pas une réalité purement eschatologique, c'est-à-dire arrivée à l'état final dans lequel tout risque d'infidélité serait exclu, comme l'avait entrevu l'apocalypse d'Isaïe (Is 24—27). Le Nouvel Israël est actuel, composé de disciples encore faillibles et en cheminement ; il n'a pas atteint son terme dans « ses sarments » bien que dans le Cep il soit déjà là.

L'ensemble des hommes était rangé en trois catégories dans le judaïsme officiel : les Juifs, les Samaritains et les Nations *(goyim)*. L'allégorie de Jésus les ramène à deux : les disciples, sarments vigoureux et fructueux, et les non-disciples, sarments desséchés et stériles : la division ne s'établit plus selon une base ethnique mais selon l'attitude par rapport au Christ. Le texte présente trois caractéristiques de cette attitude.

La vie d'union du disciple est exprimée par le mot demeurer[3] qui revient sept fois en huit versets. Cette expression « demeurer en Jésus » se trouve encore en Jean sous la forme synonyme de « demeurer en la Parole » (8,31 ; 1 Jn 2,24). Il s'agit donc d'une vie fondée sur la foi en la Parole et la Personne de Jésus. « Hors de moi vous ne pouvez rien faire » (v. 5) ne s'applique pas au plan humain, naturel, où l'homme peut exercer toute son autonomie. Elle veut l'inviter à chercher la source définitive de la Vraie Vie en lui : « demeurer », c'est exercer ses dons, uni au Christ par la foi.

Etre entré dans la vie de communion au Christ ne suffit pas pour faire un vrai disciple. Il faut encore « porter du fruit »[4], et pour cela être émondé[5], c'est-à-dire achevé d'être purifié de son péché (v. 2), suivre le chemin de tribulation, vivre le mystère pascal.

Le disciple est enfin quelqu'un qui prie[6] car rien n'est définitivement joué : il court le risque d'infidélité, sur son chemin. Il possède alors l'arme de la prière (v.7) qui occupe une place de choix dans le testament spirituel de Jésus (14,13 a). Elle est le moyen d'exprimer son adhésion au Christ et à sa volonté, de ne faire qu'un avec lui. Occasion d'exprimer sa foi, elle la purifie en même temps.

*
* *

Ce texte fournit des *invitations* qui sont toutes relatives à l'Église et qui viennent compléter celles de la parabole du Bon Pasteur.

L'espérance des hommes de réussir une communauté universelle entre eux et dans l'amour est réalisée en Jésus : il est l'Alliance nouvelle, non engendrée par les hommes, mais mise à leur portée par sa fidélité de Fils au Père, dans sa condition humaine.

3. VTB, *Demeurer*, II 3.
4. VTB, *Fruit*, IV.
5. VTB, *Souffrance*, N.T., III.
6. VTB, *Prière*, III 2 ; IV 4.

Ils sont invités à adhérer à cette alliance, à cette intimité, à cette union vitale, pour la Gloire du Père, c'est-à-dire pour manifester en eux la présence de Dieu dans le monde.

Le signe de cette présence est l'amour, celui même de Dieu dévoilé par Jésus et reçu de lui par la foi.

Les disciples chargés de cette mission sont seulement en voie de la remplir. Ils ne sont pas à l'abri d'infidélités.Il leur faut pour s'en libérer traverser des épreuves purifiantes qui les amènent à se donner fidèlement, comme le Christ, grâce au moyen privilégié de la prière.

R.B.

Sixième dimanche
Jean 15,9-17

LA MISSION DES DISCIPLES :
DEMEURER DANS L'AMOUR[1]

(Avant de passer de ce monde à son Père, Jésus dit à ses disciples :)
[9]« Comme le Père m'a aimé, moi aussi je vous ai aimés. Demeurez dans mon amour; [10]si vous gardez mes commandements vous demeurerez dans mon amour; comme moi, j'ai gardé les commandements de mon Père et je demeure dans son amour. [11]Je vous ai dit ces (choses) afin que ma joie soit en vous et que votre joie soit pleine.

[12]Tel est mon commandement : aimez-vous les uns les autres comme je vous ai aimés. [13]Nul n'a de plus grand amour que celui-ci : qu'il donne sa vie pour ses amis.

[14]Vous êtes mes amis si vous faites ce que je vous commande. [15]Je ne vous appelle plus serviteurs, parce que le serviteur ne sait pas ce que fait son maître; mais vous, je vous ai appelés amis, parce que tout ce que j'ai entendu du Père je vous l'ai fait connaître. [16](Ce n'est) pas vous (qui) m'avez choisi, mais (c'est) moi (qui) vous ai choisis et vous ai établis afin que vous alliez et que vous portiez du fruit et que votre fruit demeure, afin que ce que vous demanderez au Père en mon nom il vous (le) donne.

[17]Voilà (ce que) je vous commande : aimez-vous les uns les autres. »

1. Synopse § 329.

Ce texte est la suite du passage précédent qui a montré les disciples invités à porter du fruit pour la gloire du Père dans une communion vitale avec le Fils. Il est donc facile de rechercher lequel de ses aspects il reprend plus particulièrement.

La proximité des deux mots « amour » et « commandements » est frappante. Comment faut-il donc comprendre la nature du lien qui permet de les rapprocher ainsi ?

A « gardez mes commandements » et à « demeurez dans mon amour » correspondent les expressions : « Comme moi j'ai gardé les commandements de mon Père » et « comme je demeure en son Amour ». S'agit-il d'une pure exemplarité de la fidélité et de l'amour du Fils que le disciple doit imiter, ou s'agit-il de quelque chose de plus ?

Le mot « Amour » revient à toutes les lignes. Serait-il le thème principal développé ici ? Avec lui apparaissent également un certain nombre d'expressions spécifiquement johanniques et en même temps, très modernes : « demeurer », « joie », « fruit ». Et l'identification de tout amour à l'Amour du Christ est-elle dans l'esprit du texte ?

*
* *

a) Étant donné ce qui a été dit dans l'étude précédente, on ne relèvera ici que *le contexte* immédiatement relatif à la « haine du monde » à l'égard des disciples (15,18 à 16,4).

Face à l'accomplissement fidèle du commandement « demeurez en mon amour » se dresse « la haine du monde » avec son cortège de persécutions (15,20), de mauvais traitements (16,2), d'hostilité permanente et de mise en accusation. En fait, au-delà de tous ces « faits courants », c'est le procès de Jésus qui continue en la personne des siens (15,21).

Tôt ou tard le sort du disciple, qui n'est pas au-dessus de celui de son maître (15,20), sera de donner un témoignage suprême de sa fidélité et de son amour; lui aussi connaîtra son « Heure » de l'amour plénier : « Nul n'a de plus grand amour que celui-ci : qu'il donne sa vie pour ses amis » (v. 13).

Aussi paradoxal que cela puisse paraître, cette Heure — « son » Heure — sera l'heure de la joie pleine (v. 11), de l'amitié consommée (v. 14), de l'expérience du choix (v. 16), de la glorification du Père (15,8-9).

b) Le texte présente une *structure* typiquement johannique : dans une évolution concentrique sont présentés deux refrains en parallèle synonymique : « demeurez dans mon amour », « gardez mes commandements ». A chaque étape de l'évolution ces refrains sont accompagnés de dérivés.

Introduction; Demeurer dans l'amour (v. 9)

Premier refrain : L'AMOUR DU PÈRE POUR LE FILS
    parallèle synonymique :
        la condition de l'amour; garder les commandements (v. 10)
    dérivé :
        la récompense : la Joie parfaite (v. 11).

Deuxième refrain : L'AMOUR DU FILS POUR LES SIENS
    parallèle synonymique :
        le commandement : Aimer comme Jésus (vv. 12-13)
    dérivés :
        la récompense : l'Amitié (vv. 14-15),
        la cause : un choix pour une mission (v. 16a),
        la conséquence : l'efficacité de la prière (v. 1-b).

Conclusion : reprise par inclusion du titre (v. 17; voir v. 9)
    Demeurer dans l'amour : être fidèle.

Les données de ce texte forment un tout lié organiquement, dynamiquement. La première lecture donne une impression de mots rassemblés par le rapprochement qu'ils ont entre eux. L'étude de leur organisation montre la primauté de l'amour lié à l'accomplissement des commandements de l'Aimé, puis les fruits de cet amour : la joie et l'amitié; la cause de tout cela : un choix; la conséquence : l'efficacité de la prière.

Si la conclusion indique bien la pointe du passage, le contexte postérieur souligne que les conditions dans lesquelles le disciple exprimera sa fidélité et son amour sont bien celles du procès de Jésus continué par la haine du Monde.

c) Cette petite unité littéraire présente trois des caractéristiques fondamentales du genre « exhortation ».

Les impératifs :
Demeurez (v. 9)
Aimez-vous (v. 12)
Je vous commande (v. 17).

La référence à l'exemple du Maître :
Aimez-vous comme je vous ai aimés (v. 12)
comme j'ai gardé moi-même... (v. 10)
tout le v. 13.

Les promesses de récompense :
La joie pleine (v. 11)
l'amitié (v. 14)
l'exaucement de la prière (v. 16; voir v. 26).

Exhortation ? certainement. Dans sa portée immédiate le texte vise les disciples contemporains de Jésus. Cependant, étant donné la conscience qu'a l'auteur de la qualité universelle de l'Évangile appelé à toucher les hommes de tout pays et de tout temps, on peut penser que les disciples et les contemporains de Jésus représentent les disciples et les hommes d'aujourd'hui.

*   ⋆
⋆   ⋆

Ce passage comporte donc un élément principal, l'Amour, accompagné de son inséparable associé : l'accomplissement des commandements. Viennent ensuite quelques dérivés.

1. Dans son évangile, l'auteur a l'habitude de présenter l'amour du Père pour le Fils d'une double façon. Il y a l'amour qu'aucun motif n'accompagne; et il y a l'amour du Père pour son Unique, à cause de la fidélité de celui-ci, l'Envoyé à sa mission.

Le premier type de présentation est exprimé par le verbe « aimer » au présent de l'indicatif (3,35), temps qui met en relief la durée de l'action. C'est donc d'un acte d'amour permanent qu'il s'agit. Il se traduit par le don de l'Esprit sans mesure et la remise de tout entre les mains du Fils : le jugement (5,22), la seigneurie sur la vie (5,26) dispensée à tout homme (17,2), etc. Jésus manifeste une claire conscience que ce sont là des dons paternels (13,3).

Le deuxième type de présentation de l'amour du Père pour le Fils est exprimé par le verbe « aimer » à l'aoriste, temps qui indique un acte précis. C'est donc de l'acte d'adhésion libre de Jésus au projet du Père qu'il s'agit, à savoir : donner la vie au monde (10,17-18) par la mort et la Résurrection de l'Envoyé.

Or, dans le texte, l'amour[2] du Père pour le Fils est exprimé par le verbe aimer à l'aoriste, ce qui suggère qu'il met en évidence cet acte du Fils considéré comme fait une fois pour toutes et de manière définitive, absolue.

De plus, il est dit que cet amour est donné en raison de l'obéissance du Fils au commandement[3] de son Père, c'est-à-dire à son adhésion au projet de salut, de partage de son amour avec les hommes. Le texte explicite ainsi : un acte d'amour pour les siens (v. 12), le don de sa vie (v. 13), la révélation du Père aux disciples (v. 15), leur choix (v. 16)... bref, toute la mission du Fils avec son acte culminant d'amour : son sacrifice (v. 12 ; voir 13,1).

Tout ceci rejoint ce qui est dit dans la parabole du Bon Pasteur : « Pour cette raison le Père m'aime, que je donne ma vie... » (10,17) ; or curieusement, cette obéissance de Jésus est exprimée là non pas à l'aoriste mais au parfait, temps qui indique l'aspect d'une action passée dont l'effet dure. Ainsi l'offrande du Christ est déjà considérée comme réalisée : le verset (comme beaucoup d'autres du contexte) aurait été rédigé après l'événement.

2. Le commentaire de l'amour du Père pour le Fils a préparé celui de l'amour du Fils pour les siens. Le second amour est la réplique du premier.

---

2. VTB, *Amour*, N.T. 2a ; II 1.3.
3. VTB, *Volonté de Dieu*, N.T., I 2 ; *Servir*, III, N.T., 2 ; *Serviteur*, III 3 ; *Don*, N.T., 3.

« Je vous aime » dit-il à l'aoriste (vv. 9 et 12), ce qui suppose qu'il fait allusion, après Pâques, à l'acte par excellence de son amour : sa Passion glorieuse. Cette phrase est à rapprocher de celle qui ouvre comme un titre le « Livre de la Gloire » et qui invite à répondre à cet amour : « Ayant aimé les siens qui sont dans le monde il les aima jusqu'à la fin (ou jusqu'à l'extrême) » (13,1).

Un tel amour n'a pas seulement valeur d'exemplarité extérieure (v. 12), il est encore et surtout la source unique de tout amour. C'est pourquoi il autorise Jésus à demander aux disciples de « demeurer » en lui (vv. 9.10.12.14.17), même et surtout lorsque ces derniers auront à affronter leur « heure » propre (16,2). Il a réalisé la communion d'amour avec son Père en obéissant au commandement d'amour de celui-ci, aussi peut-il et doit-il à son tour, pour réaliser la communion d'amour avec les siens, leur proposer un commandement auquel adhérer. Telle est la loi de l'amour.

Mais ce commandement[4] est l'amour de Dieu lui-même pour les autres. L'amour de Dieu est le salut offert à tout homme en Jésus, et l'amour de Jésus est le salut offert à tout homme par les disciples membres de l'Église.

Celle-ci est investie de la mission de manifester dans le monde l'amour de Dieu révélé et réalisé en Jésus, en vivant à son tour ce mystère du don de la vie par la mort (21,15-16).

Ceux qui manquent à l'amour que Dieu met dans le cœur de l'homme (5,42 ; 8,42.47) ne parviennent pas à reconnaître dans la parole transmise par Jésus l'Envoyé fidèle et informé (8,42 ; 38,40), le Message de Dieu ; aussi ne l'écoutent-ils pas (8,37), ne pouvant ni le laisser pénétrer en eux ni le comprendre (8,43).

Pour aimer Jésus et habiter dans cet amour, accueillir et garder sa parole, son commandement, il est nécessaire d'accepter d'être aimé par le Père (5,38s ; voir 17,6), puisque nul ne vient au Fils s'il n'est attiré par Dieu (6,44). C'est donc le Père qui est à l'origine de la démarche amoureuse du disciple vers son Maître, et sa présence accompagne efficacement tout son chemin, telle la présence du vigneron diligent à sa vigne.

Accueillir en soi cette mystérieuse initiation paternelle à l'amour

---

4. VTB, *Loi*, C, IV 3.

de son Fils et son éducation permanente (15,2) conduit le disciple sur le chemin de vérité, de vie, et lui rend possible l'obéissance « aux commandements ».

Habiter dans l'amour du Fils ou habiter dans son obéissance sont deux expressions exprimant la même réalité; or quel est l'objet suprême de l'obéissance du Fils ? Le projet du Père : « Dieu a ainsi aimé le monde qu'il a donné son Fils Unique. Dieu n'a pas envoyé son Fils dans le monde afin de juger le monde mais afin que le monde soit sauvé par lui » (3,16-17).

3. Demeurer dans l'amour du Fils, lui obéir, entraîne donc une participation à son « heure » (vv. 18ss) — heure de mort et heure de gloire tout ensemble — et entraîne un certain nombre de fruits : la joie et l'amitié ainsi que la reconnaissance par la prière du don reçu.

La pleine jouissance de l'amour de son Père obtenue au-delà de son « heure » entraîne pour le Fils la joie (v. 11). Dès lors, on comprend que la promesse de joie parfaite[5] adressée aux disciples sera tenue lorsqu'ils seront demeurés « jusqu'à la fin » *(eis telos)* dans l'amour et l'obéissance de leur Maître, lorsque eux-mêmes auront participé à « l'heure » (16,2).

Pour le partage d'une telle joie, la distinction entre maître et disciple s'évanouit : il n'est plus question désormais que d'amis[6] qui n'ont plus rien de caché l'un pour l'autre mais qui ont tout partagé. Les lecteurs de Jean savaient déjà que le Père aimait son Fils d'un amour d'amitié *(philein* : 5,20), précisément parce qu'il partageait tout avec lui. Le Christ dévoile à présent que cette amitié est élargie, partagée avec les disciples qui demeurent dans l'amour, dans l'obéissance, c'est-à-dire dans la communion des volontés, portant du fruit pour la gloire du Père et le salut des hommes.

Cette amitié est grâce[7], don gratuit, initiative, choix (v. 16a) bienveillant[8] de Dieu. Puisque ce don est gratuit, il reste à prier[9]

5. VTB, *Joie.*
6. VTB, *Ami,* 2.
7. VTB, *Grâce.*
8. VTB, *Élection,* N.T., II .
9. VTB, *Prière,* IV 1.

pour y pénétrer davantage et y correspondre. Cette invitation à la prière reprend, en inclusion, ce qui était dit à la fin (v. 16b) de l'allégorie de la Vigne (16,7). C'est le thème qui court à travers tout le discours après la Cène : la prière est vraiment la marque d'amour, de confiance, le dialogue dans l'amitié; ainsi accomplie, elle est toujours efficace.

*
* *

Si le texte étudié précédemment a mis en relief que Jésus est venu donner vie à une nouvelle communauté, unie vitalement à lui, celui-ci invite à voir dans l'amour le moyen par lequel se développe cette union.

Il convient de relever qu'il ne s'agit pas tout d'abord de voir une invitation à aimer Dieu ni Jésus, mais de découvrir l'amour que le Père a pour Jésus et celui que Jésus a pour les disciples. Le premier entraîne Jésus à aimer les disciples et le second entraîne les disciples à aimer les autres comme eux-mêmes sont aimés de Jésus.

Le vrai amour est don de tout l'être, communion de volontés. Demeurer dans l'amour du Christ, c'est donc partager son adhésion au Père pour le salut des hommes, c'est aimer ceux-ci gratuitement, comme Lui. C'est donc être missionnaire, quelle que soit la situation où le chrétien se trouve.

R. B.

Ascension
Marc 16,15-20

LA MISSION UNIVERSELLE
DE L'ÉGLISE[1]

[15]Et il leur dit : « Étant partis par le monde tout entier, proclamez l'évangile à toute la création. [16]Celui qui croira et sera baptisé sera sauvé ; celui qui ne croira pas sera condamné.

[17]Or les signes que voici accompagneront ceux qui ont cru : par mon nom ils chasseront les démons, ils parleront en langues nouvelles, [18]ils saisiront des serpents et, s'ils boivent quelque (poison) mortel, il ne leur fera aucun mal ; ils imposeront les mains aux malades, et ils s'en trouveront bien. »

[19]Donc, le Seigneur Jésus, après leur avoir parlé, fut enlevé au ciel et *s'assit à la droite de Dieu ;* [20]mais eux, s'en étant allés, prêchèrent partout, le Seigneur agissant avec (eux) et confirmant la parole par les signes qui (l')accompagnaient.

1. Synopse § 376.

De Jean à Marc le ton change : ici l'Esprit est envoyé immédiatement, dès la Résurrection; là, c'est la mission de l'Église avec les signes qui l'accompagnent qui est mentionnée sans attendre que soit relatée la venue de l'Esprit. Mais visiblement ces textes qui terminent chacun des évangiles reviennent sur des préoccupations communes : c'est du Seigneur ressuscité que naît la mission de l'Église.

Marc étonne cependant car le style de cette finale est tout différent du reste de son évangile. Les mots à contenu théologique y abondent : proclamation de l'Évangile, signe, foi, baptême, salut... Ils invitent à ne pas prendre ce récit comme de type biographique ou narratif.

Aussi le lecteur qui se posera des questions au sujet des démons, des serpents, des poisons... devra se dire qu'il convient d'en rechercher d'abord la signification symbolique. Cela fait, il pourra, alors, chercher de quel genre peuvent être aujourd'hui les signes correspondant à ceux qui sont énumérés car, s'il est marqué par son temps, le texte est cependant porteur d'un message toujours actuel.

*
* *

Avant tout, il convient de signaler que les différents manuscrits par lesquels nous est parvenu le texte de Marc ne présentent pas cette finale de l'évangile de la même façon; certains ne l'ont pas, d'autres en ont une plus longue. Il est visible qu'à un stade, l'évangile de Marc a été achevé au v. 8. Par la suite il a reçu différents ajouts. La question se pose de savoir quand exactement, et lesquels à chaque fois : était-ce encore à l'âge de l'inspiration ou au IIe siècle ? Ce point n'est pas actuellement résolu. Communément, chez les catholiques, on tient cette finale pour canonique, bien que due à un autre auteur que Marc.

a) Le sens du passage ici retenu (vv. 15-20) est éclairé par *le contexte* de l'ensemble de la conclusion à laquelle il appartient.

Dans un premier temps (16,1-14) l'auteur, reprenant des données fournies par les traditions lucanienne et johannique, rappelle la lenteur à croire des premiers témoins : Marie-Madeleine (16,1-11; voir Jn 20,18) et les deux disciples en chemin (15,12-13; voir Lc 24,36-43 et Jn 20,19-20). Son insistance porte donc sur la foi. Elle est confiance, au-delà de toute évidence, pour les apôtres comme pour les chrétiens; elle repose pour tous sur une initiative du Ressuscité, et pour les seconds elle est garantie par la foi des premiers.

Dans un deuxième temps, c'est le passage retenu ici, l'auteur traite encore de la foi, mais de la manière dont elle naît grâce à l'activité des Onze et dont elle accompagne les signes. Bien qu'il comporte des indications ou des termes étrangers au deuxième évangile, empruntés notamment à Luc, on y trouve cependant globalement une reprise des thèmes fondamentaux de Marc. Il y est dit qu'il faut, maintenant, « proclamer l'Évangile » ou « la parole ». Ces expressions reprennent visiblement, comme en conclusion, celle de l'introduction de tout le livre[2] consacré à « l'Évangile touchant Jésus-Christ Fils de Dieu » (1,1) et invitant à « croire en cette Bonne Nouvelle » (1,15).

La comparaison avec les finales des autres évangiles oriente également l'interprétation dans le même sens. En effet, si cet appendice a été ajouté à ce qui devait être la conclusion primitive du second évangile afin de lui donner une finale du même type que les leurs, on peut s'attendre à ce que, comme chez eux, elle vise à mettre en évidence la mission universelle de Jésus poursuivie actuellement dans celle de l'Église. L'originalité est qu'on ne précise ici aucune indication de lieu : Jérusalem ou Galilée, et que sans mentionner la « reconnaissance » de Jésus par les siens, on passe directement à l'ordre de mission. On fixe ainsi davantage l'attention sur le message dominant : la mission universelle confiée par Jésus aux siens.

b) Le texte présente *une organisation* bien structurée que le schéma de la page suivante met en évidence.

---

2. Voir étude du deuxième dimanche de l'Avent, p. 29.

LA MISSION

Son déroulement
- — Proclamation universelle de l'Évangile : v. 15
- — La foi et le baptême, réponse à cette proclamation : v. 16
- — Les signes accompagnant cette proclamation et cette foi : vv. 17-18

Son fondement
- — Jésus glorifié : v. 19
- — Sa présence aux paroles et aux signes de ses envoyés : v. 20

La parole, la foi et les signes tiennent une place prépondérante dans cet ensemble : quatre versets (vv. 15-18) sur six. Deux de ces éléments réapparaissent en conclusion (v. 20) : c'est le Seigneur qui donne efficacité à cette mission par sa présence à la parole et aux signes accomplis par ceux qui proclament son Évangile. Autrement dit, l'activité missionnaire des Onze qui, en tant que groupe, représentent la communauté Église à laquelle Jésus donne naissance se relie directement au message du Christ ressuscité. Au cœur de cet ensemble, le verset relatif à l'Ascension (v. 19) dont les expressions sont étrangères à Marc fait figure d'incise à préoccupation théologique plus que descriptive : préciser un aspect du mystère de la Résurrection de Jésus qui explique la mission de l'Église.

Ainsi, quoique l'ensemble du passage soit constitué d'éléments disparates au point de vue littéraire, il s'en dégage cependant une grande unité théologique.

*
* *

Les points principaux du texte ordonnés autour de la mission le sont à deux niveaux différents : d'une part ses éléments constitutifs et d'autre part son fondement.

1. Trois éléments essentiels apparaissent constitutifs du déroulement de la mission : la proclamation de l'Évangile, son accueil, les signes qui l'accompagnent.

— Au départ, la proclamation de l'Évangile est due à un élan qui vient de l'initiative de Jésus : en effet, deux impératifs ouvrent le texte : « Allez » (le texte grec dit : « Allant », mais lié au verbe principal à l'impératif, ce participe équivaut également à un impératif) et « proclamez ». Découvrir que Jésus est ressuscité et aller le dire sont donc une seule et même chose. Là où il n'y a pas désir d'aller partager cette Bonne Nouvelle avec les autres il n'y a pas vraiment expérience du Ressuscité.

C'est « l'Évangile » que le témoin de Jésus ressuscité va proclamer. Ce terme d'Évangile[3] exprime, pour les lecteurs chrétiens de l'âge apostolique, la Bonne Nouvelle de la présence de Dieu manifestée en Jésus pour le salut des hommes. Il est, cependant, employé plus spécialement par Marc comme un mot clé. Il introduit tout son livre (1,1) et ne revient que dans la seconde partie (8,35; 13,10...), plus centrée précisément sur l'événement pascal. Autrement dit : proclamer l'Évangile (« évangéliser »), c'est manifester par sa vie et ses paroles cette force nouvelle qu'est Jésus vivant, c'est proclamer un message avec toute sa puissance de contagion.

Cet Évangile proclamé est de portée universelle[4]. Il est « pour le monde entier », « pour toute la création ». Deux autres phrases propres à Marc peuvent éclairer le sens de ces expressions. A la question des disciples sur la ruine de Jérusalem, Jésus répond : « Il faut d'abord que la Bonne Nouvelle soit proclamée à toutes les nations » (13,10) et, après le geste de son onction à Béthanie « partout où sera proclamée la Bonne Nouvelle... » (14,9). Ces phrases sont à rapprocher, par contraste, avec l'ordre donné par Jésus avant sa mort de ne pas aller ailleurs qu'en Palestine : « Il ne sied pas de prendre le pain des enfants pour le jeter aux petits chiens » (7,27).

Ainsi, ces expressions signifient que « le monde tout entier » ou « toute la création » désignent d'abord et spécialement les hommes, de toute condition, toute race, tout pays, tout temps; consécutivement, l'évangéliste suggère peut-être également, dans la même ligne que Paul (Rm 8,19-22; Col 1,1-23), le rejaillissement sur le cosmos lui-même de l'évangélisation des hommes. En second lieu, on peut remarquer ceci : que la Bonne Nouvelle atteigne « toute chair »

3. VTB, *Évangile*, II 2.
4. VTB, *Mission*, N.T., II 1; *Monde*, N.T., III 2.

était bien attendu, mais comme une action proprement divine (Is 40,5 ; 49,6...). La rapporter à présent au Christ, c'est proclamer sa divinité reconnue depuis la Résurrection ; c'est également expliquer pourquoi le Christ s'était cantonné à une action auprès des Juifs, avant cet événement. Ce n'est qu'à partir de la Résurrection qu'il peut et qu'il lui faut poursuivre sa mission universelle. Mais, en conséquence, croire en Jésus Ressuscité ne peut qu'entraîner à œuvrer à cette mission universelle[5].

— Si l'Évangile doit être ainsi proclamé à tous les hommes, c'est pour leur permettre de découvrir et d'acquiescer ou de refuser librement le salut offert en la personne de Jésus. En effet, la mission est présentée chez Marc comme opérant un jugement (v. 16), un peu comme une pièce à conviction amenée au cours d'un procès. Ceci révèle une conception de l'évangile situé dans le prolongement du procès de Jésus. L'annonce de la Bonne Nouvelle du Christ Ressuscité est un témoignage placé devant les peuples et leurs chefs pour leur condamnation ou leur salut, suivant qu'ils reconnaissent ou non cette pièce à conviction. L'auteur ne dit pas « jugé », mais « condamné », verbe qui est employé dans Marc au sens propre pour Jésus (10,33), et ici au sens théologique : il s'agit d'une condamnation spirituelle[6].

Pour bien comprendre cette parole, il faut faire la part de l'imagerie des scènes de jugement eschatologique de l'Ancien Testament (voir par ex. Dn 12,1-2) auxquelles elle emprunte. Il n'est pas question de se représenter une démarche de la part de Dieu intervenant pour punir. L'acte du jugement est posé dans la mort de Jésus. Accueillir la Bonne Nouvelle que révèle celle-ci, c'est « croire »[7] ; la refuser c'est se « condamner ». Autrement dit, hors de l'Évangile, de Jésus vivant, il n'est pas de salut ou de réponse définitive à la destinée de l'homme. Cette foi conduit normalement au baptême[8], entrée dans l'Église, communauté prolongeant de manière visible au milieu des hommes la présence du don de l'amour de Dieu en Jésus-Christ. Ce sacrement, en même temps qu'il donne toute

5. VTB, *Nations*, N.T., I 1a.2.
6. VTB, *Jugement*, N.T., I 1.
7. VTB, *Foi*, N.T., II 2.3.
8. VTB, *Baptême*, IV 3.

sa plénitude à la foi, investit à son tour celui qui le reçoit de la mission de témoin du Christ.

— La proclamation de l'Évangile et son accueil sont accompagnés de « signes », c'est-à-dire de gestes concrets permettant de manifester et de reconnaître la présence vivante de Jésus. Puisqu'il est maintenant présent de manière invisible, il faut bien avoir des points de repères visibles de sa présence pour se prononcer en sa faveur ou contre lui. C'est pourquoi le Christ assure ceux qui croient en lui qu'il leur donne de quoi reconnaître sa présence dans ce qu'ils font et ce qu'ils disent. Le terme de « signe »[9] qui traduit cette présence est peu en faveur chez les Synoptiques : on le trouve dans la bouche des interlocuteurs incroyants du Christ lorsqu'ils lui demandent des prodiges (Mt 12,38p...). Chez Jean, au contraire, il est le mot technique qui indique une manifestation de la divinité en Jésus. La finale de Marc rejoint ce sens. Tout au long du deuxième évangile il n'est question que de « secret » à garder jusqu'à ce que le Fils de l'homme soit ressuscité (9,9-10). Avant Pâques et la Pentecôte, les miracles pouvaient être interprétés de manière équivoque. Après, ils ne le peuvent plus. Avant, ils étaient des faits annonciateurs de la Résurrection à venir; après, ils manifestent qu'elle est effectivement réalisée, active.

Au sujet de ces signes, plusieurs remarques peuvent être faites. Ils « accompagnent ceux qui ont cru » (v. 17) et accréditent la parole des Onze c'est-à-dire le groupe comme tel, chacun de ses membres y participant à sa manière mais ne les accomplissant pas nécessairement tous.

Ces signes se manifestent tout d'abord comme des actes; certains sont évoqués au moyen de symboles bibliques adaptés à la mentalité populaire des lecteurs du IIe évangile, aimant des présentations concrètes, sensibles, et à la limite un peu magiques (voir l'épisode de la femme atteinte d'hémorragie : 5,28-30) : « saisir des serpents, boire des poisons » sans danger. Au-delà de ces expressions il faut atteindre leur sens, et ce sont les comparaisons avec d'autres passages bibliques qui le permettent : elles se retrouvent en Luc (10,19)

9. VTB, *Signe*, I 1.2.

et reprennent ce que disent Isaïe (11,8) et le psalmiste (Ps 91,13 ; voir aussi Mc 1,13) pour traduire la présence de Dieu dans ses amis, entraînant une réconciliation avec le monde. D'autres signes sont exprimés à la manière de ceux que Jésus faisait : « expulser les démons, imposer les mains ». Tout l'évangile de Marc montre le Christ en lutte contre des forces adverses qui peuvent asservir les hommes et qu'il vient combattre[10]. Comme cela est dit dès la tentation (1,12-13), Jésus associe ses disciples à ce combat. Il l'exprime clairement au moment de leur choix (3,15), de leur première mission (6,7-13) et évidemment après sa Résurrection (v. 17). Ainsi, les disciples qui croient, c'est-à-dire ceux que le monde de Jésus vivant à jamais a atteints, traduisent dans leur action leur lutte contre le mal dans le monde, manifestant par là à la suite de leur Maître que ce monde est appelé à être achevé, transformé en un autre, plus parfait.

Quant au don des langues, il n'est pas étonnant de le retrouver comme signe annonçant la venue d'un monde où le péché recule devant la Vie nouvelle apportée par Jésus Ressuscité, présent dans ceux qui croient. Moyen de communication par excellence, la langue — et particulièrement celle de l'Esprit[11] qui se perçoit, au-delà de la matérialité des mots exprimés, par la foi avec laquelle ils sont dits — permet la réconciliation des hommes (voir Ac 2,4-11 ; 1 Co chap. 14).

2. Deux éléments expriment le fondement d'une telle mission : la glorification de Jésus et la présence qui en découle auprès de ceux qui croient en lui et sont envoyés dans le monde.

Pour faire saisir à ses lecteurs la raison profonde qui explique sa méditation du mystère de Jésus Ressuscité, source d'une telle mission, l'auteur associe plusieurs éléments. Il juxtapose l'expression lucanienne de « l'enlèvement au ciel » (Ac 1,9) et la citation fréquemment utilisée dans la prédication faite aux premiers chrétiens (voir Ac 7,55s ; 1 P 3,22...) de la « session à la droite de Dieu »

10. VTB., *Démons*, N.T., I ; *Imposition des mains*, N.T., 2.
11. VTB, *Langue*.

(Ps 110,1). Il s'agit donc d'une réflexion théologique sur la réalité actuelle de Jésus Ressuscité, depuis cet événement à partir duquel les disciples ont définitivement compris qu'il n'était plus saisissable aux sens.

Pour comprendre l'expression, il faut savoir la signification de la montée au ciel ainsi que celle de la droite[12] dans la mentalité de l'époque[13]. L'image du ciel servait à évoquer le monde divin. Dire du Christ qu'il y est « monté », c'est exprimer qu'il réalise ce qu'aucun homme ne pouvait faire : il élève l'humanité jusqu'à Dieu parce qu'il est Dieu lui-même. Dire qu'il est assis à la droite de Dieu, c'est équivalemment exprimer qu'il en partage la puissance divine; il est son partenaire dans l'accomplissement du salut. Tout ceci est résumé dans un titre employé ici pour la seule fois dans l'évangile de Marc : il est « le Seigneur Jésus ». Ainsi l'Ascension révèle définitivement son identité[14].

Si par l'Ascension le Christ se révèle « fondé de pouvoir », il en découle nécessairement que sa mission se poursuit à présent. Les termes qui expriment cette réalité sont connus : la « Parole » qui est l'Évangile, et les « signes », ainsi que la mention d'une prédication universelle : « Partout ». L'élément particulier à cette dernière phrase de l'évangile est dans l'affirmation: « le Seigneur agissant avec eux et confirmant ». Ces termes, étrangers au reste de cet évangile, veulent dire clairement que si les disciples accomplissent des gestes et prononcent des paroles, c'est le Christ seul qui en est finalement l'auteur[15]. Autrement dit, la présence de la divinité qui était, avant sa mort, dans sa personne en chair et en os est passée à présent dans l'Église. Cela rejoint tout à fait la promesse d'assistance, en vertu de l'autorité qui lui a été donnée, qui se trouve dans la finale du premier évangile (Mt 28,30) et, d'une autre manière, dans celle du quatrième (Jn 20,23).

*

*   *

12. VTB, Droite.
13. VTB, Ascension, I; II, Intr.
14. VTB, Jésus-Christ, II 1a.
15. VTB, Puissance, V 2.

tenu théologique de cette page permet de la situer dans *le*
historique d'une réflexion bien postérieure à la Résurrection.

cit des Actes des apôtres montre en effet qu'il a fallu du
temps à ceux-ci pour réaliser le dessein de Dieu d'aller proclamer
la Bonne Nouvelle à l'univers entier (voir Ac 10; 11; 15,7-11).
L'Ancien Testament et Jésus lui-même (voir Mt 8,11-12) annonçaient bien une réalisation définitive de ce dessein par l'entrée des
païens dans son Royaume. Mais l'on n'avait pas perçu que cette
« fin » serait arrivée avec la Résurrection de Jésus et qu'il y aurait
donc, entre le moment de cette réalisation et celui de sa manifestation définitive, un temps intermédiaire qui serait celui de l'Église.
Cette découverte sera pratiquement définitivement acquise à partir
de la chute de Jérusalem. On peut remarquer que cette finale de
Marc ne fait même plus mention de l'ordre de mission partant des
Juifs, tel que le livre Luc (24,47; Ac 1,8) ou que le pratique Paul.

Ce n'est donc pas le soir de Pâques ou même quelques jours
après que cette page ultime de Marc aurait pu être comprise. Mais
elle est une explication, après coup, de cet événement, saisi
depuis le jour de la Résurrection jusqu'à celui où les disciples,
dans la dernière apparition qui est celle de l'Ascension, ont
réalisé que Jésus était désormais dans sa condition divine.

*
* *

A un moment où nombre de chrétiens se reposent la question de
l'Église, de sa nature, de la nécessité et de l'efficacité de sa mission,
les invitations lancées par cette page de Marc sont d'une grande
actualité. De même, l'Ascension étant une fête de plus en plus
inaperçue chez les chrétiens, il est très opportun de relever tout
ce que contient d'important pour la foi cet aspect du mystère de
Jésus Vivant rappelé dans la prière eucharistique : « Faisant mémoire
de son Ascension dans le ciel. »

Les hommes aspirent à être libérés de ce qui les asservit et à être
réconciliés avec cet univers dans lequel ils vivent et qu'ils cherchent
à dominer, y compris la mort qui s'y trouve inscrite. Au cœur
d'eux-mêmes est une question, plus ou moins consciente ou avouée,

440

qui les appelle à déborder leurs limites. Jésus-Christ, dans le mystère de sa Résurrection-Ascension, est la réponse qui amène une plénitude à cette aspiration au-delà de ce que l'homme peut imaginer puisqu'il est question de le diviniser.

Il est dans le projet de Dieu que cette Bonne Nouvelle révélée et réalisée dans le Seigneur-Jésus soit visiblement manifestée dans toutes les zones du monde où elle est encore absente. C'est pourquoi, les chrétiens n'ont pas seulement à être témoins du Christ dans le monde où ils se trouvent mais il faut aussi que certains aillent dans ces zones géographiques, sociologiques ou autres, car ils ont quelque chose à y dire aux hommes.

Il leur faut aller à ces personnes et leur proclamer la Bonne Nouvelle de manière signifiante. « Aller » suppose prendre leur condition autant que faire se peut, vivre avec, écouter et répondre avec eux aux questions fondamentales de leur vie quand ils se les posent.

Il leur faut, également, apprendre à découvrir les signes du salut chez ceux que la foi a commencé d'atteindre, car il y a échange d'évangélisé à évangélisateur dans cette découverte des signes. Ce sont des actes de libération des hommes là où ils sont aliénés, asservis... Loin de faire évader du monde, croire en Jésus-Seigneur provoque normalement à mettre le signe de l'amour évangélique et dans la manière de mener tout engagement et en comblant les besoins des hommes.

Croire en la possibilité de réussir cette mission ne dispense pas de connaître toute sorte d'adversité, de dangers. La foi n'en préserve pas mais, accueil de la vie de Jésus Ressuscité, elle permet de les dépasser.

G. B.

PRIÈRE POUR CEUX QUI RESTENT[1]

(Ainsi parla Jésus et ayant levé les yeux au ciel, il dit) :

11b« Père saint, garde-les en ton Nom, ce que tu m'as donné, afin qu'ils soient un comme nous. 12Lorsque j'étais avec eux, je les gardais en ton Nom, et je (les) ai gardés et aucun d'eux ne s'est perdu, sauf le fils de perdition, afin que l'Écriture fût accomplie.

13Mais maintenant, je viens à toi, et je dis ces (choses) dans le monde afin qu'ils aient ma joie pleine en eux. 14Je leur ai donné ta parole, et le monde les a haïs parce qu'ils ne sont pas du monde comme je ne suis pas du monde.

15Je ne prie pas afin que tu les enlèves du monde mais afin que tu les gardes du Mauvais. 16Ils ne sont pas du monde comme je ne suis pas du monde. 17Sanctifie-les dans la vérité : ta parole est la vérité. 18Comme tu m'as envoyé dans le monde, moi aussi je les ai envoyés dans le monde, 19et je me sanctifie pour eux afin qu'ils soient, eux aussi, sanctifiés en vérité. »

1. Synopse § 334.

Le langage du chapitre 17 de Jean est attirant et facile. C'est une prière, élément de la vie de Jésus que le IVe évangéliste a peu mis en relief jusque-là. Il y est question du Père, du Fils, des chrétiens, d'unité, de mission, bref de multiples sujets propres à toucher un disciple de Jésus.

Mais la richesse du texte est plus grande. A preuve la multiplicité des titres qui lui sont donnés : prière sacerdotale, pascale, missionnaire, royale, pour l'unité, apostolique... A preuve également la difficulté de situer chronologiquement ces paroles dans le déroulement des événements concernant la Passion du Christ.

Enfin, une abondance de mots clés apparaissent : le Monde, la Gloire, le Père, le Fils, connaître, apôtres, œuvre, envoi... Dans cette énumération d'une grande densité prédomine une impression de plénitude d'amour, de communion, d'unité.

★
★ ★

a) Pour ce qui est du *contexte*, de l'organisation littéraire et de l'historicité, le chapitre 17 de Jean fait un tout qu'il est impossible de fragmenter, bien que l'attention s'arrête ici sur la partie centrale (vv. 11b-19).

1. Ce chapitre apparaît à une place charnière dans l'ensemble du IVe évangile : d'une part il clôt les discours après la Cène (commencés au chapitre 13) et d'autre part il introduit aux récits de la Passion (18—19). Cette place est révélatrice du sens à donner à ce passage, sens qui ressort de l'étude comparative entre ces deux groupes de textes.

A. La comparaison de la prière avec les discours qui précèdent (13—16) permet de relever un certain nombre d'observations.

Entre l'introduction solennelle à la Cène (13,1-3) et l'ouverture de la prière (17,1-5), quatre thèmes au moins, sont communs :
— celui de l'heure qui est venue (13,1 ; 17,1);

444

— celui du pouvoir universel remis au Fils par le Père (13,3 ; 17,2);

— celui de la mission confiée par le Père et du retour auprès de lui, exprimée, il est vrai, différemment dans les deux cas (13,3 ; 17,5);

— celui du parachèvement de l'œuvre confiée à Jésus par le Père (13,1 ; 17,4).

Cette comparaison des deux introductions conduit à se demander si, dans l'intention de l'auteur, il ne s'agit pas de reprendre en des genres différents les mêmes thèmes, selon la manière de composer en « spirale » qui lui est habituelle. La suite du récit peut éclairer cette question.

On regarde souvent le petit passage relatif à la glorification et aux adieux de Jésus (13,31-35) comme l'annonce des thèmes du discours :

— la glorification du Fils (vv. 31-32);

— le problème posé aux disciples par son départ (v. 33);

— le commandement de l'amour fraternel à l'exemple du Christ (vv. 34-35).

Or, dans la prière (v. 17) ces mêmes points reviennent : Jésus demande d'abord sa gloire; puis sa prière porte surtout sur la situation dans laquelle son départ laisse ses disciples; enfin apparaît le verbe « aimer », l'*agapè* venant couronner ce qui a été dit précédemment sur la nécessité de l'unité.

Dans ces conditions, il n'est pas étonnant de rencontrer beaucoup de points communs entre les discours et la prière. La synopse en signale quelques-uns et on pourrait en ajouter d'autres, par exemple : « Comme mon Père m'a aimé, moi aussi je vous ai aimés » (15,9...) « Tu les as aimés comme tu m'as aimé » (17,23...).

Dans l'ensemble, la prière paraît avoir été écrite au terme de la formation des discours, alors que ceux-ci avaient déjà reçu leur forme actuelle. La prière de Jésus éclate en effet à l'instant où les disciples ont déclaré : « Cette fois, nous croyons... » (16,30). Elle prend appui sur cette profession de foi et vise en quelque sorte à la soutenir et à la porter à son terme. Par ailleurs, quand la méditation de Jésus arrive à son sommet, elle rejoint très exactement (v. 24) le point initial : « Je veux que là où je suis, vous soyez aussi » (14,3).

Mais cette participation à la gloire du Christ est préparée par la communion toute spirituelle que l'*agapè*, émanée du Père, établit entre eux.

Finalement toutes ces constatations inclinent à présenter le chapitre 17 comme le lieu où Jean perçoit la profonde unité qui relie l'enseignement du Maître aux disciples et la prière du Fils au Père. Dans son intention, après avoir fait lire les discours d'adieux sur terre, il fait entendre la liturgie céleste de l'exaltation du Fils. La prière du chapitre 17 se situe au point de jonction de ces deux termes du Salut : elle est la prière du Passage où le Fils tient une place centrale entre le Père et les hommes.

B. La comparaison entre la prière (chap. 17) et les récits de la Passion qui suivent (18—19) amène à faire de nouvelles constatations. Les genres littéraires sont plus différents qu'ils ne l'étaient entre discours et prière. Mais on peut cependant relever plusieurs parentés entre eux.

On trouve une citation explicite d'une parole de la prière (v. 12) dans la scène de l'arrestation (18,9). Dans les deux cas, il est question de l'accomplissement d'une même parole. Mais dans un cas (chap. 18) il s'agit de celle de Jésus tandis que dans l'autre (chap. 17) il s'agit de celle du Père quand il s'exprimait par les prophètes. De même, la déclaration de Jésus à Pilate : « Mon Royaume n'est pas de ce monde... » (19,11) est éclairée par ses parallèles (chap. 17 et 14—16, surtout 15,19).

Mais l'essentiel n'est encore pas là. Il se situe plutôt dans la lumière que projette la prière sur le fond du drame de la Passion. On sait que chez Jean, ce récit est dominé par le thème de la royauté de Jésus. Qu'est-ce à dire, sinon que la prière de Jésus a déjà été exaucée ? Il peut vivre ces heures dans la plus grande dignité ; il dit : « Je veux. » C'est qu'il est Roi dans sa Passion : aux yeux du croyant, sa gloire éclate déjà. Ainsi replacée dans ce contexte, la prière exprime la préparation intérieure de Jésus à ce qui va arriver. Elle apparaît de plus s'insérer dans la trame des événements du Jeudi saint.

Jésus dit « ces choses, encore présent dans le monde... » (v. 13).
Mais, en même temps, il se place au-delà; il parle déjà de sa mission
dans le monde comme d'un passé : « Lorsque j'étais avec eux... »
(v. 12), ou bien : « Je ne suis plus dans le monde... » (v. 11ᵃ). C'est
donc que la Passion n'est plus à venir, qu'elle est déjà passée et
qu'elle a porté ses fruits... Ainsi, l'heure dont Jésus parle (17,1) n'est
pas à chercher dans la chronologie de la Passion. Elle n'est pas
une heure des événements, mais l'événement lui-même : l'heure
du don de la Vie. Après cela, il ne restera plus à Jean qu'à apporter
son témoignage sur les faits de la Passion et de la Résurrection. Le
croyant qui l'écoute ou le lit n'éprouvera devant la croix ni le
scandale du Juif ni l'incrédulité du païen. Il vit déjà, lui aussi, à
l'intérieur du drame. Ce n'est pas sans raison en effet que la dernière
parole évoque une fois de plus l'ultime étape de l'alliance : l'amour
de Dieu est en eux « et moi en eux » (17,26).

C. Pour saisir pleinement le point de vue johannique, il reste
encore à le comparer aux récits des Synoptiques.

Chez eux, entre la Cène et l'arrestation se situe le récit de l'Agonie
où Jésus, envahi d'abord par l'angoisse, consent profondément à la
volonté du Père : « Non pas ce que je veux, mais ce que tu veux »
(Mc 14,36 p), en même temps qu'il affronte l'issue qui approche
et vers laquelle il entraîne les disciples : « Levez-vous! allons! »
(Mc 14,42 p). Jean a fait un sort très curieux à tous ces éléments.
Chez lui, il n'y a pas d'agonie à Gethsémani, mais seulement
l'arrestation. Le reste est dispersé : la coupe à boire (18,11), l'ordre
« levez-vous » (14,31) et surtout le trouble et l'acceptation de la
volonté du Père (12,23.27-28).

Il est vraisemblable qu'il avait connaissance des Synoptiques,
bien qu'il ne dépende pas d'eux dans sa rédaction. On peut donc
penser que l'absence de ces éléments dans le récit du dernier soir
révèle une intention : Jean n'a voulu y garder que ce qui manifestait
la pleine liberté et la sérénité du Christ. S'il a ainsi déplacé la scène
de Gethsémani au moment de la montée des païens, heure de sa
glorification, on peut dire que la prière de Jésus qu'il y apporte :

« Père glorifie ton Nom » (12,28) trouve son développement dans la prière missionnaire du chapitre 17.

Jean a pénétré si fort le mystère de l'union du Fils et du Père qu'il ne craint pas de faire dire au Christ, pour la seule fois : « Je veux... » (17,24). Ce *têlô* qu'il a placé à quelques lignes de l'arrestation montre que pour lui l'approche de la Passion ne fut plus un combat mais déjà une victoire. Il fait écho à sa dernière parole aux disciples : « Courage ! J'ai vaincu le monde » (16,33).

Il y a plus : ce n'est pas seulement la prière de l'agonie que Jean déplace, en la développant, dans ce chapitre 17, mais encore le geste liturgique de la Cène et les Psaumes récités par le Christ en croix.

Les aspects de la prière dans le chapitre 17 en rapport avec la dernière Cène sont assez délicats à mettre en évidence : nous le verrons après avoir étudié le verset 19.

Quant au cri du Christ en croix, il n'y a trace en Jean ni du Ps 22 (Mt 27,46 ; Mc 15,34) ni du Ps 33 (Lc 23,46). La présentation de Matthieu et de Marc est tout à fait conforme à la mentalité sémitique. Luc juge plus simple de chercher un verset qui n'ait pas besoin d'être expliqué pour ses lecteurs grecs, et qui ait la même portée. Mais Jean va plus loin : il passe entièrement sous silence la dernière prière de Jésus. Ceci est encore révélateur d'une intention. Tout au long du discours, il a proclamé l'unité du Père et du Fils. Surtout, il a évoqué de façon très dense la tragédie du Christ en croix : « Vous me laissez seul. Mais non, je ne suis pas seul, le Père est avec moi ! » Et c'est pourquoi la prière pourra se clore sur l'*agapè* du Père et du Fils.

Ainsi, comme il le fait ailleurs, Jean a concentré en un seul endroit ce qu'il savait de la prière du Christ. Il en a gardé les traits essentiels : l'invocation du Père qui fait penser à l'*Abba* de Marc (14,36) et de Paul (Ga 4,6) et la confiance qui en découle. Mais il l'a surtout transposée, selon un procédé théologique qui se retrouve ailleurs dans son livre : elle surgit d'un coup au centre de son évangile et vient déjà du ciel où Jésus la prononce face à son Père.

2. Déterminer la *structure littéraire* de cette page est délicat. Les spécialistes ont du mal à tomber d'accord. C'est par une obser-

vation très attentive de toutes les correspondances de mots, de formes et de thèmes, que l'on peut analyser l'art avec lequel cette prière a été élaborée et, par là, connaître un peu mieux quelles en sont les lignes de force. L'étude qui suit veut tenter cet effort en guidant seulement vers les thèmes principaux.

La prière de Jésus semble toute suspendue à l'Heure décisive où il se trouve. Elle se déploie en trois temps qui recouvrent les grandes étapes par lesquelles sont passées, ou devront passer, les relations du Père, du Fils et de « ceux qui lui ont été confiés » par le Père.

TEMPS DE LA RENCONTRE ET DE LA CONNAISSANCE

Celui dans lequel Jésus présente au Père l'œuvre accomplie.

Un premier ensemble, construit de manière concentrique, met en rapport la glorification du Père et de Jésus et l'œuvre que Jésus a menée à terme : donner la vie éternelle en faisant connaître le seul vrai Dieu et son Envoyé, Jésus-Christ (17,1-5).

Jésus montre pourquoi il peut s'adresser au Père avec une telle confiance : l'œuvre du Père a rencontré en Lui (17,6a-7 et 8a) et dans ceux qui ont cru à sa Parole (vv. 6b-7 et 8b) un parfait accord.

TEMPS DE LA SÉPARATION

De l'accord de Jésus avec son Père jaillit une prière : Jésus envisage son départ et le fait que les siens vont rester sans lui.

— Un premier développement montre la situation, inconnue pour eux et pleine de dangers, dans laquelle les disciples qu'il a sous les yeux vont se trouver (17,9-19).

Cette remarque se présente comme un ensemble de petites péricopes dont la première est une introduction à la prière et ses premiers bénéficiaires (17,9-10). Les trois autres (vv. 11-13, 14-16 et 17-19) étalent, en quatre vagues, une unique demande que le verbe « garder » exprime bien. Jésus, soucieux de l'avenir des siens, demande au Père de les garder pour qu'ils soient un. De les garder sans pour autant les retirer du monde. De les garder de telle manière qu'ils soient tout réservés à Dieu, « consacrés ».

A l'occasion de chacune de ces instances, Jésus évoque sa propre action ou sa situation : « Quand j'étais avec eux je les gardais... »,

« Ils ne sont pas du monde comme je ne suis pas du monde »,
« Pour eux, je me sanctifie en vérité ».

— Dans un deuxième développement, Jésus, portant encore plus
loin son regard, prie aussi pour tous ceux qui croiront à cause de la
parole transmise par les siens (17,20-23).

Il revient à quatre reprises sur la demande d'unité, la première
de celles qu'il venait de faire, et donne la raison profonde de son
attitude : « Tu les as aimés comme tu m'as aimé. »

Temps de la communion dans l'amour

Fort de cet amour, Jésus change le ton de la prière pour dire :
« Je veux ». Il se place là où il entre lui-même, au terme de toute l'histoire car c'est le temps de la communion dans l'amour (17,24-26)
qui unira de façon décisive le Père et le Fils, Jésus et ses disciples,
« afin que l'amour dont tu m'as aimé soit en eux et moi en
eux ».

Si telle est bien la structure de cette page, celle-ci mérite d'être
appelée la « prière missionnaire » puisque c'est à l'accomplissement
de la Mission de l'Envoyé qu'elle est tout entière consacrée.

Le texte retenu ici appartient donc à la partie de la prière centrée
sur le temps de la séparation. Deux catégories du langage johannique y reviennent avec plus d'insistance qu'ailleurs : celle du
« monde » et celle de la « consécration ». Mais ce terme de « monde »
est-il toujours pris dans le même sens ? Et que recouvre l'idée de
consécration d'où vient le titre de « prière sacerdotale » fréquemment
donné à l'ensemble de la page ?

Bien des liens courent de l'une à l'autre des trois demandes
qui figurent à cette phase de la prière de Jésus; ils permettent
d'en préciser la structure et le dynamisme, et d'en avoir ainsi une
vue globale.

On peut partir des formules qui sont au centre des demandes :
« garde ceux que tu m'as donnés » (v. 11), « les garder du Mauvais »
(v. 15), « sanctifie-les dans ta vérité » (v. 17). Les deux adresses
à la « garde » du Père ont quelque symétrie entre elles; la seconde
ajoute à la première la nuance de protection que celle-ci n'avait

pas aussi clairement. L'appel à la consécration vient en troisième lieu et couronne les deux autres; les disciples n'auront pas de meilleure défense que cette « consécration » qui les place entièrement dans la main de Dieu. C'est là que se situe l'axe majeur du texte puisque la triple reprise du terme (aux vv. 17 et 19) a été préparée (au v. 11) par l'invocation au Père Saint.

Pour justifier cette insistance, Jésus, établit un parallèle entre sa propre situation et celle de ses disciples :

v. 11	Je ne suis plus dans le monde	et eux sont dans le monde
v. 14 { v. 16 {	comme moi je ne suis pas du monde	ils ne sont pas du monde
v. 18	comme tu m'as envoyé dans le monde	je les ai envoyés dans le monde.

Dans le premier cas, le « monde » n'est qu'un lieu plein d'inconnues, où peuvent arriver toutes sortes de choses qui justifient la demande de la garde du Père. Dans le deuxième, le « monde » est vu aussi comme une puissance hostile à Dieu et pratiquement sous l'influence du Mauvais. Au troisième temps, le « monde » est le lieu même de la mission confiée aux disciples. D'un simple constat de situation, on est arrivé à la notion d'envoi et de tâche. C'est pour cela qu'à la fin du texte, le parallélisme éclate : Jésus ne se borne plus à comparer deux situations, il s'engage en faveur des siens, il « se consacre » pour eux. Cette action présente du Christ vient prendre le relais de celles qu'il a accomplies jusqu'à présent pour eux et dont chacun des trois moments rapporte un aspect; Jésus, en effet, a gardé ses amis et veillé sur eux, il leur a donné sa parole, il les a envoyés dans le monde. Ainsi la prière paraît envisager tour à tour toutes les formes de l'action de Jésus et de sa présence aux siens : « Je ne suis plus dans le monde. Moi, je viens à toi (v. 11). Je dis ces choses encore présent dans le monde (v. 13). Pour eux, je me consacre (ou « sanctifie ») moi-même (v. 19). » Plus que jamais, elle est la prière de l'heure, celle du passage, la prière pascale par excellence. C'est de la Pâque qu'elle tire son dynamisme.

*
* *

Deux questions semblent se poser : de quel endroit à quel autre ce passage conduit-il ? Qui l'emprunte ou se trouve impliqué dans cette opération ? En fait, c'est autour de ces deux questions que s'ordonnent les *principaux éléments* du texte.

1. La première question a trait à l'espace dans lequel se déroule l'action visée par la prière.

Cet espace est, pour une part, désigné à onze reprises par le terme de « cosmos » (dix-neuf emplois dans l'ensemble du chapitre). Nous avons vu, à l'instant, comment l'évolution de la structure affectait le sens de ce vocable[2], entendu tantôt comme le théâtre d'une certaine action et tantôt comme une puissance, partie prenante du jeu qui s'y mène. Il reste cependant que jamais dans cette portion du texte ce terme ne reçoit une coloration positive, alors qu'au verset 21 il sera question d'un acte de foi que ce « monde » pourrait être amené à poser. Pour l'instant, il semble être considéré tout entier comme fauteur de « haine »[3] et complice du « Mauvais » qui règne sur lui. Voilà le lecteur placé en face de la haine radicale qui, selon les apocalypses synoptiques, serait une marque des dernières convulsions de ce monde et frapperait tout particulièrement les disciples de Jésus. Matthieu, en son discours apostolique (10,22), avait déjà montré qu'elle s'attacherait, sans attendre, aux pas des missionnaires. Dans les discours johanniques après la Cène, elle est devenue quotidienne et générale (15,18-24). Elle a pris naissance dans le fait que les ennemis de Jésus et le monde (12,8) ne peuvent supporter le jugement qui est inséparable de son témoignage (3,19-21.36). Il est logique qu'elle vise également ceux qui ont accueilli comme un don cette même parole (v. 14a). Ils ne sont pas de ce monde, ils doivent partager le sort de celui à qui ils se sont liés.

2. VTB, *Monde*, N.T., I 2; II 1; III 2.
3. VTB, *Haine*, III 1.2; *Satan*, Intr., II, III.

A l'opposé de l'amour mutuel qui se modèle sur Jésus au point de devenir le signe de son œuvre, cette haine est donc le fruit du « Mauvais ». Comment entendre cette expression, au masculin ou au neutre ? Le texte grec ne permet pas plus que dans le cas du « Notre Père »[4] de trancher sans appel. Mais cinq fois la première épître de Jean a recours à la forme personnelle (avec un article au masculin) et la tendance actuelle des traducteurs du « Notre Père », en relation avec la tradition ancienne va dans le même sens. Nous continuerons donc à parler du Mauvais plutôt que du mal. Mais s'agit-il d'une simple personnalisation ou d'une réalité personnelle plus définie ? En nous défiant de toute imagination, c'est à cette deuxième façon de voir que nous nous rangerions plutôt.

Le monde et le Mauvais ne définissent qu'un aspect de l'espace où se meuvent les destinées de Jésus et de ses disciples. Il en est un autre que l'on ne rejoint que dans la dimension mystérieuse des relations de Jésus et de son Père. Jésus n'indique pas qu'il passe de ce monde à un autre. Par deux fois, il dit : « Je viens vers toi ». On rejoint ici la formule d'introduction aux discours après la Cène, selon laquelle l'heure était venue pour Jésus de passer « de ce monde à son Père »[5]. Cet espace-là n'est pas aisément descriptible. On ne peut circonscrire en un lieu l'unité du Père et du Fils. On ne peut non plus l'y retenir. Aussi il devient possible de connaître ce en quoi le lien du Père et du Fils vient marquer le monde. Les analogies du texte en permettent une approche. L'unité, la joie, la sainteté que Jésus demande pour les siens sont des réalités qui affectent d'abord ses relations avec son Père et l'œuvre qu'il accomplit pour lui : « Un comme nous (v. 11), qu'ils aient ma joie (v. 13), eux aussi consacrés en vérité (v. 19). » Des termes théologiques très denses désignent les moyens par lesquels Dieu se rend présent aux disciples qui restent en ce monde sans en être : son Nom[6] — sa Parole[7] — sa Vérité[8].

« Sa vérité » : c'est avec le possessif que nous lisons ce terme (comme le font certains manuscrits et certaines versions). Il ne

4. VTB, *Prière*, IV 4; *Épreuve*, N.T., I.
5. VTB, *Père*, V 2.3; *Unité* Intr.
6. VTB, *Nom*, N.T., 1.
7. VTB, *Parole de Dieu*, N.T., I 2.
8. VTB, *Vérité*, N.T., 3a; b.

s'agit pas seulement de consacrer « vraiment », ni dans une sorte d'authenticité abstraite, « la » vérité, mais de faire participer les disciples à cet aspect de Dieu depuis longtemps fourni par la définition qu'en donne la Bible. La vérité dont il est question ici, correspond au mot *émet*, des textes hébraïques, c'est-à-dire à la solidité, à la fermeté de Dieu. Elle rapproche aussi les disciples du Fils plein de grâce et de vérité en qui ils ont cru (1, 14; 17, 8), « vérité » qui n'appartient qu'à Dieu, qui est, proprement « sa vérité ».

Pourtant, on ne saurait oublier la rude réalité. Ce n'est pas sans combat que les dons de Dieu pénètrent dans le monde car il ne se confond pas avec lui : il s'en sépare dans la « sainteté »[9]. Cette notion apparaît dans la Bible à propos du Buisson ardent, quand il s'est agi pour Dieu de prendre la défense de ceux qu'il avait choisis. Il a alors étendu sur eux sa sainteté, c'est-à-dire son inviolabilité.

Plus tard, à la veille du Retour de l'Exil, Ezéchiel avait montré comment Dieu se proposait de « sanctifier son nom au regard des nations païennes » : il rassemblerait les dispersés, il ramènerait les exilés dans la Terre Sainte, il mettrait dans leur cœur l'Esprit[10] qui leur permettrait de garder sa loi et de vivre « saintement » autour de la Demeure où le Seigneur ferait résider sa Gloire[11] (cf. Ez 20,12.41; 28,22.25; 36,23; 37,28; 39,2...). Ce que Dieu a fait pour son Peuple, qu'il le continue pour les disciples de Jésus ; tel est le souhait majeur du Maître en cette partie de sa prière. Qu'ils soient pris dans la « sainteté » du Père et ils pourront affronter tous les périls de leur nouvelle situation. S'ils sont de la sorte plongés en Dieu, ils pourront, en restant au milieu du monde, avoir part à l'unité du Père et du Fils comme à la plénitude de la joie de celui-ci.

2. La deuxième question envisagée à partir de la structure du texte est de distinguer le « passage » dont parle Jésus dans sa

9. VTB, *Sainteté*, N.T., Intr. I II.
10. VTB, *Esprit*, A.T., IV; N.T., II.
11. VTB, *Gloire*, III 2, IV 3.

prière et les personnes qu'il met en communication ou qui l'empruntent. Or cette perspective vient d'éclater. Le « monde » n'est pas seulement un lieu mais une puissance et en regard de lui, ce n'est pas un autre monde qui a été trouvé mais la sainteté du Père qui le pénètre et le transforme en profondeur.

A. Si l'on veut réaliser la portée de ces bouleversements pour ceux qui restent dans ce monde sans en être, il faut d'abord examiner de plus près la situation de celui qui fait monter vers le Père une telle prière. La description qui en est faite est d'apparence fort complexe. Les contradictions s'y mêlent sans contrainte : « Je ne suis plus dans le monde (v. 11...), je dis ces choses encore présent dans le monde » (v. 13). Elles ne s'ordonnent qu'en termes de mouvement. Tout le profil de la destinée de Jésus est tendu par le commandement du Père. C'est lui qui l'a envoyé dans le monde (v. 18), c'est vers lui qu'il va à l'Heure décisive qu'il est en train de vivre « maintenant » (vv. 11 et 13).

Le Fils a été envoyé dans le monde et la prière rappelle ce qu'il y a fait. Il y a reçu du Père les disciples que celui-ci lui a donnés. Il les a gardés, il a veillé sur eux et « aucun ne s'est perdu sauf le fils de perdition »; il leur a donné sa parole, il les a envoyés à son tour dans le monde. Il est frappant de voir à quel point la totalité de la mission de Jésus en ce monde est définie par ses relations avec ses disciples. En relisant les expressions rassemblées ci-dessus, on croirait parcourir un sommaire des évangiles, du IVe en tout cas, depuis le premier soir au bord du Jourdain, (1,44-51) jusqu'à l'ultime rencontre du Cénacle au soir du « premier jour » (comparer 17,18 et 20,21). Tout ceci est bien dans la note de cette œuvre où le thème de la demeure a tant de place. Mais cette forme de la mission de Jésus dans le monde n'a qu'un temps. Jésus parle comme sur le seuil de la demeure éternelle et les premiers verbes qui au verset 12 qualifient son action en ce monde sont déjà tous au passé. Mais, évolution significative, le don de la Parole (v. 14) est rendu par un parfait, (en grec, *dedoka*), temps qui indique une action passée dont l'effet dure. Jésus n'évoque donc pas une quelconque activité passée de prédicateur mais un don qui ne passe pas : il a donné à ses disciples la Parole du Père et elle demeure en eux. Enfin, dans une dernière étape, même le don de la Parole n'épuise pas l'œuvre du Fils qui se dit maintenant au présent et d'une manière qui souligne la continuité de sa relation aux disciples : « Pour eux, je me sanctifie moi-même » (v. 19).

« Pour eux » : cette expression ne doit certainement pas faire penser à une substitution comme y songeait naguère le Grand-Prêtre : « Il vaut mieux qu'un seul homme meure pour le peuple » (11,50). Dans les deux paroles, Jean reprend la même préposition grecque *(hyper)*, mais cette fois il lui donne un autre sens : c'est en faveur de tout le peuple et de tous les dispersés que Jésus devait mourir. Cette voie écartée, faut-il songer à donner à cette locution une valeur sacrificielle dans la ligne de l'Expiation [12] si bien couronnée par l'intervention du Serviteur offrant sa vie et intercédant pour les pécheurs » (Is 53,10.13) ? Cette ligne se prolonge nettement dans les formules pauliniennes et synoptiques de l'Eucharistie avec ce corps livré « pour vous » et ce sang versé « pour vous et pour la multitude ».

De la sorte, ce texte donnerait à la prière et à toute la Cène johannique la note de célébration eucharistique qui paraît lui manquer du fait qu'on n'y trouve pas de récit d'institution. Mais la théologie du IVe évangile ne connaît pas ce thème de l'expiation telle qu'on peut en vivre dans une pensée formée à la méditation du Lévitique. Lorsque, d'autre part, ce livre parle de la mort du Bon Pasteur pour ses brebis (10,11), ou de quelqu'un pour ses amis (15,13), il ne le fait pas dans une perspective liturgique et sacrificielle. Il l'envisage plutôt sous l'angle d'une dévotion totale, d'un don qui va jusqu'au bout. Ainsi est rejointe d'une autre manière, la ligne du Serviteur telle qu'elle s'est réalisée en Jésus. En prophète authentique et mieux qu'aucun prophète n'avait pu le faire, Jésus s'est engagé totalement dans l'amour qui le liait à la fois à son Père et à ses amis. Sur le chemin de cet amour, la mort s'est présentée à lui comme la souffrance avait marqué tous les grands intercesseurs, d'Abraham à Jérémie. Il ne l'a pas repoussée. Elle a été le signe suprême de l'amour[13] qu'il portait en lui.

12. VTB, *Expiation*, N.T., I.
13. VTB, *Amour*, I, N.T., b; *Servir*, III, N.T. 1.

Voici donc Jésus à la Croix. C'est par elle qu'il va se sanctifier[14]. Qu'est-ce à dire ? Se mettre à part ? Il n'y a pas, il est vrai, de séparation plus radicale que celle de la mort et l'on ne peut écarter cette coloration de la notion de sanctification. Mais la séparation n'a pas de sens en soi. Tout vient de la nouvelle destination qu'elle rend possible. Ce n'est pas pour se retrancher de tout que Jésus a accepté de mourir : il a orienté sa mort de la même manière que sa vie ; il l'a tournée vers son Père et vers ses frères. Il en a changé le sens. Souvenons-nous de l'ambiance pascale de toute la page. La mort survient à l'heure où, dans le Temple, sont immolés les premiers agneaux de la Pâque indiquant ainsi, de manière symbolique, qu'il est le véritable Agneau de Dieu, et plus profondément encore le Premier-né que ces agneaux représentent. Les prêtres les consacrent en les offrant à Dieu tandis que Lui se présente de lui-même : « Je me sanctifie moi-même », en se tournant plus radicalement que jamais vers son Père pour ses disciples. Avec cela tout n'est pas dit encore. La valeur de la consécration de Jésus dépasse celle d'un instant historique, fût-il celui de sa mort en croix. Dans le cadre de la prière, c'est déjà dans la Gloire[15] qu'il prononce l'acte de son offrande prophétique et, de ce fait, elle transcende toutes les époques et atteint désormais tous ceux qui croiront en la Parole. Par ces mots, Jésus définit sa tâche éternelle et nous avons ici l'équivalent de ce que déclarent Paul comme l'auteur de l'épître aux Hébreux quand ils le proclament toujours vivant et toujours en train d'intercéder pour les siens (Rm 8,34 ; He 7,25).

B. Faut-il, après cela parler encore des disciples ? A aucun moment, ils ne peuvent sortir du champ des préoccupations, tellement ils sont présents au regard de Jésus. Il faut pourtant préciser les liens qui les unissent à lui, ainsi que la condition où ils sont désormais et la mission qui les attend.

Au cours des trois demandes, les relations qui unissent Jésus à ses disciples sont approfondies. Au départ, l'accent paraît

---

14. VTB, *Saint*, I, II.
15. VTB, *Gloire*, IV 3.

porter sur la dissemblance. Jésus va être séparé des siens et il ne pourra plus veiller sur eux comme il le faisait quand il était avec eux. C'est encore le Maître qui parle, même s'il est désireux de tout partager avec ses disciples. Dans les vv. 14-16, il insiste en revanche sur la ressemblance qui les rapproche de lui : comme lui, ils ne sont pas du monde. C'est encore de similitude qu'il est question, dans les dernières lignes à propos. de la mission du Fils et de celle des envoyés. Mais en définitive c'est « pour eux » qu'il se sanctifie, qu'il meurt et qu'il ne cesse d'intercéder.

De qui s'agit-il ? Pour le savoir, il faut tenir compte de ce que le texte dit de leur condition et ne pas oublier le contexte. Leur situation est donnée par deux points de repère. D'une part, les disciples ne sont pas venus vers Jésus de leur propre mouvement, c'est le Père qui les lui a donnés (mais l'étude de ce point relève davantage du commentaire des verserts 6-9 qui sont comme l'introduction à toute la partie centrale du texte). Ici, l'accent est mis sur le fait que les disciples restent dans le monde alors qu'ils n'en sont pas. Ils n'en sont plus en effet depuis qu'ils ont reçu la Parole qui les a ouverts à la vraie vie[16]. Ils ne peuvent alors qu'être exposés à la haine que l'on porte à tous ceux qui gardent la Parole du Père. Ils sont maintenus en ce monde alors qu'ils vont être privés de la présence charnelle de Jésus. Ce drame pèse sur l'ensemble des discours après la Cène, et nous savons qu'il a reçu des réponses de plus en plus profondes dont témoignerait la structure même de cet ultime chapitre. De toute manière, c'est là que la « garde » de Dieu doit les rejoindre. Leur route pourtant n'est pas finie. Elle ne s'achèvera que dans la communion[17] sans limites qu'évoque la finale de la prière. Auparavant, leur groupe aura connu un élargissement indéfini : à tout moment les rejoindront ceux qui croiront en Jésus grâce à leur parole.

Quel sera désormais le cadre de leur vie, quelles seront leurs responsabilités ? Ils auront d'abord à garder à leur tour les dons que le Père ne manquera pas de leur faire. Jésus a demandé pour eux l'unité, non pas n'importe quelle unité mais celle qui reflète

16. VTB, *Parole de Dieu*, N.T., I 2.
17. VTB, *Communion*, N.T., 2b.

l'union qu'il a avec le Père. C'est seulement à ce niveau d'intensité qu'elle pourra surmonter la force dissolvante de la haine qui s'attaque à leur groupe. Pour eux encore Jésus demande la joie[18] sa propre joie, en plénitude. La joie que vise Jésus est celle que Dieu, selon le psalmiste, tire de toutes ses œuvres (Ps 104,30). C'est le bonheur de voir la tâche entière menée à bonne fin. C'est la joie qui éclate pour une femme lorsque, après les souffrances de l'accouchement, un homme est né au monde (Jn 16,21 s.). Cette joie ne peut être atteinte normalement en chemin, puisqu'elle résulte du terme enfin touché. Mais comment avancer sans la force qu'elle représente? Au sein du combat apostolique, l'anticipation de la Joie du Fils ressuscité est, dans sa discrétion, l'un des traits les plus extraordinaires de cette prière.

Mais plus importante encore est la dernière demande, celle qui vise à la consécration des envoyés de Jésus. La consécration apostolique porte tous les caractères rencontrés plus haut à diverses reprises. Elle est appartenance totale et permanente au Père; les disciples rejoignent le Fils dans son don total à son Père. Ils connaîtront de ce fait les séparations qu'impose ce choix primordial; appartenant au Père par le Fils, ils ne peuvent être du monde dans lequel pourtant ils sont plongés. Mais n'est-ce pas dans ce combat quotidien qu'apparaîtra la réalité concrète de leur consécration? Ils seront désormais entièrement tournés vers la vérité du Père. Le texte ajoute aussitôt : « Ta parole est vérité. » Il précise ainsi en quoi consiste la relation intransigeante des disciples à la Vérité de Dieu : ils continueront à garder en eux le don que Jésus leur en a fait. Désormais, ils auront à la manifester, à la répandre, à la lancer comme un appel perpétuel et universel à la foi. Toute leur consécration va être investie dans cette mission. Mais elle les entraînera plus loin encore. Elle les engagera dans la propre santification de Jésus, elle les conduira comme lui au pied de la Croix, au seuil de la mort; elle les fera participer à sa tâche continuelle d'intercession. Elle fera d'eux des hommes qui, dans le Fils, ne doivent cesser de se présenter devant Dieu pour leurs frères. Cette double responsabilité de parole et de prière, à l'image

18. VTB, *Joie.*

du Fils et par son ordre, fera de toute leur existence une participation spéciale au Sacerdoce[19] de Jésus.

* * *

Cette lecture invite à renouveler la connaissance courante du visage humain de Jésus.

Il paraît capital de ne pas négliger la charge affective qui a lié mutuellement Jésus et les siens. C'est d'abord d'eux qu'il s'agit ici et l'évolution littéraire du IVe évangile n'assourdit pas la parole première qui a donné naissance aux méditations de Jean. Ce n'est pas que le chrétien d'aujourd'hui ne soit pas concerné. Il ne doit pas être indifférent à sa foi que le groupe de la Cène ait vécu un tel degré d'amitié. Mais cela peut aider à préciser les rapports qui lient la génération apostolique aux générations suivantes. C'est toujours sur la parole des Apôtres qu'un chrétien croit, et ceux-ci vécurent leur foi au Fils de Dieu dans l'amitié qu'ils partageaient avec Jésus.

Ce texte invite aussi à approfondir le caractère sacerdotal de la mission apostolique. Il est clair qu'il ne peut être question d'un engagement passager. Quand Jésus envoie quelqu'un dans le monde, il ne le fait pas sans demander au Père de le consacrer dans sa vérité. Qui pourrait séparer de cette consécration ? Elle a aussi ses exigences, mais elles ont été assez soulignées.

Reste un dernier appel. Cette prière peut-elle être le type de celle d'aujourd'hui ? Certes, les chrétiens ont un besoin toujours plus vif de l'unité et de la joie que Jésus demande pour les siens. Certes, ils peuvent toujours sentir la haine du monde les menacer; encore faut-il ne pas appliquer sans discernement ces expressions à leur vie. Mais la « consécration » que Jésus demande pour ses

19. VTB, *Sacerdoce*, N.T., I 2.

envoyés demeure le secret du Père, lui seul est apte à la donner. Quant à prier avec l'autorité de Jésus, c'est le but parfait qui, pour être atteint, demande de reprendre sans cesse, en les méditant, les mots de sa prière.

R.V.

Pentecôte
Jean 20,19-23

LE SOUFFLE
QUI DONNE NAISSANCE A L'ÉGLISE[1]

[19]Comme c'était le soir, ce jour-là, le premier de (la) semaine, et les portes étant fermées là où étaient les disciples, par peur des Juifs, Jésus vint et se tint au milieu et leur dit : «Paix à vous!» [20]Ayant dit cela, il leur montra ses mains et son côté. Les disciples se réjouirent en voyant le Seigneur.

[21]Jésus leur dit de nouveau : «Paix à vous! Comme le Père m'a envoyé, moi aussi je vous envoie.» [22]Et, ayant dit cela, il souffla et leur dit : «Recevez (l')Esprit Saint. [23]Ceux à qui vous remettrez les péchés, ils leur seront remis; (et) ceux à qui vous (les) retiendrez ils (leur) seront retenus.»

1. Synopse § 365; 367.

Pendant longtemps, avec une préoccupation chronologique, la liturgie a fait lire ce texte de Jean le dimanche qui suit Pâques. Or, depuis peu, il est proposé le jour de la Pentecôte : cette innovation peut étonner car, dans ce récit, Jésus semble tenir plus de place que l'Esprit Saint. Un lien de ce texte avec la Pentecôte apparaît cependant dans la parole de transmission de l'Esprit Saint. Mais cette mention de l'Esprit intervient de façon fort brève et l'on peut se demander quelle importance exacte lui accorder. Le contraste est grand avec le récit transmis par Luc dans les Actes. Il s'accroît encore du fait que celui-ci montre l'Esprit agissant de manière directe et avec des effets dont le retentissement atteint des personnes de toutes nations. Dans le récit de Jean en revanche, d'une part c'est le Christ qui établit le lien entre l'Esprit et les disciples et d'autre part la dimension universaliste semble moins apparente : le don de l'Esprit est accompagné aussitôt de la transmission du pouvoir de remettre les péchés sans préciser qui cette remise atteindra. Cette mission est, d'ailleurs, confiée en des termes qui feraient penser que certains péchés pourraient ne pas être pardonnés : mais sans doute tel ne doit pas être le sens que l'auteur veut suggérer.

Bref, les premières impressions conduisent à penser que le texte comporte une part d'intentions théologiques au sujet du Christ ressuscité, de la mission qu'il confie aux siens, et de l'Esprit. Mais quelle place respective tient chacun de ces aspects et quels sont les liens qui les unissent tous les trois ?

a) Dans une étude précédente[2] *le contexte* de ce récit a été mis en relief. Sa comparaison avec le passage parallèle de Luc permet en particulier de voir comment, tandis que celui-ci s'attarde sur la « reconnaissance » de Jésus; Jean au contraire passe très vite sur elle et s'arrête davantage sur la personne de Jésus tournée vers l'avenir et transmettant ses pouvoirs. Son intention apparaît ainsi dans cette insistance sur la mission de l'Église née de la Résurrection de Jésus.

2. Voir étude du deuxième dimanche de Pâques, p. 378.

Dans le chapitre de Jean, ce texte est développé en priorité, avant l'apparition à Thomas, et s'adresse à des disciples qui sont immédiatement pleins de joie. Cette place prioritaire qu'il occupe dans les apparitions aux disciples (20,19-21, 23) et l'absence de doute chez ces derniers mettent en évidence son rôle de récit type de mission.

b) L'étude de son *organisation* permet d'aller plus loin dans la précision de ses caractéristiques. Elle se présente ainsi :

> RECONNAISSANCE :
> Lieu, temps, circonstances : v. 19 abc
> Présence et initiative de Jésus :
> — Salutation : v. 19d
> — Geste : v. 20a
> Reconnaissance : v. 20b
>
> MISSION
> Parole de Jésus
> — Envoi : v. 21
> — Présence de l'Esprit : v. 22
> — Rémission des péchés : v. 23

Cette organisation accentue l'aspect déjà relevé par le contexte : l'élément dominant se situe dans la parole de mission. La moitié du texte lui est consacrée et elle contient trois éléments à contenu théologique dense.

*
* *

Les *différents éléments* concernant la mission tels que le texte les fournit peuvent donc s'ordonner ainsi :
— une communauté faisant l'expérience du Ressuscité;
— l'envoi de cette communauté, qui découle de cette expérience;
— le don de l'Esprit qui l'assiste dans sa mission;
— le pouvoir de transmission du Salut et de sanctification accordé par ce don.

1. Au départ de la mission de l'Église, il y a l'expérience du Ressuscité faite par les disciples.

C'est l'expérience d'un Jésus qui a l'initiative[3] et qui brise toutes les barrières derrière lesquelles peuvent s'enfermer ceux qui sont prêts à le reconnaître mais demeurent retenus par la peur. Tel semble être le sens de cette irruption insolite de Jésus : supprimer les barrières de l'incrédulité[4]. La note propre du Seigneur Ressuscité est de n'être retenu par aucun obstacle pour « se tenir au milieu » des siens. Voilà l'expérience pascale[5] de départ qui va habiter les disciples au cœur du monde où ils vivent.

Par disciples[6], il faut entendre d'après le contexte immédiat (20,29) d'abord les Onze, mais le contexte plus général montre qu'il s'agit des Onze et de tous ceux qui se sont joints à eux, car le collège des Douze a été choisi comme noyau d'un nouveau peuple par lequel la présence du Ressuscité doit déborder dans le monde[7]. Pour l'expérience qu'ils font (v. 20), l'on peut se reporter à Jean 20, 19-31[8].

2. C'est dans un même mouvement que les disciples s'ouvrent à la foi pascale et sont envoyés.

L'important concernant cet envoi porte sur l'identité : « Comme le Père... moi aussi... ». Autrement dit, l'envoi en mission n'est pas considéré sous l'angle de la mise en œuvre de celle-ci, aspect développé ailleurs dans le Nouveau Testament, mais sur l'origine de la mission : le lien intime qui unit Jésus au Père. Il n'y a qu'une mission (17,18) : celle du Père, qui est celle de Jésus, qui est elle-même celle de l'Église[9]. Celle-ci ne fait donc pas que donner un

3. VTB, *Apparition*, 4a.
4. VTB, *Incrédulité*, II 2.
5. VTB, *Résurrection*, N,T., I 2.
6. VTB, *Disciples*, N.T., 1.
7. VTB, *Apôtres*, I 2.
8. VTB; voir étude du deuxième dimanche de Pâques, p. 377-388.
9. VTB, *Mission*, N.T., I 2; II 1; III 2.

prolongement à l'œuvre de Jésus, mais sa mission est identiquement celle de Jésus qui est action même du Père, ce que souligne l'expression « comme » *(Katos)* fréquente chez Jean et qui n'a pas seulement le sens d'une comparaison mais aussi, souvent, celui d'une équivalence (voir 6,57; 10,15...).

Il est à noter qu'ici l'évangile ne parle « d'envoi » qu'en un sens absolu. Il n'est pas dit où sont envoyés les disciples, parce qu'ils sont dans le monde (17,18). Il s'agit donc d'un « Je vous envoie » au sens d'une action continue et qui marque l'autorité absolue du Christ à l'origine de la mission de l'Église. Le Christ est l'envoyé eschatologique de Dieu qui constitue, par sa Résurrection et ceux qui le reconnaissent dans cette condition nouvelle, la communauté à laquelle il promet vie dans cette fin des temps. Il y a continuité de lui à elle. C'est pourquoi l'évangéliste présente la naissance de cette communauté nouvelle le soir de Pâques.

3. Une telle mission est rendue possible par le don de l'Esprit : des disciples il fait un corps auquel il donne vie et qu'il anime d'un souffle nouveau.

Une effusion totale et définitive de l'Esprit était attendue pour les temps eschatologiques. En la situant le soir de Pâques, l'auteur reste fidèle à son projet de montrer que ces temps sont arrivés avec la victoire du Christ sur la mort.

La parole « Recevez l'Esprit Saint » est accompagnée d'un geste : il est dit que Jésus « souffla ». On n'a pas manqué de faire remarquer qu'ailleurs dans l'évangile comme dans les Actes et chez Paul, l'Esprit n'est jamais dit « insufflé » mais « répandu », « envoyé », etc. L'usage à cet endroit de ce mot inhabituel est sans doute intentionnel. Il est possible d'y déceler une allusion aux emplois, rares mais précis, de l'Ancien Testament qui l'utilise pour parler de la première Création (Gn 2,7) ou de celle à venir (Ez 37,9).

Pratiquement, en mourant et en passant dans le monde de la Résurrection[10], le Christ ne promet plus seulement l'Esprit, il le transmet[11], donnant naissance à une création nouvelle qui est

10. VTB, *Résurrection*, N.T., 4 5.
11. VTB, *Esprit de Dieu*, N.T., III 2.

l'Église, représentée à ce moment-là par le groupe des disciples. Celle-ci se distingue donc de toutes les sociétés de type humain. Le trait propre qui la caractérise est son lien avec l'Esprit de Dieu tel que Jésus ressuscité le transmet.

4. La principale action de la présence de l'Esprit dans l'Église est d'exercer un jugement par son message de libération.

Dès le début de son évangile, Jean a montré Jésus venu pour « enlever le péché du monde » (1,29). Sa mission est essentiellement une mission de salut[12], c'est-à-dire offrir en sa Personne le don de l'amour infini de Dieu. Sont libérés ceux qui accueillent ce don au prix d'une certaine mort à ce qui les tiendrait fermés sur eux-mêmes. A présent que Jésus a quitté physiquement cette terre, il donne naissance à une communauté chargée de perpétuer la présence de ce don offert aux hommes. Ainsi, transmettre l'Esprit et conférer le pouvoir de remettre les péchés revient à communiquer ce salut. Telle est la mission de l'Église.

Envers ceux que le salut a atteints jusqu'à être baptisés et qui se laissent reprendre par le péché, le Christ communique son Esprit pour en triompher également. C'est pourquoi cet Esprit est dit « Esprit Saint », car son rôle est de sanctifier [13], c'est-à-dire non seulement de faire entrer dans la vie même (6,63) de Jésus — le Saint — mais d'y faire grandir. Ainsi Jean a voulu montrer le lien des pouvoirs sacramentels de l'Église avec la condition nouvelle du Ressuscité : ils sont les prolongements purificateurs et vivificateurs de sa propre humanité spiritualisée.

La parole : « Ceux à qui vous remettrez les péchés, ils leur seront remis (et) ceux à qui vous (les) retiendrez ils (leur) seront retenus. » (v. 23) peut être comparée à celle que rapporte le premier évangile (Mt 18,18) située au temps du ministère de Jésus et non après sa Résurrection. L'un en un langage plus sémitique, l'autre plus adapté à un auditoire grec, disent la même chose. De plus, elle permet de mieux comprendre le sens de la précision : « Ceux à

---

12. VTB, *Péché*, IV 2; *Salut*, N.T., I 1.
13. VTB, *Saint*, N.T., I.

qui vous les retiendrez, ils leur seront retenus. » Il ne s'agit pas
d'exercer un jugement arbitraire mais de mettre à la disposition
des hommes une communauté ayant pouvoir de susciter et de
reconnaître l'accueil de l'Esprit par ceux qui font profession visible
de s'attacher au Christ et à sa Parole. C'est par la manière dont la
communauté vit de l'Esprit qu'elle entraînera cet accueil. Le
pouvoir qui lui est conféré est accompagné de cette exigence
nécessaire et sous-entendue dans le don.

De même que le Christ, de son vivant, opérait un jugement
par ses attitudes et ses paroles qui entraînaient l'entourage à
prendre position face au salut qu'il proposait, de même l'Église
est investie de ce rôle pour la suite des temps. Toute rémission du
péché et donc tout salut qui atteint un homme lorsqu'il s'ouvre
à l'Esprit provient de Dieu. Mais c'est la mission propre de l'Église,
outre de susciter cet accueil et de le reconnaître, d'aider à ce qu'il
se relie à la personne et à la Parole libératrice de Jésus.

Comme on le voit, le IVᵉ évangile transmet un enseignement
complémentaire des autres (Mt 28,16-20 ; Mc 16,15-16...) sur
l'Église à laquelle Jésus donne naissance par sa Résurrection,
pour poursuivre sa mission dans le monde. Sa caractéristique
propre est d'insister sur le rôle vivificateur de l'Esprit dans cette
action. Ce faisant, comme les autres, il mentionne la présence
des trois personnes divines dans cette mission.

*
* *

Ainsi l'auteur fait-il moins un récit descriptif qu'une synthèse
du mystère pascal. Replacé dans l'*histoire de la Tradition*, il est
possible de citer des traits qui révèlent quelques préoccupations
de l'époque à laquelle le texte a été définitivement rédigé.

Ce n'est pas de suite après la Résurrection que les premiers
chrétiens ont perçu toute la portée de l'événement, notamment
son rapport à l'attente eschatologique. C'est le recul du temps et
l'approfondissement qu'il permet, ainsi que l'action de l'Esprit
à l'œuvre dans la mission de l'Église, qui ont conduit Luc d'une

part, Jean d'autre part et quelques années plus tard, à formuler cet approfondissement. Le premier a rattaché sa réflexion à l'événement de la Pentecôte juive au cours de laquelle les apôtres, définitivement entrés dans la foi au Ressuscité, ont commencé à la proclamer. Le second l'a rattachée au jour de Pâques pour mieux montrer que la réalité eschatologique de la communauté de la fin des temps a commencé d'exister ce jour, même si elle n'a commencé à se manifester que quelques semaines plus tard.

Ils placent simplement le lecteur en présence de deux approches de la même réalité.

Jean met ainsi un point final aux hésitations que les premiers chrétiens ont connues au sujet de l'attente de la fin des temps : celle-ci est venue avec la Résurrection et il n'y a donc plus, depuis, à espérer la plénitude de l'effusion de l'Esprit. Elle a été donnée, il lui reste seulement à se manifester. Par là est exprimée une note caractéristique de l'Église du Christ face aux courants judaïques ou hellénistes situant l'étape décisive du salut dans un temps à venir. De même, il exprime la spécificité de sa constitution face aux différents mouvements prosélytiques de ces mêmes courants : il est effectivement donné un pouvoir à l'Église mais, différent de celui des hiérarchies humaines, il s'exerce par l'initiative personnelle de ses membres, envoyés par elle, qui a mandat de Jésus, pour cela.

*
* *

Cet épisode *invite* à découvrir l'action de l'Esprit sous des aspects précis. C'est un idéal qui est offert, un rappel du don qui est confié à l'Église pour orienter l'humanité vers son avenir.

L'Église est née d'un souffle donné par Jésus ressuscité afin qu'elle poursuive sa mission dans le monde. Si elle n'accueille pas ce souffle, cette mission en pâtit et elle-même peut donner le spectacle d'une organisation sans âme plutôt que celui d'une Création vivante.

Elle n'est pas marginale par rapport au monde et n'a pas tant à aller à lui qu'à devenir ce qu'elle doit être : l'embryon d'une humanité nouvelle au sein du monde, en reproduisant en elle, de manière visible pour lui, quelque chose de la communauté d'Esprit existant entre Jésus et le Père.

Le souffle qui est en elle doit se manifester d'une manière spéciale dans ses assemblées et dans les signes sacramentels, principalement le baptême, qui lui ont été confiés avec délégation de pouvoirs. Ils doivent être au service des hommes pour les ouvrir à l'action de Jésus en eux. S'ils ne gardent pas cette note, spécifique mais non exclusive, ils risquent de devenir des rites et non plus des signes de la présence vivante et de l'Esprit de Jésus.

Vivre d'une Église « missionnaire » ne consiste pas à suivre n'importe quel souffle, mais à suivre celui d'un Jésus découvert par la foi, dans l'accueil du don de lui-même qu'il a opéré dans sa mort. A ceux qui trouvent difficile de déceler la présence de l'Esprit, il convient de rappeler qu'il est à chercher là où peuvent se découvrir aujourd'hui les stigmates du Christ : dans des hommes qui se font serviteurs et donnent leur vie.

Toutes ces découvertes ne peuvent se faire que d'une manière progressive. Elles sont, de plus, à revivre « de premier jour de la semaine » en « premier jour de la semaine », c'est-à-dire à longueur d'année, au rythme de la liturgie et des « venues » de Jésus.

G.B.

ABRÉVIATIONS COURANTES

A.T.	Ancien Testament
N.T.	Nouveau Testament
VTB	Vocabulaire de théologie biblique
chap.	chapitre
p	parallèles (c'est-à-dire : textes parallèles des autres Synoptiques)
s	et verset suivant
ss	et versets suivants
...	et plusieurs autres passages
v.	verset
vv.	versets.

RÉFÉRENCES AUX TEXTES

Exemples : Mc 1,1-15 = Marc, chapitre 1, versets 1 à 15.
Mc 14,1 — 15,30 = Marc, chapitre 14 verset 1 à chapitre 15 verset 30.
Mc 14,1.15.18-20 = Marc, chapitre 14, verset 1, verset 15 et versets 18 à 20.

Lorsque, dans un commentaire, il est question de versets du passage étudié, le chapitre n'est pas réindiqué à chaque citation de ces versets.
Par exemple, dans l'étude de Marc chapitre 13, versets 33-37, lorsque à l'intérieur du commentaire de ce passage un texte est accompagné de la référence suivante : (v. 33), il s'agit du chapitre 13.

Lorsque dans le commentaire il est question de chapitres du même évangile que celui d'où est extrait le passage étudié, cet évangile n'est pas réindiqué à chaque fois.

RÉFÉRENCES AUX TEXTES

Par exemple, s'il est question de l'étude de Marc 15,33-37 : lorsque, à l'intérieur du commentaire de ce passage, un texte est accompagné de la référence suivante : (4,13-20), il s'agit du chapitre 4 de l'évangile de Marc.

SIGLES DES LIVRES BIBLIQUES CITÉS

Ac	Actes des Apôtres	Ml	Malachie
Am	Amos	Mt	Évangile selon saint Matthieu
Ap	Apocalypse		
1 Co	1re épître aux Corinthiens	Nb	Nombres
Col	Épître aux Colossiens	Ne	Néhémie
Ct	Cantique des Cantiques	Os	Osée
Dn	Daniel	1 P	1re épître de Pierre
Dt	Deutéronome	2 P	2e épître de Pierre
Ep	Épître aux Ephésiens	Ph	Épître aux Philippiens
Ex	Exode	Pr	Proverbes
Ez	Ezéchiel	Ps	Psaumes
Ga	Épître aux Galates	1 R	1er livre des Rois
Gn	Genèse	2 R	2e livre des Rois
He	Épître aux Hébreux	Rm	Épître aux Romains
Is	Isaïe	1 S	1er livre de Samuel
Jb	Job	2 S	2e livre de Samuel
Jl	Joël	Sg	Sagesse
Jn	Évangile selon saint Jean	Si	Siracide
1 Jn	1re épître de Jean	So	Sophonie
Jon	Jonas	Tb	Tobie
Jr	Jérémie	1 Th	1re épître aux Thessaloniciens
Lc	Évangile selon saint Luc	2 Th	2e épître aux Thessaloniciens
Lv	Lévitique		
2 M	2e livre des Maccabées	1 Tm	1re épître à Timothée
Mc	Évangile selon saint Marc	Za	Zacharie
Mi	Michée		

LEXIQUE

ALLÉGORIE

L'allégorie est une forme de comparaison imagée. Elle se distingue de la parabole en ce que chacun des éléments qu'elle contient a une signification propre. Par exemple, dans l'allégorie de la vigne, Jésus est le cep, les disciples les sarments, Dieu est le vigneron...

APOCALYPSE

- Du grec *apokalypsis* : action de découvrir, de dévoiler; d'où : « ce qui concerne une révélation ». Désigne un genre littéraire qui a commencé à naître durant l'exil avec Ezéchiel (chap. 38-39) et qui s'est développé au retour (voir Is 24—27; 34—35; Za chap. 9—14) pour atteindre son apogée avec Daniel et certains livres apocryphes. Son but est de révéler le secret de Dieu concernant la fin de l'histoire. Elle constitue un message d'espérance et sa caractéristique littéraire est d'utiliser des symboles empruntés à l'univers cosmique pour montrer la portée universelle de cette « fin » attendue.

- On appelle « *apocalypse synoptique* » le groupement des paroles situées en Marc 13 p.

DIASPORA

Mot grec qui signifie dispersion et par lequel on désigne la situation des Juifs dispersés dans le Bassin méditerranéen depuis le IXe et surtout le IVe siècle avant notre ère. Elle était particulièrement développée au temps du Christ (voir Jn 7,35; Ac 2,9-11).

EPIPHANIE★

D'un mot grec signifiant « apparition ». Le terme peut désigner une manifestation de Dieu (théophanie), du Christ (christophanie) ou des anges.
Il s'agit toujours d'une manifestation qui apporte le salut. On ne le trouve dans les évangiles qu'en Luc (1,79).
Ailleurs, dans le N.T. c'est surtout Paul qui l'utilise (une fois en 2 Th 2,8; partout ailleurs dans les épîtres pastorales).

ESCHATOLOGIE★

- Du grec *eschata* : les choses dernières.
- Les auteurs de l'A.T. atten-

★ Les notes concernant les mots suivis d'une étoile reprennent tout ou partie du lexique présenté dans le livre de Xavier Léon-Dufour, *Résurrection de Jésus et Message pascal* (Paris, Seuil, 1971), p. 365-371.

daient une fin des temps avec la venue du Messie et ce qui l'accompagnerait, mais sans savoir comment elle aurait lieu.

- Les auteurs du N.T. ont, peu à peu, découvert et mis en évidence que cette fin des temps ou ces temps eschatologiques étaient inaugurés avec la venue de Jésus.

- Pour le chrétien, à la suite de ces auteurs, cette inauguration doit prendre fin avec une dernière venue de Jésus appelée Parousie.

ESSÉNIENS

Groupe religieux juif dont l'origine remonte au IIe siècle avant J.-C. et qui a duré jusqu'à la fin du Ier siècle après J.-C. Connus d'abord par ce qu'en disaient les auteurs juifs Philon et Flavius Josèphe, ils le sont davantage depuis la découverte d'un de leurs monastères à Qumrân, près de la mer Morte. Leur vie était ascétique et comportait de nombreuses ablutions rituelles.
→ QUMRAN.

EXÉGÈSE

Démarche qui consiste à établir le sens d'un texte ou d'une œuvre littéraire.
Elle utilise pour cela diverses méthodes : philologie, sémantique, critique littéraire, historique, etc., ainsi que les données de sciences annexes : archéologie, épigraphie, etc.

EXIL

Période durant laquelle les Juifs de Judée, principalement de Jérusalem, ont été déportés à Babylone (587-538 avant J.-C.).

Grande époque d'approfondissement spirituel et de commencement d'un culte de la Parole.

FÊTES

- Depuis l'entrée en Canaan Israël célèbre trois grandes fêtes : Pâque, fête des premiers fruits de la terre au printemps, mémorial de la sortie d'Égypte ; la Pentecôte, cinquante jours après, fête de la moisson et rappel du don de la Loi par Moïse au Sinaï ; les Tentes, au changement de l'année, en septembre, lors des récoltes.

- Chacune durait 7 jours. A l'époque des Maccabées a été ajoutée la fête de la Dédicace ou Ḥanukka rappel de la Purification du Temple et qui était l'occasion d'illuminations.

GENRE LITTÉRAIRE*

- Façon de s'exprimer dans une forme fixe.

- Il implique la reprise, dans une vision personnelle, d'une certaine manière stable et commune de vivre, d'agir, de penser, d'écrire.

- En plus des genres concernant les paroles de Jésus (logia, règles de vie, paraboles, etc.) les évangiles présentent ses actions sous forme de récits de miracles, de sentences encadrées, de dialogues, de récits sur Jésus, de sommaires, etc.).

- Sa détermination relève de la critique littéraire et n'engage pas immédiatement un jugement de critique historique.

GRAND PRÊTRE

Le sacerdoce, au temps du Christ, était héréditaire. Les prêtres étaient divisés en 24 groupes qui exerçaient leurs fonctions à tour de rôle. A leur tête se trouvait un « grand prêtre ». Il était entouré d'un conseil : le Sanhédrin.

HERMÉNEUTIQUE*

Du grec *hermèneueïn* : expliquer, interpréter. D'abord limitée à la théorie de l'explication (et donc synonyme d'exégèse), elle tend à désigner aujourd'hui l'interprétation en acte qui, en s'offrant comme « traduction », « transposition », veut non seulement comprendre mais transmettre l'explication du texte en langage d'aujourd'hui.

HÉRODIENS

On désigne habituellement par ce nom les courtisans d'Hérode Antipas, fils d'Hérode le Grand et qui fit décapiter Jean-Baptiste.

INCLUSION*

Procédé par lequel une unité littéraire est enfermée entre deux mots ou deux phrases semblables. Est particulièrement utilisé dans la littérature biblique.

KÉRYGME*

- Du mot grec *kerygma* : proclamation, prédication.
- Annonce de Jésus, devenu Christ, Seigneur, Sauveur par sa Résurrection.
- Au sens large, englobe la catéchèse ; c'est la réponse, comme en écho, à l'expérience que l'Église fait du Seigneur vivant.

MASHAL

Mot hébreu qui signifie comparaison. La forme du mashal peut être brève comme un proverbe ou développée comme une parabole. Son but est didactique.
→ PARABOLE

MIDRASH*

- D'un mot hébreu qui signifie « rechercher ».
- Genre littéraire pratiqué dans le judaïsme, par lequel l'auteur cherche à expliquer un passage d'Écriture en fonction du temps présent.
- Il se présente sous forme de commentaire homilétique, ce qui ne doit pas le faire assimiler à la fable.

PARABOLE

Traduction du mot hébreu *mashal*. La parabole est une comparaison imagée destinée à faire passer un enseignement. A la différence de l'allégorie, chaque élément qu'elle comporte n'a pas de signification propre. Tout l'enseignement est logé dans la leçon finale. Parfois, des paraboles contiennent des éléments allégoriques (par exemple la parabole du Semeur).

PAROUSIE*

- Mot grec dont le sens est : venue, présence.
- Terme désignant spécialement le retour du Christ à la fin des temps.

PÉRICOPE*

Passage qui peut être dé-coupé *(peri-koptô)* dans un ensemble plus vaste : ainsi la tentation de Jésus, Mc 1,12-13.

PHARISIENS

Groupement religieux juif dont l'origine remonte au IIe siècle avant J.-C., à la suite du mouvement des Hassidim ou « séparés ». Ils insistaient particulièrement sur l'observance stricte de la Loi. Ils constituaient le groupe le plus influent auprès des masses. Ils étaient en opposition doctrinale (en admettant la foi en la résurrection) et sociale (en étant de simples laïcs) avec les aristocrates et prêtres sadducéens.

QUMRAN *

Résidence d'une secte juive au bord de la mer Morte (habitée depuis le IIe siècle avant J.-C. jusqu'en 68 après J.-C.). A partir de 1947, on y a trouvé des manuscrits dits de Qumrân : copies et traductions de la Bible et d'apocryphes ainsi que des écrits propres à la secte.
→ ESSÉNIENS

SABBAT

Mot qui désigne le septième jour de la semaine et qui provient peut-être de la racine du verbe qui veut dire « cesser ». Jour de joie, aux origines, il ne demandait que la cessation du travail. A partir de l'exil son observance est devenue plus stricte, interdisant non seulement le travail mais toutes sortes d'autres activités.

Jésus s'en est pris au sabbat en tant que sa simple observance était interprétée comme condition de salut par les docteurs de la Loi, qui lui donnaient une importance scrupuleuse.

SADDUCÉENS

Groupement religieux juif né au IIe siècle avant J.-C. Leur nom provient sans doute de Sadoq, grand prêtre installé par Salomon. Ils constituent une caste sacerdotale aristocratique et riche. Outrés par la prise du souverain Pontificat par les descendants Maccabées, ils se figent dans un conservatisme religieux qui refuse les données nouvelles comme la foi en la résurrection, admise par les Pharisiens. Contrairement à ces derniers, ils sont collaborateurs des Romains et peu en faveur auprès du peuple. A cause de cela, ils interviennent moins souvent qu'eux dans les évangiles mais portent cependant une plus grande part de responsabilité dans le procès de Jésus. Caïphe, qui le condamne à mort, était sadducéen.

SAMARITAINS

Nom donné aux habitants de la partie nord d'Israël qui comporte depuis l'intervention des Assyriens au VIIIe siècle avant J.-C., de nombreux étrangers.

Après des disputes avec les Judéens de retour d'exil (aux VIe et Ve siècles avant J.-C.), ils se sont établis dans une situation de schisme religieux en construisant un temple chez eux, enfreignant ainsi la Loi du culte unique à Jérusalem, et refusant d'adopter à la suite du Pentateuque les Livres nouveaux qui seront intégrés à la Bible. Au temps du Christ ils étaient considérés avec mépris.

SANHÉDRIN

Mot grec qui signifie « conseil » et qui désigne l'assemblée de 71 membres dont le Grand Prêtre était le président. Ce Sénat comprenait trois catégories de personnes : les Anciens (représentants de l'aristocratie laïque), les grands prêtres (ceux anciennement en fonction et des membres des familles dans lesquelles ils étaient choisis) et les Scribes (qui étaient souvent, en même temps, des Pharisiens).

SCRIBES
- Spécialistes de la copie et de l'explication de l'Écriture. On les appellerait, aujourd'hui, des théologiens; l'Évangile dit : « des Docteurs ».
- Ils en étaient venus, au temps du Christ, sans être eux-mêmes prêtres, à partager avec ceux-ci la fonction d'enseignement et même à faire partie du Sanhédrin.
- Jésus leur reproche leurs interprétations casuistiques et leur hypocrisie car ils ne font pas ce qu'ils disent.

SÉMITISME*
Certains passages du N.T. trahissent l'influence d'une pensée sémitique et d'un style araméen. A ne pas confondre avec les hébraïsmes dus à une servile imitation de la Septante.

SEPTANTE*
Traduction grecque de l'Ancien Testament.
Elle fut composée vraisemblablement en Égypte, à Alexandrie :
- selon la légende, par soixante-dix (septante) docteurs juifs;
- selon les historiens, par de nombreux auteurs s'échelonnant de 250 à 150 avant J.-C.

STRUCTURE*
- Du latin qui signifie construction, bâtisse.
- Vaste ensemble formé à partir de petites unités littéraires.
- Ce terme en caractérise la composition, l'architecture, l'orientation : les parties assemblées sont consciemment organisées en fonction d'un tout.
- Il caractérise également la construction des petites unités elles-mêmes.

SYMBOLES*
- « D'une manière générale les symboles sont les matériaux avec lesquels se constituent une convention de langage, un pacte social, un gage de reconnaissance mutuelle entre des libertés » (E. Ortigues).
- Réalité signifiante, introduisant au monde des valeurs qu'elle exprime, et auquel elle appartient.
- A n'identifier :
  • ni avec allégorie, car la réalité est première par rapport à l'idée;
  • ni avec forme ou structure, car le contenu est inséparable de l'expression;
  • ni avec signe, car le symbole participe à ce qu'il représente.
- Distinguer :
  • le symbole conventionnel, produit par la société;
  • le symbole traditionnel, constitutif de la société.

SYNOPTIQUE*
- Étymologiquement : qui permet d'embrasser d'un seul regard plusieurs éléments (syn : avec; optikos : relatif à la vue).
- Qualifie un tableau.
- Les trois premiers évangiles sont dits synoptiques, parce qu'ils présentent, sur une trame commune, de nombreuses divergences et ressemblances.

TARGUM*
- Terme d'origine hittite signifiant : « annoncer, expliquer, traduire ».
- Paraphrase araméenne de l'A.T.

Parmi d'autres, noter le Targum d'Ongelos (babylonien, d'autorité officielle et datant du IIe siècle après J.-C.), celui du Pseudo-Jonathan (palestinien), et le Targum Neofiti.

THÉOPHANIE
Le mot signifie « apparition de Dieu » et traduit une expérience sensible de la présence de celui-ci. Plus l'expérience est importante et plus les relations de la théophanie utilisent des symboles empruntés au monde cosmique : la nuée...

TORAH
Mot hébreu qui signifie Loi et qui désigne l'ensemble du Pentateuque voire, par extension, de toutes les Écritures, c'est-à-dire les volontés de Dieu révélées et qui règlent la vie religieuse du peuple.

TRADITION HISTORIQUE*
- Souvenir transmis sur un événement.
- Transmission du souvenir d'un événement.

TRADITION LITTÉRAIRE
Chaîne d'écrits concernant un même sujet, allant du manuscrit originel au texte actuel.

TRADITION THÉOLOGIQUE*
- Transmission de la Révélation.
- Tout ce que les Apôtres ont transmis pour la vie et la foi du peuple de Dieu, et que l'Église maintient au cours des siècles.

ZÉLOTES
Groupement de Juifs partisans politiques de la résistance active à l'occupation romaine. Existent déjà du temps du Christ, mais se distingueront surtout lors du siège de Jérusalem en 70. Ne sont pas nommés dans le N.T.

RÉFÉRENCES DES TEXTES BIBLIQUES CITÉS

TABLE DES THÈMES BIBLIQUES[1]

1. Les chiffres en gras renvoient à une page où se trouve une référence du VTB.

TABLE DES THÈMES BIBLIQUES

BIBLIOGRAPHIE[1]

TEXTES BIBLIQUES ET INSTRUMENTS DE TRAVAIL

BENOIT, P., et BOISMARD, M. E., *Synopse des quatre évangiles en français, avec parallèles des Apocryphes et des Pères*, Tome 1, Paris, Cerf, 2e édit. 1972.

La Sainte Bible, traduite en français sous la direction de l'École biblique de Jérusalem, Paris, Cerf, 1955. Cette traduction est publiée également en fascicules, avec introductions et notes plus détaillées.

Sœur Jeanne D'ARC, BARDY, M., et autres, *Concordance de la Bible : Nouveau Testament*, Paris, Cerf et DDB, 1970.

Lectionnaire liturgique dominical (année B).

Missel du dimanche.

T.O.B., Traduction œcuménique de la Bible, Nouveau Testament, Paris, Cerf, à paraître en cours d'année.

LÉON-DUFOUR, X., et collab. *Vocabulaire de théologie biblique*, nouv. édit., Paris, Cerf, 1970.

COMMENTAIRES ET INTRODUCTIONS À L'ÉTUDE DES ÉVANGILES

Voir les introductions dans la *Bible de Jérusalem* et dans les volumes du Nouveau Testament de la *Traduction œcuménique de la Bible*.

Voir également *Aujourd'hui la Bible* (Aufadi, 16, rue Guillaume Tell, Paris 17e), les nos 114 à 136.

Voir encore : DELORME, J., *Des évangiles à Jésus*, Paris, Fleurus, 1972, 127 p.

---

1. Par souci de ne pas présenter au lecteur des études trop éloignées de sa portée, nous ne lui signalons que des ouvrages en français.

MATTHIEU

BÉDA RIGAUX, *Témoignage de l'Évangile de Matthieu*, coll. « Pour une histoire de Jésus », Paris, DDB, 1967, 307 p.

BONNARD, P., *L'Évangile selon saint Matthieu*, Paris-Neuchâtel, Delachaux et Niestlé, 1963.

TRILLING, W., *L'Évangile selon saint Matthieu*, Paris, Desclée, 1971, t. 1, 226 p., t. 2, 233 p., t. 3, 217 p.

RADERMAKERS, J., *Au fil de l'évangile selon saint Matthieu*, Institut d'études théologiques, Louvain, 1972.

MARC

BÉDA RIGAUX, *Témoignage de l'Évangile de Marc*, coll. « Pour une histoire de Jésus », Paris, DDB, 1965.

DELORME, J., « Aspects doctrinaux du second évangile », dans *Tradition et rédaction dans les Évangiles synoptiques*, Gembloux, Duculot et Lethielleux, Paris, 1967.

Cahier Evangile, n° 87 (1972), Paris, Evangile et Vie.

HERRMANN, I., *L'Évangile selon saint Marc*, trad. H. Bourboulon, t. I, 112 p., Le Puy, Mappus, 1967, et t. II, 124 p., coll. « Lumières bibliques », Paris, Cerf, 1969.

MINETTE DE TILLESSE, G., *Le Secret messianique dans l'Évangile de Marc*, coll., « Lectio Divina », n° 47, 575 p., Paris ,Cerf, 1968.

TROCMÉ, E., *La Formation de l'Évangile selon saint Marc*, Paris, P.U.F., 1963.

LUC

BÉDA RIGAUX, *Témoignage de l'Evangile de Luc*, coll. « Pour une histoire de Jésus », Paris, DDB, 1970, 481 p.

STÖGER, A.,*L'Evangile selon saint Luc*, trad. C. de Nys, Paris, Tournai, Desclée, 1968, t. 1. 273 p.; t. 2, 233 p.; t. 3, 217 p.

JEAN

FEUILLET, A., *Etudes johanniques*, Paris, coll. « Museum Lessianum Section biblique » n° 4 DDB, 1962.

HUNTER, A. M., *Saint Jean, témoin du Jésus de l'histoire*, coll. « Lire la Bible » n° 20, Paris, Cerf, 1970.

VAN DEN BUSSCHE H., *Jean*, Paris, DDB, 1967, coll. « Bible et vie chrétienne », 578 p.

BIBLIOGRAPHIE

ÉTUDES GÉNÉRALES

CULLMANN, O., *La Christologie du Nouveau Testament*, coll. « Bibliothèque théologique », Paris-Neuchâtel, Delachaux et Niestlé, 1958.

DODD, C.H., *Le Fondateur du Christianisme*, trad. P.-A. Lesort, Paris, Seuil, 1972.

DUQUOC, Ch., *Christologie*, t. I, Paris, Cerf, 1968, t. 2, Paris, Cerf, 1972.

GUILLET, J., *Jésus devant sa vie et sa mort*, coll. « Intelligence de la foi », Paris, Aubier, 1971.

LÉON-DUFOUR, X., *Les Évangiles et l'histoire de Jésus*, Paris, Seuil, 1963.

SABOURIN, L., *Les Noms et les titres de Jésus*, Paris, DDB, 1962.

TAYLOR, V., *La Personne du Christ dans le Nouveau Testament*, trad. J. Winandy, Paris, Cerf, 1969.

TRILLING, W., *Jésus devant l'histoire, trad.* J. Schmitt, Paris, Cerf, 1968.

ÉTUDES PARTICULIÈRES

Assemblées du Seigneur, Nouv. série, Paris, Cerf, 1969-1973, (en cours de publication) : Sur **Mt 2,1-12** : S. Munoz Iglesias, n° 12, p. 19-32. Sur Mc 1,1-8 : P. Ternant, n° 6, p. 41-53. Sur **Mc 1,6-11** : E. Jacquemin, n° 12, p. 58-66. Sur Mc 14,1-15,47 : A. Vanhoye, n° 19, p. 38-68. Sur **Mc 16,1-8** : J. Delorme, n° 21, p. 58-67. Sur **Mc 16-15-20** : P. Ternant, n° 28, p. 38-48. Sur **Lc 2,16-21**, voir Lc 2,1-20 : A.George n° 10, p. 50-67. Sur **Lc 2,22-40** : A. George, n° 11, p. 29-39. Sur **Lc 24,36-48**, voir Lc 24,13-48 : G. Gaide, n° 24, p. 38-56. Sur **Jn 1,1-18** : P. de Surgy, n° 10, p. 68-79. Sur **Jn 1,6-8. 19-28** : P.-M. 1,1-18 : P. de Surgy, n° 10, p. 68-79. Sur **Jn 1,6-8. 19-28** : P.-M. Bogaert, n° 7, p. 40-51. Sur **Jn 2,13-25** : G. Segalla, n° 16, p. 50-58. Sur **Jn 3,14-21** : V. Mannucci, n° 17, p. 40-50. Sur **Jn 10, 11-18** voir Jn 10,1-18 : O. Kiefer, n° 25, p. 46-61. Sur **Jn 12,20-33** : V. Mannucci, n° 18,p. 36-45. Sur **Jn 15,9-17** : G. Ghiberti, n° 27, p. 50-62. Sur **Jn 20,1-9** : D. Mollat, n° 21, p. 90-100. Sur **Jn 20, 19-23** : D. Mollat, n° 30, p. 42-56.

MATTHIEU

2,1-12   DENIS, A.-M., « L'adoration des mages vue par saint Matthieu », *NRT*, 92, 1960, p. 32-39.
PAUL, A., *L'évangile de l'enfance selon saint Matthieu*, coll. « Lire la Bible », n° 17, 191 p. Paris, Cerf, 1968.

MARC

1,1-8 CAZELLES, H., *Naissance de l'Eglise : secte juive rejetée?* coll. « Lire la Bible », n° 16, Paris-Tournai, Desclée, 1968.

DELORME, J., « La pratique du baptême dans le judaïsme contemporain des origines chrétiennes », *LV*, n° 25, 1956, p. 21-60.

DODD, C. H., *La prédication apostolique et des développements*, coll. « Nouvelle alliance », Paris, Editions Universitaires, 1964.

LAMARCHE, P., « Commencement de l'évangile de Jésus-Christ, fils de Dieu », *NRT*, 92, 1970, p. 1024-1036.

SCHNACKENBURG, R., *Règne et royaume de Dieu, Essai de théologie biblique*, trad. R. Marlé, Paris, l'Orante, 1965.

1,6-11 FEUILLET, A., « Le baptême de Jésus, *RB*, 71, 1964, p. 321-352.

SABBE, M., « Le baptême de Jésus », dans *De Jésus aux évangiles*, Gembloux Duculot-Lethielleux, 1967, p. 184-211.

1,12-15 DUPONT, J., *Les tentations de Jésus au désert*, Paris, DDB, 1968.

TRILLING, W., *L'annonce du Christ dans les évangiles synoptiques*, coll. « Lectio divina », n° 69, Paris, Cerf, 1971.

9,2-10 LÉON-DUFOUR, X., *Études d'Évangile*, Paris, Seuil, 1965, p, 87-124.

RAMSEY, A.-M., *La Gloire de Dieu et la Transfiguration*, Paris, Cerf, 1965.

14—15 BENOIT, P., « La dernière Cène », dans *Exégèse et théologie*, t.I, p. 163-264, Paris, Cerf, 1961.
« La passion du Christ », dans *Exégèse et théologie*, t. I, p. 265-362. Paris, Cerf, 1961.
« Les outrages à Jésus prophète », dans *ET*, 3, 1968, p. 251-269.

BLINZER, J., *Le procès de Jésus*, Paris, Mame, 1967.

CHORDAT, J.-L., *Jésus devant sa mort*, Paris, Cerf, 1970.

FEUILLET, A., « Les trois grandes prophéties de la Passion et de la Résurrection des évangiles synoptiques », *RT*, 67, 1967, p. 533-560; 1968, p. 41-74.

TRILLING, W., *L'annonce du Christ dans les évangiles synoptiques*, Paris, Cerf, 1971, p. 191-210.

SCHURMANN, H., *Le récit de la dernière Cène*, coll. « Lumières bibliques » n° 1 Lyon, Mappus, 1965.

VANHOYE, A., « Les récits de la Passion dans les évangiles synoptiques », *NRT*, 89, 1967, p. 135-163.

16,1-8   CANGH, J.-M. van, « La Galilée dans l'évangile de Marc : un lieu théologique », *RB*, 79, 1972, p. 59-76.

DELORME, J., *La résurrection du Christ et l'exégèse moderne*, Paris, Cerf, 1969, p. 106-159.

LÉON-DUFOUR, X., *Résurrection de Jésus et message pascal*, Paris, Seuil, 1971, p. 175-186.

LUC

1,26-38   ALLARD, M., « L'annonce à Marie et les annonces de naissances miraculeuses dans l'Ancien Testament », *NRT*, 78, 1956, p. 730-733.

BENOIT, P., *Exégèse et Théologie*, t. 3, Paris, Cerf, 1968, p. 197-215.

LEGRAND, L., « L'Arrière-plan néotestamentaire de Luc 1,35 », *RB*, 70, 1963, p. 161-192.

2,8-20   LEGRAND, L., « L'évangile aux bergers », *RB*, 75, 1968, p. 161-187.

2,22-40   BENOIT, P., « Et toi-même, un glaive te transpercera l'âme », dans *Exégèse et théologie*, t. 3, Paris, Cerf, 1968, p. 216-227.

FEUILLET, A., « L'épreuve prédite à Marie par le vieillard Siméon », dans *Mémorial Gélin*, Lyon, Mappus, 1961, p. 243-263.

WINANDY, J., « La prédiction de Siméon », *RB*, 72, 1965, p. 321-351.

24,36-48   GEORGE, A., *La résurrection du Christ et l'exégèse moderne*, Paris, Cerf, 1969, p. 77-104.

LÉON-DUFOUR, X., *Résurrection de Jésus et message pascal*, Paris, Seuil, 1971, p. 215-219 et 326-327.

JEAN

1,1-18   BOISMARD, M.-E., *Le prologue de saint Jean*, Paris, Cerf, 1953.

FEUILLET, A., *Le prologue du quatrième évangile*, Paris, DDB, 1968.

LACAN, M.-F., « Le prologue de saint Jean », *LV*, 33, 1957, p. 91-110.

2,13-25 BOISMARD, M.-E., *Du baptême à Cana*, Paris, Cerf, 1956.

3,14-20 ROUSTANG, F., « L'entretien avec Nicodème », *NRT*, 78, 1956, p. 337-358.

17,11-19 GEORGE, A., « L'heure de Jean 17 », *RB*, 61, 1954.

THÜSING, W., *La prière sacertodale de Jésus*, Paris, Cerf, 1970.

20,1-9 LÉON-DUFOUR, X., *Résurrection de Jésus et message pascal*, Paris, Seuil, 1971, p. 222-227.

20,19-23 FEUILLET, A., « La communication de l'Esprit Saint aux apôtres », *EV*, 1, 1972, p. 2-7.

LÉON-DUFOUR, X., *Résurrection de Jésus et message pascal*, Paris, Seuil, 1971, p. 235-241 et 326-327.

20,19-31 LÉON-DUFOUR, X., *Résurrection de Jésus et message pascal*, Paris, Seuil, 1971, p. 241-245 et 323-325.

ABRÉVIATIONS DES TITRES DE REVUES

EV   *Esprit et Vie*
LV   *Lumière et Vie*
NRT   *Nouvelle Revue Théologique*
RB   *Revue Biblique*
RT   *Revue Thomiste.*

TABLE

TROISIÈME PARTIE

TEMPS DU CARÊME

QUATRIÈME PARTIE

TEMPS DE PÂQUES

PERMISSION DES SUPÉRIEURS : 28 JUIN 1972
FRÈRES LÉON TAVERDET, PRIEUR GÉNÉRAL DES
    FRÈRES MISSIONNAIRES DES CAMPAGNES
NIHIL OBSTAT : PARIS 4 OCTOBRE 1972, F. TOLLU.
IMPRIMATUR : PARIS 5 OCTOBRE 1972, E. BERRAR, V. É.

IMP. FIRMIN-DIDOT, PARIS-MESNIL-IVRY.
D.L. 4ᵉ TR. 1972. — Nᵒ 3071 — 20948.